DICCIONARIO INGLES – ESPAÑOL Y ESPAÑOL – INGLES

por D. MACARULLA
Lic. en Filosofía y Letras

Selección de 25.000 voces con los términos usuales y científicos y la pronunciación figurada del inglés.

Reglas de pronunciación para el inglés y el español.

© Editorial Ramón Sopena, S. A.
Depósito Legal: B. 41.387 - 1974
Gráficas Ramón Sopena, S. A.
Provenza, 95
08029 Barcelona - 1986 (60.504)
Impreso en España - Printed in Spain

ISBN 84-303-0110-0

EDITORIAL RAMON SOPENA, S. A.
PROVENZA, 95   BARCELONA

introducción

Por qué son necesarios los diccionarios bilingües

No está lejano el día en que poseer más de un idioma será tan elemental como lo es en el presente saber leer y escribir. Los diccionarios bilingües están, pues, llamados a ser un instrumento imprescindible de trabajo y estudio, puentes tendidos entre los pueblos que luchan denodadamente por comprenderse y conocerse.

Ventajas de consultar con frecuencia los diccionarios

La consulta frecuente de los diccionarios conduce a: 1.°, conocer con propiedad la equivalencia exacta entre las palabras del propio idioma y las del que se estudia, 2.°, enriquecer el vocabulario, es decir, el léxico de que se dispone, y 3.°, resolver las dudas ortográficas.

Características de nuestro diccionario LEXICÓN

El diccionario LEXICÓN inglés-español, español-inglés, que hoy ofrecemos es una novedad en nuestro mercado Su **formato**, cómodo y moderno, permite manejarlo con una sola mano y que quepa en cualquier bolsillo o bolso de señora. La **letra**, de un tipo especial de perfecta legibilidad, ha permitido incluir un máximo de texto en un mínimo de espacio, asimismo, la variedad de tipos facilita al consultante encontrar la palabra buscada. El **léxico**, fruto de una depurada selección, comprende los términos más corrientes de los dos idiomas incluidos, con las equivalencias correspondientes, habiéndose agregado en la parte «inglés-español» la **pronunciación figurada**, utilísima para el principiante

introduction

Why bilingual dictionaries are necessary

The day will soon come when mastering more than one language will be fundamental Bilingual dictionaries will then become indispensable tools in work and study, bridges spanning the gap between countries striving for mutual knowledge and understanding.

Benefits obtained from a frequent consultation of dictionaries

A frequent consultation of dictionaries leads to: I, a thorough knowledge of the exact equivalences between the words of the native language and those of the language studied; II, the enlargement of vocabulary ready for use; and III, the solving out of spelling hesitations.

Characteristics of our LEXICON dictionary

This English-Spanish, Spanish-English LEXICON dictionary which we are herewith introducing, is a novelty in the Spanish book-market Its handy and modern format makes it possible that the book be handled with a single hand and contained in any pocket or handbag The letter, of a perfect legibility type, has enabled us to spare a great deal of room for more entries. The variety of types, on the other hand, makes it much easier to find out a given word. Finally, the vocabulary, the outcome of a thoughtful selection includes the more useful words in both languages and their main corresponding equivalences, and incorporates in the English-Spanish section a phonetic script specially useful for beginners

normas para el manejo

de este diccionario

explanatory notes

Cuando la voz-guía está dividida en dos partes
por una línea inclinada /, significa que la primera
parte de ella o *base*, debe repetirse antes de todos
los finales de palabras incluidos en el grupo.

> When the catchword of a entry is divided in two
> parts by means of a sloping bar /, the first part
> of the word, the *stem*, must be joined to the rest
> of word-endings included in the group in order to
> obtain other words

Ej.: /e. g.,

care/cer intr. to want; to lack. /ncia f. want.	carecer intr. to want; to lack. carencia f. want.

Cuando la voz-guía *no* está dividida, debe repetirse entera ante todos los finales de palabra incluidos en el grupo.

> If the catchword is *not* divided, the whole form
> must be joined to each word-ending included in
> the group.

Ej.: /e. g.,

deep (dip) adj. profundo; s. abismo. /en (dipn) tr. profundizar. /ness (dipnes) s. profundidad.	deep (dip) adj. profundo; s. abismo. deepen (dipn) tr. profundizar. depness (dipnes) s. profundidad.

La rayita o signo menos —, representa a la palabra que se está consultando (ya sea voz-guía o palabra formada en derivación) cuando esta palabra
forma una combinación con otra la cual es muy

trecuente en inglés, y en especial en los verbos compuestos.

Ej.:

put (*pút*) tr. poner; colocar; exponer; proponer. /— by tr. ahorrar. /— down tr. depositar; apuntar. /— on ponerse (una prenda). /—up tr. alojar.	**put** (*pút*) tr. poner; colocar; exponer; proponer. **put by** tr. ahorrar. **put down** tr. depositar; apuntar. **put on** ponerse (una prenda). **put up** tr. alojar.

El guión -, entre dos palabras indica una unión conceptual y gráfica.

Ej.:

music (*miúsic*) s. música. /-hall s. cabaret, sala de fiestas. /al (*miúsical*) adj. musical. /ian (*miusischan*) s. músico.	**music** (*miúsic*) s. música. **music-hall** s. cabaret, sala de fiestas. **musical** (*miúsical*) adj. musical. **musician** (*miusischan*) s. músico.

A dash stands for the whole word that is being consulted (either the catchword or any word of the entry) in the frame of a combination of two or more words.

e. g.,

perilla f. knob, de —, a propos.	**perilla** f. knob. de perilla, a propos.

observaciones | remarks

Las palabras contenidas en este Diccionario siguen un riguroso orden alfabético, que no se ha alterado al disponerlas en grupos.

All words contained in this dictionary are listed according to a strict alphabetical order, which has not been altered when forming groups with a single catchword.

Las bases que sirven de lazo de unión a los grupos no pretenden ser rigurosas en lo que respecta a las raíces genuinas o gramaticales ni a la división silábica normal.

Stems serving as links to the grouped words are not to be considered true semantic or grammatical roots. Some splits, also, do not produce perfect syllabic units.

En inglés, la **ch** y la **ll** no constituyen una consonante como en español. Las palabras inglesas que empiezan por **ch** (como *chest, choose*, etc.) deben buscarse en la **c**. Cuando los grupos **ch** y **ll** aparecen en medio de la palabra, su alfabetización es la de dos consonantes cualesquiera accidentalmente unidas.

La **ñ** es consonante que sólo existe en español.

Note that **ch** and **ll** are single letters in Spanish. Entries beginning with **ch** are listed after all words beginning with *c;* entries beginning with **ll**, after all words beginning with *l*. Words in **ñ** (another Spanish consonant) come after *n*. Similarly, inside Spanish words, **ch** follows *cu (caco, cacha)*, **ll** follows *iu (talud, talla)* and **ñ** follows *nu (penuria, peña)*.

pronunciación

figurada

del inglés

En este diccionario de bolsillo se ha creído conveniente ofrecer, en la parte inglés-español, una pronunciación figurada de fácil entendimiento, obtenida de otro popular diccionario de pequeño tamaño perteneciente al fondo editorial de la Casa.

Los siguientes puntos deben ser tenidos en cuenta al leer la pronunciación figurada:

1. La *o* con diéresis (*ö*) representa un sonido similar al diptongo francés *eu* no redondeado.

2. La *ch* negrilla (**ch**) representa un sonido especial de *ch* suave como la *j* francesa o la *j* catalana.

3. La *d* negrilla (**d**) representa un sonido parecido a la *d* intervocálica española; por ejemplo, la de la palabra *cada*.

4. La *j* representa un sonido más suave que el de la *j* española Debe pronunciarse con una aspiración, al modo de los andaluces.

5. En la pronunciación figurada va siempre indicado el acento prosódico; y es de advertir que cuando el acento se encuentra marcado a la derecha de la *ö* a modo de apóstrofo (*ö'*) se ha de considerar como si estuviese colocado sobre la letra *o* para acentuar a ésta.

6. El grupo de *sch* representa el sonido que el francés indica mediante *ch* y el catalán mediante *x*.

7. El sonido *e*, va seguido frecuentemente por un débil sonido de *i*, que no siempre se indica en la transcripción fonética. v. g. **moderate** (*módöret*).

8. La *r* que sigue a una vocal, especialmente en final de palabra, no se pronuncia en el inglés de Gran Bretaña, a diferencia del inglés norteamericano, v. g. **writer** (*raitö'r*). Al no pronunciarse, la *r* alarga la vocal.

9. La transcripción de este diccionario no distingue entre la *s* sonora y la *s* sorda, ni la longitud de las vocales, etc.

pronunciation

of

spanish

The Spanish alphabet.

The writing of Spanish is almost entirely phonetic. Below are listed the characters whose sounds, in Spanish and English, are different.

Vowels

Spanish vowels never have the diphthongal character of English vowels.

a. Like English *a* in *father:* **casa, mayo.**

e. Similar to English *e* in *they* (but without the diphthongal glide) at the end of a syllable or before **m, n, s, d** and **z: madre, vez, peso.** In closed syllables, like the English *e* in *let:* **tierra, ley.**

i. Like *i* in English *machine:* **piso, mio.**

o. Similar to English *o* in *tone* but without the diphthongal glide: **todo, poco.**

u. Like English *oo* in *moot:* **mudo, luz.** It is silent in **gue, gui, que** and **qui (guerra, guiso, queso, quien),** except when **(gu)** is marked by a diaeresis: **cigüeña, lingüístico.**

Diphthongs

Vowels in groups keep their sounds, being sometimes diphthongs or one syllable as in **aire, hoy, copia, mutuo,** sometimes two syllables as in **ría, púa, ataúd.**

Consonants

1. **b** and **v** are pronounced alike in Spanish. Both have the sound of English *b* in *boy.*

2. **c** represents two sounds.

    I. Before **a, o, u** or a consonant, similar to English *k* in *kate.*

    II. Before **e** or **i,** Castilian Spanish **c** is similar to English *th* in *thing.* In South America and also in southern Spain **c** before **e** or **i** is pronounced as a dental *s,* not unlike English *s* in *song.*

3. **d** has two sounds:
   I. When initial in a breath group or after **n** or **l** is similar to English *d* in *day*: **dame, con dos.**
   II. In all other positions Spanish **d** is similar to English *th* in *father*.

4. **g** represents two sounds:
   I. Before **a, o, u** or a consonant, Spanish **g** (and **gu** in the groups **gue, gui**) is similar to English *g* in *get*.
   II. Before **e** or **i**, it has the sound of Spanish **j**.

5. **h** is always silent.

6. **j** is a velar fricative sound similar to German *ch* in *Buch*.

7. **L**. Spanish **l** is in all positions similar to English "clear *l*" in *lily*.

8. **ll** represents a palatal *l*.

9. **n** represents a palatal *n*. English *n* in *anew* approximates that sound, if strongly palatalized.

10. **q** is found only in the combination *qu*.

11. **r** and **rr**. Spanish **r** has two sounds:
   a) When initial in a word, when preceded by **l, n** or **s** or when written double (**rr**), it is a strongly trilled *r*: **rey, carro.**
   b) When not (a), Spanish **r** is pronounced approximately as English **r.**

12. **v.** See paragraph 1.

13. **x.** Similar to English *x, gs* or *s.*

14. **z.** Castilian Spanish **z** is similar to English *th* in *thin*.
   In South America and in southern Spain, it is pronounced as English *s* in *son*.

Accentuation

1. Words ending in a vowel, or in **n** or **s** are regularly stressed on the next to the last syllable: **madre, madres, compro, compran.**

2. Words ending in a consonant other than **n** or **s** are stressed on the last syllable: **papel, hablar.**

3. Words that do not conform to the above rules must have the written accent over the stressed vowel: **camión, lápiz, cántaro.**

4. The written accent is also used to distinguish words that are written alike but have different meanings: **el** (the), **él** (he); **mas** (bus), **más** (more).

abreviaturas

abbreviations

abr. abreviatura, *abbreviation*

adj. adjetivo, *adjective*

adv. adverbio, *adverb*

Amer. America(nismo)

Anat. anatomía, *anatomy*

Arch. architecture

Arit. aritmética

Arq. arquitectura

art. artículo, *article*

Astr. astronomía, *astronomy*

aux. auxiliar

Avi. aviación, *aviation*

Bot. botánica, *botany*

Chem. chemistry

Coc. cocina

coll. *colloquial*

Com. comercio, *commerce*

conj. conjunción, *conjunction*

Cost. costura

def. defectivo, *defective*

Dep. deporte

Ent. entomología, *entomology*

f. femenino, *feminine (noun)*

F. a. Fine Arts

F. c. ferrocarril

fam. forma familiar

fig. figurado, *figurative(ly)*

For. Foro

frec. frecuentemente

G. B. Gran Bretaña

Geom. geometría, *geometry*

Gram. gramática, *grammar*

Ichth. Ichthyology

Igl. iglesia

imp. impersonal, *impersonal*

interj. interjección, *interjection*

intr. *intransitive noun*

Mar. marina

m. masculino, *masculine (noun)*

Mec. mecánica

Mech. mechanics

Med. medicina, *medicine*

Mil. militar, *military*

Min. minería, *mining*

Naut. náutica, *nautical*

Orn. ornitología, *ornithology*

Phot. photography

pl. plural, *plural*

Pol. política, *politics*

pos. posesivo, *possessive*

prep. preposición, *preposition*

pron. pronombre, *pronoun*

Rad. radio, *radio*

s. substantivo (masculino y femenino), *substantive noun (masculine and feminine)*

sing. singular, *singular*

Surg. surgery

Teat. teatro

Theat. theater

tr. verbo transitivo, *transitive verb*

USA Estados Unidos de Norteamérica, *United States*

v. verbo transitivo e intransitivo, *transitive and intransitive verb*

var. variación, *different form*

vulg. vulgar, *vulgar*

A

a (*a, ei*) art. indet. un(a).
abandon (*abándon*) tr. abandonar; s. abandono.
abb/ess (*ábes*) s. abadesa. **/ey** (*ábi*) s. abadía. **/ot** (*ábot*) s. abad.
abbreviat/e (*abríveit*) tr. abreviar. **/ion** (*abriviéischön*) s. abreviatura.
abdicat/e (*ábdikéit*) tr. abdicar, dimitir. **/ion** (*abdikéischön*) s. abdicación, dimisión.
abdomen (*abdómen*) s. abdomen, vientre.
aberra/nce (*abö'rans*) s. **/ncy** (*abö'ransi*) s. **/tion** (*aberéischön*) s. aberración, error.
ability (*abílit*) s. habilidad; talento.
abject (*ábchect*) adj. vil, abyecto. **/ion** (*abchécschän*) s. vileza. abyección.
abjure (*abchúr*) tr. abjurar, renunciar.
able (*éibl*) adj. capaz, apto. **/to be —** poder.
abnegation (*abneguéischän*) s. abnegación.
aboard (*abórd*) adv. *Mar.* a bordo.
abode (*abóud*) s. domicilio, morada.
aboli/sh (*abólisch*) tr. abolir, anular. **/tion** (*abolischön*) s. derogación.
abomina/ble (*abóminabl*) adj. abominable. **/te** (*abómineit*) tr. abominar, aborrecer.
abort (*abórt*) intr. abortar. **/ion** (*abórschön*) s.

aborto. **/ive.** (*abórtif*) adj. abortivo, malogrado, s. aborto.
abound (*abáund*) intr. abundar.
about (*abáut*) prep. alrededor, cerca, acerca (de).
above (*abö'v*) prep. encima, sobre; adv. arriba.
abridge (*abrich*) tr. abreviar, resumir, reducir.
abroad (*abród*) adv. fuera, en (al) extranjero.
abrupt (*abrö'pt*) adj. abrupto, quebrado.
absen/ce (*ábsens*) s. ausencia. **/t** (*ábsent*) adj. ausente; distraído.
absolute (*ábsoliut*) adj. absoluto. **/ness** (*ábsoliutnes*) s. absolutismo.
absolve (*absólv*) tr. absolver, dispensar.
absorb (*absö'rb*) tr. absorber. **/ent** (*absö'rbent*) s. y adj. absorbente.
abst/ain (*abstéin*) intr. abstenerse. **/emious** (*abstímiös*) adj. abstemio. **/ention** (*absténschön*) s. abstención. **/inence** (*ábstinens*) s. abstinencia.
abstract (*abstráct*) tr. abstraer. **/** (*ábstract*) adj. abstracto. **/** s. extracto, resumen. **/ion** (*abstrácschön*) s. abstracción.
absurd (*absö'rd*) adj. absurdo. **/ity** (*absö'rditi*) s. absurdo, disparate.
abundan/ce (*abö'ndans*) s. abundancia. **/t** (*abö'ndant*) adj. abundante.

abus/e *(abiús)* tr. abusar. /**ive** *(abiúsiv)* adj. abusivo.

academ/ic *(académic)* adj. académico. /**y** *(acádemi)* s. academia.

accelerat/e *(acsélereit)* tr., intr. acelerar; intr. apresurarse. /**ion** *(acselöreischön)* aceleración, prisa.

accent *(acsént)* tr. acentuar. / *(ácsent)* s. acento. /**uate** *(acsénchiueit)* tr. acentuar.

accept *(acsépt)* tr. aceptar, admitir. /**able** *(acséptabl)* adj. aceptable, grato. /**ance** *(acséptans)* s aceptación, buena acogida. /**ation** *(acseptéischön)* s. aceptación.

access *(ácses o acsés)* s. acceso. /**ory** *(acsésory)* adj. accesorio.

accident *(ácsident)* s. accidente, suceso. /**al** *(acsidéntal)* adj. accidental.

acclaim *(acléim)* tr. aclamar. / s. aclamación.

accommodat/e *(acómodeit)* tr. acomodar, ajustar. /**ion** *(acomodéischön)* s. acomodo.

accompan/iment *(acö'mpaniment)* s. acompañamiento. /**y** *(acö'mpani)* tr. acompañar.

accomplice *(acómplis)* s. cómplice.

accomplish *(acómplisch)* tr. realizar. /**ment** *(acómplishment)* s. realización, logro.

accord *(acórd)* tr. ajustar, conceder; intr. concordar, s. acuerdo. /**ance** *(acórdans)* s. conformidad. /**ant** *(acórdant)* adj. conforme. /**ing to** *(acórding tu)* según.

account *(acáunt)* s. cuenta, relación, tr. considerar, contar, intr. responder

current - cuenta corriente /**ant** *(acáuntant)* s. contable

accredit *(acrédit)* tr. acreditar, creer.

accumulat/e *(akiúmiuleit)* tr., intr. acumular(se). / adj. acumulado. /**ion** *(akiúmiuleischön)* s. acumulación /**or** *(akiúmiuletör)* s. acumulador.

accura/cy *(ákiurösi)* s. exactitud, precisión. /**te** *(ákiuret)* adj. exacto, exactitud.

accus/ation *(akiuséischön)* s. acusación. /**e** *(akiús)* tr. acusar.

accustom *(akö'stöm)* tr. acostumbrar.

ace *(éis)* s. as.

ache *(éic)* s. dolor, mal; intr. doler.

achieve *(achív)* tr. conseguir, lograr. /**ment** *(achívment)* s. logro.

acid *(ásid)* adj. ácido. /**ity** *(asíditi)* s. acidez.

acknowledge *(aknóulidch)* tr. reconocer. /**ment** *(acnóledchment)* s. reconocimiento.

acoustics *(acústics)* s. acústica.

acquaint *(acuéint)* tr. instruir, familiarizar (con). /**ance** *(acuéintans)* s. conocimiento, conocido.

acquiesce *(acuiés)* intr. asentir. /**nce** *(acuiésens)* s. asentimiento.

acqui/re *(acuáir)* tr. adquirir. /**sition** *(acuisischön)* s. adquisición.

acquit *(acuít)* tr. absolver. /**tal** *(acuital)* s. absolución. /**tance** *(acuitans)* s. descargo, pago.

acrid *(ácrid)* adj. acre.

across *(acrós)* adv. prep. a través (de).

act *(act)* intr. actuar. / s. acto, acta. /**ion** *(ácschön)* s. acción. /**ivate** *(áctivelt)* tr. activar. /**ive** *(áctiv)* adj. activo. /**ivity** *(activíti)* s. actividad /**or** *(áctör)*

s. actor. /ress (áctres) s. actriz.

actual (ácchual) adj. actual, real. /ity (acchualiti) s. actualidad. /ly (ácchuali) adv. de hecho.

acute (akiút) adj. agudo. /ness (akiutnés) s. agudeza, perspicacia.

adapt (adápt) tr. adaptar; /ation (adaptéischön) s. adaptación.

add (ad) tr. sumar.

addict (adíct) tr. dedicar, s. adicto. /edness (adíctednes) s. /ion (adícschön) s. afición.

addition (adíschön) s. adición, suma. in — to además. /al (adischönal adj. adicional .

address (adrés) tr. dirigir; hablar a; s. dirección, trato.

adduce (adiús) tr. aducir.

adept (adépt) s. y adj. adepto, perito.

adequate (ádicueit) adj. adecuado.

adhere (adhír) intr. adherirse a. /uce (adhírens) s. adhesión. /nt (adhirent) adj. adherente; s. discípulo.

adjacent (adchésent) adj. adyacente, contiguo.

adjective (adchectiv) s. adjetivo.

adjourn (adchö'rn) tr. diferir, aplazar.

adjudicate (adchúdikeit) tr. adjudicar.

adjust (adchö'st) tr. ajustar, componer. /ment (adchö'stment) s. ajuste.

adjutant (adchutant) s. ayudante.

administer (administör) tr. administrar. /ration (administréischön) s. administración. /rative (ad ministretiv) adj. administrativo. /rator (administreitör) s. administrador

admirable (ádmirabl) adj. admirable. /ation (admiréischön) admiración. /e (admáir) tr. admirar.

admiral (ádmiral) s. almirante. /ty (admiralti) s. almirantazgo.

admissible (admisibl) adj. admisible. /on (admischön) s. admisión.

admit (admít) tr. admitir. /tance (admítans) s. admisión, entrada.

ado (adú) s. bullicio.

adolescence (adolésens) s. adolescencia. /t (adolésent) adj. y s. adolescente.

adopt (adópt) tr. adoptar. /ion (adópschön) s. adopción. /ive (adóptiv) adj. adoptivo.

adorable (adórabl) adj. adorable. /ation (adoréischön) s. adoración. /e (adór) tr. adorar.

adorn (adórn) tr. adornar.

adroit (adróit) adj. diestro, hábil.

adulation (adiuléischön) s. adulación. /or (aduléitör) s. adulador.

adult (adö'lt) adj. y s. adulto. /erate (adö'ltöret) tr. adulterar. /erer (adö'ltöröör) s. /eress (adö'ltöres) s. adúltera. /erous (adö'ltörös) adj. adultero. /ery (adö'ltöri) s. adulterio.

advance (adváns) tr. avanzar, / s. avance.

advantage (adván tech) s. ventaja. /ous (advantéchös) adj. ventajoso.

adventure (advénchuör) s. aventura, / intr. aventurarse /er (advénchröör) s. aventurero. /ous (advénchörös) adj. aventurado.

adversary (ádvörsert) s. adversario. /e (ádvörs) adj. adverso. /ity (advö'rsiti) adversidad.

advertence *(advö'rtens)* s. advertencia, aviso.

advertise *(ádvörtais)* tr. anunciar, publicar. /**ment** *(advö'rtisment)* s. anuncio.

advi/ce *(adváis)* s consejo, aviso. /**sable** *(adváisabl)* adj. prudente /**se** *(advái̇́s)* tr. aconsejar, / intr. aconsejarse /**sedness** *(adváisednes)* s. cordura.

advocate *(ádvokeit)* s. abogado. / · tr. defender.

aerial *(eárial)* adj. aéreo; s. (radio) antena.

aero/drome *(éarodrom)* s. aeródromo. /**dynamic** *(earodainámik)* adj. aerodinámico. /**plane** *(éaroplein)* s. aeroplano

afar *(afár)* adv. lejos.

affab/ility *(afabiliti)* s. afabilidad. /**le** *(áfabl)* adj. afable.

afair *(afér)* s. asunto.

affect *(aféct)* tr. afectar. **ed** *(afécted)* adj. afectado. /**ion** *(afécschön)* s. inclinación, afecto. /**ive** *(aféctiv)* adj. afectivo

affiliation *(afiliéischön)* s adopción, afiliación.

affinity *(afíniti)* s. afinidad, alianza, enlace.

affirm *(afö'rm)* tr. afirmar, intr. afirmarse /**ation** *(afö'rmeichön)* afirmación /**ative** *(afö'rmativ)* adj. afirmativo.

afflict *(aflíct)* tr. afligir, aquejar. /**ion** *(aflícschön)* s aflicción.

affluen/ce *(áfluens)* adj. afluencia. /**t** *(áfluent)* adj m. afluente.

afford *(afórd)* tr. proporcionar, **can** — tener medios.

affront *(afrö'nt)* tr afrentar; s. afrenta.

afoot *(afút)* adv. a pie

afore *(afór)* prep antes,

delante. /**going** *(afórscing)* adj. antecedente.

afraid *(afréid)* adj. amedrentado, temeroso

after *(áftör)* prep. después de (que), detrás de. /**noon** *(áftörnun)* s. tarde. /**wards** *(áftöruörds)* adv. después

again *(agúein)* ad̀v otra vez, de nuevo.

against *(aguénst)* prep. contra, enfrente, hacia

age *(eich)* s edad, época. /**d** *(échēd)* viejo

agen/cy *(eichensi)* s. agencia /**t** *(échent)* adj. s. agente, representante.

agglomerate *(aglómöreit)* tr., intr. aglomerar(se). /**ion** *(aglomöréischön)* s. aglomeración

aggravat/e *(ágravet)* tr. agravar. /**ion** *(agravéischön)* s agravación

aggregat/e *(ágriguet)* tr. tr. agregar, adj. agregado. /**or** *(ágrigatör)* s colector

aggress *(agrés)* intr acometer. /**ion** *(agréschön)* s. agresión /**ive** *(agrésiv)* adj. agresivo.

aggroup *(agrúp)* tr. agrupar.

agil/e *(áchil)* adj ágil. /**ity** *(achíliti)* s agilidad.

agitat/e *(áchiteit)* tr. agitar. /**ion** *(achitéischön)* s. agitación. /**or** *(achitéitör)* s. agitador.

agnail *(ágneil)* s, panadizo, uñero.

agnostic *(agnóstic)* s adj agnóstico. /**ism** *(agnósti-sism)* agnosticismo.

ago *(agóu)* adv atrás, antes, hace.

agon/ize *(átonais)* intr agonizar /**y** *(ágoni)* s. agonía

agrarian *(agrérian)* adj agrario.

agree *(agrí)* intr. convenir, acordar /**d** *(agríd)*

adj. acordado. /ment *(agríment)* s. acuerdo.

agricultur/al *(agrikö'lchoral)* adj. agrícola. /e *(agrikö'lchör)* s. agricultura.

ahead *(ajéd)* adv. adelante, al frente

aid *(eid)* tr ayudar, auxiliar. / s asistencia.

ail *(éil)* tr. afligir, aquejar / s mal, dolor.

aim *(éim)* tr. apuntar, tirar, / s. puntería.

air *(ér)* tr. airear, / s. aire. /base *(érbéis)* s. base aérea. /craft *(ércráft)* s. aviación, /craftcarrier portaaviones. /plane *(érpleini* s. aeroplano. /port *(érport)* s. aeropuerto. /y *(éri)* adj. aireado.

ajar *(achár)* adj. entreabierto. entornado.

akin *(akín)* adj pariente.

alarm *(alárm)* s. alarma; tr. alarmar, inquietar; — **clock** *(alármclok)* s. despertador. /ing *(alárming)* adj. alarmante.

alas! *(alás)* interj. ¡ay!

album *(álbôm)* s. álbum.

alcohol *(álcojol)* s. alcohol. /ic *(alcojólic)* adj alcohólico.

ale *(éil)* s. cerveza fuerte /house *(éiljaus)* s taberna, cervecería.

alert *(alö'rt)* adj. alerta. /ness *(alö'rtnes)* s. vigilancia, actividad.

alien *(élien)* tr. enajenar. / adj ajeno / s. extranjero /ate *(élienet)* tr quitar enajenar

alike *(aláik)* adv. igualmente. | adj igual.

aliment *(díment)* s. alimento. /ation *(aliméntéischön)* s alimentación.

alive *(aláiv)* adj. vivo.

all *(ol)* adj. todo, todos. | adv. del todo. / — **right** adv. perfectamente.

allay *(alé)* tr. aliviar, mitigar.

alleg/ation *(aliguéischön)* s. alegación. /e *(alich)* tr. alegar.

alleg/iance *(alíchians)* s lealtad, fidelidad. /iant *(alíchiant)* adj leal.

alleviat/e *(aliviet')* tr aliviar. /ion *(alivieschön)* s. alivio, paliativo.

alley *(áli)* s callejuela.

all/iance *(aláians)* s. alianza, liga, union /ied *(aláid)* s aliado /y *(alây)* s aliado

allot *(alót)* tr. adjudicar. /ment *(alótment)* s lote.

allow *(alóu)* tr. permitir /ance *(aláuans)* s permiso, asignación

allude *(aliúd)* intr. aludir

allur/e *(aliúr)* tr. atraer, seducir. /ement *(aliúrment)* s. atractivo, aliciente /ing *(aliúring)* adj tentador

allusi/on *(aliúchön)* s alusión, insinuación. /ve *(aliúsiv)* adj. alusivo.

almighty *(olmáiti)* adj. omnipotente

almond *(ámönd)* s. almendra

almost *(ólmost)* adv. casi, cerca de.

alone *(alóun)* adj solo. | adv solamente.

along *(alóng)* adv a lo largo, de, adelante, con

aloud *(alaúd)* adv. alto.

alphabet *(álfabet)* s alfabeto /ic *(alfabétic)* adj alfabético

alpinism *(álpinism)* s alpinismo

already *(olrédi)* adv ya.

also *(ólso)* adv. también.

altar *(óltör)* s. altar.

alter *(óltör)* tr. alterar, cambiar, /ation *(oltöréischön)* s. alteración.

altern *(áltörn)* adj. alterno /ate *(altö'rnet)* tr. alternar. / adj. alternativo.

although (oldó) conj. aunque, no obstante.

altitude (altitiud) s. altura, cumbre.

altogether (oltoguéдŏr) adv. enteramente.

altruism (áltruism) s. altruismo.

aluminium (aliumíniŏm) s. aluminio.

always (óluis) adv. siempre.

am (ám) I - (ai ám) yo soy o estoy.

amass (amás) tr. amasar.

amateur (amatŏ'r) s. aficionado.

amaz/e (amés) tr. asombrar. /**ing** (améising) adj. asombroso.

ambassad/or (ambásadŏr) s. embajador. /**ress** (ambásadres) s. embajadora.

ambigu/ity (ambiguíuiti) s. ambigüedad. /**ous** (ambiguiŏs) adj. ambiguo.

ambiti/on (ambíschŏn) s. ambición. /**ous** (ambischŏs) adj. ambicioso.

ambulan/ce (ámbiulans) s. ambulancia. /**t** (ámbiulant) adj. ambulante.

ambus/cade (ambŏskeid) s. emboscada. /**b** (ambusch) intr. emboscar; s. emboscada.

amen (emén) adv. amén.

amend (aménd) tr. enmendar /**s** (aménds) s. indemnización.

amenity (améniti) s. amenidad, afabilidad.

American (américan) s. and. adj. americano.

amianthus [amiáng(ŏs)] s. amianto.

amid(st) (amíd(st)] prep. entre, en medio de.

amity (ámiti) s. amistad.

ammonia (amónia) s. amoníaco.

ammunition (amtunischŏn) s. Mil. munición.

amnesia (amnísia; s. amnesia.

amnesty (ámnesti) s. amnistía, indulto.

among(st) [amóng(st)] prep. entre (varios), en me·dio.

amortiz/ation (amortiséischŏn) amortización. /**e** (amórtais) tr. amortizar.

amount (amáunt) intr. importar. / s. importe.

amphibious (amfíbiŏs) adj. anfibio.

amplif/ier (ámplifaiŏr) s. amplificador. /**y** (ámplífai) tr. ampliar.

amputat/e (ámpitueit) tr. amputar. /**ion** (ampiutétschŏn) s. amputación.

amulet (ámiulet) s. amuleto, talismán.

amus/e (amiús) tr. entretener. /**ement** (amiúsment). s. diversión. /**ing** (amiúsing) adj. divertido.

an (án) art. un, uno, una

anæmi/a (anímia) s. anémia. /**c** (animic) anémico.

anæsthesia (anesgísia) s. anestesia.

analog/ous (análogŏs) adj. análogo. /**y** (análochi) s. analogía, semejanza.

analys/e (ánalais) tr. analizar. /**is** (análisis) s. análisis.

anarch/ic (anárkic) adj. anárquico. /**ism** (ánarkism) s. anarquismo. /**y** (ánarkI) anarquía

anatom/ical (anatómical) adj. anatómico. /**y** (anátomI) s. anatomía.

ancest/or (áncestŏr) s. antepasado. /**ral** (ancéstral) adj. ancestral.

anchor (ankŏr) s. ancla.

anchovy (ánchouvi) s. anchoa.

ancient (énschent) adj. antiguo; s. pl. abuelos.

and (ánd) conj. y, e.

anecdote (ánecdout) s. anécdota.

angel (eínchel) s. ángel.

anger (ánguör) s. ira, tr. encolerizar.

angle (ángl) s. ángulo, tr. pescar con caña. /r (ánglör) pescador de caña.

Angli/can (ánglican) adj. y s. anglicano. /ophile (ánglofail) s. anglófilo. /ophobe (ánglofoub) s. anglófobo. /o-saxon (ánglo-sécson) s., adj. anglosajón.

angry (ángri) adj. colerico, airado, enfadado.

anguish (ángüisch) s. angustia, tr. atormentar.

anima/l (ánimal) s. ,adj. animal. /te (ánimeit) tr. animar, adj. animado. / tion (animéischön) s. animación.

ankle (ánkl) s. tobillo.

annex (anécs) s. anexo.

annihilat/e (anáijileit) tr. aniquilar. /ion (anaijiléischön) s. aniquilación.

anniversary (anivö'rsari) s. aniversario; adj. anual.

announce (anáuns) tr. anunciar. /ment (anáunsment) s. anuncio. /r (anáunsör) locutor.

annoy (anói) tr. molestar, incomodar. /ance (anóians) s. molestia.

annu/al (dniual) adj. anual; s. anuario. /ity (aniútti) s. anualidad.

annul (anö'l) tr. anular.

annunciation (anö'nsieischön) s. anunciación.

anomal/ous (anómalös) adj. anómalo. /y (anómali) s. anomalía.

anon/mity (anonimity) s. anónimo. /ous (anónimös) adj. anónimo.

another (anöder) adj. otro. one - uno a otro.

answer (ánsör) intr. responder. s. respuesta.

ant (ant) s. hormiga. /hill (ánt-jil) hormiguero.

antagonis/m (antágonism) s. antagonismo. /t (antágonist) s. antagonista.

Antarctic (antá'ctic) adj. Antártico.

antecedent (anticident) s. y adj. antecedente.

ante meridiem (ánti meridiem) por la mañana.

anterior (antiriör) adj. anterior.

anthem (ánzem) s. himno.

anthology (anzólochi) s. antología.

antibiotic (antibaiótic) adj. s. antibiótico.

anticipat/e (antisipeit) tr. anticipar. /ion (antisipéischön) anticipación.

antidote (ántidout) s. antídoto.

antimilitarist (antimilitarist) s. antimilitarista.

antipathy (antípazi) s. antipatía.

antiqu/arian (antikuérian) adj. s. anticuario. /ary (ánticueri) s. anticuario. /e. (antík) adj. antiguo; s. antigüedad. /ity (antícuiti) s. antigüedad.

anti-Semit/e (antisémait) s. adj. antisemita. /ic (antisemitic) adj. antisemítico.

anvil (ánvil) s. yunque.

anxi/ety (angsáiti) s. ansia, ansiedad. /ous (ánkschös) adj. ansioso.

any (éni) adj. pron. algun(a); cualquier(a)./body (ánibodi) pron. alguien, nadie. /how (énijau) adv. sin embargo. /thing (énizing) pron. algo.

apart (apárt) adv. aparte, separadamente. /ment (apártment) s. apartam(i)ento.

apathetic (apazétic) adj. apático. /y (ápazi) s. apatía.

ape (éip) s. mono; tr. imitar.

aperitif (aperitif) s. aperitivo.

apocalyp/se (apócalips) s.

apocalipsis. /tic *(apocalíptic)* adj apocalíptico.

apolog/etic *(apolochétic)* adj apologético. /ist *(apólochist)* s apologista /ize *(apólodchais)* tr. excusar(se). /y *(apólodchi)* s apología.

aposta / sy *(apóstasi)* s. apostasía. /te *(apósteit)* s. apóstata; adj. falso. /tise *(apóstatais)* tr apostatar, renegar.

apost/le *(apósl)* s apóstol. /olic *(apostólic)* adj apostólico.

appar/atus *(aparétös)* s aparato, aparejo /el *(apárel)* tr s. vestido.

apparent *(apérent)* adj. aparente, evidente

apparition *(aparíschön)* s. aparición, visión.

appeal *(apíl)* tr intr. suplicar, atraer.

appear *(apír)* intr aparecer, comparecer /ance *(apirans)* s. apariencia.

appease *(apís)* tr. apaciguar, calmar /ment *(apísment)* s. calma, paz, alivio.

append *(apénd)* tr. suspender, adjuntar. /icitis *(apéndesáitis)* apendicitis. /ix *(apéndics)* s. apéndice.

appet/ency *(ápetenst)* s. apetencia, deseo. / ent *(ápetent)* adj. deseoso. /izer *(ápetaisör)* s. aperitivo /ite *(ápetait)* s apetito.

applau/d *(aplód)* tr. aplaudir, alabar. /se *(aplós)* s. aplauso alabanza.

apple *(ápl)* s. manzana

appliance *(aplaians)* dispositivo, utensilio.

application *(aplikéischön)* s. instancia, aplicación.

apply *(aplái)* tr. aplicar; / — for solicitar

appoint *(apóint)* tr señalar, nombrar /ment *(apóintment)* s nombramiento, cita.

---

appraise *(apréis)* tr apreciar, valuar, tasar.

aprehen/d *(aprijénd)* tr. aprehender. /sive *(aprijéndsif)* receloso /sion *(aprijénschön)* s. aprensión, recelo.

apprentice *(apréntis)* s aprendiz. tr enseñar.

approach *(apróuch)* intt acercarse; tr acercar. s. enfoque. /ing *(apróuching)* adj. cercano

approbation *(aprobéschön)* s. aprobación.

appropriat/e *(apróprieit)* tr. apropiar, adj. apropiado.

aprov/al *(aprúval)* s. aprobación. /e *(aprúv)* tr aprobar

aproximat/e *(aprócsimeit)* tr. aproximar; adj. próximo /ion *(aprocsiméischön)* s. aproximación.

apricot *(épricot)* s albaricoque, damasco

april *(éipril)* s. abril.

apron *(éiprön)* s delantal

apt *(ápt)* adj. apto. /itude *(áptitiud)* s. aptitud.

aqua/tic *(acuátic)* adj acuático /rium *(acuériöm)* s. acuarium.

aqueduct *(ácuedöct)* s. acueducto

Arab/ian *(aréibien)* adj. y s. árabe /ic *(árabic)* s el árabe.

arbitr/er *(árbitör)* s árbitro /ary *(árbitrari)* adj arbitrario /ate *(árbireit)* tr arbitrar

arc *(árc)* s arco. /ade *(arkéid)* s. galerías

arch *(árch)* s arco.

archeolog/ist *(arkíolodchist)* s arqueólogo / y *(arkiólochi)* s arqueología.

architect *(árkitect)* s arquitecto /ure *(árkitecchur)* s. arquitectura

archiv/e *(ákaiv)* archivo. /ist *(ákivist)* s. archivero.

arctic (*áktic*) adj. ártico.
ard/ent (*árdent*) adj. ardiente. **/our** (*árdor*) s. ardor. **/uous** (*árdchuŏs*) adj. arduo.

area (*érea*) s. área, zona.

arena (*erína*) s pista

argu/e (*árguiu*) intr. argumentar, disputar; tr. argüir. **/ment** (*árguiment*) s. argumento, querella.

Arian (*érian*) s adj. ario.

arid (*árid*) adj. árido **/ity** (*aríditi*) s. aridez.

arise (*aráis*) intr. levantarse, elevarse.

aristocra/cy (*aristócrasi*) s. aristocracia. **/t** (*erístocrét*) s. aristócrata **/tic** (*aristocrátic*) adj. aristocrático.

arithmetic (*arizmetic*) s. aritmética. **/al** (*arizmétical*) adj. aritmético.

arm (*árm*) brazo, arma, tr. armar **/ament** (*ármament*) armamento. **/chair** (*ármcher*) s. butaca. **/istice** (*ármistis*) s. armisticio. **/oury** (*ármori*) s. armería. **/-pit** (*árm-pit*) s sobaco. **/s** (*árms*) s. (escudo de) armas. **/y** (*ármi*) ejército

around (*aráund*) adv. prep. alrededor de.

arouse (*aráus*) tr. sublevar, despertar, excitar.

arrange (*arénch*) tr. colocar, arreglar. **/ment** (*arénchment*) s. arreglo.

arrears (*ariórs*) s. atrasos.

arrest (*arést*) tr. arrestar, detener; s. arresto

arriv/al (*aráival*) s. llegada. **/e** (*aráiv*) intr. llegar.

arrogan/ce (*árogans*) s. arrogancia. **/t** (*árogant*) arrogante.

arsenal (*ársenal*) s arsenal.

arsenic (*ársenic*) s. arsénico.

arson (*árson*) s. incendio provocado.

art (*árt*) s. arte, habilidad. **/ful** (*ártful*) adj. mañoso, astuto. **/s** (*árts*) s. pl artes, letras

arter/ial (*artírial*) adj. arterial **/y** (*ártŏri*) s arteria.

artichoke (*ártichouc*) s alcachofa

article (*árticl*) s. artículo

articulat/e (*artíkiuleit*) tr articular **/ion** (*artikiuléischön*) s. articulación

artific/e (*ártifis*) s. artificio, treta. **/er** (*artifísör*) s. artífice **/ial** (*artifíschöl*) adj. artificial

artillery (*artilöri*) s artillería.

artis/an (*ártisan*) s. artesano. **/t** (*ártist*) artista. **/tic** (*artístic*) adj artístico.

artless (*ártles*) adj. natural, sin arte. **/ness** (*ártlesnes*) s sencillez

as (*as*) conj. como sea que, tan, según , — **well** — así como.

ascen/d (*asénd*) tr., intr. ascender, subir. **/sion** **/t** (*asént*) s. ascenso.

ascetic (*asétic*) adj. ascético; s. asceta.

asep/sis (*asépsis*) s. asepsia. **/tical** (*aséptical*) adj. aséptico.

ashamed (*ashéimd*) adj avergonzado, confuso.

ash(es) (*ash(es*) s. ceniza(s); **ashtray** (*áschtrey*) s. cenicero.

ashore (*aschór*) adv en tierra, a tierra.

Asiatic (*eschiátic*) adj y s. asiático

aside(*asáid*) adv. al lado, a un lado, aparte.

ask (*ask*) tr. preguntar. — **for** pedir

asleep (*aslíp*) adj. dormido.

asparagus (*aspáragŏs*) s espárrago.

aspect (*áspect*) s aspecto, traza, semblante.

---

asphalt (*ásfalt*) s. asfalto.

aspir/ant (*aspáirant*) s. aspirante. **/ation** (*aspiréischön*) s. aspiración. **/e** (*aspáir*) intr. aspirar.

ass (*as*) s. asno.

assail (*aséll*) tr. asaltar.

assassin (*asásin*) s. asesino. **/ate** (*asásineit*) tr. asesinar.

assault (*asólt*) s. asalto; tr. asaltar.

assay (*aséi*) tr. ensayar, experimentar; s. ensayo.

assembl/e (*asémbl*) tr. congregar. **/y** (*asémbli*) s. asamblea.

assent (*asént*) tr. asentir, s. consentimiento.

assert (*asö'rt*) tr. afirmar.

assidu/ity (*asidiúiti*) s. asiduidad. **/ous** (*asídiuös*) adj. asiduo, aplicado.

assign (*asáin*) tr. asignar, señalar. **/ation** (*asignéischön*) s. asignación.

assimilat/e (*asimileit*) tr. asemejar; intr. asimilarse. **/ion** (*asimiléischön*) s. asimilación.

assist (*asíst*) tr. asistir, intr. presenciar. **/ant** (*asístant*) s. ayudante.

associat/e (*asóschiet*) tr. asociar, intr. asociarse; s. socio. **/ion** (*asoschiéischön*) s. asociación.

assort (*asórt*) tr. clasificar. **/ment** (*asórtment*) s. surtido. **ed** (*asórtid*) adj variado.

assum/e (*asiúm*) tr. asumir, creer; intr. apropiarse. **/ed** (*asiúmd*) adj. supuesto. **/ing** (*asiúming*) adj. arrogante.

assur/ance (*aschúrans*) s. seguridad; seguro. **/e** (*aschár*) tr. asegurar.

asthma (*ástma*) s. asma. **/tic** (*astmátic*) adj. y s. asmático.

astonish (*astónisch*) tr. asombrar. **/ment** (*astónischment*) s. asombro.

astray (*astré*) adv. extraviado, descaminado.

astringent (*astrinchent*) adj. astringente.

astrolog/er (*astrólochör*) s. astrólogo. **/y** (*astrólochi*) s. astrología.

astronom/er (*astrónomör*) s. astrónomo. **/y** (*astrónomi*) s. astronomía.

astute (*astiút*) adj. astuto.

asunder (*asö'ndör*) adv separadamente.

asylum (*asáilöm*) s. asilo.

at (*at*) prep. a. en.

athletic (*azlétic*) adj. atlético.

atlantic (*atlántic*) adj. y s. Atlántico.

atlas (*átlas*) s. atlas.

atmospher/e (*átmosfia*) s. atmósfera. **/ic** (*atmosféric*) adj. atmosférico.

atom (*átöm*) s. átomo. **/ic** (*atómic*) adj. atómico.

aton/e (*atóun*) tr. expiar; intr. reparar. **/ement** (*atóunment*) s. explación.

atroci/ous (*atróschös*) adj. atroz. **/ty** (*atrósiti*) s. atrocidad.

atrophy (*átrofi*) s. *Med.* atrofia, consunción. ?

attach (*atách*) tr. prender, adherir. **/ment** (*atáchment*) s. apego.

attack (*atác*) tr. atacar, acometer; s. ataque.

attain (*atéin*) tr. lograr, intr. merecer. **/ment** (*atéinment*) s. logro.

attempt (*atémt*) tr. intentar; s. intento.

attend (*aténd*) tr. atender, asistir. **/ance** (*aténdans*) s. asistencia. **/ant** (*aténdant*) s. ayudante.

attenti/on (*aténschön*) s. atención. **/ve** (*aténtiv*) adj. atento, solícito.

attenua/te (*aténtiueit*) tr. atenuar. **/tion** (*atentuéischön*) s. atenuación.

attest (*atést*) tr. atestiguar.

attic (*átic*) s. ático.

attire (*atáir*) tr. adornar, s. adorno, atavío.

attitude (*átitiud*) s. actitud, ademán.

attorney (*atö'rni*) s. procurador, abogado.

attract (*atráct*) tr. atraer. **/ion** (*atrácschön*) s. atracción. **/ive** (*atráctiv*) adj. atractivo.

attribut/e (*átribiut*) tr. atribuir, achacar; s. atributo. **/ion** (*atribiúschön*) s. atribución.

auction (*ócschön*) s. subasta; tr. subastar.

audaci/ous (*odéschös*) adj. audaz, osado. **/ty** (*odéschiti*) audacia.

audi/ence (*ódiens*) s. audiencia, auditorio. **/tion** (*odíschön*) s. audición.

augury (*óguiuri*) s. augurio.

August (*ógöst*) s. agosto.

aunt (*ánt*) s. tía.

aurora (*oróra*) s. aurora.

auster/e (*ostír*) adj. austero. **/ity** (*ostériti*) s. austeridad.

authentic (*ozéntic*) adj. auténtico.

author (*ózör*) s. autor. **/ity** (*ozóriti*) s. autoridad, licencia. **/zation** (*ozoraiséischön*) s. autorización. **/ze** (*ózorais*) autorizar.

automatic (*otomátic*) adj. automático.

automobil/e (*otomóbil*) s. automóvil. **/ist** (*otomóbilist*) s. automovilista.

autopsy (*otópsi*) s. autopsia.

autumn (*ótöm*) s. otoño.

auxiliary (*öcsíliari*) adj. y s. auxiliar.

avail (*avéil*) tr., intr. aprovechar. **/able** (*avéilabl*) adj. aprovechable, útil.

avaric/e (*ávaris*) s. avaricia. **/ious** (*avaríschös*) adj. avaro, avariento.

avenge (*avénch*) tr., intr. vengar.

avenue (*áveniu*) s. avenida, alameda.

average (*ávörech*) s. promedio; avería; adj. normal, típico, corriente.

aversion (*avö'rchön*) s. aversión, odio.

aviat/ion (*eiviéischon*) s. aviación. **/or** (*éivieitor*) s. aviador.

avid (*avíd*) adj. ávido. **/ity** (*avíditi*) s. avidez.

avoid (*avóid*) tr. evitar, esquivar.

await (*auéit*) tr. aguardar, esperar.

awake (*auéik*) tr. despertar adj. despierto.

award (*auórd*) tr. conceder; s. decisión, sentencia.

aware (*auér*) adj. enterado, consciente.

away (*auéi*) adv. lejos, ausente; interj. ¡fuera!

awe (*o*) tr. atemorizar; s. temor. **/ful** (*óful*) adj. terrible.

awkward (*ócuard*) adj. torpe, tosco, chabacano.

awry (*árái*) adj. torcido.

axe (*acs*) s. hacha.

axis (*ácsis*) s. eje.

axle (*ácsl*) s. eje.

B

babble (*babl*) intr. charlar, s. charla.

baby (*béibi*) s. bebé.

bachelor (*báchelör*) s. soltero, célibe, bachiller.

bacillus (*basílös*) s. bacilo.

back (*bác*) s. espalda(s), tr. respaldar; adv. atrás de vuelta. **/ground** (*bác-*

graund) s. fondo, am-
biente /**ward(s)** *(bácu-*
örd(s)) adv. hacia atrás.
/**wardness** *(bácuördnes)*
s. atraso, torpeza.
bacon *(béicon)* s. tocino.
bad *(bád)* adj. malo /**ness**
(bádnes) s. maldad.
badge *(bádch)* s. divisa.
baffle *(báfl)* tr. frustrar.
bag *(bág)* saco; tr. ensacar. /**gage** *(báguech)* s.
equipaje, bagage. /**pipe**
(bágpaip) s. gaita.
bail *(béil)* s. fianza. /**iff**
(béilif) s. alguacil.
bait *(béit)* s. cebo, anzuelo; tr., intr. cebar.
bake *(béik)* tr. cocer (al
horno). /**r** *(béikör)* s.
panadero. /**ry** *(béiköri)*
s. panadería, horno.
balance *(bálans)* s. balanza, balance, saldo; tr.
balancear, saldar.
balcony *(bálconi)* s. balcón. *Teat.* anfiteatro.
bald *(bóld)* adj. calvo.
bale *(béil)* s. fardo, bala,
paca; tr. embalar.
ball *(ból)* s. pelota, bola,
baile.
ballast *(bálast)* s. lastre,
tr. lastrar.
ballet *(bále)* s. ballet.
balloon *(balún)* s. globo.
ballot *(bálot)* tr. votar;
s. /**-box** urna electoral
balm *(bám)* tr. embalsamar, s. bálsamo.
bamboo *(bambú)* s. bambú, caña.
ban *(bán)* tr. proscribir,
s. bando, prohibición
banana *(banána)* s. *Bot.*
banana plátano.
band *(bánd)* tr. vendar;
s. venda, banda. /**age**
(bándech) s. vendaje.
bandit *(bándit)* s. bandido. bandolero.
bang *(báng)* tr. golpear;
s. golpe, ruido.
banish *(bánisch)* tr. desterrar. /**ment** *(bánisch-*
ment) s. destierro.

bank *(bánk)* s. orilla, ribera, banco (financie-
ro). /**er** *(bánkör)* s. ban-
quero. /**rupt** *(bánk-röpt)*
tr. quebrar /**ruptcy** *(bán-*
kröpsi) s. quiebra.
banner *(bánör)* s. bandera.
banquet *(bánkuet)* tr. ban-
quetear; s. banquete.
baptis/m *(báptism)* s.
bautismo. /**e** *(báptais)*
tr. bautizar.
bar *(bar)* tr. atrancar,
excluir, s. barra, bar.
barbari/an *(barbérian)* s.
y adj. bárbaro. /**ty** *(ba-*
báriti) s. barbaridad.
barbecue *(bárbikiu)* s.
churrasco, barbacoa.
barbed *(bárbd)* adj. bar-
bado, con púas
barber *(bárbör)* s. barbe-
ro.
bare *(bér)* adj. desnudo,
/**foot(ed)** *(bérfut(it)* adj.
descalzo. /**ness** *(bérnes)*
s desnudez.
bargain *(bárguin)* s. ajuste, trato, ganga; tr., intr. pactar, negociar.
barge *(bárch)* s. barcaza
bark *(bárk)* s. corteza; la-
drido; intr. ladrar.
barley *(bárli)* s. cebada.
barmaid *(bármeid)* s. camarera, chica del bar.
barn *(barn)* s. granero.
barometer *(barómetör)* s.
barómetro.
barrack *(bárac)* s. cuartel. barraca.
barrel *(bárel)* s. barril, cañón de escopeta. — **or-
gan** s. organillo.
barren *(barén)* adj. estéril, yermo.
barri/cade *(bérikeid)* s.
barricada, tr. atrinche-
rar. /**er** *(báriör)* s. barrera
barrister *(bártistör)* s. abogado.
barter *(bártör)* s. tráfico,
cambalache, cambio; tr.,
intr traficar, cambiar.

base (*béis*) s. base; adj. bajo, vil; tr. fundar, basar. **/ment** (*béisment*) s. *Arq.* basamento.

bashful (*báschful*) adj. tímido, vergonzoso.

basi/c (*béisic*) adj. básico. **/s** (*béisis*) s. base.

basin (*béisin*) s. jofaina, palangana, cuenca.

basket (*básket*) s. cesto, cesta. **/ball** s. baloncesto. **/work** s. cestería.

bastard (*bástard*) s. bastardo; adj. espurio.

bat (*bat*) s. palo, raqueta; *Orn.* murciélago.

bath (*báz*) s. baño, tr. bañar. **/e** (*beid*) tr., intr. bañar(se) s. baño (al aire libre).

battalion (*batálion*) s. batallón.

batter (*bátór*) s. batido, pasta; tr. batir. **/y** (*bátöri*) s. batería.

battle (*bátl*) s. batalla, combate, intr. luchar.

bawd (*bód*) s. alcahuete, (a); charla obscena.

bay (*bey*) s. bahía, rada, *Bot.* laurel.

bayonet (*béyonet*) s. bayoneta.

bazaar (*basár*) s. bazar.

be (*bi*) intr. ser, estar.

beach (*bich*) s. playa.

beacon (*bíkn*) s. faro

bead (*bíd*) s. cuenta. **/s** (*bíds*) s. rosario.

beak (*bík*) s. pico

beam (*bim*) s. viga, rayo de luz; intr. radiar.

bean (*bin*) s. haba, judía; *Amér.* frijol.

bear (*béar*) tr. llevar, soportar, producir; s. *Zool.* oso.

beard (*bírd*) s. barba.

bear/er (*bérör*) s. portador. **/ing** (*béring*) s. aspecto, porte, donaire.

beast (*bist*) s. bestia. **/like** ('*bistlaik*) adj. bestial.

beat (*bit*) tr. golpear, batir; s. compás, *Mil.* ron-

da. **/nik** (*bítnik*) joven rebelde, gamberro.

beatif/ic (*biatífic*) adj. beatífico. **/ication** (*biatifikéischön*) s. beatificación. **/y** (*biátifai*) tr. beatificar.

beaut/iful (*biútiful*) adj. hermoso, bello. **/ify** (*biútifai*) tr. hermosear. **/y** (*biúti*) s. hermosura.

beaver (*bívör*) s. castor

because (*bicós*) adv., conj. porque, a causa de.

beck (*bék*) s. seña, además. **/on** (*bekön*) tr. e intr. hacer señas.

becom/e (*bikö'm*) intr. llegar a ser, hacerse, devenir; tr. convenir. **/ing** (*bikö'ming*) adj. propio

bed (*béd*) s. cama, lecho. **/go to —** acostarse **/ding** (*béding*) s. ropa de cama. **/-room** (*bédrum*) s. dormitorio

bedlam (*bédlam*) s. manicomio.

bee (*bi*) s. abeja. **/-hive** (*bi-jaiv*) s. colmena.

beef (*bif*) s. carne de vaca; *Amér.* bife. **/steak** (*bífstec*) s. biftec.

beer (*bía*) s. cerveza.

beet (*bít*) s. *Bot.* remolacha.

beetle (*bítl*) s. escarabajo.

before (*bifor*) prep. y adv. delante (de), antes (de). **/hand** (*bifórjend*) adv. de antemano.

beg (*bég*) tr. rogar; intr mendigar. **/gar** (*béga*) s mendigo.

beget (*biguét*) tr. engendrar.

begin (*biguín*) intr. y tr. empezar. **/ner** (*biguínór*) s. principiante.

begone (*bigón*) interj. ¡fuera! ¡vete!

behalf (*bijáf*) s favor; **on — of** en nombre de

behav/e (*bijéiv*) tr., intr. comportar(se). **/iour** (*bijéiviör*) s. conducta

behead *(bijéd)* tr. dego-llar, decapitar.

behind *(bijáind)* adv., prep. detrás (de), tras; **s.** trasero, culo.

behold *(bijóld)* tr. mirar, contemplar.

being *(biing)* s. ser.

belch *(bélch)* intr. eructar, **s.** eructo.

belfry *(bélfri)* s. torre.

Belgian *(bélchian)* adj. **s.** belga.

belle/f *(bilíf)* **s.** fe, creencia. /ve *(bilív)* tr., intr. creer.

bell *(bél)* s. campana, timbre (eléctrico).

belle *(bel)* s. beldad.

bellicose *(bélicous)* adj. bellicoso.

belly *(béll)* s. vientre.

belong *(bilóng)* tr. pertenecer. /ings *(bilónguings)* s. pertenencias, bártulos.

beloved *(bilö'vd)* adj. amado, querido.

below *(bilóu)* adv., prep. abajo, debajo (de).

belt *(belt)* s. cinturón.

bench *(bénch)* s. banco.

bend *(bénd)* s. curva(tura), vuelta; tr. doblar.

beneath *(biníz)* adv. abajo, debajo; prep. bajo.

benediction *(benedic-schön)* s. bendición.

bene/factor *(bene/áctör)* **s.** bienhechor. /fice *(bénefis)* s. beneficio. /ficience *(benéfisens)* s. beneficiencia. /fit *(bénefit)* s. beneficio. /volence *(benévolens)* s. benevolencia. /volent *(benévolent)* adj. benévolo.

benign *(bináin)* adj. benigno.

bent *(bént)* **s.** curvatura; adj. encorvado.

benumb *(binö'm)* tr. entorpecer, entumecer.

benzin(e) *(bénsin)* s. bencina.

bequeath *(bicuíd)* tr. legar, dejar, en herencia.

beret *(bérei)* s. boina.

---

berry *(bérri)* s. baya.

berth *(bö'rz)* **s.** Mar. F. c. litera, camarote.

beseech *(bisích)* tr. suplicar, rogar.

beset *(bisét)* tr. acosar.

beside *(bisáid)* prep. cerca, al lado de./s *(bisáids)* adv. además.

besiege *(bisích)* tr. sitiar.

best *(bést)* adj. el mejor, óptimo; adv. lo mejor, más bien; — **man** *(béstman)* padrino de boda.

bestial *(béstial)* adj. bestial, brutal. /ity *(bestiálitt)* s. bestialidad.

bestow *(bistóu)* tr. dispensar, otorgar.

bet *(bét)* tr. apostar; **s.** apuesta.

betray *(bitréy)* tr. traicionar, delatar.

betroth *(bitróz)* tr., r. desposar(se). /al *(bitrózal)* s. esponsales. /ed *(bitrózt)* prometido.

better *(bétör)* adj. mejor; adv. más, tr. mejorar.

between *(bituín)* prep. entre (dos).

beverage *(bévörech)* s. bebida, brebaje.

bewail *(biuéil)* tr. lamentar, llorar.

beware *(biuéa)* intr. tr. guardarse (de).

bewilder *(biuíldör)* tr., intr. extraviar(se), aturdir(se). /ment *(biuíldörment)* s. aturdimiento.

bewitch *(buích)* tr. hechizar, embrujar.

beyond *(biyónd)* prep. adv. más allá, allende.

bias *(báias)* s. inclinación, prejuicio. tr. inclinar, ladear.

bib *(bib)* s. babero.

Bibl/e *(báibl)* s. Biblia. /ical *(biblical)* adj bíblico /iography *(bibliógraft)* s. bibliografía.

bicarbonate *(baicárbonett)* s. bicarbonato.

biceps *(báiseps)* s. bíceps

bicycl/e (*báisiköl*) s. bicicleta. **/ist** (*báisiclist*) s. biciclista.

bid (*bíd*) s. puja; oferta; tr. mandar, pujar. **/der** (*bidör*) s. postor. **/ding** (*biding*) s. orden.

big (*big*) adj. grande. **/ness** (*bígnes*) s. grandor.

bigam/ist (*bigamist*) s. bígamo. **/y** (*bígami*) s. bigamia.

bigot (*bigöt*) s. fanático, beato. **/ry** (*bígötri*) s. beatería.

bil/e (*báil*) s. bilis. **/lous** (*biliös*) adj. bilioso.

bill (*bil*) tr. anunciar; facturar. / s. anuncio, cuenta, nota, proyecto de ley, pico de ave. **/of exchange.** s. letra de cambio. **/of fare** s. menú, minuta.

billet (*bílet*) s. billete.

billiards (*biliards*) s. pl. billar. **/cue** s. taco.

billingsgate (*bilingsgueit*) s. lenguaje bajo, soez.

bin (*bin*) s. cubo. **/dust** — cubo de la basura.

bind (*báind*) tr. atar, vendar. **/ing** (*báinding*) obligatorio. **/er** (*báindör*) s. encuadernador.

binocular(s) [*binökiular(s)*] anteojos, binóculo.

biograph/er (*baiógratör*) s. biógrafo. **/ic** (*balográfic*) adj. biográfico. **/y** (*baiógrafi*) s. biografía.

biolog/ical (*baiolóchical*) adj. biológico. **/ist** (*baiolochist*) s. biólogo. **/y** (*baiólochi*) s. biología.

bird (*bö'rd*) s. pájaro.

birth (*bö'rz*) s. nacimiento, parto. **/control** s. control de la natalidad. **/day** (*bö'rzdei*) s. cumpleaños. **/place** s. lugar de nacimiento. **/rate** s. natalidad.

biscuit (*biskit*) s. galleta, bizcocho.

bishop (*bischöp*) s. obispo; alfil de ajedrez

bison (*báison*) s. bisonte.

bit (*bít*) s. poco, poquito, bocado, pedazo.

bitch (*bích*) s. perra; vulg. ramera, puta.

bit/e (*báit*) tr. morder. / s. mordisco. **/ing** (*báiting*) adj. mordaz.

bitter (*bitör*) adj. amargo. **/ness** (*bttörnes*) s. amargura, mordacidad.

bivouac (*bívuac*) s. vivac. / intr. vivaquear.

black (*blak*) tr. ennegrecer, adj. negro, s. negro, luto. **/en** (*bláckn*) tr. ennegrecer. **/ish** (*blákisch*) adj. negruzco. / **mail** (*blácmeil*) s. chantaje. **/ness** (*blácnes*) s. negrura. **/smith** (*blácsmiz*) s. herrero.

blade (*bléid*) s. brizna, tallo, hoja (de corte).

blame (*bléim*) tr. culpar, censurar. / s. reproche, culpa.

blank (*blánk*) adj. (en) blanco, pálido, vacío.

blanket (*blánket*) s. manta, cobertor.

blasphem/e (*blasfím*) tr. blasfemar. **/y** (*blásfimi*) s. blasfemia, reniego.

blast (*blást*) s. ráfaga, explosión. / tr. (hacer) volar.

blaze (*bléis*) s. llama(rada) / intr. arder.

blazer (*bléisör*) s. chaqueta de deporte.

bleach (*blích*) tr. e intr. blanquear; s. blanqueo.

blear (*blir*) tr. ofuscar. / adj. legañoso.

bleed (*blid*) tr. intr. sangrar. **/ing** (*bliding*) s. sangría.

blemish (*blémish*) tr. denigrar. / s. tacha.

blend (*blénd*) mezcla / tr. mezclar.

bless (*blés*) tr. bendecir. **— me!** (*blés mí*) interj. ¡válgame Dios! **/ed** (*blésed*) adj. bendito **/ing** (*blésing*) s. bendición

blind (*blánd*) tr. cegar. / s. biombo, persiana; adj. ciego. /**ness** (*bláin-dnes*) ceguera.

blink (*blink*) intr. guiñar, disimular.

bliss (*blís*) s. felicidad.

blister (*blístör*) intr. ampollarse; s. ampolla.

blizzard (*blisard*) s. ventisca.

block (*blók*) tr. bloquear; s. leño, bloque. /**ade** (*blokeid*) s. bloqueo. / **head** (*blókjed*) s. imbécil.

blond(e) (*blond* adj. rubio; s. f. rubia.

blood (*blö'd*) s. sangre. /**shed** (*blö'dsched*) s. matanza. /**-sucker** (*blö'dsökör*) s. sanguijuela. /**y** (*blö'di*) s. sangriento; fam. dichoso.

bloom (*blum*) intr. florecer. / s. capullo.

blossom (*blósöm*) intr. florecer, s. flor. /**y** (*blö-sömi*) adj. florido.

blot (*blót*) tr. borrar; s. borrón; mancha.

blouse (*bláus*) s. blusa.

blow (*blóu*) intr. soplar; tr. soplar; divulgar; golpe. /**ing** (*blóuing*) adj. ventoso. /**-pipe** (*bló páip*) s. soplete

blue (*blú*) adj. azul, tr. azular; s. pl. melancolía.

bluff (*blö'f*) s. fanfarronada. / intr. alardear.

blunder (*blö'ndör*) intr. desatinar. / s. disparate.

blunt (*blö'nt*) tr. embotar. / adj. embotado.

blur (*blö'r*) tr. manchar. / s. mancha, borrón.

blush (*blö'sch*) intr. sonrojarse. / s. sonrojo.

boa (*bóua*) s. boa.

boar (*bóar*) s. jabalí.

board (*bóard*) s. tabla; mesa; pupilaje, pensión, tribunal. /**ing house** ca-

sa de huéspedes. /**- of trade** Ministerio de Comercio. /**ing school** pensionado. /**er** (*bóardör*) s. pensionista, huésped.

boast (*bóust*) tr. intr. jactarse (de). / s. jactancia; fanfarronada. /**er** (*bóustör*) s. fanfarrón.

boat (*bóut*) s. bote. /**man** (*bóutman*) s. barquero.

body (*bódi*) tr. dar forma. /** s. cuerpo; gremio**

bog (*bóg*) s. pantano.

boil (*bóil*) tr. e intr. cocer, hervir. / s. tumor. /**er** (*bóilör*) s. caldera

boisterous (*bóistörös*) adj. ruidoso, tumultuoso.

bold (*bóuld*) adj. atrevido; insolente. /**ness** (*bóuldnes*) s. valor.

bolshevi/k (*bólschevic*) s. bolchevique. /**sm** (*bólschevism*) s. bolchevismo.

bolt (*bóult*) tr. acerrojar. / s. cerrojo, perno.

bomb (*bóm*) s. bomba. /**ard** (*bombárd*) tr. bombardear. /**ardment** (*bom bárdment*) s. bombardeo.

bond (*bónd*) tr. ligar, juntar. / s. lazo; vale; promesa. /**age** (*bóndech*) s. cautiverio. /**ed** (*bóndid*) s. asegurado. /**s man** (*bónsman*) s. fiador.

bone (*bóun*) s. hueso;

bonfire (*bónfaia*) s. hoguera.

bonnet (*bónet*) s. gorra; gorro; sombrero.

bonny (*bónni*) adj. lindo

bony (*bóuni*) adj. huesudo.

booby (*búbi*) s. bobo.

book (*búc*) s. libro; tr inscribir, reservar. /**ing clerk** (*búquing clark*) s. recepcionista. /**binder** (*búcbaindör*) s. encuadernador. /**ish** (*búkisch*) adj. estudioso /**-keeping** (*búc-kiping*) s. teneduría de libros. /**shop** (*búks-chop*) s. librería.

boom (*búm*) s. prosperidad, auge, estampido.

boot (*bút*) tr. e intr. calzar. / aprovechar. / s. bota; ganancia.

booth (*buz*) s. cabina.

booty (*búti*) s. botín.

border (*bórdör*) s. borde, intr. rayar con. /**ing** (*bórdöring*) adj. fronterizo.

bore (*bór*) tr. intr. taladrar. / fam. aburrir; s. pelma. /**dom** (*bó-re-dom*) s. aburrimiento.

born (*born*) adj. nacido. /**be** — nacer.

borough (*bóro*) s. villa.

borrow (*bórou*) tr. pedir prestado. /**er** (*bórou-a*) s. prestatario. /**ing** (*bó-rouing*) s. préstamo.

bosom (*búsöm*) s. seno.

boss (*bós*) s. joroba, giba; jefe, amo.

botan/ic (*botánic*) adj. botánico. /**y** (*bótani*) s. botánica.

both (*bóuz*) pron. ambos, conj. tanto... como.

bother (*bóder*) tr. molestar. / s. molestia.

bottle (*bótl*) s. botella. / tr. embotellar.

bottom (*bótöm*) s. fondo, trasero.

bough (*báu*) s. rama.

boulder (*bóulder*) s. canto rodado, guijarro.

bound (*báund*) tr. contener, intr. saltar. / s. salto; límite; adj. destinado, sujeto. /**ary** (*báunderi*) s. lindero. /**less** (*báundles*) adj. ilimitado.

bow (*báu*) tr. doblar; intr. inclinarse. / reverencia; *Mar.* proa.

bowels (*báuels*) s. pl. intestinos.

bowl (*bóul*) tr. rodar. intr. jugar a las bochas. / s. taca, escudilla. /**er**

‘(*bólör*) s. sombrero hongo. /**ing** (*bóling*) s. juego de bolos.

box (*bócs*) intr. boxear; s. caja, cofre; palco. /-**office** taquilla. /**er** (*bócsör*) s. púgil. /**ing** (*bócsing*) s. boxeo.

boy (*bói*) s. muchacho, mozo. /**hood** (*bójjud*) s. infancia, niñez.

boycott (*bóicot*) s. boicot, tr. boicotear.

brace (*brés*) tr. atar; s. abrazadera. /**s** (*bréises*) s. tirantes. /**let** (*bréslet*) s. brazalete, pulsera.

bracket (*bráket*) s. puntal, soporte; tr. poner entre paréntesis. /**s** (*brákits*) s. paréntesis.

brag (*brág*) intr. jactarse, s. jactancia.

brain (*brein*) s. cerebro. s. (*bréins*) sesos.

brake (*bréik*) s. freno. *Bot.* maleza, boscaje.

bramble (*brámbl*) s. zarza, frambuesa

branch (*bránch*) intr. ramificarse; s. rama; sección; sucursal.

brand (*bránd*) s. marca; sello; tr. marcar.

brandy (*brándi*) s. coñac.

brass (*brás*) s. latón; fam. descaro.

brassière (*brásier*) s. sostén (prenda femenina).

brave (*bréiv*) adj. y s. valiente; tr. desafiar. /**ry** (*brévri*) s. valentía.

bravo (*brávo*) interj. ¡bravo! ¡bueno!

brawl (*bról*) intr. vocear, alborotar; s. reyerta.

braze (*bréis*) tr. soldar, broncear. /**n** (*brésn*) adj. bronceado; descarado.

breach (*brích*) tr. quebrar; s. brecha; rotura.

bread (*bréd*) s. pan.

break (*breik*) tr. romper; domar; intr. romperse; s. rotura, pausa. /**able** (*bréikabl*) adj. frágil /-**down** (*brékdaun*) s. de

rrumbamiento /fast
(brékfast) intr. desayu-
narse; s. desayuno. /-
water (brékuotör) s.
rompeolas
breast (brést) s. pecho.
breath (bréz) s. aliento,
soplo. /e (bríd) tr. res-
pirar. /ing (bríding) s.
aliento.
breeches (bríchis) s. pl.
calzones, pantalones.
breed (bríd) tr. criar; s.
raza, casta. /ing (bri-
ding) s. educación.
breeze (bris) s. brisa.
brethren (brédren) s. pl.
de brother, hermanos.
breviary (briviari) s. compendio; breviario.
brevity (bréviti) s. brevedad.
brew (brú) tr. destilar licores; urdir. /ery (brú-
öri) s. cervecería
bribe (bráib) tr. sobornar
/ry (bráibört) s. sobor-
no, cohecho.
brick (brík) s. ladrillo; tr.
enladrillar.
brid/al (bráidal) s. boda;
adj. nupcial. /e (bráid)
s. novia. /egroom (brd-
idgrum) s. novio.
bridge (brích) s. puente;
tr. construir un puente.
bridle (bráidl) tr. embri-
dar, refrenar; s. brida.
brief (bríf) s. Mús. breve;
adj. sucinto, conciso.
bright (bráit) adj. brillan
te. /en (bráitn) tr. avi-
var; intr. brillar. /ness
(bráitnes) s. lustre, agudeza.
brillian/cy (briliansi) s.
brillantez. /t (briliani)
adj. s. brillante.
brim (brim) s. borde, tr.
llenar. /less (brimles)
adj. sin borde.
bring (bring) tr. traer. /-
up criar, educar.
brink (brink) s. borde.
bristle (brísl) intr. eri-
zarse; s. cerda

brittle (brítl) adj. quebra-
dizo.
broad (bród) adj. ancho.
/cast (bródcast) s. radio
difusión. tr. radiar, es-
parcir. /casting)bród-
casting) s. emisión ra-
diada. /en (bródn) tr.
ensanchar. /ness (bród-
nes) s. anchura.
broil (bróil) tr. asar; intr. asarse, s. tumulto.
broke (bróuk) adj. fam.
arruinado, pelado.
broker (brókör) s. corre-
dor, agente.
bronchi/a (brónkia) s. pl.
bronquios. /tis (bronkái-
tis) s. bronquitis.
bronze (bröns) s. bronce.
brooch (bróuch) s. bro-
che; camafeo.
brood (brúd) intr. empo-
llar; cobijar, s. cría.
brook (brúk) s. arroyo.
broom (brúm) s. escoba;
Bot. retama, hiniesta.
broth (bróz) s. caldo.
brothel (brózel) s. bur-
del.
brother (bró'dör) s. her-
mano. /hood (bró'dör-
jud) s. hermandad; co-
fradía. /in law s. cuña-
do.
brow (bráu) s. ceja.
brown (bráun) adj. ma-
rrón, castaño, moreno.
bruise (brus) tr. abollar,
magullar; s. abolladura.
brunette (brunét) s. mo-
rena, trigueña.
brush (brö'sch) s. cepi-
llo; pincel, brocha; tr.
cepillar.
Brussels (brö'sels) n. pr.
Bruselas. /- sprouts co-
les de Bruselas.
brut/al (brútal) adj. brutal. /ality (brutáliti) s.
brutalidad. /e (brút) s.
bruto, bestia.
bubble (bö'bl) s. burbu-
ja; intr burbujear.
buck (bö'k) s. gamo, ma-
cho; fam. dólar.
bucket (bö'ket) s. cubo,

buckle (*bökl*) s. hebilla.
bud (*bö'd*) s. botón, brote; capullo; intr. brotar.
budget (*bö'dchet*) s. presupuesto; morral; intr. presupuestar.
buffalo (*bö'falou*) s. búfalo.
buffet (*bö'fet*) s. bofetada; puñetazo, alacena, aparador; tr. abofetear.
buffoon (*böfún*) s. bufón, juglar. /**ery** (*bö'funeri*) s. bufonería.
bug (*bö'g*) s. bicho.
build (*bild*) tr. edificar, construir. /**er** (*bilder*) s. constructor, contratista; /**ing** (*bilding*) s. edificio.
bulb (*bölb*) s. *Bot.* bulbo.
bulk (*bö'lk*) s. tamaño; grueso; **in** — a granel. /**y** (*bö'lki*) adj. voluminoso, abultado.
bull (*búl*) s. toro; *Igl.* bula; adj. robusto. /-**dog** (*búl-dog*) s. dogo. /**fight** (*búlfait*) s. corrida de toros. /**fighter** (*búlfaiter*) s. torero. /**ring** (*búlring*) s. plaza de toros. /**y** (*búli*) tr. echar bravatas; s. matón.
bullet (*búlet*) s. bala.
bulletin (*búletin*) s. boletín.
bump (*abömp*) s. choque; tr. chocar. /**er** (*bö'mpor*) s. parachoques.
bun (*bö'n*) s. bollo.
bunch (*bü'nch*) s. manojo, racimo.
bundle (*bö'ndl*) s. lío; paquete; tr. liar, atar.
bungalow (*bö'ngalou*) s. casa de campo baja.
bunk (*bö'nk*) s. litera, rarima; fam. camelo.
bunker (*bö'nker*) s. depósito de carbón.
buoy (*bói*) s. *Mar.* boya; tr. boyar; intr. flotar. / **ancy** (*bóiansi*) s. flotación, campechanía /**ant** (*bóiyant*) adj. boyante; campechano

burden (*bö'rdn*) tr. cargar; s. fardo, carga.
bureau (*biúro*) s. oficina. /**cracy** (*biuóucresi*) s. burocracia. /**crat** s. (*biúrocrat*) burócrata.
burglar (*börglar*) s. ladrón. /**y** (*bö'rglari*) robo con escalo.
bur/ial (*bérial*) s. entierro. /**y** (*béri*) tr. enterrar. /**ial-place** (*bérial-pléis*) s. cementerio.
burlesque (*börlésk*) tr. disfrazar, parodiar; s. parodia; adj. burlesco.
burn (*bö'rn*) tr. quemar, intr. quemarse, arder; s. quemadura; incendio. /**er** (*bö'rnör*) s. mechero.
burnish (*bö'rnisch*) tr. bruñir, pulir; s. lustre.
burse (*bö'rs*) s. bolsa.
burst (*börst*) s. explosión, estallido; intr. reventar.
bush (*busch*) s. arbusto.
business (*bisnes*) s. negocio, ocupación, asunto. /**man** (*bisnesman*) s. hombre de negocios.
bust (*bö'st*) s. busto.
bustle (*bö'sl*) intr. bullir, menearse; s. bullicio.
busy (*bisi*) adj. ocupado, atareado; tr. ocupar; intr. atarearse.
but (*bö't*) conj. pero, mas, sino, excepto; adv. solamente; s. pero.
butcher (*búchör*) tr. degollar; s. carnicero. /**ery** (*búchöri*) s. carnicería.
butler (*bö'tlör*) s. mayordomo.
butt (*bót*) s. cabo; fin.
butter (*bö'tör*) s. mantequilla; tr. untar con mantequilla. /**fly** (*bö'törflai*) s.[t] mariposa.
buttock (*bö'tok*) s. nalga.
button (*bö'tn*) s. botón; tr. abotonar. /-**hole** (*böɪnɪoul*) s. ojal.

buxom (*bö'ksöm*) adj. rolliza, frescachona.

buy (*bái*) tr. comprar. /er (*báiör*) s. comprador.

buzz (*bö's*) tr. cuchichear, susurrar; intr. zumbar; s. susurro; zumbido.

by (*bái*) prep. por, a, en, con, bajo, sobre; adv. cerca. /- day de día.

bye-bye! adv. fam. ¡adiós!

C

cab (*cáb*) s. coche, taxi.

cabbage (*cábech*) s. col.

cabin (*cábin*) s. cabaña, camarote, cabina. /et (*cábinet*) s. gabinete.

cable (*kéibl*) s. cable; tr. cablegrafiar. /gram (*cáblegram*) s. cablegrama.

cacao (*cakéo*) s. cacao.

cachalot (*cáchalot*) s. cachalote.

cad (*cad*) s. canalla.

cadence (*kédens*) s. Mús. cadencia, compás.

cadet (*cadét*) s. cadete; hermano menor.

cage (*kéich*) tr. enjaular, s. jaula, cárcel.

cajole (*cachól*) tr. lisonjear, mimar; s. mimos.

cake (*kéik*) s. pastel.

calamit/ous (*calámitös*) adj. calamitoso. /y (*calámiti*) s. calamidad.

calcula/te (*cálkiulet*) tr. calcular. /tion (*calkiuléischön*) s. cálculo.

caldron (*cóldrön*) s. caldera.

calendar (*cálendör*) s. calendario.

calf (*cáf*) s. ternero; pantorrilla.

caligraphy (*caligrafi*) s. caligrafía.

call (*col*) tr. llamar, convocar, visitar; s. llamada; vocación; visita. /er (*cólör*) s. visitante. /- on tr. visitar.

calm (*cám*) tr. calmar; s. calma, adj. quieto. /y (*cámi*) adj. apacible.

calumn/iate (*calö'mniet*) tr. e intr. calumniar. /y (*cálömni*) s. calumnia.

camel (*cámel*) s. camello.

camera (*kámera*) s. cámara fotográfica.

camouflage (*kámutlasch*) s. camuflaje, disfraz; tr. disfrazar.

camp (*cámp*) s. campamento; intr. Mil. acampar. /aign (*campéin*) s. campaña.

can (*cán*) s. lata; intr. poder; speak; tr. envasar.

canal (*canál*) s. canal. /ize (*kánelais*) tr. canalizar.

canary (*canéri*) s. canario.

cancel (*cánsel*) tr. cancelar. /lation (*canseléschön*) s. cancelación.

cancer (*cánsör*) s. cangrejo; Med. cáncer.

candid (*cándid*) adj. cándido.

candidate (*cándidet*) s. candidato, opositor.

candle (*cándl*) s. vela.

candy (*cándi*) s. candí, ,confite; tr. confitar.

cane (*kéin*) s. bastón, caña; intr. bastonear.

cannibal (*cánibal*) s. caníbal.

cannon (*cánön*) s. cañón.

canoe (*canú*) s. canoa.

canon (*cánon*) s. canon, regla. /**ization** (*canoniséischön*) s. canonización.

canteen (*cantín*) s. Mil. cantina, cantimplora.

canvas (*cánvas*) s. cañamazo, lona. /**s** (*cánvas*) tr. escudriñar, examinar; s. pretensión

cap (*cáp*) s. gorra, gorro.

capab/ility (*kepabíliti*) s. capacidad. /**le** (*képabl*) adj. capaz, hábil.

capaci/ous (*capéschös*) adj. capaz. /**ty** (*capásiti*) s. capacidad.

cape (*kéip*) s. cabo.

capital (*cápital*) adj. capital, principal; s. capital (ciudad); caudal. /**ism** (*kápitalism*) s. capitalismo. /**ist** (*cápitalist*) s. capitalista. /**ize** (*cápitalais*) tr. capitalizar.

capitul/ate (*capítiulet*) tr. Mil. capitular, rendirse. /**ation** (*capitiuléischön*) s. capitulación.

capric/e (*caprís*) s. capricho. /**ious** (*caprischös*) adj. caprichoso.

capsize (*cápsais*) tr. e intr. zozobrar, volcar.

capsule (*cápsiul*) s. cápsula; vaina.

captain (*cápten*) s. Mil. capitán; jefe.

captiv/ate (*cáptivet*) tr. cutivar. /**e** (*cáptiv*) s. cautivo. /**ity** (*captíviti*) s. cautiverio.

capture (*cápchör*) s. captura; presa; tr. capturar.

car (*cár*) s. coche, automóvil. /**- park** aparcamiento de coches.

carat (*cárat*) s. quilate.

caravan (*cáravan*) s. caravana, (casa) remolque.

caravel (*cáravel*) s. carabela.

card (*cárd*) s. tarjeta; carta o naipe; tr. jugar a las cartas. /**board** (*carbóard*) cartón.

cardiac (*cárdiac*) adj. cardíaco.

cardinal (*cárdinal*) s. cardenal; adj. cardinal.

care (*kér*) tr. cuidar; s. cuidado, inquietud. /**ful** (*kérful*) adj. cuidadoso. /**less** (*kérles*) adj. descuidado.

caress (*carés*) tr. acariciar, halagar; s. caricia.

cargo (*cárgo*) s. carga.

caricatur/e (*cáricatiur*) tr. ridiculizar, paradiar; s. caricatura. /**ist** (*caricatiúrist*), s. caricaturista.

caries (*kéries*) s. caries.

carnal (*cárnal*) adj. carnal, sensual. /**ity** (*carnáliti*) s. sensualidad.

carnation (*carnéischö'n*) s. Bot. clavel.

carnival (*cárnival*) s. carnaval.

carnivoruos (*carnívorös*) adj. carnívoro.

carol (*cárol*) s. villancico.

carpent/er (*cárpentör*) s. carpintero. /**ry** (*cárpentri*) s. carpintería.

carpet (*cárpet*) s. alfombra; tr. alfombrar.

carriage (*cárich*) s. carruaje; coche, vagón.

carrot (*cárröt*) s. Bot. zanahoria.

carry (*cári*) tr. llevar, conducir, acarrear. /**- on** tr. intr. continuar.

cart (*cárt*) s. carro.

cartel (*cártel*) s. cartel.

carter (*cártör*) s. carretero.

cortoon (*cartún*) s. caricatura, historieta.

carv/e (*cárv*) tr. cincelar, trinchar carne. /**-er** (*cárvör*) s. grabador; trinchante. /**ing** (*cárving*) s. grabado.

cascade (*cáskeid*) s. cascada, salto de agua.

case (*kéis*) s. caja, caso; tr. encajar.

cash (*cásh*) s. dinero contante; Com. caja; tr. pagar al contado. /**- on**

delivery (pago contra reembolso. /- **on desk** al contado. /**ier** (cáschiör) s. cajero.

cask (cásk) s. barril, tonel; **tr. entonelar.** /**et** (cásket) s. cajita.

cassock (cásök) s. sotana.

cast (cást) tr. tirar, arrojar; intr. amoldarse. / s. tiro, molde. /- **lots** echar suertes.

castle (cásl) s. castillo.

casual (céshual) adj. casual.

casualty (céshualti) s. accidente, eventualidad.

cat (cát) s. gato.

catalogue (cátalog) tr. catalogar; s. catálogo.

cataract (cátaract) s. catarata, cascada.

catarrh (catár) s. catarro, resfriado. /**al** (catáral) adj. catarral.

catastrophe (catástrofi) s. catástrofe.

catcall (cátcol) s. chifla.

catch (catch) tr. coger, agarrar. /- **cold** costiparse. /**ing** (cáching) adj. seductor. /**word** (catchuörd) s. reclamo.

categor/ical (categórical) adj. categórico. —**y** (cátegori) s. categoría.

cater (kéitor) intr. proveer. /**er** (kétöror) s. proveedor. /**full** —**ing** servicio completo.

cathedral (cazídral) s. catedral.

Catholic (cázolic) adj. católico. /**ism** (cazólisism) s. catolicismo.

catsup (cátsöp) s. salsa de tomate, catsup.

cattle (cátl) s. ganado.

cauliflower (cóliflauör) s. coliflor.

cause (cós) tr. causar; s. causa; pretexto.

caustic (cóstic) adj. y s. cáustico.

cauti/on (cóschön) tr. prevenir; s. prudencia;

aviso. /**ous** (cóschös) adj. cauto.

caval/ier (cavalír) s. caballero. /**ry** (cávalri) s. caballería.

cave (kéiv) tr. excavar; s. cueva. /**rn** (cávörn) s. caverna.

caviar (cáviar) s. caviar.

cease (cis) intr. cesar, desistir; tr. parar. /**less** (císeles) adj. incesante.

cedar (cídar) s. *Bot.* cedro.

cede (cid) tr. e intr. ceder .

ceil (síl) tr. techar. /**ing** (síling) s. techo.

celebr/ate (sélebret) tr. celebrar; aplaudir; adj. célebre. /**ity** (selébriti) s. celebridad.

celery (séleri) s. *Bot.* apio.

celibacy (sélibasi) s. celibato, soltería.

cell (sél) s. celda, célula, calabozo. /**ar** (sélar) s. sótano, bodega.

cellu/loid (seliúloid) s. celuloide. /**lose** (sellulous) s. celulosa.

cement (simént) tr. argamasar; s. cemento.

cemetery (sémeteri) s. cementerio.

cense (sens) tr. incensar.

cens/or (sénsör) s. censor; tr. censurar. /**orship** (sénsorschip) s. censura. /**ure** (sénscchur) tr. censurar, cirticar; s. censura. /**us** (sénsos) s. censo.

cent (sént) s. céntimo; centavo; **per** — por ciento.

central (séntral) adj. central. /**ize** (séntralais) tr. centralizar. /**ist** (séntralist) s. centralista.

centr/e (séntör) s. centro; tr. centrar. /**ical** (séntrical) adj. céntrico.

century (sénchuri) s. siglo, centuria.

cerebral (séribral) adj. cerebral.

ceremon/ial *(seremónial)* adj. ceremonial. **/ious** *(seremóniòs)* adj. ceremonioso. **/y** *(séremoni)* s. ceremonia.

certain *(só'rtön)* adj. cierto, seguro. **/ty** *(só'rtön ti)* s. certeza.

certif/icate *(só'rtífiket)* s. certificado, título; tr. certificar. **/ter** *(só'rtifà tör)* s. certificador. **/y** *(só'rtifai)* tr. certificar.

certitude *(só'rtitiud)* s. certidumbre. certeza.

cess/ation *(seséischön)* s. suspensión, cese. **/ion** *(séschön)* s. cesión.

chaf/e *(cheif)* tr. excoriar, escaldar.

chain *(chéin)* s. cadena; tr. encadenar, unir.

chair *(chér)* s. silla, asiento, cátedra. **/man** *(chérman)* presidente.

chalice *(chális)* s. Cáliz.

chalk *(chók)* s. tiza, greda; tr. enyesar.

challenge *(chálench)* s. desafío; tr. desafiar.

chamber *(chémbör)* s. cámara, cuarto **/maid** *(chembörmeid)* s. doncella. **/pot** s. orinal.

chamois *(schámi)* s. gamuza.

champagne *(schampéin)* s. champaña.

champion *(chámpiön)* s. campeón. **/ess** *(chámpiones)* s. campeona. **/ship** *(chámpionschip)* s. campeonato.

chance *(cháns)* s. azar.

chancell/ery *(chánceleri)* s. cancillería. **/or** *(cháncelör)* s. canciller.

change *(chéinch)* s. cambio ;tr. cambiar. **/able** *(chénchabl)* adj. mudable. **/r** *(chénchör)* s. cambista.

channel *(chánel)* s. canal.

chao/s *(kéos)* s. caos; adj. caótico; confuso.

chap *(chap)* s. fam. chico, tipo, "tío", individuo

chapel *(chápel)* s. capilla.

chap/lain *(cháplen)* s. capellán. **/let** *(cháplet)* s. guirnalda, rosario.

chapter *(cháptör)* s. capítulo; Igl. cabildo.

character *(cáractör)* tr. marcar; s. carácter; Teat. personaje. **/istic** *(caractöristic)* adj. y s. característico. **/ize** *(cáractörais)* tr. caracterizar.

charge *(chárch)* s. cargo, carga; tr. encargar, cargar, cobrar (a alguien)

charit/able *(cháritabl)* adj. caritativo. **/y** *(chárity)* s. caridad; limosna.

charlatan *(schárlutan)* s. charlatán, curandero.

charm *(chárm)* s. encanto; tr. encantar. **/mer** *(chármör)* s. encantador. **/ming** *(chárming)* adj. encantador.

chart *(chárt)* s. Mar. carta de navegar, registro; tr. registrar. **/er** *(chártör)* s. fiete; cédula; tr. fletar.

charwoman *(cháruman)* s. mujer de faenas.

chase *(chéis)* s. caza, persecución; tr. perseguir.

chassis *(chásis)* s. armaç,zón, chasis, bastidor.

chast/e *(chéist)* adj. casto, honesto. **/ity** *(chástitt)* s. castidad.

chast/en *(chésn)* tr. **/ise** *(chastáis)* tr. castigar. **/isement** *(chástisment)* s. castigo.

chat *(chát)* s. charla; in. tr. charlar. **/ter** *(chátör)* s. charla; intr. charlar.

chauffeur *(schóuför)* s. chofer.

cheap *(chip)* adj. barato. **/en** *(chipn)* tr. abaratar.

cheap *(chip)* adj. barato. fraude; tr. engañar, estafar.

check *(chék)* s. rechazo, obstáculo; Com. talón, cheque, (ajedrez) jaque;

tr. reprimir, *Com.* confrontar

cheek *(chik)* s. mejilla. *fam.* caradura. **/y** adj. descarado.

cheer *(chir)* s. alegría; regocio; pl. vivas; tr. alegrar, vitorear; intr. alegrarse.

cheese *(chis)* s. queso.

chemi/cal *(kémical)* s. producto químico; adj. químico. **/st** *(kémist)* s. farmacéutico, químico. **/stry** *(kémistri)* s. química.

cherish *(chérish)* tr. proteger; acariciar.

cherry *(chéri)* s. cereza. **/tree** s. cerezo.

chess *(chés)* s. ajedrez. **/-board** *(chés-bórd)* s. tablero de ajedrez.

chest *(chést)* s. caja; baúl; pecho, tórax. **/- of drawers** s. cómoda.

chestnut *(chésnöt)* s. castaña; adj. castaño.

chew *(chu)* tr. mascar; rumiar. **/ing gum** goma de mascar, chicle.

chick *(chíc)* s. pollo. **/en** *(chiken)* s. polluelo. **/en pox** s. viruelas locas.

chief *(chíf)* adj. principal; s. jefe. **/tain** *(chíften)* s. caudillo.

chilblain *(chílblein)* s. sabañón.

child *(cháld)* s. niño, hijo. **/birth** *(cháilbörz)* s. parto. **/hood** *(cháildjud)* s. infancia. **/ish** adj. pueril. **/ren** *(children)* s. pl. niños, hijos.

chill *(chíl)* s. frío, tr. enfriar. **/y** *(chíli)* adj. friolento.

chilli *(chíli)* s. guindilla.

chimer/a *(kimíra)* s. quimrea. **/ical** *(kimérical)* adj. quimérico.

chimney *(chimni)* s. chimenea. **/sweep(er)** s. deshollinador.

chin *(chin)* s. mentón.

Chin/a *(cháina)* China; s.

porcelana. **/ese** *(chainís)* s., adj. chino.

chip *(chíp)* s. brizna, astilla. **/(potado)** — s patatas fritas; tr intr astillar(se).

chisel *(chísl)* s. cincel, escoplo; tr. cincelar.

chloroform *(clóuroform)* s cloroformo; tr. cloroformizar

chocolate *(chócolet)* s. chocolate.

choice *(chóis)* s elección, surtido; adj. escogido.

cho/ir *(cuáir)* s. coro. **/ral** *(córal)* adj. coral.

chok/e *(chóuc)* tr. ahogar, sofocar; intr. ahogarse; s. estrangulación.

choler/a *(cólera)* s. *Med.* cólera. **/ic** *(cóleric)* adj. colérico.

choose *(chús)* tr. e intr. escoger; elegir.

chop *(chóp)* s tajada, chuleta; tr. tajar.

chord *(córd)* s. *Mús* acorde; cuerda.

Christ *(cráist)* s. Cristo **/en** *(crísn)* tr. cristianar, bautizar. **/endom** *(crisndöm)* s Cristiandad. **/ening** *(crisning)* s. bautismo, bautizo. **/ian** *(crístian)* s. y adj. cristiano. **/ianism** *(crístianism)* s. Cristianismo **/ianize** *(cristianais)* tr. cristianizar. **/mas** *(crísmas)* s. Navidad. **/mas eve** s. Nochebuena.

chronic *(crónic)* adj. crónico.

chron/icle *(crónicl)* s. crónica; tr. registrar. **/ology** *(cronólochi)* cronología

chum *(chö'm)* s. camarada, compincho.

church *(chö'rch)* s. iglesia. **/yard** *(chö'rchyard)* s. cementerio.

churl *(chö'rl)* s. patán.

cicatri/ce *(sicatris)* s. cicatriz. **/ze** *(sicatrais)* cicatrizar cider (sáidör) s. sidra.

cigar (sigár) s. (cigarro) puro. /ette (sigarét) s. cigarrillo, pitillo.

cinema(tograph) [sinema-(tógraf)] s. cinema(tógrafo). /ic (sinematográfic) adj. cinematográfico. /y (sinematografi) s. cinematografía.

cipher (sáiför) s. cifra; clave, tr. cifrar.

circ/le (sö'rkl) s. círculo; corro; tr. rodear. /uit (sö'rkit) s. circuito. /ular (sö'rkiulör) s. y adj. circular. /ulate (sö'rkiulet) tr. cercar, intr. circular. /ulation (sörkiuléischön) s. circulación.

circum/cise (sö'rkömsais) tr. circundar. /ference (sörko'mferens) s. circunferencia. /locution (sörkömlokiúschön) s. circunlocución. /scribe (sörkömscráib) tr. circunscribir. /spect (sörkömspéct) s. circunspecto. /stance (sö'rkömstans) s. circunstancia, detalle. /stantial (sörkömstánschal) adj. accidental, detallado.

circus (sö'rkös) s. circo.

cistern (sistörn) s. cisterna, aljibe.

cit/ation (saitéschön) s. citación, mención. /e (sáit) tr. citar, alegar.

cit/izen (sítisn) s. ciudadano, vecino. /y (síti) s. ciudad.

civ/ic (sívic) adj. cívico. /il (sívil) adj. civil. /il servant s. funcionario. /il service s. administración pública. /ilian (sivílian) s. paisano. /ility (sivíliti) s. cortesía. /ilization (sivilíséischön) s. civilización. /ilize (sívilais) tr. civilizar /ism (sívim) s. civismo.

clad (clád) adj. vestido.

claim (cléim) s. reclamación. / tr. reclamar.

clamo/rous (clámorös) adj. tumultuoso. /(u)r (clámör) s. clamor.

clan (clán) s. tribu, clan.

clandestin/e (clandéstin) adj. clandestino. /ity (clandéstinity) s. clandestinidad.

clap (cláp) s. golpeo, aplauso; tr. batir.

claret (cláret) s. clarete.

clari/fication (clarifikéischön) s. clarificación. /fy (clárifai) tr. clarificar; aclarar. /ty (cláriti) s. claridad.

clarinet (clárinet) s. Mús. clarinete.

clash (cládsch) s. choque. / intr. chocar.

clasp (clásp) s. broche; corchete; abrazo. / tr. abrochar, abrazar.

class (clás) s. clase, orden. / tr. clasificar. /-room s. aula

classic (clásic) s. y adj. clásico. /al (clásical) adj. clásico.

classif/ication (clasifikéischön) s. clasificación. /y (clásifai) tr. clasificar.

clause (clós) s. cláusula.

claw (cló) s. garra; uña.

clay (cléi) s. arcilla.

clean (clín) tr. limpiar. / adj. limpio, completo. / ing (clíning) s. limpieza, aseo. /ness (clínnes) s. limpieza. /se tr. limpiar, lavar.

clear (clir) s. claro, espacio, adj. claro; tr. aclarar; intr. aclararse. /-the table levantar la mesa. /ance (clírans) s. despejo, (ventas) liquidación. /ness (clírnes) s. claridad.

clef (clef) s. Mus. clave.

clemen/cy (clémensi) s. clemencia. /t (clément) adj. clemente.

cler/gy (clö'rchi) s. clero. /gyman (clö'rchiman) s.

eclesiástico, clérigo. **/ical**
(*clérical*) adj. clerical.
clerk (*clárk*) s. oficinista,
escribiente, funcionario.
clever (*clévór*) adj. diestro, hábil. **/ness** (*clévór-
nes*) s. habilidad.
click (*clík*) s. chasquido;
intr. chasquear.
client (*cláient*) s. cliente.
/ele (*claientil* o *tél*) s.
clientela.
cliff (*clíf*) s. acantilado.
climat/e (*cláimet*) s. clima. **/ic** (*cláimátic*) adj.
climatérico.
climax (*cláimacs*) s. clí-
max, culminación.
climb (*cláim*) tr. subir,
escalar. / intr. ascen-
der. **/er** (*cláimór*) s. es-
calador. *Bot.* enredade-
ra.
cling (*cling*) intr. adherirse, quedarse con.
clinic (*clínic*) s. clínica.
/ adj. clínico. **/al** (*cli-
nikól*) adj. clínico.
clip (*clíp*) s. pinza, "clip".
/ tr. recortar. **/per** (*cli-
pór*) s. esquillador, re-
cortador; *Mar.* clíper.
cloak (*clóuc*) s. capa; tr.
cubrir. **/room** s. guardarropa, consigna.
clock (*clóc*) s. reloj (de
pared).
cloister (*clóistór*) s. claus-
tro, monasterio.
close (*clóus*) s. conclusión; adj. cerrado, con-
tiguo. / tr. (en)cerrar,
concluir.
closet (*clóset*) s. gabinete,
retrete.
closure (*clóchur*) s. clausura, cierre.
clot (*clót*) s. grumo.
cloth (*clóz*) s. lienzo, paño, tela. **/e** (*clóz*) tr.
vestir; cubrir. **/es** (*clótz*)
s. pl. vestidos, trajes.
/ing (*clóding*) s. vestuario.
cloud (*cláud*) s. nube,
nublado. / tr. obscure-

cer. / intr. nublarse.
/y (*cláudi*) adj. nuboso.
clove (*clov*) *Bot.* s. clavo.
/r (*clóvór*) s. trébol
clown (*cláun*) s. payaso
club (*clób*) s. cuota; maza; club, casino.
clumsy (*clö'msi*) adj. torpe, desgarbado.
cluster (*clö'stór*) s. racimo. / intr. arracimarse.
clutch (*clö'ch*) s. garra;
presa. / *Mec.* embrague.
/ tr. agarrar, apretar.
coach (*cóuch*) s. coche.
Dep. entrenador. / tr.
entrenar, enseñar.
coactive (*couáctiv*) adj.
coactivo, coercitivo.
coagulate (*codgutulet*) tr.
e intr. coagular.
coal (*cóul*) s. carbón.
coalition (*coalischön*) s.
coalición, alianza, liga.
coarse (*córs*) adj. grosero, áspero, basto. **/ness**
(*córsnes*) s. tosquedad.
coast (*cóust*) s. costa, ribera. / intr. costear.
coat (*cóut*) s. chaqueta,
americana, capa de pin-
tura; tr. vestir. **/- of
arms** s. escudo de armas.
cobble (-stone) (*cóbl-sto-
un*) s. guijarro. / tr.
empedrar, remendar. **/r**
(*cóblör*) s. remendón.
cocaine (*cócain*) s. cocaína.
cock (*cóc*) s. gallo, llave,
espita. / tr. levantar. /
erel (*cókórel*) s. pollo /
tail (*cócteil*) s. combinado, cóctel.
cockney (*cócnt*) s. adj.
londinense (castizo)
coco/a (*cóco*) s. cacao
molido. **/-nut** s. coco
/-nut-tree s. cocotero.
coction (*cócschön*) s. cocción.
cod (*cód*) s. bacalao.
code (*cóud*) s. código,
clave. / tr. poner en
clave, cifrar.
coetaneous (*couttétneös*)
adj. coetáneo.

coexist (*çoegsíst*) intr. coexistir. **/ence** (*coegsístens*) s. coexistencia.

coffee (*cófi*) s. café. **/pot** s. cafetera.

coffer (*cóför*) s. cofre.

coffin (*cófin*) s. ataúd.

cogitat/e (*cóchitet*) intr. pensar. **/ion** (*cochitéischön*) s. meditación. **/ive** (*cóchitetiv*) adj. cogitativo.

cognac (*cónak*) s. coñac.

cognat/e (*cógnet*) adj. pariente. **/ion** (*cognéischön*) s. parentesco.

cohabit (*cojábit*) intr. cohabitar.

cohe/re (*cojír*) intr. adherirse. **/rence** (*cojírens*) s. coherencia. **/rent** (*cojírent*) adj. coherente. **/sion** (*cojíhiön*) s. cohesión. **/sive** (*cojísiv*) adv. cohesivo.

coil (*cóil*) s. rollo, bobina. / fig. tumulto. / tr. e intr. enrollar(se).

coin (*cóin*) s. moneda. / tr. acuñar. **/er** (*cóinör*) s. acuñador, falsificador.

coincide (*coinsáid*) intr. coincidir. **/nce** (*cóinsídens*) s. coincidencia.

coition (*coíschön*) s. coito, cópula.

cold (*cóuld*) adj. frío; s. resfriado. **/ness** (*cóuldnes*) s. frío, frialdad.

colic (*cólic*) s. cólico.

collapse (*coláps*) s. colapso. / intr. desplomarse, caerse.

collar (*cólar*) s. cuello (de vestir), collera.

colleague (*cólig*) s. colega.

collect (*coléct*) tr. recoger; congregar. intr. reunirse. **/ion** (*coléschön*) s. colección, colecta. **/ive** (*coléctiv*) adj. colectivo. **/or** (*coléctör*) s. colector, recaudador.

colleg/e (*cólich*) s. colegio (mayor). **/ial** (*colíchial*) adj. colegial.

/ian (*colíchian*) s. colegial, estudiante. **/iate** (*colíchet*) adj. colegiado; tr. colegiar.

colli/de (*coláid*) intr., tr. chocar, topar. **/ion** (*colíschön*) s. colisión.

colloca/te (*cólokeit*) tr. colocar. **/tion** (*colokéischön*) s. colocación.

colloqu/ial (*colócuial*) adj. familiar. **/ialism** (*colócuialism*) s. expresión familiar. **/y** (*cólocui*) s. coloquio.

colon (*cólön*) s. Gram. dos puntos. *Anat.* colon.

colonel (*cö'nöl*) s. *Mil.* coronel.

colon/ial (*colónial*) adj. colonial. **/ialism** (*colónialism*) s. colonialismo. **/ist** (*cólonist*) colono, colonizador. **/ization** (*coloniséischön*) s. colonización. **/ize** (*cólonais*) tr. colonizar. **/y** (*cóloni*) s. colonia.

coloss/al (*colósal*) adj. colosal. **/us** (*colósös*) s. coloso.

colour (*kö'lö*) s. color. **/-bar** s. discriminación racial. **/-blind** s. y adj. daltónico.

colt (*cólt*) s. potro.

column (*cólöm*) s. columna.

comb (*cóum*) s. peine; panal; tr. peinar.

combat (*kö'mbat*) s. combate. / tr. e intr. combatir. **/ant** (*kö'mbatant*) s. y adj. combatiente.

combin/ation (*combinéischön*) s. combinación. **/e** (*combáin*) tr. combinar; intr. combinarse.

combusti/ble (*combö'stibl*) adj. combustible. **/on** (*combö'schön*) s. combustión.

come (*kö'm*) intr. venir, llegar, ocurrir. **/-on** intr. seguir. **/- out** intr. salir. **/- under** estar entre.

comed-ian *(comidían)* s. comediante. **/y** *(cómedi)* s. comedia.

comet *(cómet)* s. cometa.

comfort *(kö'mfort)* tr. confortar; s. confort, comodidad. **/able** *(kö'mfortabl)* adj. cómodo.

comic *(cómic)* adj. cómico; — **strip** s. historieta cómica.

coming *(cöming)* s. venida, adj. venidero.

comma *(cóma)* s. *Gram.* coma.

command *(cománd)* s. orden; poder; mando; tr. mandar. **/ant** *(comandánt)* s. comandante. **/er** *(comándör)* s. jefe, caudillo. **/ment** *(comándment)* s. mandato, mandamiento.

commemorat/e *(comémoret)* tr. conmemorar. **/ion** *(comemoréischön)* s. conmemoración.

commence *(comens)* tr. principiar; intr. comenzar. **/ment** *(coménsment)* s. comienzo.

commensal *(coménsal)* s. comensal.

comment *(cóment)* s. comentario; tr. comentar. **/ary** *(cómentari)* s. comentario. **/ator** *(cómentetör)* s. comentarista.

commerce *(cómers)* s. comercio. **/ial** *(comö'rschal)* adj. comercial.

commiss-ariat *(comiséiriat)* s. comisaría, intendencia militar. **/ary** *(cómisari)* s. comisario. / **ion** *(comíschön)* s. comisión, patente. tr. comisionar. **/ioer** *(comischönör)* s. comisionado.

commit *(comít)* tr. cometer; confiar. **/ment** *(comítment)* s. compromiso. **/tee** *(comíti)* s. comité; junta.

common *(cómön)* adj. común; ordinario. **/er** *(cómönör)* s. plebeyo. **/ness**

cómönnes) s. generalidad. **/s** *(cómöns)* s. pl. vulgo, estado llano; Comunes. **/wealth** *(cómönuelz)* s. mancomunidad en público.

commotion *(comóschön)* s. conmoción, tumulto.

commun/icate *(comiúnikeit)* s. comunicación, aviso. **/ion** *(cómiúnión)* s. comunión. **/ism** *(cómiúnism)* s. comunismo. **/ist** *(cómiunist)* adj. s. comunista. **/ity** *(comiúniti)* s. comunidad.

commut/able *(comiútabl)* adj. conmutable. **/e** *(comiút)* tr. conmutar.

compact *(compáct)* tr. consolidar; adj. apretado.

companion *(compánión)* s. compañero.

company *(cö'mpani)* s. compañía; sociedad.

compar/able *(cómparabl)* adj. comparable. **/e** *(compér)* tr. comparar. **/ison** *(compárisön)* s. comparación.

compartment *(compártment)* s. compartimiento, departamento.

compass *(kö'mpös)* s. compás, brújula.

compassion *(compáschön)* s. compasión; lástima.

compatib/ility *(compatibíliti)* s. compatibilidad. **/le** *(compátibl)* adj. compatible.

compatriot *(compétriot)* s. compatriota.

compel *(compél)* tr. obligar; forzar; arrancar.

compendium *(compéndiöm)* s. compendio.

compensat/e *(cómpenset)* tr. compensar. / **i o n** *(compenséischön)* s. compénsación; retribución.

compet/e *(compít)* intr. competir. **/ence** *(cómpitens)* s. competecia. **/ent** *(cómpetent)* adj. competente. **/ition** *(com-*

petischön) s. competición. /itor (*compétitör*) s. competidor.

complacen/ce (*compléisens*) s. complacencia. /t (*complésent*) adj. complaciente.

complain (*compléin*) intr. quejarse. /t (*compléint*) s. queja; acusación.

complaisan/ce (*complesans*) adj. complacencia. /t (*compléisant*) adj. complaciente, cortés.

comple/ment (*cómplement*) s. complemento. /te (*complít*) tr. completar; adj. completo.

complex (*cómplecs*) adj. complejo, complicado; s. complejo; /ity (*complécsiti*) s. complejidad.

complexion (*complécschön*) s. tez, cutis.

complicat/e (*cómplikat*) adj. complicado; tr. complicar. /ion (*complikéischön*) s. complicación.

compliment (*cómpliment*) s. cumplimiento, cumplido. /s (*cómpliments*) saludos.

component (*compóunent*) adj. y s componente.

compos/e (*compóus*) tr. componer. /er (*compóusör*) s. Mus. compositor. /ition (*comnosíschön*) s. composición, arreglo.

compound (*cómpaund*) s. compuesto, mezcla; adj. mezclado; tr. componer.

comprehen/d (*compreiénd*) tr. comprender; incluir /sion (*comprelénis*) s comprensión.

compress (*comprés*) tr. comprimir; (*cómpres*) s. compresa. /ion (*compréschön*) s comprensión.

comprise (*comprais*) tr. comprender contener.

compromise (*cómpromais*) s. compromiso.

compuls/ion (*compö'lchön*) s. compulsión,

coacción. /ory (*compö'lsori*) adj. obligatorio.

comput/ation (*compiutéchön*) s. cómputo. /e (*compiút*) tr. computar. /er (*compiútör*) s. computador; calculadora.

comrade (*cómred*) s. camarada.

concav/e (*cónkev*) adj. cóncavo. /ity (*concávti*) s. concavidad.

conceal (*consíl*) tr. ocultar.

concede ((*consid*) tr. conceder.

conceit (*consit*) s. vanidad. /ed (*consíted*) adj. engreído.

conceive (*consív*) tr. concebir, imaginar.

concentrat/e (*cónsentreit*) tr., intr. concentrar(se). /ion (*consentréischön*) s. concentración.

concept (*cónsept*) s. concepto. /ion (*consépschön*) s. concepción.

concern (*consö'rn*) s. interés; empresa; tr. concernir, inquietar. /ed (*consö'nd*) adj. interesado.

concert (*cónsört*) s. concierto, tr. concertar.

concession (*conséschön*) s. concesión. /ary (*conséschönari*) s. concesionario.

conciliat/e (*consíliet*) tr. conciliar. /ion (*consiliéischön*) s. conciliación.

concise (*consáis*) adj. conciso, lacónico, breve.

conclu/de (*conclúd*) tr. concluir, intr. terminarse. /sion (*conclúschön*) s. conclusión. /sive (*conclúsiv*) adj. concluyente.

concord (*cóncord*) s. concordia. /ance (*concórdans*) s. concordancia. /ant (*cóncórdant*) s. concordante.

concret/e (*cóncrit*) adj. concreto; s hormigón.

argamasa (*concrit*) tr. concretar; espesar.

concubin/age (*conkiúbi-nich*) s. concubinato, 'amancebamiento. /e(*cónkiubain*) s concubina.

concupiscenc/e (*conkiú-pisens*) s. concupiscencia.

concur (*conkö'r*) intr. concurrir, coincidir. /rence (*conkö'rens*) s. concurrencia, concurso.

condemn (*condém*) tr. condenar. /ation (*condemnéischön*) s. condenación.

condens/ation (*condenséi-chön*) s. condensación. /e (*condéns*) tr. condensar(se). /er (*condénsör*) s. condensador.

condescen/d (*condesénd*) intr. condescender. /ence (*condeséndens*) s. condescendencia. /ding (*condeséndíng*) adj. condescendiente

condition (*condíschön*) s. condición; tr estipular. /al (*condíschönal*) adj. condicional.

conduce (*condiús*) intr. cónducir; convenir.

conduct (*condö'ct*) tr. conducir, dirigir; s. conducta. /or (*condö'ctor*) s. cobrador, director de orquesta.

confectioner (*conféscchö-nor*) s. confitero; dulcero. /y (*conféschöneri*) s. confituras, confitería.

confedera/cy (*conféderesi*) s. confederación. /te (*conféderet*) adj. confederado; s. socio; tr. intr confederar(se). /tion (*confederéischön*) s. confederación

confer (*confö'r*) intr. consultar; tr. otorgar. /ence (*cónférens*) s. conferencia; conversación.

confess (*confés*) tr. confesar; intr. confesarse. /ion(*conféschön*) s. con-

fesión. /or (*confésör*) s. confesor.

confid/ant (*cónfident*) s. confidente /e (*confáid*) tr. confiar intr. confiarse, fiarse. /ence (*cónfidens*) s. confianza, seguridad. /ential (*confidénschal*) adj. confidencial.

confine (*confáin*) tr. limitar, encerrar; intr. confinar; s. confín, límite

confirm (*confö'rm*) tr. confirmar. /ation (*confö'rméischön*) s. confirmación. /ed (*confö'rmd*) adj. confirmado, probado.

confiscat/e (*confisket*) tr. confiscar; adj. confiscado. /ion (*confiskéischön*) s. confiscación.

conflict (*conflict*) intr. luchar, s. (*conflict*) conflicto, lucha.

conform (*confórm*) tr. intr. conformar(se).

confound (*confáund*) tr. confundir. /ed (*confáunded*) adj. confuso.

confront (*confró'nt*) tr. confrontar. /ation (*confröntéischön*) s. confrontación, careo.

confus/e (*confiús*) tr. confundir, desordenar. /ed (*confiúsd*) adj. confuso. /ion (*confiúschön*) s. confusión, tumulto.

congest (*condchést*) tr. intr. congestionarse. /ion (*condchéschön*) s. congestión.

conglomerat/e (*conglóme-reit*) tr. conglomerar. /ion (*congloméréischön*) s. conglomeración.

congratulat/e (*congrátiu-let*) tr. felicitar; intr. alegrarse. /ion (*congratiuléischön*) s. felicitación, enhorabuena.

congregat/e (*cóngreguett*) tr. congregar, intr. congregarse, adj. congrega-

do. /ion (congreguéis-
chön) s. congregación.
congress (cóngres) s. congreso, asamblea.
conic (cónic) adj. cónico.
conjecture (condehécs-
chur) tr. conjeturar; s.
conjetura, suposición.
conjoin (condchóin) tr.
juntar, unir, intr. unir-
se. /t (condchóint) adj.
conjunto, aliado.
conjugal (cóndchugal) adj.
conyugal, matrimonial.
conjugat/e (cónchgueit) tr.
Gram. conjugar. /ion
(condchuguéischön) s.
conjugación.
conjur/ation (condchurél-
schön) s. conjuración.
/e (condchúr) tr. conju-
rar.
connect (conéct) tr. juntar. /ion (conékschön)
s. conexión, enlace.
conqu/er (cónkör) tr. conquistar. /eror (cónkö-
rör) s. conquistador. /
est (cónkuest) s. conquista.
conscien/ce (cónchens) s.
conciencia. /tions (cons-
chénschös) adj. concien-
zudo, escrupuloso.
conscious (cónschös) adj.
consciente. /ness (cóns-
chösnes) s. conciencia.
conscript (cónscript) s. recluta. /ion (concríps-
chön) s. alistamiento.
consecrat/e (cónsicreit)
tr. consagrar; adj. con-
sagrado. /ion (conse-
creischön) s. consagra-
ción.
consent (consént) intr.
consentir, permitir; s.
consentimiento, acuerdo.
consequence (cónsecuens)
s. consecuencia.
conservat/ion (consörvéi-
schön) s. conservación.
/ive (consö'rvativ) adj.
conservativo.
conserve (consö'rv) tr.
conservar, s. conserva.

consider (considör) tr.
considerar. /able (con-
sidörabl) adj. conside-
rable. /ation (conside-
réichön) consideración.
consign (consáin) tr. con-
signar, depositar. /ation
(consignéichön) s. con-
signación. /ee (consaini)
s. consignatario.
consist (consist) intr. consistir. /ence (consistens)
consistencia.
consol/ation (consoléis-
chön) s. consolación,
consuelo. /e (consóul) tr.
consolar, confortar; (cón-
soul) s. cónsola.
consolidat/e (consólidet)
tr., intr. consolidar(se).
/ion (consolidéischön) s.
consolidación.
consonan/ce (cónsonans)
s. consonancia, acuer-
do. /t (cónsonant) adj.
s. consonante.
conspicuous (conspíkiu-
ös) adj. conspicuo.
conspir/acy (conspírasi)
s. conspiración. /ator
(conspirátör) s. conspi-
rador. /e (conspáir) in-
tr. conspirar.
constable (kö'nstabl) s.
agente de policía.
constan/cy (cónstansi) s.
constancia. /t (cónstant)
adj. constante.
constipat/e (cónstipeit)
tr. estreñir, obstruir.
/ion (constipéischön) s.
estreñimiento.
constituen/cy (constituen-
si) s. distrito electoral,
demarcación. /t (consti-
tiuent) s. elector.
constitut/e (cónstitiut) tr.
constituir. /ion (consti-
tiúschön) s. constitu-
ción. /ional (constitús-
chönal) adj. constitucio-
nal.
constrain (constréin) tr.
constreñir, s. constreñi-
miento. /ed (constréind)
adj. forzado.

construct (*constrü'ct*) tr. construir. /**er** (*conströ'c-tör*) s. constructor. /**ion** (*conströ'cschön*) s. construcción. /**ive** (*conströ'c-tiv*) adj. constructivo.

consul (*cónsöl*) s. cónsul. /**ar** (*cónsular*) adj. consular. /**ate** (*cónsiulet*) s. consulado.

consult (*consö'lt*) tr. consultar; intr. asesorarse; s. consulta. /**ation** (*consölteischön*) s. consulta.

consum/able (*consiúmabl*) adj. consumible. /**e** (*con-súm*) tr. consumir, intr. consumirse. /**er** (*consú-mör*) s. consumidor. /**mate** (*consö'met*) tr. consumar adj. consumado. /**ption** (*consö'mschön*) s. consunción; tisis.

contact (*cóntact*) s. contacto; tr. ponerse en contacto con.

contagio/n (*contéidchiön*) s. contagio. /**us** (*contéd-chiös*) adj. contagioso.

contain (*contéin*) tr. contener, incluir; refrenar.

contaminat/e (*contámi-neit*) tr. contaminar, adj. contaminado. /**ion** (*contaminéischön*) s. contaminación.

contemplat/e (*cóntemple-it*) tr. contemplar; intr. meditar. /**ion** (*contem-pléischön*) s. contemplación. /**ive** (*cóntémple-tiv*) adj. contemplativo.

contemporary (*cóntémpo-rari*) adj. y s. contemporáneo.

contempt (*contémpt*) s. desprecio. /**uous** (*con-témpchiuös*) adj. desdeñoso.

contend (*conténd*) tr. disputar, sostener; intr. combatir.

content (*contént*) tr. contentar; s. satisfacción. **contents** (*cóntens*) s. contenido; cabida.

contest (*contest*) tr. dis-

putar, intr. competir; (*cóntest*) s. contienda disputa, concurso.

context (*cóntecst*) s. contexto, contenido.

contigu/ity (*contiguiúiti*) s. contigüidad. /**ous** (*contiguiuös*) adj. contiguo.

continence (*cóntinens*) s. continencia moderación.

continent (*cóntinent*) adj. s. continente. /**al** (*conti-néntal*) adj. continental.

contingen/ce (*contindchens*) s. contingencia. /**t** (*contindchent*) s. casualidad; adj. casual.

continu/al (*continiual*) adj. continuo. /**e** (*contíniu*) tr. continuar. /**ity** (*con-tiniúty*) §'s. continuidad /**ous** (*continiuös*) adj. continuo.

contraband (*cóntraband*) s. contrabando.

contract (*contráct*) tr. contraer, contratar; intr. encogerse; (*cóntract*) s. contrato.

contradict (*contradíct*) tr. contradecir. /**ion** (*con-tradícschön*) s. contradicción. /**ory** (*contra-díctori*) adj. contradictorio.

contrar/iety (*contraráiti*) s. contrariedad. /**y** (*cón-trari*) tr. contrariar. ‖ s. adj. contrario.

contrast (*contrást*) tr. contrastar; (*cóntrast*) s. contraste.

contribut/e (*contríbiut*) tr. contribuir; intr. ayudar. /**ion** (*contribiúschön*) s. contribución, tributo.

contriv/ance (*contrái-vans*) s. invención, treta. /**e** (*contráiv*) tr. idear.

control (*contróul*) tr. controlar, reprimir; s. dirección; control.

controver/sial (*controvér-schal*) adj. polémico. /**sy** (*cóntroversi*) s. controversia, polémica.

controvert (*cóntrovert*) tr. disputar.

conundrum (*conó'ndröm*) s. acertijo, adivinanza.

convalesce/ce (*convalésens*) s. convalecencia. **/t** (*convalésent*) adj. convaleciente.

conven/e (*convín*) tr. convocar, citar; intr. reunirse. **/ience** (*convíniens*) s. conveniencia. **/ient** (*convínient*) adj. conveniente.

convent (*cónvent*) s. convento.

convention (*convénschön*) s. convención, asamblea. **/al** (*convénschönal*) adj. convencional.

convers/ant (*cónvörsant*) adj. versado, experto; **/ation** (*convörséischön*) s. conversación. **/e** (*convö'rs*) intr. conversar; s. conversación. **/ion** (*convö'rschön*) s. conversación.

convert (*convö'rt*) tr. convertir; intr. convertirse. (*cónvert*) s. converso.

convey (*convéi*) tr. transmitir. **/ance** (*convéians*) s. conducción.

convict (*convíct*) tr. convencer; (*cónvict*) s. convicto. **/ion** (*convícschön*) s. convicción.

convinc/e (*convíns*) tr. convencer. **/ing** (*convínsing*) adj. convincente.

convoke (*convóuc*) tr. convocar; juntar.

convoy (*convói*) tr. convoyar, custodiar; (*cónvoi*) s. convoy, escolta.

convuls/e (*convö'ls*) tr. conmover, trastornar; crispar. **/ion** (*convö'lschön*) s. convulsión.

cook (*cúk*) tr. guisar, cocer; intr. cocinar; s. cocinero, cocinera. **/ery** (*cúköri*) s. cocina.

cool (*cul*) tr. enfriar, refrescar; intr. refrescarse;

s. y adj. fresco. **/ing** (*cúling*) adj. refrescante.

co-operat/e (*co-ópereit*) intr. cooperar. **/ion** (*coopöréischön*) s. cooperación. **/ive** (*co-ópöretiv*) adj. cooperativo.

co-ordinat/e (*co-órdinet*) adj. coordinado; tr. coordinar. **/ion** (*coordinéschön*) s. coordinación.

cope (*coup*) tr. competir, hacer frente a.

copious (*cópiös*) adj. copioso.

copper (*cópör*) s. cobre; calderilla; penique.

copulat/e (*cópiuleit*) tr. unir; intr. juntarse. **/ion** (*copiuléischön*) s. cópula, coito.

copy (*cópi*) tr. copiar, s. copia, ejemplar; **right** (*cópirait*) s. propiedad literaria.

coquette (*cokét*) s. coqueta.

coral (*córal*) s. coral.

cord (*córd*) tr. encordelar; s. cordel, cuerda.

cordial (*córdial*) s. adj. cordial. **/ity** (*cordiáliti*) s. cordialidad.

corduroy (*córdiurol*) s. pana.

core (*cór*) s. corazón, centro; núcleo.

cork (*cor*) tr. tapar con corchos; s. corcho, tapón. **/-screw** (*córkscru*) s. sacacorchos.

corn (*córn*) s. grano, callo. **Indian** - s. maíz.

corner (*córnör*) s. ángulo, esquina, rincón.

coronation (*coronéischön*) s. coronación.

corpora/l (*córporal*) s. Mil. cabo; adj. corpóreo. **/te** (*córporeit*) adj. corporativo. **/tion** (*corporéischön*) s. corporación.

corps (*cór*) s. cuerpo **/e** (*córps*) s. cadáver.

correct (*corréct*) tr. corregir. adj. correcto. **/ion**

(corécschön) s. corrección. **/ional** *(coréscschönal)* adj. correccional.

correspond *(corespónd)* intr. corresponder. **/ence** *(coréspóndens)* s. correspondencia. **/ent** *(coréspóndent)* adj. correspondiente; s. corresponsal.

corridor *(córidor)* s. corredor, pasillo.

corroborate *(coróboret)* tr. corroborar.

corro/de *(coróud)* tr. corroer. **/sive** *(corosív)* adj. y s. corrosivo.

corrupt *(corö'pt)* tr. intr. corromper(se) adj. corrupto. **/ion** *(corö'pschön)* s. corrupción. **/ less** *(corö'ptles)* adj. incorruptible.

corset *(córset)* s. corsé.

cosmetic *(cosmétic)* s. y adj. cosmético.

cosm/ic *(cósmic)* adj. cósmico. **/os** *(cósmos)* s. cosmos. **/opolitan** *(cosmopólitan)* adj. y s. cosmopolita.

cost *(cóst)* intr. costar, valer; s. coste. **/ly** *(cóstli)* adj. costoso, caro.

costume *(costiúm)* s. traje, vestido.

cosy *(cóusi)* adj. confortable, agradable.

cot *(cót)* s. cuna; hamaca, choza.

cottage *(cótich)* s. casa de campo; choza.

cotton *(cótn)* s. algodón.

couch *(cáuch* s. diván; intr. tr. acostar(se).

cough *(cóf)* s. tos; intr. toser. **/- up** tr. esputar.

council *(cáunsil)* s. consejo, concilio. **/lor** *(cáunsilör)* s. consejero.

counsel *(cáunsel)* s. consejo, consultor. **/lor** *(cáunselör)* s. consejero.

count *(cáunt)* s. cuenta, conde; tr. contar. **/er** *(cáuntor)* s. mostrador.

/ess *(cáuntes)* s. condesa.

countenance *(cáuntinans)* s. semblante, cara.

counterfeit *(cáuntörfit)* s. falsificación; adj. falsificado; tr. falsificar.

counterpoison *(cáuntörpöisn)* s. antídoto.

counter-revolution *(cáuntör-revoliúschön)* s. contrarrevolución.

countersign *(cáuntorsain)* s. contraseña, consigna; tr. refrendar.

country *(kö'ntri)* s. país, campo. **/man** *(kö'ntriman)* s. paisano; aldeano.

county *(cáunti)* s. condado, distrito.

couple *(kö'pl)* s. par; pareja; tr. aparejar.

courage *(kö'rich)* s. coraje, valor. **/ous** *(körédchiös)* adj. valiente.

cour/ier *(cúrir)* s. correo. **/se** *(cors)* s. curso; **of -** desde luego.

court *(córt)* s. patio, corte, tribunal; tr. cortejar. **/eous** *(kö'rcheös)* adj. cortés. **/esy** *(kö'rtesi)* s. cortesía. **/ship** *(córtschip)* s. noviazgo. **/yard** *(córtyard)* s. patio.

cousin *(kö'sn)* s. primo(a).

covenant *(kö'venant)* s. pacto, intr. convenir.

cover *(kö'vör)* s. tapa(dera). tr. cubrir. **/let** *(kö'vörlet)* s. colcha.

covet *(kö'vet)* tr. codiciar. **/ous** *(kö'vetös)* adj. codicioso.

cow *(cáu)* s. vaca. tr. acobardar. **/ard** *(cáuörd)* s. y adj. cobarde. **/ardice** *(cáuördis)* s. cobardía. **/-boy** *(cáuboi)* s. vaquero.

coy *(cói)* adj. modesto. **/ness** *(cóines)* s. recato.

crab *(cráb)* s. cangrejo.

crack *(crák)* tr. hender, intr. saltar, crujir; s. raja, chasquido. **/er** *(crá-*

kör) s. petardo; galleta; *fam.* "bola".

cradle (*créidl*) s. cuna; tr. cunear, mecer.

craft (*cráft*) s. oficio, técnica, astucia. **/sman** (*cráftsman*) s. artífice, artesano. **/y** (*cráfti*) adj. astuto.

cram (*crám*) tr. rellenar, cebar; intr. atracarse; s. atracón.

cramp (*crámp*) s. calambre, grapa; adj. nudoso.

crane (*créin*) s. grúa, cabria; tr. alzar con grúa.

crank (*cránk*) s. manivela, "bicho raro"; adj. movedizo.

crash (*crásch*) s. estallido, *Com.* quiebra; tr. romper; intr. quebrar.

crawl (*cról*) intr. arrastrase, deslizarse; reptar.

craz/e (*créis*) s. **/ness** (*créisines*) s. locura, chifladura. **/y** (*créisi*) adj. chiflado.

creak (*crík*) intr. crujir. **/ing** (*críking*) s. crujido; adj. crujidero.

cream (*crim*) s. nata, crema.

crease (*cris*) s. arruga, pliegue, tr. arrugar.

creat/e (*criéit*) tr. crear. **/ion** (*criéischön*) s. creación. **/ive** (*criéitiv*) adj. creativo. **/or** (*criéitör*) s. criador, creador. **/ure** (*crichör*) s. criatura.

creden/ce (*crídens*) s. creencia. **/tial** (*crídenschal*) adj. credencial.

cred/ible (*crédibl*) adj. creíble. **/it** (*crédit*) s. crédito; tr. acreditar, dar crédito a. **/itor** (*créditör*) s. acreedor; Haber. **/ulity** (*cridiúliti*) s. credulidad. **/ulous** (*crédiulös*) adj. crédulo.

creed (*crid*) s. credo.

creep (*crip*) intr. arrastrarse, serpear. **/er** (*crípör*) s. Bot. enredadera.

cremat/ion (*criméischön*) s. cremación. **/ory** (*crímatori*) s. crematorio.

creole (*crioul*) s. y adj. criollo.

crescent (*crésent*) adj. creciente; s. media luna.

crest (*crest*) s. cresta.

crevasse (*crivás*) s. grieta, hendedura.

crew (*crú*) s. tripulación.

cricket (*críket*) s. grillo; juego de cricket.

crim/e (*cráim*) s. crimen, delito. **/inal** (*criminal*) adj. criminal.

crimson (*crimsön*) adj. y s. carmesí.

cripple (*cripl*) s. cojo, inválido, tr. mutilar.

crisis (*cráisis*) s. crisis.

crisp (*crisp*) adj. crespo, rizado; tr. encrespar. **potato** **—s** s. patatas fritas.

criterion (*cratiriön*) s. criterio.

critic (*crític*) s. crítico; censor; crítica. **/al** adj. (*crítiköl*) crítico. **/ism** s. (*crítisism*) s. crítica. **/ize** (*crítisais*) tr. criticar.

croak (*cróuk*) s. graznido de cuervos; canto de ranas; intr. graznar, croar.

crockery (*cróköri*) s. loza, cacharros, vajilla.

crocodile (*crócodall*) s. cocodrilo; fila.

crook (*crúk*) tr. encorvar, intr. encorvarse, s. gancho, fig. fascineroso, torcido; fig. perverso. **/ed** (*crúked*) adj. corvo.

crop (*cróp*) s. buche, cosecha, tr. recolectar.

cross (*crós*) s. cruz; aspa; adj. contrario; enojado; tr. cruzar, frustrar, vejar. **/- out** tr. tachar. **/ing** (*crósing*) s. cruce, travesía.

croup (*crúp*) s. rabadilla, *Med.* crup, falsa difteria.

crow (*cró*) intr. cantar el gallo; s. corneja.

crowd (cráud) s. multitud, tr. apretar.

crown (cráun) s. corona, guirnaldas; tr. coronar.

crucif/ix (crúsifics) s. crucifijo. /**ixion** (crusifischón) s. crucifixión. /**y** (crúsifai) tr. crucificar

crud/e (crúd) adj. crudo. /**eness** (crúdnes) s. /**ity** s. (crúditi) crudeza.

cruel (crúel) adj. cruel. /**ty** (crúelti) s. crueldad.

cruet (crúet) s. vinagrera.

cruise (crus) s. crucero, viaje; intr Mar. cruzar. /**r** (crúsör) s. crucero.

crumb (crö'm) s. miga. /**le** (crö'mbl) tr. migar.

crusade (cruséid) s. cruzada. /**r** (crusédór) s. cruzado.

crush (crö'sch) s. choque, apretón; tr. aplastar.

crust (cröst) s. costra, corteza; tr. e intr. encostrar(se). /**aceous** (cróstéschös) adj. crustáceo. /**y** (crö'sti) adj. costroso.

crutch (krö'ch) s. muleta.

cry (crái) s. grito; llanto; intr. gritar, llorar.

crypt (cript) s. cripta.

crystal (cristal) s. cristal. /**line** (cristalin) adj. cristalino. /**lize** (cristalais) tr. e intr. cristalizar(se).

cub (kö'b) s. cachorro.

cub/e klúb s. Arit. cubo; raiz cúbica; tr. cubicar. /**ic** (kiúbic) adj. cúbico

cuckold (kö'kold) s. cornudo; tr. poner cuernos.

cuckoo (cúcu) s. Orn. cuclillo, cucú.

cucumber (kiúkömbör) s. pepino.

cuddle (kö'dl) tr. abrazar, acariciar.

cue (kiú) s. pista, sugerencia; taco de billar.

cuff (kö'f) s. bofetón, puño de camisa.

culminate (kö'lmineit) intr culminar; alcanzar

culp/ability (kölpabíliti) s. culpabilidad. /**rit** (kö'lprit) s. reo, criminal.

cult (cölt) s. culto. /**ivate** (kö'itiveit) tr cultivar. /**ivation** (költivéischön) s cultivo. /**ure** (kö'lchur) s. cultura.

cunning (kö'ning) adj. astuto, s. astucia, maña.

cup (kö'p) s. taza, Med. ventosa. /**board** (kö'börd) s. armario.

cura/ble (kiúrabl) adj. curable. /**tive** (kiúrativ) adj. curativo.

curbstone (körbsteun) s. bordillo.

curd (kö'rd) s. requesón.

cure (kiúr) s. cura, remedio; tr. e intr. curar(se).

curfew (kö'rfiu) s. toque de queda.

curio/sity (kiuriösiti) s. curiosidad. /**us** (kiúriös) adj. curioso, raro.

curl (kö'rl) s. rizo.; bucle, ondulación; tr., intr. rizar(se), ondular(se)

currant (kö'rant) s. uva, pasa de Corinto

curren/cy (kö'rensi) s. circulación, curso; moneda de curso legal. /**foreign** — s. divisas. /**t** (kö'rent) adj. corriente, común; s. corriente.

curry (kö'ri) tr. curtir; condimentar con "curry"; s, "curry" (salsa).

curse (kö'rs) s. maldición, tr. maldecir; intr. blasfemar. /**d** (kö'rsed) adj. maldito.

curtail (körtéil) tr. cortar; abreviar; reducir.

curtain (körtin) s. cortina; telón; tr. cubrir. /**iron** - telón de acero.

curv/ature (kö'rvachur) s. curvatura. /**e** (kö'rv) s. curvar; tr. encorvar, adj. corvo.

cushion (cúschön) s. cojín, almohada.

custard (kö'stard) s. flan, crema, natillas.

custody *(kö'stodi)* s. custodia.

custom *(kö'stom)* s. costumbre, hábito. **/er** *(kö'stomor)* s. parroquiano, cliente. **/-house** *(kö's-tóm-jaus)* aduana. **/s** *(kö'stoms)* aranceles.

cut *(köt)* s. cortadura, tr. intr. cortar(se), adj. cortado. **/ting** *(kö'ting)* cortadura adj. incisivo.

cute *(kiút)* adj. agudo.

cut/lass *(kö'tlas)* s. machete. **/lery** *(kö'tlöri)* s. cuchillería. **/let** *(kö'tlet)* s. chuleta.

cycl/e *(sáicl)* s. ciclo. **/ic** *(ab* *[sícliklöl]* *[sáiclik-öl]* cíclico. **/ist** *(sáiklist)* s. ciclista.

cyclostyle *(sáiklostail)* s. ciclostilo; tr. copiar en ciclostilo.

cylind/er *(sílindör)* s. cilindro. **/ric** *(silindric)* adj. cilíndrico.

cynic *(sinic)* adj., s. cínico. **/ism** *(sinisism)* s. cinismo.

cypress *(sáipres)* s. *Bot.* ciprés.

cyst *(síst)* s. quiste.

D

dab *(dáb)* s. salpicadura, toque; tr. salpicar, manchar.

dad *(dád)* s. fam. papá, papaíto. **/dy** *(dádi)* s. papá.

daffodil *(dáfodil)* s. *Bot.* narciso poético, dafodilo.

daft *(dáft)* s. torpe, zopenco.

dagger *(dágör)* s. puñal, daga; tr. dar de puñaladas.

dahlia *(dálía)* s. *Bot.* dalia.

daily *(déilt)* adj. diario, cotidiano; s. periódico; adv. diariamente.

daint/iness *(déintines)* s. elegancia; pulcritud; golosina. **/y** *(déinti)* adj. delicado, exquisito; s. golosina.

dairy *(déiri)* s. lechería, granja. **/maid** *(déirime-id)* s. lechera.

dais *(déis)* s. tarima.

daisy *(déisi)* s. *Bot.* margarita.

dale *(déil)* s. valle

dam *(dám)* s. dique, presa; tr. represar.

damage *(dámidch)* s. daño, perjuicio, avería; tr. e intr. dañar(se).

dame *(déim)* s. dama.

damn *(dam)* tr. maldecir, condenar. **/ation** *(dám-néischön)* s. condenación. **/ed** *(dámd)* adj. condenado.

damp *(dámp)* s. humedad; desaliento; adj. húmedo; abatido; tr. mojar, desanimar. **/-ness** *(dámpnes)* s. humedad.

danc/e *(dáns)* s. danza, baile; intr. bailar, danzar. **/er** *(dánsör)* s. bailarín. **/ing** *(dánsing)* s. danza. **/ing room** s. salón de baile.

dandruff *(dándröf)* s. caspa.

dandy *(dándi)* s. dandi, petrimetre, pisaverde.

danger *(déndchör)* s. peligro, riesgo; **/ous** *(dén-dchörös)* adj. peligroso.

Danish *(dánisch)* adj. danés.

dar/e *(déar)* intr. osar; tr. desafiar. **/ing** *(déring)* s. audacia; adj. audaz.

dark *(dark)* s. obscuridad; adj. obscuro. **/en** *(dárkn)* tr. e intr. obscurecer(se) **/ness** *(dárknes)* s. obscuridad.

darling *(dárling)* s. favorito; adj. querido.

darn *(darn)* s. zurcido, remiendo; tr. zurcir.

dart *(dárat)* s. dardo, saeta; tr. e intr. lanzar(se).

dash *(dásch)* s. choque, ataque; raya; tr. arrojar; intr. arrojar(se). **/ing** *(dásching)* adj. brillante, brioso.

data *(délita)* s. pl. datos.

date *(déit)* s. data; fecha; fam. cita; *Bot.* dátil; **up to** — moderno, al día. **out of** — anticuado; tr. datar, fechar.

datum *(détöm)* (pl. **data**) s. dato.

daughter *(dótör)* s. hija. **/ — in law** s. nuera.

daunt *(dónt)* tr. intimidar; domar; espantar.

dawn *(dón)* s. alba, aurora, intr. amanecer.

day *(déit)* s. día, luz del día. **/every** — todos los días. **/ — boy** s. alumno externo.

dazzle *(dázl)* tr. e intr. deslumbrar(se).

dead *(déd)* adj. muerto; adv. enteramente. **/en** *(défn)* tr. ensordecer.

deaf *(déf)* adj. sordo. **/ -mute** adj. y s. sordomudo. **/ness** *(défnes)* s. sordera.

deal *(dil)* s. parte, trato, pacto; tr. distribuir; intr. tratar en. **/er** s. *(dilör)* s. tratante.

dean *(din)* s. deán.

dear *(díar)* s. amado, querido; adj. querido; caro. **/-me!** interj. ¡Dios mío!. **/ness** *(diarnes)* cariño, escasez. **/th** *(dö'rz)* s. carestía.

death *(déz)* s. muerte. **/-certificate** s. partida de defunción. **/ - rate** s. índice de mortalidad.

debase *(debéis)* tr. abatir, envilecer; adulterar.

debat/able *(debéitabl)* adj. discutible. **/e** *(debéit)* s. debate; tr. debatir; intr. deliberar.

debauch *(diböch)* tr. corromper. **/ee** *(dibachí)* s. libertino. **/ery** *(dibóchöri)* s. libertinaje.

debit *(débit)* s. débito, cargo; tr. adeudar.

debt *(dét)* s. deuda. **/or** *(détör)* s. deudor.

decaden/ce *(dikéidens)* s. decadencia. **/t** *(dikéident)* adj. decadente.

decay *(dikéi)* s. decaimiento, decadencia; tr. debilitar; intr. decaer.

decease *(disís)* s. muerte, fallecimiento; intr. morir, fallecer. **/d** *(disíst)* adj. muerto, difunto.

decei/t *(disít)* s. engaño. **/tful** *(disítful)* adj. engañoso. **/ve** *(disív)* tr. engañar.

December *(disémbör)* s. diciembre.

decen/cy *(disensi)* s. decencia. **/t** *(disent)* adj. decente, razonable.

decept/ion *(disépschön)* s. decepción, engaño. **/ive** *(diséptive)* adj. falaz, engañoso.

deci/de *(disáid)* tr., intr. decidir. **/sion** *(désischön)* s. decisión. **/sive** *(disáisiv)* adj. decisivo.

decimal *(désimal)* adj. decimal; s. decimal.

deck *(dék)* s. *Mar.* cubierta, puente; tr. cubrir, ataviar, revestir.

declar/ation (*declaréis-chŏn*) s. declaración. **/e** (*diclér*) tr. declarar.

decl/ension (*diclénchŏn*) s. declinación. **/ine** (*icláin*) s. decadencia; intr. declinar; tr. rechazar.

decompose/e (*dicompóus*) tr. descomponer; pudrir; separar; intr. corromperse. **/ition** (*dicompósichŏn*) s. descomposición.

decor/ate (*décoreit*) tr. decorar, adornar, condecorar. **/ation** (*decoréis-chŏn*) s. decoración, condecoración. **/ous** (*dicóurŏs*) adj. decoroso. **/um** (*dicórum*) s. decoro.

decoy (*dicói*) s. cebo; lazo; tr. seducir.

decrease (*decrís*) s. disminución; merma; **t r .** disminuir; intr. menguar.

decree (*dicri*) s. decreto, mandato; tr. e intr. decretar; mandar.

decrepit (*dicrépit*) adj. decrépito. **/ness** (*dicrépit-nes*) s. decrepitud.

dedicat/e (*dédikeit*) tr. dedicar; adj. dedicado. **/ion** (*dedikéischŏn*)] s. dedicación; consagración.

deduce (*didiús*) tr. deducir; inferir.

deduct (*didŏ'ct*) tr. deducir; descontar. **/ion** (*didŏ'cschŏn*) s. deducción; descuento. **/ive** (*didŏ'ctiv*) adj. deductivo.

deed (*did*) s. acto, hecho.

deem (*dim*) tr. juzgar.

deep (*dip*) adj. profundo; s. abismo. **/en** (*dipn*) tr. profundizar. **/ness** (*dipnes*) s. profundidad.

deer (*dia*) s. ciervo.

deface (*difés*) tr. afear.

defalcat/e (*difálkeit*) tr. desfalcar, malversar. **/ion** (*difalkéischŏn*) s. desfalco, malversación.

defam/ation (*d i f a m é s-* *chŏn*) s. difamación. **/e** (*diféim*) tr. difamar.

default (*difólt*) s. defecto; culpa; omisión; tr. e intr. faltar, delinquir.

defeat (*difit*) s. derrota; destrozo; tr. derrotar.

defecat/e (*défikeit*) tr. defecar. **/ion** (*defikéis-chŏn*) s. defecación.

defect (*diféct*) s. defecto.

defen/ce (*diféns*) s. defensa. **/d** (*difénd*) tr. defender. **/sive** (*difénsiv*) adj. defensivo.

defer (*difö'r*) intr. diferir. **/ence** (*déferens*) s. deferencia. **/ent** (*déferent*) adj. deferente. **/ment** (*difö'rment*) s. aplazamiento.

defiance (*difáians*) s. desafío, reto.

deficien/ce (*difíschen*) s. deficiencia. **/t** (*difíschent*) adj. deficiente, defectuoso.

deficit (*défisit*) s. déficit.

defile (*difáil*) tr. manchar; s. desfiladero.

defin/e (*difáin*) tr. definir; intr. decidir. **/ite** (*définit*) adj. definido. **/itive** (*difínitv*) adj. definitivo.

deflect (*diflékt*) intr. declinar; desviarse; tr. desviarse; tr. desviar.

deform (*difórm*) tr. deformar; adj. desfigurar; adj. deforme. **/ation** (*deforméischŏn*) s. deformación. **/ed** (*difórmt*) adj. deforme.

defraud (*defród*) tr. defraudar; estafar.

defy (*difái*) tr. desafiar.

degener/ate (*dichénŏreit*) intr. degenerar; adj. degenerado. **/ation** (*dichenŏréischŏn*) s. degeneración.

degrade (*digréid*) tr. degradar; envilecer.

degree (*digrí*) s. grado.

deis/m (*diism*) s. deísmo. **/t** (*diist*) s. deísta.

deject (*dichéct*) tr. abatir; adj. abatido. /**ed** (*dichécted*) adj. abatido. /**ion** (*dichécschön*) s. abatimiento.

delator (*diléitor*) s. delator, acusador.

delay (*diléi*) tr. diferir; s. dilación; tardanza.

delegat/e (*délegueit*) tr. delegar; s. adj. delegado. /**ion** (*deleguéischön*) s. delegación.

deliberat/e (*dilíbereit*) tr. deliberar; adj. circunspecto, cauto, /**ive** (*dilíberetiv*) adj. deliberativo.

delica/cy (*délikesi*) s. delicadeza. /**te** (*déliket*) adj. delieado. /**tessen** (*delicatésen*) s. charcutería; exquisiteces.

delicious (*delischös*) adj. delicioso.

delight (*diláit*) tr. deleita ; intr. recrearse; s. delicia. /**ful** (*diláitful*) adj. delicioso.

delinquen/cy (*dilincuensi*) s. delicuencia. /**t** (*delincuent*) s. delincuente.

deliver (*dilívör*) tr. entregar, /**ance** (*delévörans*) s. entrega. /**er** (*delívörör*) s. libertador, entregador. /**y** (*dilívöri*) s. entrega.

delta (*délta*) s. delta.

delu/de (*deliúd*) tr. engañar; abusar. /**sion** (*deliúschön*) s. engaño.

demagogue (*démagog*) s. demagogo.

demand (*dimánd*) tr. pedir, s. demanda.

demarcation (*demarkéschön*) s. demarcación.

demobilize (*demóubilaiz*) tr. desmovilizar.

democra/cy (*dimócrasi*) s. democracia. /**t** (*démocrat*) s. demócrata /**tic** (*democrátic*) adj. democrático.

demoli/sh (*demólisch*) tr. demoler. /**tion** (*demólischön*) s. demolición.

demoniac(al) [*dimóniak-(al)*] adj. demoníaco.

demonstrat/e (*demónstret*) tr. demostrar. /**ion** (*demonstréischön*) s. demostración. /**ive** (*demónstrativ*) adj. demostrativo.

demoraliz/ation (*demoraliséischön*) s. desmoralización. /**e** (*demóralais*) tr. desmoralizar.

den (*dén*) s. madriguera.

denial (*dináial*) s. negación, denegación.

denigrat/e (*dénigret*) tr. ennegrecer; denigrar.

denominat/e (*denóminet*) tr. denominar, nombrar. /**ion** (*denominéischön*) s. denominación.

denote (*dinóut*) tr. denotar, indicar, señalar.

denounce (*dináuns*) tr. denunciar, delatar.

dense (*déns*) adj. denso.

dent (*dént*) tr. abollar; mellar; s. abolladura.

denti/st (*déntist*) s. dentista. /**tion** (*dentíschön*) s. dentición. /**stry** (*déntistri*) s. odontología.

denunciation (*dinönschéichön*) s. denuncia.

deny (*dinái*) tr. negar.

depart (*dipárt*) intr. partir; s. partida. /**ment** (*dipártment*) s. departamento. /**ure** (*dipárchör*) s. partida.

depend (*dipénd*) intr. depender. /**ance** (*dipéndans*) s. dependencia. /**ent** (*dipéndent*) s. dependiente.

depilat/e (*dépilet*) tr. depilar. /**ion** (*depiléischön*) s. depilación.

deplor/e (*diplór*) tr. deplorar. /**able** (*diplórabl*) adj. deplorable.

depopulat/e (*dipópiuleit*) tr. despoblar.

deport *(dipórt)* tr deportar; intr. portarse; s. conducta. **/ation** *(diportéischön)* s. deportación. **/ment** *(dipórtment)* s. porte, conducta

depos/e *(dipóus)* tr. deponer. **/it** *(dipósit)* tr. depositar; s. depósito.

depot *(dépou)* s. depósito.

deprav/ation *(dipravéischön)* s. depravación. **/e** *(dipréiv)* tr. depravar. **/ed** *(dipréivd)* adj. depravado.

depreciat/e *(diprischiet)* tr. rebajar, despreciar. **/ion** *(diprischiéischön)* s. depreciación.

depress *(diprés)* tr. deprimir. **/ion** *(dipréschön)* s. depresión. **/ive** *(diprésiv)* adj. depresivo.

depriv/ation *(deprivéischön)* s. privación. **/e** *(dipráiv)* tr. privar.

depth *(dépz)* s. hondura.

depurat/e *(dépiureit)* tr. depurar. **/ion** *(depiuréischön)* s. depuración.

deput/ation *(depiutéischön)[* s. diputación. **/e** *(dipiút)* tr. comisionar. **/y** *(dépiuti)* s. diputado.

derail *(diréil)* tr., intr. (hacer) descarrilar. **/ ment** *(diréilment)* s. descarrilamiento.

deri/de *(diráid)* tr. burlar, escarnecer. **/sion** *(deríchön)* s. irrisión.

deriv/ation *(derivéischön)* s. derivación. **/e** *(deráiv)* tr. derivar; sacar.

dermic *(dö'rmic)* adj. dérmico

derogat/e *(déroguet)* tr. intr. derogar, anular. **/ion** *(deroguéischön)* s. derogación.

derrick *(dérric)* s. grúa

descend *(disénd)* intr. descender. **/ant** *(diséndent)* s. descendiente

descent *(disént)* s. descenso; declive origen

descri/be *(discráib)* tr. describir; explicar. **/ption** *(descripschön)* s. descripción. **/ptive** *(descríptiv)* adj. descriptivo.

desert *(désört)* s. desierto; adj. desierto; *(disö'rt)* tr. desamparar, intr. desertar; s. mérito, merecimiento *(frec. pl)* **/er** *(disö'rtör)* s. desertor. **/ion** *(disö'rschön)* s. deserción.

deserv/e *(disö'rv)* tr. merecer. **/ing** *(disö'rving)* s. mérito; adj. merecedor.

design *(disáin)* tr. proponer, designar; s. proyecto, dibujo, diseño. **/ate** *(désigneit)* tr. designar. **/ion** *(designéischön)* s. designación.

desir/able *(disáirabl)* adj). deseable. **/e** *(disáir)* tr. desear; s. deseo.

desist *(disíst)* intr. desistir; cesar.

desk *(désk)* s. pupitre.

desolat/e *(désoléit)* tr. devastar; adj. solitario. **/ion** *(desoléischön)[* s. desolación.

despair *(dispér)* tr., intr. desesperar(se); s. desesperación.

despatch *(dispách)* tr. despachar; s. despacho.

despera/do *(despöréido)* s. malhechor. **/te** *(désperit)* adj. desesperado. **/tion** *(desperéischön)* s. desesperación.

despise *(despáis)* tr. despreciar, menospreciar.

despite *(despáit)* s. despecho; prep a pesar de

despot *(déspot)* s. déspota. **/ism** *(déspotism)* s. despotismo.

dessert *(desö'rt)* s. postre.

destin/ation *(destinéischön)* s. destino. **/e** *(déstin)* tr. destinar. **/y** *déstini)* s. destino.

destitute

destitut/e *(déstitiut)* adj. destituido; desamparado. **/ion** *(destitiúschön)* s. miseria, desamparo.

destr/oy *(distrói)* tr. destruir **/oyer** *(distróiör)* s. destructor. **/uction** *(diströ'kschön)* s. destrucción. **/uctive** *(diströ'ctiv)* adj. destructivo.

detach *(ditách)* tr. desprender, separar. **/ment** *(detáchment)* s. Mil. destacamento.

detail *(ditéil)* tr. detallar; s. detalle, pormenor. **/ed** *(ditéild)* adj. detallado, nimio.

detain *(ditéin)* tr. detener; retardar.

detect *(ditéct)* tr. descubrir. **/er** *(ditéctör)* s. detector. **/ive** *(ditéctiv)* s. detective.

detention *(diténschön)* s. detención.

deter *(ditö'r)* tr. desanimar; disuadir.

detergent *(detö'rdchent)* s. y adj. detergente.

deteriorat/e *(ditirioreit)* tr. deteriorar; intr. deteriorarse. **/ion** *(détirioréischön)* s. deterioración, deterioro.

determin/ate *(ditö'rminet)* adj. determinado. **/ation** *(ditörminéischön)* s. determinación. **/e** *(detö'rmin)* tr. determinar.

detest *(ditést)* tr. detestar, aborrecer.

detonat/e *(détoneit)* tr. detonar. **/ion** *(detonéischön)* s. detonación.

detract *(ditráct)* tr. denigrar, disminuir.

detriment *(détriment)* s. detrimento, daño.

devalu/ation *(divaluéschön)* s. desvaloración; **/e** *(devalíú)* tr., intr. desvalorizar(se).

devastat/e *(dévasteit)* tr.

devastar. **/ion** *(devaste-ischön)* s. devastación.

develop *(divélöp)* tr. desenvolver ; desarrollar ; desplegar. **/ment** *(devélopment)* s. desarrollo.

deviat/e *(díviet)* intr. desviarse, extraviarse. **/ion** *(diviéischön)* s. desvío.

devi/ce *(diváis)* s. treta; recurso; ardid; divisa. **/ed** *(diváisd)* tr. idear, ideado.

devil *(dévl)* s. diablo, demonio. **/ish** *(dévilisch)* adj. diabólico.

devol/ution *(devoliúschön)* s. devolución. **/ve** *(divólv)* tr. transmitir.

devot/e *(divóut)* tr. dedicar. **/ed** *(divóted)* adj. dedicado; adicto. **/ion** *(divóschön)* s. devoción.

devour *(diváur)* tr. devorar; engullir, tragar.

dew *(diu)* s. rocío.

dexter/ity *(decstériti)* s. destreza. **/ous** *(décstörös)* adj. diestro.

diabetes *(diabítis)* s. diabetes.

diagnostic *(daiagnóstic)* s. diagnóstico.

diagram *(dáiagram)* s. diagrama.

diagonal *(daiágonal)* adj. y s. diagonal.

dial *(dáial)* s. esfera.

dialect *(dáialect)* s. dialecto.

dialogue *(dáialog)* s. diálogo; tr. dialogar.

diameter *(daiámetör)* s. diámetro.

diamond *(dáiamönd)* s. diamante.

diaphragm *(dáiafram)* s. diafragma.

diarrhœa *(daiarría)* s. diarrea.

dice *(dáis)* s. pl. dados.

dictat/e *(dicteit)* tr. e intr. dictar; s. orden. **/or** *(dictétör)* s. dictador. **/orship** *(dictétör-schip)* s. dictadura.

disavowal

diction (*dicschön*) s. dicción. /**ary** (*dicschönari*) s. diccionario.

die (*dái*). intr morir.

diet (*dáiet*) s. régimen.

differ (*tu difór*) intr. diferenciarse. /**ence** (*diferens*) s. diferencia. /**ent** (*diforent*) adj. diferente, distinto: **to be** —contrastar.

difficult (*difikölt*) adj. difícil. /**y** (*difikölti*) s. dificultad.

diffiden/ce (*difidens*) s desconfianza. /**t** (*difident*) adj. desconfiado.

diffus/è (*difiús*) adj difuso; tr. difundir. /**ion** (*difiúchön*) s difusión.

dig (*díg*) tr. e intr. cavar; ahondar; excavar.

digest (*didchést*) tr. digerir; clasificar (*dáidchest*) s. recopilación. /**ible** (*didchéstibl*) adj. digerible. /**ion** (*didchéschön*). s. digestión. /**ive** (*didchéstiv*) s y adj. digestivo.

dignify (*dignifai*) tr. dignificar. /**ity** (*digniti*) s. dignidad.

digress (*digrés*) intr. divagar. /**ion** (*digréschön*) s. digresión, divagación.

dike (*dáik*) s. dique.

dilemma (*diléma*) s dilema.

diligen/ce (*dilidchens*) s. diligencia. /**t** (*dilidchent*) adj. diligente.

dim (*dím*) adj. opaco.

dimension (*diménchön*) s dimensión, medida.

dimin/ish (*diminisch*) tr. disminuir. /**ution** (*diminiúschön*) s. disminución. /**utive** (*diminiutiv*) s y adj diminutivo.

din (*dín*) s. ruido.

din/e (*dáin*) intr. comer. cenar; **ing room** comedor; /**ner** (*dinör*) s. comida, cena.

dioptry (*dáioptri*) s dioptría.

diorama (*daioréma*) s. diorama

dip (*díp*) tr. mojar; sumergir; remojar; s. inclinación, inmersión

diploma (*diplóuma*) s diploma. /**cy** (*diplómasi*) s diplomacia. /**tic** (*ditico*).

direct [d(a)iréct] tr. dirigir; adj. directo /**ion** [d(a)irécschön] s. dirección. /**or** [d(a)iréctör] s director. /**ory** (*diréctori*) guía (telefónica).

dirt (*dör't*) s. lodo; tr. ensuciar. /**y** (*dö'rti*) adj. sucio.

disab/ility (*disabíliti*) s. inhabilidad. /**le** (*diséibl*) tr. incapacitar

disadvantag/e (*disadvántedch*) s. desventaja; daño. /**eous** (*disadvantédchös*) adj. desventajoso.

disaffect/ed (*disaféctéd*) adj. desafecto. /**ion** (*disaféccschön*) s. desafecto

disagree (*disagrí*) intr discordar. /**able** (*disagríábl*) adj. desagradable /**ment** (*disagríment*) s. desavenencia.

disappear (*disapír*) intr. desaparecer. /**ance** (*disapirans*) s desaparición

disappoint (*disapoint*) tr. frustrar; desilusionar /**ing** (*disapóinting*) adj. desilusionador. /**ment** (*disapóintment*) s chasco, disgusto

disapprov/al (*disaprúval*) s. desaprobación. /**e** (*disaprúv*) tr. desaprobar.

disarm (*disárm*) tr. desarmar. /**ament** (*disármament*) s. desarme.

disast/er (*disástör*) s. desastre. /**rous** (*disáströs*) adj desastroso

disavow (*disaváu*) tr. denegar; repudiar. /**al** (*disaváual*) s. repudio

disband *(disbánd)* tr. licenciar; despedir; intr. desbandarse.

disbelie/f *(disbelíf)* s. incredulidad. **/ve** *(disbeliv)* tr. descreer.

disburse *(disbő'rs)* tr. desembolsar; gastar.

disc *(disk)* s. disco.

discern *(diső'rn)* tr. discernir; intr. distinguir. **/ment** *(diső'rment)* s. discernimiento.

discharge *(dischárdch)* s. descarga; disparo; licencia; absolución; tr. descargar; disparar; licenciar.

disciple *(disáipl)* s. discípulo, tr. disciplinar.

disciplin/ary *(disiplíneri)* adj. disciplinario. **/e** *(disiplin)* s. disciplina; tr educar; disciplinar.

disclos/e *(disclóus)* tr. descubrir. **/ure** *(disclóchőr)* s. revelación.

discomfort *(diskő'mfőr)* s. desconsuelo; molestia.

discompos/e *(discompóus)* tr. descomponer; perturbar. **/ure** *(discompóchőr)* s. desarreglo.

disconcert *(disconső'rt)* tr. turbar; desconcertar.

disconnect *(discónekt)* tr desconectar.

disconsolate *(discónsolet)* adj. desconsolado.

discontent *(discontént)* adj. s. descontento; tr. disgustar, descontentar.

discord *(díscord)* s. discordia. **/ance** *(discórdans)* s. discordancia. **/ant** *(discórdant)* adj. discordante.

discount *(discáunt)* s. descuento, tr. descontar.

discourage *(diskő'rredch)* tr. desalentar. **/ment** *(dis kő'rredchment)* s. desaliento.

discourse *(discóurs)* s. discurso; intr. discurrir;

discourte/ous *(diskő'rteős)* adj. descortés. **/sy** *(diskő'rtesi)* s. descortesía

discover *(diskő'vőr)* tr. descubrir. **/er** *(diskő'voror)* s. descubridor. **/y** *(diskő'vőri)* s. descubrimiento, hallazgo

discredit *(discrédit)* descrédito; tr. desacreditar.

discre/et *(discrít)* adj discreto. **/pancy** *(discrépansi)* s. discrepancia. **/tion** *(discréschön)* s. discreción. **/tional** *(discréschőnal)* adj. discrecional.

discriminat/e *(discrímineit)* tr. discriminar. **/ion** *(discrimlnéschőn)* s. discriminación.

discuss *(diskő's)* tr. discutir. **/ion** *(diskő'schőn)* s. discusión.

disdain *(disdéin)* s. desprecio, desdén, tr. intr. desdeñar(se). **/ful** *(disdéinful)* adj. desdeñoso.

disease *(disís)* s. enfermedad; mal; tr. achaque.

disembark *(disembác)* tr. intr. desembarcar(se) **/ation** *(disembarkéischön)* s. desembarco.

disengage *(disenguédch)* tr. desocupar. **/d** *(disenguédchd)* adj. desocupado; vacante.

disentangle *(disentángl)* tr. desenredar.

disesteem *(disestím)* tr. desestimar; desaprobar.

disfigure *(disfiguiur)* tr. desfigurar.

disgrace *(disgréis)* s. desgracia; ignominia; tr. deshonrar. **/ful** *(disgréisful)* adj. vergonzoso.

disguise *(disgáis)* s. disfraz; tr. disfrazar.

disgust *(disgő'st)* s. disgusto, aversión; tr. disgustar, repugnar. **/ing** *(disgő'sting)* adj. repugnante, desagradable.

dish *(dísch)* s. plato.

dishearten *(disjárten)* tr. desanimar; desalentar

dishonest *(disónest)* adj. desleal; falso.

dishonour *(disónör)* s. deshonor; deshonra; tr. deshonrar; afrentar.

desillusion *(dtsilúschön)* s. desilusión, desengaño.

desinfect *(disinféct)* tr desinfectar. /ant *(disin-féctant)* s. desinfectante. /ion *(disinfécschön)* s. desinfección.

disinherit *(dísinjérit)* tr. desheredar.

disintegrat/e *(disintegré-it)* tr. intr. desintegrar-(se). /ion *(disintegretschön)* s. desintegración.

disinterested *(disinterested)* adj. desinteresado

disjoin *(disdchóin)* tr. desunir; desasir; dislocar.

dislike *(disláic)* s. aversión; tr. desaprobar.

dislocat/e *(dislokeit)* tr. dislocar. /ion *(dislokéischön)* s. dislocación.

disloyal *(dislóial)* s. desleal, infiel, falso. /ty *(dislóialti)* s. deslealtad.

dismay *(dismél)* s. desmayo; tr. desanimar.

dismiss *(dismís)* tr. despedir; destituir. /al *(dismisal)* s. destitución.

disobe/dience *(disobídiens)* s. desobediencia. / **dient** *(disobídient)* adj. desobediente. /y *(disobél)* tr. desobedecer.

disorder *(disórdör)* s. desorden, tr. desordenar. /ly *(disórdörli)* adj turbulento.

disorganis/ation *(disorganiséischön)* s. desorganización. /e *(disórganise)* tr. desorganizar.

disown *(disóun)* tr. negar, desconocer.

disparage *(dispáridch)* tr. rebajar, menospreciar.

disparity *(dispáriti)* s. disparidad, desigualdad.

dispassionate *(dtspáschönet)* adj. desapasionado.

dispatch *(dispách)* s. despacho; tr. despachar.

dispel *(dispél)* tr. disipar

dispens/ary *(dispénsari)* s. dispensario. /ation *(dtspenséischön)* s. dispensa, reparto. /e *(dispéns)* tr. dispensar.

dispers/e *(dispö'rs)* tr. dispersar. /ion *(dispö'rschön)* s. dispersión.

dispirit *(dispirit)* tr. desalentar.

displace *(displéis)* tr. desplazar, desalojar

display *(displéi)* s. despliegue; ostentación; tr. desplegar; ostentar.

displeas/e *(displis)* tr. e intr. ofender. /ure *(displéchör)* s. desagrado.

dispos/al *(dispousal)* s. disposición, colocación. /e *(dispéus)* tr. disponer, colocar. /ition *(disposischön)* s. disposición, índole.

dispossess *(dispousés)* tr desposeer; desalojar.

disproportion *(dispropórschön)* s. desproporción; desigualdad. /ate *(dispropórschönet)* adj. desproporcionado.

disprove *(dísprúv)* tr. rebatir; refutar.

dispute *(dispiút)* s. disputa; intr. disputar.

disqualif/ication *(discuolifikéischön)* s. descalificación. /y *(discuólifai)* tr. descalificar.

disregard *(disregárd)* s. desdén; tr. menospreciar.

disreput/able *(disrépiutabl)* adj. desacreditado. /e *(disrepiút)* tr. desacreditar; s descrédito.

disrespect *(disrispéct)* s. desacato; tr. desacatar.

disrupt *(disró'pt)* tr. romper, interrumpir.

dissect *(diséct)* tr. *Med.* disecar, anatomizar. /-

on *(disécschön)* s. disec-
ción.

disseminat/e *(disémineit)*
tr. diseminar, propagar.
/**ion** *(diseminéischön)* s.
diseminación.

dissen/sion *(disénchön)* s.
disensión. /**t** *(disént)* s.
disensión; tr. disentir.

dissiden/ce *(dísidens)* s.
disidencia, desunión. /**t**
(dísident) adj. disidente.

dissimilar *(disímilör)* adj.
desemejante. /**ity** *(disi-
miláriti)* s. disimilitud.

dissimulat/e *(disímiuleit)*
tr. e intr. disimular.
/**ion** *(disimiuléischön)* s.
disimulo; hipocresía.

dissipat/e *(disipéit)* tr. e
intr. disipar(se). /**ion**
(disipéischön) s. disipa-
eión.

dissociate *(disóschiet)* tr.
desunir, disociar.

dissol/ubility *(disoliubíli-
ti)* s. disolubilidad. /
uble *(disóliubl)* adj. di-
soluble. /**ute** *(disóliu,*
adj. disoluto. /**ution** *(di-
soliúschön)* s. disolución.
/**ve** *(disólv)* tr. disolver;
intr. disolverse.

dissonan/ce *(dísonans)* s.
disonancia. /**t** *(dísonant)*
adj. disonante.

dissua/de *(disuéid)* tr. disuadir. /**sion** *(disuéi-
chön)* s. disuasión. /**sive**
(disuésiv) adj. disuasivo; s. disuasivo.

distan/ce *(dístans)* s. distancia; tr. alejar. /**t** *(dís-
tant)* adj. distante.

distemper *(distémpör)* s.
indisposición; destem-
planza; tr. incomodar.

disten/d *(disténd)* tr. dilatar; extender. /**sion**
(disténchön) s. extensión

distil(l) *(distil)* tr. destilar; intr. destilar. /**a-
tion** *(distiléischön)* s. des-
tilación. /**ery** *(distilöri)*
s. destilería.

distinct *(distínct)* adj. distinto. /**ion** *(distíncschön)*

s. distinción. /**ive** *(dis-
tínctiv)* adj. distintivo.

distinguish *(distínguisch)*
tr. distinguir, discernir.
/**ed** *(distínguischt)* adj.
distinguido; eminente.

distort *(distórt)* tr. retor-
cer; falsear. /**ion** *(dis-
tórschön)* s distorsión.

distract *(distráct)* tr distraer; interrumpir. /**ion**
(distrácschön) s. distrac-
ción; locura; agitación.

distress *(distrés)* s. calamidad, pena, tr. afligir

distribut/e *(distríbiut)* tr.
distribuir. /**er** *(distríbiu-
tör)* s. distribuidor /**ion**
(distribiúschön) s dis
tribución. /**ive** *(distríbiu
tiv)* adj. distributivo.

district *(district)* s. distrito, comarca.

distrust *(diströ'st)* s. desconfianza; tr. desconfiar
de. /**ful** *(diströ'stful)*
adj. desconfiado.

disturb *(distö'rb)* tr .per-
turbar. /**ance** *(distö'r-
bans)* s. molestia. /**ing**
(distö'rbing) adj. pertur-
bador.

disuse *(disiús)* s. desuso;
tr. desacostumbrar.

ditch *(dích)* s. zanja.

divan *(diván)* s. diván.

dive *(dáiv)* intr.» sumer-
girse; bucear. /**r** *(dai-
vör)* s. buzo.

diverge *(divö'rch)* intr.
separarse, divergir. /**nce**
(divö'rdchens) s. divergencia. /**nt** *(divö'rdchent)* adj. divergente.

divers/e *(divö'rs, dáivörs)*
adj. diverso. /**ify** *(divö'-
rsifai)* tr. diversificar. /
ity *(divö'rsiti)* s. diversi-
dad.

divert *(divö'rt)* tr. desviar; distraer.

divid/able *(diváidabl)* adj
divisible. /**e** *(diváid)* tr.
dividir; intr. dividirse.

divin/ation *(divinéischön)*
s. adivinación. /**e** *(di-
váin)* tr. adivinar; s.

teólogo; adj divino. /*er* (*diváinör*) s. adivino /*ity* (*divíniti*) s. divinidad; teología.

divis/ibility (*divisibíliti*) s. divisibilidad. /*ible* (*divísibl*) adj divisible. /*ion* (*divíchön*) s. división; discordia.

divorce (*divóurs*) s. divorcio; v. divorciar(se).

divulge (*divö'ldch*) tr. divulgar.

dizz/iness (*dísines*) s. vértigo, vahido /*y* (*dísi*) tr. causar vértigo.

do (*dú*) tr. hacer; producir. /*er* (*dúor*) s agente. /*ing* (*dúing*) s hecho.

docil/e (*dósil*) adj. dócil. /*ity* (*dosíliti*) s docilidad.

dock (*dók*) s. dique. muelle. /*er* (*dóker*) s estibador, descargador. /*yard* (*dókyard*) s. astillero.

doctor (*dóctör*) s. doctor; tr. asistir. /*ate* (*dóctoreit*) s. doctorado.

document (*dókiument*) s. documento. /*ary* (*dokiuméntari*) adj. y s. documental.

dodge (*dódch*) tr. e intr. esquivar, eludir; s. esquinazo. /*r* (*dódchör*) s. tergiversador; trampista.

dog (*dóg*) s. perro; can; tr. ir tras. /*ged* (*dógut*) adj. terco /*gish* (*dóguisch*) adj perruno, regañón.

dogma (*dógma*) s. dogma. /*tic* (*dogmátic*) adj. dogmático. /*tize* (*dógmatáis*) dogmatizar.

doll (*dól*) s. muñeca.

dollar (*dólar*) s. dólar.

dolorous (*dólorös*) adj. doloroso; lastimoso.

dolphin (*dólŧin*) s. delfín.

dolt (*dólt*) s bobo.

dome (*dóum*) s. cúpula.

domestic (*doméstic*) adj. doméstico, familiar; s.

criado. /*ate* (*doméstikeit*) tr. domesticar.

domicile (*dómisail*) s domicilio.

domin/ant (*dóminant*) adj. dominante. /*ate* (*dómineit*) tr. dominar. /*ation** (*dominéischön*) s. dominación, dominio. /*eer* (*dominír*) intr. dominar; imperar. /*ion* (*dominión*) s. dominio.

domino (*dóminou*) s. dominó, disfraz.

donat/ion (*donéischön*) s. donación; dádiva. /*ive* (*dónativ*) s. donativo.

done (*dön*) p. p. de **to do** hecho, acabado. /*for** agotado, "listo".

don't (*dóunt*) abreviatura de **do not**.

doom (*dúm*) s. sentencia; tr. sentenciar.

door (*dór*) s. puerta; portal. /*-keeper* s. portero; *next* — adv. al lado.

dope (*dóup*) s. droga, narcótico, grasa, información; tr. narcotizar.

dose (*dóus*) s. dosis.

dot (*dót*) s. tilde; punto.

dot/age (*dóutidch*) s. chochera, chochez. /*e* (*dóut*) intr. chochear.

double (*dö'bl*) s. adj. doble; adv. doble; s. doble; tr. doblar, duplicar.

doubt (*dáut*) s. duda; tr e intr dudar. /*ful* (*dáutful*) adj. dudoso. /*less* (*dáutles*) adj. seguro; adv. sin duda.

douche (*dúsch*) s. ducha; tr. e intr. duchar(se).

dough (*dóu*) s. masa, pasta, *fam.* dinero. /*-nut* (*dóunöt*) s. buñuelo.

dove (*dö'v*) s. palomo(a). /*tail* (*dövteil*) s. ensambladura; tr ensamblar.

dowdy (*dáudi*) adj. zafio; sucio; s. "mujeruca".

down (*dáun*) adv. abajo; hacia abajo; s. plumón, vello; meseta; interj.

¡abajo! adj. descendente. /cast (dáuncast) adj. abatido. /fall (dáunfol) s. s. caída; ruina. /pour (dáunpoòr) s. chaparrón /right (dáunrait) adv. enteramente; adj. evidente. /stairs (daunstérs) adv. abajo; (en) el piso de abajo. /y (dáunl) adv. velloso, felpudo.

dowry (dáuri) s. dote.

doze (dóus) s. sopor; intr. dormitar, cabecear.

dozen (dö'sn) s. docena.

dozy (dósi) adj. soñoliento; amodorrado.

drab (dráb) adj. pardusco; s. prostituta, puta.

draft (dráft) s. Com. giro, letra de cambio; dibujo; plan, proyecto; corriente de aire; Mil. piquete, refuerzo. tr. escoger, reclutar, hacer un borrador. /-copy s. borrador. /sman (dráftsman) s. dibujante.

drag (drág) s. garfio, draga, rastra; tr. arrastrar, dragar; intr. arrastrarse.

dragon (drágön) s. dragón.

drain (dréin) s. desagüe; zanja; tr. desecar. /age (drélnidch) s. drenaje. /er (dréinör) s. colador filtro; zanja.

drake (dréik) s. pato.

drama (dráma) s. drama, teatro. /tic (dramátic) adj. dramático. /tist (drámatist) s. dramaturgo. /tize (drámatais) tr. dramatizar.

drape (dréip) tr. vestir. /r (dréipör) s. pañero, lencero. /ry (dréipöri) s pañería, colgaduras.

draught (dráft) tr. dibujar; redactar; s. trago; porción, corriente de aire, tiro (de chimenea), letra de cambio. /sman (dráftsman) s. dibujante; delineante.

draw (dró) s. tiro; giro; sorteo; empate; tr. arrastrar, tirar, sacar, dibujar. /- lots echar suertes. /back (dróbec) s. inconveniente. /bridge (dróbridch) s. puente levadizo. /ee (drouí) s. Com. girado. /er (droör) s. Com. librador, cajón. /ing (dróings) s. giro; sorteo; dibujo. /ing-room s. salón. /n (drón) adj. destripado; corrido

dread (dréd) s. miedo, espanto; tr., intr. temer. /ful (dréáful) adj. terrible, formidable.

dream (drím) s. sueño; tr. soñar. /er (drímör) s. soñador.

drear/iness (drírines) s. tristeza. /y (dríri) adj. triste; lúgubre.

dregs (drégs) s. pl. heces.

drench (drénch) tr. empapar; humedecer.

dress (drés) s. vestido; adorno; tr. vestir adornar, curar, vender; intr. vestirse; Mil. alinearse. /er (drésör) armario de cocina; ayudante (de doctor). /ing (drésing) s. adorno; aderezo; apósito. /maker (dréimeikör) s. costurera, modista.

dribble (dríbl) intr. gotear; (fútbol) regatear; s. goteo.

drift (drift) s. torbellino; Mar. deriva; tr. impeler, intr. ir a la deriva, amontonarse.

drill (dríl) s. taladro; Mil. instrucción, ejercicio; tr. taladrar, Mil. instruir.

drink (drínk) s. bebida; trago; tr. e intr. beber.

drip (dríp) s. gota; gotera; alero; intr. gotear; intr. dejar gotear. /ping (dríping) s. pringue.

drive (dráiv) s. paseo en coche; avenida; empuje. Mec. transmisión; tr. intr. conducir.

drivel (*drívl*) s. baba; cháchara; intr. babear. /**ler** (*drívlör*) s. idiota.

driver (*dráivör*) s. conductor; /**ing** (*dráving*) s. conducción.

drizzle (*drísl*) s. llovizna; intr. lloviznar.

droll (*drôl*) adj. chusco; s. bufón, bufonada; intr. bromear.

drone (*dróun*) s. zángano; fig. haragán.

droop (*drúp*) tr. inclinar; bajar; intr. caer, colgar.

drop (*dróp*) s. gota; caída; tr. soltar, dejar caer; intr. caer.

drought (*dráut*) s. sequía, carestía; sed. /**y** (*dráutt*) adj. seco; sediento.

drove (*dróuv*) s. manada.

drown (*dráun*) tr. ahogar; anegar; intr. ahogarse.

drows/e (*dráus*) tr. adormecer, intr. amodorrar-**ie**, /**iness** (*dráusines*) s. modorra. /**y** (*dráusi*) adj. soñoliento.

drudge (*drödch*) s. ganapán; intr. afanarse. /**ry** (*drö'dchöri*) s. faena, trabajo penoso.

drug (*drög*) s. droga; medicamento; tr. medicinar. /**-store** s. farmacia, (U. S. A.)

drum (*drö'm*) s. tambor.

drunk (*drö'nk*) adj. borracho. /**ard** (*drö'nkard*) s. borracho. /**en** (*drö'nken*) adj. bebido. /**en-ness** (*dr-'nkennes*) s. embriaguez.

dry (*drái*) adj. seco; tr., intr. secar(se). /**er** (*dráiör*) s. secante. /**ness** (*dráines*) s. sequedad.

duality (*diualíti*) s. dualidad.

dub (*dö'b*) s. golpe; espaldarazo; tr. golpear; doblar (películas).

dubious (*diúbiös*) adj. dudoso; incierto. /**ness** (*diúbiösnes*) s. duda.

duch/ess (*dö'ches*) s. du-

quesa. /**y** (*dö'chi*) s. ducado.

duck (*dö'k*) s. pato, fam. pollita, tr., intr. zambullir(se). /**ing** (*dö'king*) s. zambullida.

due (*diú*) adj. debido; vencido; s. deuda.

duel (*diúel*) s. duelo; intr. batirse. /**ler** (*diúelr*) s. duelista.

duke (*diúk*) s. duque.

dull (*dö'l*) adj. estúpido; soso; tr. embotar; intr. entontecerse. /**ness** (*dö'lnes*) s. estupidez.

dumb (*dö'm*) adj. mudo. /**ness** (*dö'mnes*) s. mudez, silencio.

dummy (*dö'mi*) adj. fingido, s. pelele.

dump (*dö'mp*) s. vaciadero, escorial; tr. verter.

dumpy (*dö'mpl*) adj. regordete; rechoncho.

dun (*dö'n*) adj. pardo;

dunce (*dö'ns*) s. zote.

dune (*diún*) s. duna.

dung (*dö'ng*) tr. estiércol; tr. estercolar. /**hill** (*dö'ngjil*) s. estercolero.

dungeon (*dö'nchön*) s. calabozo, mazmorra.

dupe (*diúp*) s. crédulo; incauto; tr. embaucar.

duplic/ate (*diúplikeit*) s. doble; duplicar; adj. doble; tr. duplicar. /**ity** (*diuplísiti*) s. duplicidad.

dur/able (*diurábl*) adj. duradero. /**ation** (*diuréischön*) s. duración. /**ing** (*diúring*) prep. mientras; durante.

dusk (*dö'sk*) s. obscuridad; crepúsculo; adj. obscuro; intr., tr. obscurecer. /**y** (*dö'ski*) adj. adj. obscuro; sombrío.

dust (*dö'st*) s. polvo; basura; tr. desempolvar, polvorear. /**bin** (*dö'st-bin*) s. cubo de la basura. /**er** (*dö'stör*) s. paño de polvo, borrador. /**y** (*dö'stι*) adj. polvoriento.

Dutch (*dó'ch*) s. y adj.
holandés. /**man** (*dö'chman*) s. holandés.
duty (*diúti*) s. deber; Mil.
servicio; impuesto /-
free adj. franco
dwarf (*duórf*) s. enano;
adj. diminuto; tr. achi-
car. /**ish** (*duórtisch*) adj.
enano; diminuto
dwell (*duél*) intr habitar;
morar; vivir. /**er** (*duél-
lör*) s. habitante. /**ing**
(*duélling*) s. morada.
dye (*dái*) s. tintura; tin-

te; tr., intr. teñir(se).
/**ing** (*dáing*) s. tinte. /**er**
(*dáiör*) s. tintorero.
dying (*dáing*) adj moribundo.
dynamic (*dainámic*) adj.
dinámico.
dynamite (*dáinamait*) s.
dinamita.
dynamo (*dáinamo*) s. di-
namo.
dynasty (*dáinasti*) s dinastía.
dyspepsia (*dispépsia*) s
dispepsia.

E

each (*lch*) pron. cada
uno; adj. cada, todo.
/- **other** uno a otro.
eager (*igör*) adj. ansioso.
/**ness** (*igörnes*) s. ansia
eagle (*igi*) s. águila.
ear (*ir*) s. oreja, oído;
asa; espiga. /**ring** (*ir-
rring*) s. pendiente.
earl (*ö'rl*) s. conde.
early (*ö'rli*) adj. precoz,
temprano; temprano.
earn (*ö'rn*) tr. ganar. /**ings** (*ö'rnings*) s. ingresos,
ganancias.
earnest (*ö'rnest*) s. seriedad; adj. serio, cabal.
earth (*ö'rz*) s. tierra; suelo; tr. enterrar. /**en** (*ö'-
rzn*) adj. de tierra, de
barro. /**enware** (*ö'rze-
nuéa*) s loza. /**quake**
(*ö'rzkueik*) s. terremoto.
ease (*is*) s. alivio; comodidad; tr. aliviar.
easel (*isl*) s. caballete.
easiness (*isines*) s. facilidad; comodidad.
east (*ist*) s. Este; Oriente; adj. oriental. /**ern**
(*istörn*) adj. oriental.
easter (*istör*) s. Pascua de
Resurrección.

easy (*isi*) adj. fácil.
eat (*it*) tr., intr. comer
/**able** (*itabl*) adj. comestible.
eaves (*ivs*) s. pl. alero.
/**drop** (*ivsdrop*) tr. espiar; fisgonear.
ebb (*éb*) s. Mar. reflujo;
intr. menguar, bajar (la
marea).
ebony (*éboni*) s. ébano.
eccentric (*ecséntric*) adj.
extravagante; s. excén-
trico. /**ity** (*ecsentrisiti*)
s. excentricidad; rareza.
ecclesiastic (*eclesiástic*)
adj. eclesiástico.
echo (*éco*) s. eco; intr.
resonar; tr. repercutir.
eclectic (*ecléctic*) adj., s.
ecléctico.
eclipse (*iclips*) s. eclipse;
tr. eclipsar.
econom/ic(al) (*iconómic-
[al]*) adj económico. /**ics**
(*icónómics*) economía.
/**ist** (*icónomist*) s econo-
mista. /**y** (*icónomi*) s.
economía.
ecsta/sy (*écstasi*) s éxtasis. /**tic** (*ecstátic*) adj.
extático; embelesado
eden (*idn*) s. edén.

edg/e (édch) s. filo; borde; tr. afilar. /eless (édchles) adj. embotado. /ing (édching) s. orla.

edict (ídíct) edicto.

edif/ication (edifikéischön) s. edificación. /y 'édifai) tr. edificar.

edit (édit) tr. editar. /ion (edischön) s. edición. /or (éditör) s. editor. /orial (editórial) adj. editorial.

educat/e (édiukeit) tr. educar. /ion (ediukéischön) s. educación. /or (édiukeitör) s. educador.

eel (il) s. anguila.

efface (eféis) tr. borrar.

effect (eféct) s. efecto; tr. efectuar. /ive (eféctiv) adj. efectivo. /s (efécts) s. bienes personales.

effectual (efécchual) adj. eficiente; eficaz.

effeminate (efémneit) adj. afeminado; tr. intr. afeminar(se).

efficacious (efikéschös) adj. eficaz.

efficien/cy (efischensi) s. eficiencia. /t (efíschent) adj. eficiente.

effigy (éfidchi) s. efigie.

effort (éfort) s. esfuerzo.

effus/e (efiús) tr. derramar; verter. /ion (efiúchön) s. efusión. /ive (efiúsiv) adj. efusivo.

eft (éft) s. lagartija.

egg (eg) s. huevo; tr. inducir. /-cup s. huevera. /-nog s. yema mejida.

egois/m (ígoism) s. egoísmo. /t (ígoist) s. egoísta.

Egyptian (ilchipchön) s. y adj. egipcio.

eiderdown (aidördaun) s. edredón.

eight (éit) adj. y s. ocho.

either (ídör, áidör) pron. uno u otro; uno de dos; conj. o, ya, ora.

ejaculat/e (ichákiulet) tr arrojar; eyacular.

eject (ichéct) tr. arrojar;

elaborate (iláböreit) adj. elaborado; esmerado; tr. elaborar. /ion (ilaboréischön) s. elaboración.

elapse (iláps) intr. pasar.

elastic (ilástic) adj. elástico. /ity (ilastísiti) s. elascidad.

elbow (élbou) s. codo.

elde/r (éldör) adj. mayor; s. mayor. /rly (éldörli) adj. mayor, anciano. /st (éldest) adj. el, (la) mayor.

elect (iléct) s. y adj. elegido; tr. elegir. /ion (ilécschön) s. elección. /ive (iléctiv) adj. electivo. /or (iléctör) s. elector. /oral (iléctoral) adj. electoral.

electr/ic (iléctric) adj. eléctrico. /ician (iléctríschön) s. electricista. /icity (iléctrisiti) s. electricidad. /ify (iléctrifai) tr. electrizar. /ocute (iléctrokiut) tr. electrocutar. /on (iléctron) s. electrón.

elegan/ce (élígans) s. elegancia. /t (éligant) adj. elegante.

element (éliment) s. elemento. /al (eliméntal) adj. elemental.

elephant (élifant) s. elefante.

elevat/e (élevet) adj. elevado; tr. elevar. /ion (elivéischön) s. elevación. /or (élivettor) s. montacargas; ascensor.

eleven (ilévn) adj. y s. once.

elf (élf) s. duende.

eligib/ility (elidchibiliti) s. elegibilidad. /le (elídchibl) adj. elegible.

eliminat/e (elímineit) tr. eliminar. /ion (eliminéischön) s. eliminación.

elixir (elicsör) s. elixir.

ellip/se (elíps) s. elipse. /tic (elíptic) adj. elíptico.

elm (*élm*) s. *Bot.* olmo.

elongation (*elonguéischön*) s. distancia; extensión

elope (*elóup*) intr. escaparse. **/ment** (*elóupment*) s. fuga; rapto.

eloquen/ce (*élocuens*) s. elocuencia. **/t** (*élocuent*) adj. elocuente.

else (*éls*) pron., adv. más de otro modo, **si no.** / **where** (*élsjuer*) adv. en otra parte.

elude (*eliúd*) tr. eludir.

emaciate (*eméschiet*) adj. enflaquecido; flaco.

emanat/e (*émaneit*) intr. emanar. **/ion** (*emanéischön*) s. emanación.

emancipat/e (*imánsipeit*) tr. emancipar; libertar. **/ion** (*emansipéischön*) s. emancipación.

emasculat/e (*emáskiuleit*) tr. castrar; afeminar; adj. castrado.

embank (*embánk*) tr. terraplenar. **/ment** (*embánkment*) s. terraplén.

embargo (*embárgou*) s. embargo; tr. embargar.

embark (*embárk*) tr. intr. embarcar(se). **/ation** (*embarkéischön*) s. embarcación, embarque.

embarras (*embáras*) tr. embarazar; desconcertar. **/ing** (*embárasing*) adj. molesto, desconcertante. **/ment** (*embárasment*) s. embarazo; perturbación.

embassy (*émbasi*) s. embajada.

embellish (*embélisch*) tr. embellecer; a t a v i a r.

embers (*émbörs*) s. ascua, pl. rescoldo.

embezzle (*embésl*) tr. desfalcar, malversar.

embitter (*embitör*) tr. amargar, agriar.

embody (*embódi*) tr. incorporar; englobar.

embrace (*embréis*) s. abrazo; v. abrazar(se).

embroider (*embróidör*) tr.

bordar; recamar. **/y** (*embróidöri*) s. bordado.

embryo (*émbrio*) s. embrión; adj. embrionario.

emend (*iménd*) tr. enmendar, corregir.

emerald (*émörald*) s. esmeralda.

emerge (*imö'rdch*) intr. surgir; salir; brotar. / **ncy** (*imö'rdchensi*) s. emergencia. **/nt** (*emö'rdchent*) adj. emergente.

emigra/nt (*émigrant*) s. y adj. emigrante. **/te** (*imigréit*) intr. emigrar. **/tion** (*emigréischön*) s. emigración.

eminen/ce (*éminens*) s. eminencia. **/t** (*éminent*) adj. eminente; ilustre;

emi/ssary (*émisari*) s. emisario. **/ssion** (*imischön*) s. emisión. **/t** (*imít*) tr. emitir.

emotion (*imóuschön*) s. emoción. **/al** (*emóschönel*) adj. emocional.

emp/eror (*émperör*) s. emperador. **/ire** (*émpair*) s. imperio.

empha/sis (*émfasis*) s. énfasis. **/sise** (*émfasais*) tr. acentuar, recalcar. **/tic** (*emfátic*) adj. enfático.

empiric (*empíric*) s. y adj. empírico. / **al** (*empírical*) adj. empírico.

employ (*emplói*) s. empleo; ocupación; tr. emplear, ocupar. **/ee** (*emploi*) s. empleado. **/er** (*emplóiör*) s. patrono, amo, patrón. **/ment** (*emplóiment*) s. empleo.

emporium (*empóuriöm*) s. emporio; bazar.

empress (*émpres*) s. emperatriz.

empt/iness (*émptines*) s. vacuidad, vaciedad. **/y** (*émpti*) adj. vacío; vano y, intr. vaciar(se).

emulate (*émiuleit*) tr emular; imitar.

enable (*enéibl*) tr. habilitar, capacitar, autorizar.

enact (*enáct*) tr. establecer; p o n e r en vigor.

enamel (*enámel*) s. esmalte; tr. esmaltar.

encase (*enkéis*) tr. encajar; encajonar.

enchant (*enchánt*) tr. encantar. **/er** (*enchántör*) s. encantador; hechicero. **/ment** (*enchántment*) s. encanto.

enclos/e (*enclóus*) tr. cercar, incluir. **/ure** (*enclóuchör*) s. cerca, cercado anexo, recinto.

encore (*engcóa*) tr. repetir; interj. ¡otra vez! ¡bis! s. repetición.

encounter (*encáuntör*) s. encuentro, colisión; tr. encontrar, tropezar con.

encourage (*enkö'ridch*) tr. animar. **/ment** (*enkö'ridchment*) s. ánimo.

encyclop(a)edi/a (*ensaiclopídia*) s. enciclopedia. **/c(al)** (*ensaiclopídik(al)*) adj. enciclopédico.

end (*énd*) s. fin, tr., intr. acabar, concluir.

endear (*endíar*) tr. encarecer. **/ing** (*endíring*) adj. seductor.

endeavour (*endévör*) s. esfuerzo; tr. tratar de, procurar; intr. esforzarse.

endorse, indorse (*indórs*) r e s p a l d a r, garantizar. **/ment** (*indórsment*) endo(r)so, autorización.

endow (*endáu*) tr. dotar; fundar. **/ment** (*endáument*) s. dotación.

endur/able (*endiúrabl*) adj. soportable. **/ance** (*endiúrans*) s. aguante. **/e** intr. durar.

enema (*enima*) s. enema.

enemy (*énemi*) s. enemigo.

energ/etic (*enördchétic*) adj. enérgico. **/y** (*énördchi*) s. energía.

enforce (*enfórs*) tr. imponer, ejecutar.

engage (*enguéidch*) tr. contratar, comprometer, ocupar, intr. empeñarse. **/d** (*enguéidchd*) adj. empeñado; alquilado; ocupado. **/ment** (*enguéidchment*) s. compromiso.

engender (*endchéndör*) tr. intr. engendrar(se).

engine (*éndchin*) s. máquina; motor. **/er** (*endchinír*) s. ingeniero; mecánico. **/ering** (*endchiníring*) s. ingeniería.

Engl/and (*ingland*) s. Inglaterra. **/ish** (*ínglisch*) adj. inglés; s. inglés.

engrav/e (*engréiv*) tr. grabar; cincelar. **/er** (*engréivör*) s. grabador. **/ing** (*engréving*) s. grabado.

enhance (*enjáns*) tr. encarecer, realzar.

enigma (*enígma*) s. enigma. **/tic** (*enigmátic*) adj. enigmático.

enjoy (*endchói*) tr. gozar de, disfrutar de. **/oneself** r. divertirse.

enlarge (*enlárdch*) tr. ampliar. **/ment** (*enlárdchment*) s. ampliación.

enlighten (*enláitn*) tr. instruir; ilustrar. **/ment** (*enláitnment*) s. ilustración.

enlist (*enlíst*) tr. Mil. alistar; intr. alistarse, enrolarse. **/ment** (*enlístment*) s. alistamiento

enmity (*énmiti*) s. enemistad.

ennoble (*enóubl*) tr. ennoblecer.

enorm/ity (*enórmiti*) s. enormidad. **/ous** (*enórmös*) adj. enorme.

enough (*inö'f*) adj., adv. bastante; interj. ¡basta! s. [bastal.

enounce (*indúns*) tr. adv. enunciar, proclamar.

enrage (*enréidch*) tr. enfurecer; irritar.

enrich *(enrích)* tr. enriquecer. **/ment** *(enríchment)* s. enriquecimiento.

enrol(l) *(enróul)* tr., intr. alistar(se), matricular(se). **/ment** *(enrólment)* s. alistamiento.

ensign *(énsain)* s. bandera; insignia; divisa.

enslave *(ensléiv)* tr. esclavizar.

entail *(entéil)* s. vinculación, tr. vincular.

entangle *(entángl)* tr. enredar; embrollar. **/ment** *(entánglment)* s. enredo.

enter *(éntör)* v. entrar.

enterpris/e *(énterprais)* s. empresa; tr. emprender. **/ing** *(énterpraising)* adj. atrevido, emprendedor.

entertain *(entertéin)* tr. entretener; agasajar **/er** *(entertéinör)* s. anfitrión, animador. **/ing** [*(enterléining)* adj. entretenido. **/ment** *(entertéinment)* s. convite; diversión.

enthusias/m *(enziúsiasm)* s. entusiasmo. **/t** *(enziúsiast)* s. entusiasta. **/tic** *(enziusiástic)* adj. entusiástico.

entire *(entáir)* adj. entero; cumplido; íntegro. **entitle** *(entáitl)* tr. autorizar, intitular.

entrails *(éntreils)* s. pl. entrañas; tripas.

entrance *(éntrans)* s. entrada; principio; portal.

entreat *(entrít)* tr. rogar; **entrench** *(entrénch)* tr. atrincherar.

entry *(éntri)* s. entrada.

enumerate/e *(iniúmöreit)* tr. enumerar. **/ion** *(iniumöréischön)* s. enumeración.

enunciat/e *(inö'nscheit)* tr. enunciar. **/ion** *(inönschiéischön)* s. enunciación.

envelop *(envélöp)* tr. envolver; cubrir. **/e** *(en*

vélop, énviloup)* s. sobre, envoltura.

envious *(énviös)* adj. envidioso

environ *(enváirön)* tr. rodear, cercar. **/ment** *(enváirönment)* s. (medio) ambiente. **/s** *(enváirons)* s. pl. alrededores.

envoy *(énvoi)* s. enviado.

envy *(énvi)* s. envidia; rencor; tr. envidiar.

ephemeral *(itémeral)* adj. efímero.

epic *(épic)* adj. épico.

epicur/e *(épikiur)* s. epicúreo; sibarita.

epidem/ic *(epidémic)* adj. epidémico; s. epidemia.

epilep/sy *(épilepsi)* s. epilepsia. **/tic** *(epiléptic)* s. y adj. epiléptico.

epilogue *(épilog)* s. epílogo.

episcopa/l *(ipíscopal)* adj. episcopal. **/te** *(ipíscopeit)* s. episcopado.

episode *(épisoud)* s. episodio.

epist/le *(epísl)* s. epístola; carta. **/olary** *(epístolari)* adj. epistolar.

epitaph *(épitaf)* s. epitafio.

epoch *(époc)* s. época.

equal *(ícual)* s. igual; adj. igual; tr. igualar. **/ity** *(icuóliti)* s. igualdad. **/ize** *(icualais)* tr. igualar.

equanim/ity *(icuanímiti)* s. ecuanimidad. **/ous** *(icuánimös)* adj. ecuánime.

equation *(icuéischön)* s. ecuación.

equator *(icuétör)* s. ecuador. **/ial** *(icuatóurial)* adj ecuatorial.

equestrian *(icuéstrian)* adj. ecuestre.

equilibr/ate *(icuiláibratt)* tr. equilibrar. **/ist** *(icuílibrist)* s. equilibrista / **ium** *(ecuilíbriöm)* s. equilibrio

equinox *(écuinocs)* s. equinoccio.

equip (*ecuíp*) tr. equipar. **/ment** (*ecuíment*) s. equipaje; equipo.

equity (*écuiti*) s. equidad; justicia.

equivalen/ce (*ecuívalens*) s. equivalencia. **/t** (*icuívalent*) s. y adj. equivalente.

equivocal (*icuívocal*) adj. equívoco; ambiguo.

equivoca/te (*icuívokeit*) tr. equivocar. **/tion** (*icuivokéischön*) s. equivocación; ambigüedad.

era (*íra*) s. era; edad.

eradicat/e (*irádikeit*) tr. desarraigar. **/ion** (*iradikéischön*) s. extirpación

erase (*iréis*) tr. borrar.

erect (*iréct*) adj. erecto, tr. erigir. **/ion** (*irécschön*) s. erección.

ermine (*ö'rmin*) s. armiño.

erosion (*iróuchön*) s. erosión; corrosión.

erotic (*irótic*) adj. erótico.

err (*ér*) intr. errar.

errand (*érand*) s. recado. **/-boy** s. mandadero.

errant (*érant*) adj. errante; vagabundo.

errat/a (*eréita*) s. pl. erratas. **/um** (*eréitöm*) s. errata.

err/ing (*éring*) adj. errado; extraviado. **/oneous** (*eróneös*) adj. erróneo. **/or** (*érör*) yerro; error.

eruct(ate) (*irö'ct(eit*) tr. eructar. **/ation** (*iröctéischön*) s. eructo.

erudite (*ériudait*) adj. erudito. **/ion** (*eriudíschön*) s. erudición.

erupti/on (*irö'pschön*) s. erupción; sarpullido. **/ve** (*irö'ptiv*) adj. eruptivo.

erysipela (*erisípelas*) s. erisipela.

escalator (*escaléitör*) s. escalera(s) automática(s).

escap/ade (*éskepeid*) s. escapada. **/e** (*eskéip*) s.

---

fuga; tr. evitar; intr. fugarse.

escort (*éscort*) s. escolta; tr. escoltar, acompañar.

especial (*spéschal*) adj. especial; notable.

esperantist (*esperántist*) adj. y s. esperantista. **/o** (*esperánto*) s. esperanto.

espionage (*éspionidch*) s. espionaje.

espy (*espái*) tr. divisar.

esquire (*escuáir*) s. escudero, hidalgo; don.

essay (*ései*) s. ensayo; (*eséi*) tr. ensayar. **/ist** (*eséisl*) s. ensayista.

essen/ce (*ésens*) s. esencia; perfume. **/tial** (*esénschal*) adj. esencial.

establish (*estáblisch*) tr. establecer; fundar. **/ment** (*estáblischment*) s. establecimiento; institución.

estate (*estéit*) s. estado; caudal; hacienda.

esteem (*estím*) s. estima-(ción); tr. estimar.

estimat/e (*éstimeit*) s. estimación; presupuesto. tr. estimar, calcular.

estuary (*éstiueri*) s. estuario.

etern/al (*itö'rnal*) adj. eterno. **/alize** (*itö'rnalais*) eternizar. **/ity** (*itérniti*) s. eternidad.

ether (*izör*) s. éter.

ethic(al) (*lézic(al)*) adj. ético. **/s** (*ézics*) s. ética.

ethn/ic (*éznic*) adj. étnico. **/ology** (*eznólodch!*) s. etnología. **/ological** (*eznolódchical*) adj. etnológico.

etymolog/ical (*etimolódchical*) adj. etimológico. **/y** (*etimolódchi*) s. etimología.

eucalyptus (*iukelíptös*) s. eucalipto.

Eucharist (*iúcarist*) s. Eucaristía. **/ic** (*iúcaristic*) adj. eucarístico.

eulog/ist *(iúlodchist)* s. elogiador; panegirista. **/ize** *(iúlodchais)* elogiar. **/y** *(iúlodchi)* s. elogio.

eunuch *(iúnöc)* s. eunuco.

Europe *(iúröp)* s. Europa. **/an** *(iuropían)* adj. europeo.

euthanasia *(iuzanéisia)* s. eutanasia.

evacuat/e *(iváciueit)* tr. evacuar; vaciar; intr. vaciarse. **/ion** *(ivakiuéschön)* s. evacuación.

evade *(ivéid)* tr. evadir; eludir; intr. evadirse.

evaluat/e *(iváliueit)* tr. evaluar. **/ion** *(ivaliuéischön)* s. evaluación.

evangeli/cal *(evandchéltcal)* adj. evangélico. **/st** *(ivánchelist)* s. evangelista. **/ze** *(ivánchelais)* tr. evangelizar.

evaporat/e *(eváporeit)* tr. evaporar; intr. evaporarse. **/ion** *(evaporéischön)* s. evaporación.

evasion *(ivéchön)* s. evasión; escapatoria.

eve *(iv)* s. tarde; víspera.

even *(íven)* adj. llano, igual; adv. aun (cuando), tr. igualar, nivelar.

evening *(ívning)* s. tarde, anochecer, noche.

event *(ivént)* s. evento; **/ful** *(ivéntful)* adj. crítico; memorable. **/ual** *(ivénchual)* adj. eventual.

ever *(évör)* adv. siempre; alguna vez, nunca.

every *(evöri, évri)* adj. cada; cada uno; todo. **/body** *(évöribodi)* todo el mundo. **/thing** *(évörizing)* adv. todo. **/where** *(évörtuer)* en todas partes

evict *(ivíct)* tr. desposeer; expulsar

eviden/ce *(évidens)* s. evidencia; testimonio **/t** *(évident)* adj. evidente.

evil *(ívl)* adj. malo; s mal; adv mal(amente).

evita/ble *(évitabl)* adj. evitable. **/te** *(éviteit)* tr. evitar.

evo/cation *(ivokéischön)* s. evocación. **/ke** *(ivóuc)* tr. evocar.

evolution *(evoliúschön)* s. evolución. **/al** *(evoliúschönöl)* **/ary** *(evollúschönöri)* adj evolutivo **/ist** *(evoliúschönist)* adj y s. evolucionista.

evolve *(ivólv)* tr. desplegar; intr. desarrollarse.

ewe *(iú)* s. oveja.

exact *(egsáct)* adj. exacto; tr. exigir; imponer, intr. apremiar. **/ing** *(egsácting)* adj. exigente.

exaggerat/e *(egsádchereit)* tr. exagerar. **/ion** *(egsadcheréischön)* s. exageración.

exalt *(egsólt)* tr. exaltar; enaltecer. **/ation** *(egsaltéischön)* s. exaltación.

examin/ation *(egsáminéischön)* s. examen. **/e** *(egsámin)* tr. examinar.

example *(egsámpl)* s. ejemplo; ejemplar; muestra.

exasperat/e *(egsáspereit)* tr. exasperar. **/ion** *(egsasperéischön)* s. exasperación.

excavat/e *(écscaveit)* tr. excavar. **/ion** *(ecscavétcshön)* s. excavación.

exceed *(ecsíd)* tr. exceder; sobresalir. **/ing** *(ecsiding)* adj. excesivo.

excel *(ecsél)* tr., intr. sobresalir, aventajar. **/lence** *(écselens)* s. excelencia, **/lent** *(écselent)* adj. excelente.

excentric *(ecséntric)* adj. excéntrico.

except *(ecsépt)* prep. excepto; conj. menos; sino; tr. exceptuar. **/ing** *(ecsépting)* prep. a excepción de. **/ion** *(ecsépschön)* s. excepción.

excerpt *(ecsö'rpt)* s. extracto; tr. extraer.

excess *(ecsés)* s. exceso. /**ive** *(ecsésiv)* adj. excesivo.

exchange *(exchéindch)* s. cambio, bolsa; tr. cambiar.

exchequer *(exchékör)* s. tesorería; hacienda.

excit/able *(ecsáitabl)* adj. excitable. /**ation** *(ecsitáischön)* s. excitación. /**e** *(ecsáit)* tr. excitar. /**ement** *(ecsaitment)* s. excitación. /**ing** *(ecsáiting)* adj. excitante.

excla/im *(ecscléim)* intr. exclamar. /**mation** *(ecsclaméischön)* s. exclamación; clamor.

exclu/de *(ecsclúd)* tr. excluir. /**sion** *(ecsclúchön)* s. exclusión. /**sive** *(ecsclúsiv)* adj. exclusivo privativo.

excommunicat/e *(ecscomiúnikeit)* tr. excomulgar; s. y adj. excomulgado. /**ion** *(ecscomiunikéischön)* s. excomunión

excre/ment *(écscrement)* s. excremento; estiércol.

exculpat/e *(ecskö'lpett)* tr. disculpar. /**ion** *(ecskölpéischön)* s. disculpa, exculpación.

excursion *(ecskö'rschön)* s. excursión; digresión. /**ist** *(ecskö'rschönist)* s. excursionista.

excuse *(ecskiús)* s. pretexto; tr. excusar, dispensar.

execut/e *(écsikiut)* tr. ejecutar; efectuar; intr. obrar. /**ion** *(ecsekiúschön)* s. ejecución. /**ioner** *(ecsekiúschönör)* s. verdugo. /**ive** *(ecsékiutiv)* adj. ejecutivo; s. poder ejecutivo.

exempl/ar *(egsémplar)* s. ejemplar. s. /**ary** *(egsémplari)* adj. ejemplar. /**ify** *(egsémplifai)* tr. ejemplificar.

exempt *(egsémt)* adj. exento; libre; tr. eximir. /**ion** *(egsémpschön)* s. exención; franquicia.

exercise *(écsersais)* s. ejercicio; práctica. *Mil.* maniobra; tr., intr. ejercitar(se), hacer ejercicios. practicar, ejercer.

exhal/ation *(egsjalétschön)* s. exhalación; vaho. /**e** *(egsjéil)* tr. exhalar.

exhaust *(egsóst)* s. escape, salida. /**ed** *(egsóstid* adj. exhausto. /**ive** *(egsóstiv)* adj. exhaustivo.

exhibit *(egsíbit)* s. exposición, objeto expuesto; tr. exhibir. /**ion** *(egsibíschön)* s. exposición.

exhort *(egsórt)* tr. exhortar. /**ation** *(egsortéischön)* s. exhortación.

exhum/ation *(ecsjiuméischön)* s. exhumación. /**e** *(ecsjiúm)* tr. exhumar.

exigen/ce *(écsidchens)* s. exigencia; necesidad. /**t** *(écsichent)* adj. exigente.

exiguous *(egsígiuös)* adj. exiguo.

exile *(ecsáil)* s. destierro; desterrado; tr. desterrar.

exist *(egsíst)* intr. existir. /**ence** *(egsístens)* s. existencia. /**ing** *(egsísing)* adj. existente.

exit *(écsit)* s. salida.

exorbitan/ce *(egsórbitans)* s. exceso. /**t** *(egsórbitant)* adj. exorbitante.

exorcism *(écsorsism)* s. exorcismo.

exotic *(ecsótic)* adj. exótico.

expan/d *(ecspánd)* tr. ensanchar; intr. extenderse. /**se** *(ecspáns)* s. expansión. /**sion** *(ecspánchön)* s. expansión. /**sive** *(ecspánsiv)* adj. expansivo.

expatriat/e *(ecspéitrieit)* tr. expatriar; desterrar. /**ion** *(ecspetriéischön)* s. expatriación; destierro.

expect (ecspéct) tr. esperar. **/ance** (ecspéctans) s. expectación. **/ant** (ecspéctant) s. aspirante; adj. expectante. **/ation** (ecspectéischön) s. expectación.

expectorat/e (ecspéctireit) tr. Med. expectorar. **/e** (écspidalt) tr. expedir; facilitar; adj. expedito. **/ion** (ecspidischön) s. expedición.

expel (ecspél) tr. expeler.

expen/d (ecspénd) tr. gastar. **/diture** (ecspéndichiur) s. gasto. **/se** (ecspéns) s. expensas. **/sive** (ecspénsiv) adj. caro, dispendioso.

experi/ence (ecspíriens) s. experiencia; tr. experimentar. **/enced** (ecspírienst) adj. experimentado. **/ment** (ecspérlment) s. experimento; intr. y tr. experimentar.

expert (ecspö't) adj. experto, perito. (éscpöt) s. experto, perito. **/ness** (ecspö'rtnes) s. destreza.

expiat/e (écspiet) tr. expiar. **/ion** (ecspiéischön) s. expiación. **/ory** (ecspiatori) expiatorio.

expir/ation (ecspiréischön) s. expiración. **/e** (ecspáir) intr. expirar.

expla/in (ecspléin) tr. explicar; aclarar. **/nation** (ecsplanéischön) e. explicación.

explicat/e (écsplikeit) tr. explicar. **/ion** (ecsplikéischön) s. explicación. **explicit** (ecsplísit) adj. explícito; claro.

explode (ecsplóud) tr. volar, hacer saltar; intr. estallar, volar.

exploit (ecsplóit) s. hazaña, proeza; tr. explotar, buscar. **/ation** (ecsplol-téischön) s. explotación.

explor/ation (ecsploréischön) s. exploración. **/e**

(ecsplór) tr. explorar. **/er** (ecsplörör) s. explorador.

explo/sion (ecsplóuchön) s. explosión. **/sive** (ecsplósiv) adj. explosivo,

export (écsport) s. exportación; género exportado; (ecspórt) tr. exportar. **/ation** (ecsportéischön) s. exportation. **/er** (ecspörtör) s. exportador.

expos/e (ecspóus) tr. exponer; arriesgar; descubrir. **/ition** (ecsposischön) s. exposición

expound (ecspáund) tr. exponer; explicar.

express (ecsprés) adj. expreso, de intento; s. expreso; tr. expresar. **/ion** (ecspréschön) s. expresión. **/ive** (ecspresiv) adj. expresivo.

expulsion (ecspö'lchön) s. expulsión.

exquisite (écscuisit) adj. exquisito.

extempore (ecstémporei) adv. de improviso.

exten/d (ecsténd) tr. extender; ampliar; intr. extenderse. **/sion** (ecsténschön) s. extensión)ampliación. **/t** (ecstént) s. extensión; alcance.

exterior (ecstíriör) adj. externo; s. exterior.

exterminat/e (ecstö'rmineit) tr. exterminar. **/ion** (ecsterminéischön) s. exterminación.

external (ecstö'rnal) adj. exterior; externo.

extin/ct (ecstínct) adj. extinguido. **/ction** (ecstínkschön) s. extinción. **/guish** (ecstíngüisch) tr. extinguir.

extirpat/e (écstörpeit) tr. extirpar. **/ion** (ecstörpéischön) s. extirpación.

extra (écstra) adj. extraordinario; s. exceso.

extract (écstract) s. extracto, resumen, (ecstráct) tr. extractar. **/ir**

ecstrácschön) s. extracción; origen. **/or** *(ecstráctór)* s. extractor.

extraordinary *(ecstrórdineri)* adj. extraordinario.

extravagan/ce *(ecstrávagans)* s. extravagancia. **/t** *(ecstrávagant)* adj. extravagante; derrochador.

extrem/e *(ecstrím)* adj. extremo; s. extremo. **/i-**

ty *(ecstrémiti)* s. extremidad

exuberan/ce *(ecsiúberans)* s. exuberancia. **/t** *(ecsiúberant)* adj. exuberante.

exult *(egsólt)* tr. exultar,

eye *(ái)* s. ojo; tr. ojear. **/brow** *(áibrau)* s. ceja. / **lash** *(áilasch)* s. pestaña. **/lid** *(álid)* s. párpado. **/sight** *(aisait)* s. (alcance de la) vista.

F

fable *(féibl)* s. fábula; intr. y tr. fingir.

fabric *(fábric)* s. fábrica; fabricación; tejido, tela. **/ate** *(fábrikeit)* tr. fabricar. **/ation** *(fabrikéischön)* s. fabricación.

fabulous *(fábiulös)* adj. fabuloso.

face *(féis)* s. cara; faz; tr. arrastrar, afrontar.

facetious *(fasischös)* adj. chistoso; jocoso.

facial *(féschial)* adj. facial.

facil/e *(fásil)* adj. fácil. **/itate** *(fasíliteit)* tr. facilitar. **/ity** *(fasíliti)* s. facilidad, instalación.

fact *(fáct)* s. hecho.

factor *(fáctör)* s. factor; elemento. **/y** *(fáctori)* s. factoría; fábrica.

faculty *(fácölti)* s. facultad, aptitud.

fade *(féid)* intr. decaer.

fag *(fág)* pitillo; "lata".

fail *(féil)* t. faltar; engañar; intr. faltar, fallar **/ure** *(féiliur)* s. fracaso.

faint *(féint)* adj. débil; s. desmayo; intr. desmayarse; tr. abatir.

fair *(féa)* adj. bello, claro; rubio; leal.

fairly *(férli)* adv. bastante, francamente, bien.

fairness *(férnes)* s. belleza; honradez; equidad

fairy *(féri)* s. hada.

faith *(féiz)* s. fe; crédito. **/ful** *(féizful)* adj. fiel; leal. **/fulness** *(féizfulnes)* s. fidelidad.

fake *(féik)* adj. postizo.

fall *(fól)* intr. caer; caerse; s. caída; catarata; *Fig.* otoño; — **in love with**, enamorarse de.

fallac/ious *(faléschös)* adj. falaz. **/y** *(fálasi)* s falsedad; falacia.

fals/e *(fóls)* adj. falso. **/ehood** *(fólsjud)* s. falsedad. **/ification** *(folsifikéischön)* s. falsificación. **/ify** *(fólsifai)* tr. falsificar.

falter *(fóltör)* intr. titubear; s. vacilación.

fame *(féjm)* s. fama.

famil/iar *(familiar)* adj. familiar. **/iarity** *(familiáriti)* s. familiaridad. / **y** *(fámili)* s. familia.

famine *(fámin)* s. hambre; carestía.

famous *(féimös)* adj. famoso.

fan *(fán)* s. abanico; ventilador; partidario; tr. abanicar, ventilar

fanatic *(fanátic)* s. faná-

tico /ism (fanátisism)
s. fanatismo.

fanc/iful (fánsiful) adj.
fantástico; antojadizo.
/y (fánsi) tr., intr. enca-
prichar(se); imaginar; s.
fantasía; capricho.

fantas/tic (fantástic) adj.
fantástico. /y (fántasi) s.
fantasía; imagen.

far (fár) adv. lejos; muy
adj. lejano. /as — as
hasta.

farce (fárs) s. farsa.

fare (fér) s. tarifa; importe del billete; comi-
da. /well (feruél) interj.
adiós; s. despedida.

farm (fárm) s. granja; tr.
cultivar. /er (fármör) s.
granjero. /ing (fárming)
s. cultivo.

farther (fárdör) adj. ulterior; adv. más lejos. /
est (fárdest) adv. lo más
lejos; adj. más distante.

fascicle (fásikl) s. haz.

fascinat/e (fásineit) tr.
fascinar. /ing (fasinél-
ting) adj. fascinante. /
ion (fasinéischön) s. fasci-
nación.

Fascis/m (fásism) s. fas-
cismo. /t (fásist) s. fas-
cista.

fashion (fáschön) s. moda; uso. tr. amoldar.
/able (fáschönobl) adj.
elegante; de moda.

fast (fást) s., adj. rápido;
fijo, sólido; adv. veloz-
mente; s. ayuno; intr.
ayunar. /en (fásn) tr.
atar; afirmar. /ness (fás-
tnes) s. firmeza, rapidez.

fastidious (fastidiös) adj.
fastidioso; quisquilloso.

fat (fát) adj. gordo; s.
grasa; sebo; tr. cebar.

fat/al (féitöl) adj. fatal.
/alism (féitalism) s. fa-
talismo. /ality (fatáliti)
s fatalidad. /e (féit) s.
hado.

father (fádör) s. padre;
tr adoptar, prohibir.

/**hood** (fádörjud) s. paternidad. /-in-law (fá-
ló) suegro, padre políti-
co. /land (fádörland) s.
patria. /les (fádörles)
adj. huérfano. /ly (fá-
dörll) adj. paternal.

fathom (fádöm) s braza,
alcance; tr. sondar, son-
dear, tantear. /less (fá-
dömles) adj. insondable.

fatigue (fatíg) s. fatiga.

fat/ness (fátnes) s. gor-
dura; obesidad. /ten
(fátn) tr. engordar; ce-
bar; intr. engordar. /ty
(fáti) adj. gordinflón.

fatu/ity (fatúiti) s. fatui-
dad. /ous (féchiuös) adj
fatuo.

fault (fólt) s. falta. /less
(fóltles) adj. impecable
/y (fólti) adj. defectuo-
so.

favo(u)r (féivör) s. favor;
ayuda; tr. favorecer. /a-
ble (féivörabl) adj. fa-
vorable. /ite (féivörit)
adj. y s. favorito.

fear (fía) s. temor; miedo; tr., intr. temer. /ful
(fírful) adj. miedoso
/less (fíales) adj intré-
pido, atrevido.

feast (físt) s. fiesta; festín; tr. festejar.

feat (fít) s. proeza.

feather (fédör) s. pluma

feature (fíchör) s. rasgo,
característica; pl. faccio-
nes; tr. representar.

febrile (fíbril) adj. febril

February (fébruari) s febrero.

fecula (fékula) s. fécula.

fecund (fékönd) adj fecundo. /ate (féköndeit
tr. fecundar. /ity (fikö.
'nditi) s. fecundidad

federa/l (fédöral) adj. federal. /lism (fédöralism)
s. federalismo. /te (fé-
dörelt) adj. confederado,
federal; tr. (con)-federar
/tion (fédöréischön) s
(con)federación.

fee *(fí)* s. honorarios, cuota, derechos.

feeble *(fíbl)* adj. débil.

feed *(fíd)* tr. alimentar; intr. nutrirse. **/er** *(fídör)* s. criador; biberón.

feel *(fíl)* intr. sentir; intr. sentirse. **/ing** *(fíling)* s. tacto, sentimiento.

fei/gn *(féin)* tr., intr. fingir; disimular. **/nt** *(féint)* s. ficción.

felicit/ate *(felísiteit)* tr. felicitar; **/ation** *(filistéischön)* s. felicitación; **/y** *(felísiti)* s. felicidad.

feline *(fílain)* adj. felino.

fell *(fél)* tr. derribar; talar; adj. feroz; s. piel.

fellow *(félou)* s. compañero; miembro; sujeto; **/ship** *(félouschip)* s. compañía.

felt *(félt)* s. fieltro.

fem/ale *(fímeil)* s. hembra; adj. femenino. **/inine** *(féminin)* adj. femenino. **/inism** *(féminism)* s. feminismo. **/inist** *(féminist)* s. feminista.

fen *(fen)* s. pantano.

fenc/e *(fens)* s. cerca, valla, tr. cercar, **/ing** *(fénsing)* s. defensa: esgrima.

ferment *(förment)* s. fermento; *(fürmént)* intr. fermentar; tr. hacer fermentar.

fern *(förn)* s. helecho.

feroci/ous *(feróschös)* adj. feroz. **/ty** *(ferósiti)* s. ferocidad.

ferret *(féret)* s. hurón.

ferry *(féri)* s. pasaje; embarcadero; transbordador; tr. cruzar (un río).

fertil/e *(fö'rtail)* adj. fértil. **/ity** *(förtíliti)* s. fertilidad. **/ize** *(fö'rtilais)* fertilizar, **/izer** *(fö'rtilaisör)* s. fertilizante.

ferven/cy *(fö'rvensi)* s. fervor. **/t** *(fö'rvent)* adj. ferviente; ardiente.

festiv/al *(féstival)* s. fiesta; festividad. **/e** *(tés-*

tiv) adj. festivo. **/ity** *(festíviti)* s. festividad.

fetch *(féch)* tr. traer; ir a buscar; ir por.

fetid *(fítid)* adj. fétido.

fetish *(fítisch)* s. fetiche.

fetter *(fétör)* grilletes; tr. encadenar, trabar.

feud *(fiúd)* s. contienda, pelea; feudo. **/al** *(fiúdal)* adj. feudal.

fever *(fívör)* s. fiebre; **/ish** *(fívörisch)* adj. febril.

few *(fiú)* adj. pocos.

fiancé *(fiansé)* s. novio, **/e** *(fiansé)* s. novia.

fib *(fíb)* s. mentira; embuste; tr. mentir.

fibre *(fáibör)* s. fibra.

fickle *(fícl)* adj. voluble.

ficti/on *(ficschön)* s. ficción. **/tious** *(fictíschös)* adj. ficticio; fingido.

fiddle *(fídl)* s. fam. violín.

fidelity *(fidéliti)* s. fidelidad.

fidget *(fídchet)* s. afán; tr. intr. molestar.

field *(fíld)* s. campo.

fiend *(fínd)* s. demonio.

fierce *(fíös)* adj. feroz.

fig *(fíg)* s. higo.

fight *(fáit)* s. lucha, pelea; intr. luchar, tr. combatir. **/er** *(fáitör)* s. combatiente; avión de caza.

figur/ative *(fíguiuretiv)* adj. figurativo. **/e** *(figutur)* figura, cifra, número; tr. figurar; formar; delinear; intr. figurarse.

filch *(filch)* tr. ratear.

file *(fáil)* s. lima; hilera; fila; archivo, tr. limar, registrar, ensartar; intr. Mil. desfilar.

filia/l *(fílial)* adj. filial. **/tion** *(filiéischön)* s. filiación.

fill *(fil)* s. hartura; lleno; tr. llenar / - **in**, **up** tr. rellenar.

fillet *(fílet)* s. cinta, tira, venda; pl. filete.

film (*film*) s. película; membrana; tr. filmar, rodar una película.

filter (*fíltör*) s. filtro; tr. filtrar.

filth (*filz*) s. inmundicia; **/iness** (*fílzines*) s. suciedad. **/y** (*fílzi*) adj. sucio.

fin (*fín*) s. aleta.

final (*fáinal*) adj. final.

finance e (*faináns*) s. hacienda pública. finanzas; renta; tr. financiar. **/ial** (*finánschal*) adj. financiero. **/ier** (*finánsir*) s. financiero.

find (*fáind*) tr. encontrar, hallar. **/ — out** tr. averiguar; s. descubrimiento.

fine (*fáin*) adj. bello, fino s. multa; tr. afinar, multar.

finger (*fíngör*) s. dedo. tr. tocar, manosear. **/prints** s. huellas digitales.

finish (*fínisch*) s. fin, acabamiento; tr. acabar.

finite (*fáinait*) adj. finito.

fir (*för*) s. abeto.

fire (*fáir*) s. fuego; incendio; tr. quemar, disparar; fam. **despedir**. **/-arm** s. arma de fuego. **/man** (*fáirman*) s.`bombero. **/place** (*fáirpleis*) s. hogar. **/wood** (*fáirvud*) s. leña. **/works** (*fárwörks*) s. fuegos articiales.

firm (*fö'rm*) s. empresa, firma; adj. firme.

first (*fö'rst*) adj. primero; adv. en primer lugar.

fiscal (*fiscal*) s., adj. fiscal.

fish (*fisch*) s. pez; pescado; tr., intr. pescar. **/er** (*fischör*) s. **pescador**. **/erman** (*físchörman*) pescador. **/ing** (*físching*) s. pesca, adj. pesquero. **/monger** (*fischmönger*) s. pescadero; (fig.) entremetido. **/y** (*físchi*) adj.

abundante en pesca; fam. sospechoso.

fissure (*físchiur*) s. grieta; hendedura.

fist (*físt*) s. puño.

fit (*fít*) s. acceso; ataque; hechura; adj. apto, adecuado; tr. ajustar, sentar bien; **— into** encajar; **— out** equipar. **/ter** (*fitör*) s. ajustador; **/ting** (*fíting*) s. adaptación; adj. conveniente.

five (*fáiv*) adj. cinco.

fix (*fícs*) tr. fijar; asegurar; s. apuro, posición. **/— up** disponer. **/ture** (*ficschör*) s. cosa fija; pl. intalaciones.

flabby (*flábi*) adj. flojo.

flag (*flág*) s. bandera, losa, tr. izar bandera; enlosar; intr. flaquear.

flair (*fler*) s. "olfato".

flake (*fléik*) s. copo.

flame (*fléim*) s. llama; intr. llamear.

flank (*flánk*) s. costado, flanco; adj. lateral; por el flanco; tr. flanquear.

flannel (*flánel*) s. franela

flap (*fláp*) s. palmeta, falda, lengüeta, aletazo, tr. batir, golpear.

flare (*flér*) s. llamarada, intr. resplandecer.

flash (*flásch*) s. relámpago; destello, adj. chillón, aparatoso; intr. relampaguear, fulgurar.

flask (*flasc*) s. frasco.

flat (*flát*) s. llanura; planicie; piso; adj. plano, insípido; fam (*fiátnes*) s. llanura; necedad; **/ten** (*flátn*) tr. aplanar.

flatter (*flátör*) tr. adular. **/y** (*fiátöri*) s. adulación.

flaunt (*flont*) s. ostentación; tr. alardear de.

flavo(u)r (*fléivör*) s. sabor, olor; tr. sazonar.

flaw (*fló*) s. tara, falta.

flox (*flacs*) s. *Bot.* lino.

flea (*flí*) s. pulga.

flee (*flí*) tr. e intr. huir de; escapar de.

fleece (*flís*) s. vellón; toisón; tr. trasquilar.

fleet (*flít*) s. flota, escuadra; adj. veloz.

Flemi/ng (*fléming*) s. flamenco. **/sh** (*flémisch*) adj. y s. flamenco.

flesh (*flésch*) s. carne. **/y** (*fléschi*) adj. carnoso.

flex (*flecs*) s. flexible; tr. doblar. **/ible** (*flécsibl*) adj. flexible; **/ion** (*flécschön*) s. flexión.

flicker (*flíkör*) tr. aletear; fluctuar; s. aleteo.

flight (*fláit*) s. huida; vuelo; bandada de pájaros.

flims/iness (*flimsines*) s. ligereza; endeblez. **/y** (*flinch*) adj. endeble.

flinch (*flinch*) intr. desistir; recular; desdecirse.

fling (*fling*) s. agudeza, correría; tr. arrojar.

flint (*flint*) s. pedernal.

flippan/cy (*flipansi*) s. volubilidad; p e t u l a n c i a; **/t** (*flipant*) adj. petulante.

flirt (*flö'rt*) s. coqueta; tr. coquetear, flirtear.

flit (*flit*) intr. volar.

float (*flóut*) s. boya, flotador; intr. flotar.

flock (*flók*) s. rebaño, bandada; intr. reunirse.

flog (*flóg*) tr. azotar. **/ging** (*flóguing*) s. tunda.

flood (*flö'd*) s. diluvio; inundación; crecida; tr. inundar, sumergir.

floor (*flór*) s. piso; suelo; tr. solar, derrotar.

flop (*flóp*) fam. fallo.

flora (*flóra*) s. flora.

florin (*flórin*) s. florín (G. B.: moneda de dos chelines).

florist (*flórist*) s. florista.

flour (*fláuö*) s. harina.

flourish (*flö'risch*) intr. florecer; s. esplendor, rúbrica, floreo.

flout (*fláut*) s. mofa; burla; tr., intr. mofarse.

flow (*flóu*) s. flujo; curso; intr. fluir, correr.

flower (*fláuö*) s. flor; tr. florear; intr. florecer. **/— bed** s. macizo de flores. **/— pot** s. tiesto.

fluctua/nt (*flö'cchiuant*) adj. fluctuante. **/te** (*flö'cchiueit*) intr. fluctuar.

flue (*flú*) s. cañón de chimenea; fam. gripe.

fluen/cy (*flúensi*) s. fluidez; afluencia. **/t** (*fluent*) adj. flúido; fluente.

flui/d (*flúid*) adj. fluido. **/dity** (*fluíditi*) s. fluidez.

flurry (*flö'ri*) s. ráfaga; barullo; tr. turbar.

flush (*flö'sch*) adj. rico, igual, a ras de; s. frescura; rubor, abundancia; tr. sonrojar; igualar; intr. brotar, fluir con abundancia.

flut/e (*flút*) s. flauta; **/ist** (*flútist*) s. flautista.

flutter (*flö'tör*) s. agitación; intr. agitarse.

fluvial (*flúvial*) adj. fluvial.

flux (*flö'cs*) s. flujo.

fly (*flái*) s. mosca; volante; tr., intr. volar.

foam (*fóum*) s. espuma; intr. espumar. **&/y** (*fóum*) adj. espumoso.

foc/al (*fócal*) adj. focal; **/us** (*fókös*) s. foco.

fodder (*fódör*) s. forraje.

foe (*tóu*) s. enemigo.

fœtus (*fítös*) s. feto.

fog (*fóg*) s. niebla; (fotog.) velo; tr. obscurecer; (fotog.) velar; intr obscurecerse. **/—horn** s sirena. **/gy** (*fógui*) adj nebuloso; brumoso.

foil (*fóil*) s. lámina, chapa; tr. frustrar.

fold (*fóuld*) s. pliegue, rebaño; tr. doblar, plegar, intr. doblarse. **/er** (*fóuldör*) s. carpeta, folleto. **/ing** (*óulding*) adj plegable.

foliage (*fóliedch*) s. follaje, fronda.

folio (*folio*) s. folio.

folk (*fóuk*) s. gente, pueblo. /**lore** (*fóuklör*) s. folklore. /**loric** (*fólklóric*) adj. folklórico.

follow (*fólou*) tr., intr. seguir. /**er** (*fólouör*) s. seguidor. /**ing**. (*fólouing*) adj. siguiente.

folly (*fóli*) s. locura.

foment (*fomént*) tr. fomentar. /**ation** (*foméntéischön*) s. fomento.

fond (*fónd*) adj. aficionado, **a m a n t e**. /**dle** (*fóndl*) tr. mimar. /**ness** (*fóndnes*) s. cariño.

food (*fúd*) s. alimento; comida, víveres.

fool (*fúl*) s. tonto, loco, tr. burlarse de, engañar, intr. tontear. /**ish** (*fúlisch*) adj. tonto.

foot (*fut*) s. pie; base; *Mil.* infantería; intr. pisar. /**ball** (*fútbol*) s. fútbol, (juego del) balonpié, pelota, balón. /**hold** (*fútjold*) posición. /**ing** (*fúting*) s. paso; pie; posición.

for (*fór*) prep. para, por, conj. porque; pues.

forage (*fóredch*) s. forraje; tr., intr. forrajear.

foray (*fórey*) s. incursión, tr. saquear, pillar.

forbear (*forbér*) tr., intr. abstenerse, reprimirse. /**s** (*forbérs*) s. antepasados, antecesores. /**ance** (*forbérans*) s. aguante.

forbid (*forbid*) tr. prohibir.

force (*fórs*) s. fuerza; tr. forzar, obligar. /**ps** (*fórseps*) s. *Med.* fórceps.

ford (*fórd*) s. vado; tr. vadear, pasar a vado.

fore (*fór*) adj. anterior; delantero; adv. anteriormente; delante. /**arm** (*fórarm*) s. antebrazo. /**cast** (*forcást*) s. previsión; tr. prever. /**fathers** (*fórfaders*) s. antepasados. /**finger** (*fórfingör*) s. dedo índice. /**going**

forgoing adj. precedente. /**ground** (*fórgraund*) s. primer término. /**head** (*fórjed*) s. frente. /**man** (*fórman*) s. capataz; /**most** (*fórmoust*) adj. delantero. /**runner** (*fórönör*) s. precursor. /**said** (*fórsed*) adj. antedicho. /**say** (*fórséi*) tr. predecir. /**see** (*forsí*) tr. prever. /**shadow** (*forschádou*) tr. pronosticar; /**sight** (*forsáit*) s. previsión; /**stall** (*forstól*) tr. anticipar; monopolizar. /**tell** (*fortél*) tr. predecir; /**thought** (*fórzot*) s. premeditación. /**word** (*foruörd*) s. prefacio.

foreign (*fórin*) adj. extranjero, ajeno. / — **office** (G. B.) Ministerio de Asuntos Exteriores. /**er** (*fórinör*) s. extranjero.

forest (*fórest*) s. bosque, selva.

forfeit (*fó'rfit*) s. multa; decomiso, prenda; adj. multado, confiscado; intr. perder el derecho.

forge (*fórdch*) s. fragua, forja; tr. forjar, falsificar. /**r** (*fórchör*) s. forjador; falsario. /**ry** (*fórdchöri*) s. falsificación.

forget (*forguét*) tr. olvidar; intr. olvidarse. /**ful** (*forguétful*) adj. olvidadizo; descuidado.

forgive (*forguív*) tr. perdonar; indultar.

fork (*fórc*) s. tenedor, horca; inr. bifurcarse.

forlorn (*forlórn*) adj. abandonado; perdido.

form (*fórm*) s. forma; formulario, impreso, clase (de una escuela); tr. formar. /**al** (*fórmal*) adj. ceremonioso, **f o r m a l**. /**ality** (*formáliti*) s. formalidad, trámite. /**ative** (*fórmativ*) adj. formativo.

former *(fórmör)* adj. anterior; primero.

formidable *(fórmidably)* adj. formidable.

formula *(fórmiula)* s. fórmula. /**te** *(fórmiulelt)* tr. formular.

fornicat/e *(fórnikeit)* intr. fornicar. /**ion** *(fornikéischön)* s. fornicación.

forsake *(forséik)* tr. dejar; abandonar.

fort *(fórt)* s. fuerte.

forth *(fórz)* adv. adelante; fuera; a la vista; hasta lo último. **and so —**. y así sucesivamente. /**coming** *(fózcaming)* venidero. /**with** *(forzuíz)* adv. en el acto.

forti/fication *(fortifikéischön)* s. fortificación. /**fy** *(fórtifai)* tr. fortificar; fortalecer. /**tude** *(fórtitiud)* s. fortaleza.

fortnight *(fótnait)* s. quincena.

fortress *(tórtres)* s. fortaleza; plaza fortificada.

fortuitous *(tortiúitös)* adjet. fortuito.

fortun/ate *(fórchiuneit)* adj. afortunado. /**e** *(fórchiun)* s. fortuna.

forty *(fórti)* adj. cuarenta.

forum *(fóröm)* s. foro.

forward *(fóruöd)* adv. adelante; adj. delantero; atrevido; tr. avanzar, promover. /**s** *(fóruards)* adv. adelante.

fossil *(fósil)* s. y adj. fósil. /**ize** *(fósilais)* tr., intr. fosilizar(se).

foster *(fóustd)* tr. criar. /**— brother** s. hermano de leche. /**— father** s. padre adoptivo.

foul *(fául)* adj. sucio, viciado. tr. ensuciar.

found *(fáund)* tr. fundar; fundir. /**ation** *(faundéischön)* s. fundación.

foundling *(fáundling)* s. expósito; incluseno.

fountain *(fáuntin)* s. fuente, surtidor; **— pen** s pluma estilográfica.

four *(for)* adj. cuatro. /**score** *(fórscor)* adj. y s. ochenta. /**teen** *(fórtin)* adj. catorce.

fowl *(fául)* s. volatería, ave de corral.

fox *(fócs)* s. zorro(a); intr., tr. disimular.

fraction *(frácschön)* s. fracción; quebrado. /**al** *(frácschönal)* adj. quebrado; fraccionario.

fracture *(frácchiur)* s. fractura; tr., intr. fracturar(se).

fragil/e *(frádchil)* adj. frágil. /**ity** *(fradchíliti)* s. fragilidad.

fragment *(frágment)* s. fragmento; trozo.

fragran/ce, **—cy** *(frétgrans, -si)* s. fragancia. /**nt** *(fréigrant)* adj. fragante.

frail *(fréil)* adj. frágil.

frame *(fréim)* s. marco; tr. construir, componer.

franc *(tránc)* s. franco, (moneda francesa).

Franciscan *(Franciscan)* adj. y s. franciscano.

frank *(fránk)* adj. franco; tr. franquear. /**ness** *(fránknes)* s. franqueza.

frantic *(frántic)* adj. frenético, furioso.

frat/ernal *(fratö'rnal)* adj. fraternal. /**ernity** *(fratö'rniti)* s. fraternidad; /**ricide** *(frátisaid)* s. fratricidio; fraticida.

fraud *(fród)* s. fraude, timo. /**ulent** *(fródiulent)* adj. fraudulento.

fray *(fréi)* s. refriega.

freak *(fríc)* s. capricho; rareza, aborto.

freckle *(fréckl)* s. peca.

free *(frí)* adj. libre; franco, gratuito; tr. libertar, librar. /**dom** *(frídöm)* s. libertad; franquicia. / **m a s o n** *(triméisön)* s. (franc)masón. /**masonry**

(frimeisönri) s. (franc)-masonería.

freez/e *(fris)* intr. congelarse; helarse; helar; tr. congelar. **/ing** *(frising)* adj. congelante, glacial.

freight *(fréit)* s. carga; flete; tr. cargar, fletar.

French *(trench)* adj. y s. francés.

fren/etic *(frinétic)* adj. frenético; furioso. **/zy** *(frénsi)* s. frenesí.

frequen/cy *(fricuensi)* s. frecuencia. **/t** *(fricuént)* tr. frecuentar; *(fricuent)* adj. frecuente.

fresh *(fresch)* adj. fresco; nuevo; *fam.* fresco; s. riada. **/en** *(fréschen)* tr. refrescar. **/ness** *(fréschness)* s. frescor.

fret *(frét)* s. roce; tr. frotar; intr. preocuparse. **/ful** *(frétful)* adj. enojado.

friar *(fráiör)* s. fraile.

friction *(frícschön)* s. fricción; frotación; friega.

Friday *(fráidei)* s. viernes.

friend *(frénd)* s. amigo(a); **/boy** — s. novio. **/girl** — s. novia. **/less** *(fréndles)* adj. desamparado. **/ly** *(fréndli)* adj. amistoso; adv. amistosamente. **/ship** *(fréndschip)* s. amistad.

fright *(fráit)* s. susto. **/en** *(fráiten)* tr. asustar.

frigid *(frídchid)* adj. frígido. **/ity** *(fridchíditi)* s. frigidez.

fringe *(fríndch)* s. tranja; fleco; tr. ribetear.

frisk *(frísc)* s. retozo; adj. juguetón; intr. retozar. **/y** *(tríski)* adj. juguetón.

fritter *(fritör)* s. jigote; fruta de sartén.

frivol/ity *(frivóliti)* s. frivolidad. **/ous** *(frívolös)* adj. frívolo. ,

frizz *(fris)* s. rizo; bucle.

tr. rizar, encrespar. **/le** *(frísl)* tr. rizar.

frock *(frók)* s. vestido.

frog *(fróg)* s. rana.

frolic *(frólic)* s. juerga, jarana; intr. jaranear.

from *(fröm)* prep. de *(procedencia)*; desde.

front *(frö'nt)* s. frente; tr. afrontar; mirar a. **/al** *(fróntal)* adj. s. frontal. **/ier** *(fróntiö)* s. frontera; adj. fronterizo.

frost *(tróst)* s. escarcha.

frown *(fráun)* s. ceño; enojo; tr. mirar con ceño; intr. fruncir el entrecejo.

frozen *(frósn)* adj. helado; congelado.

fructif/erous *(fröctíferös)* adj. fructífero. **/y** *(frö'ctifai)* intr. fructificar.

frugal *(frúgal)* adj. frugal, sobrio. **/ity** *(frugáliti)* s. frugalidad.

fruit *(frút)* s. fruto; fruta; tr. producir fruta. **/ful** *(frútful)* adj. fructífero. **/fulness** *(frútfulnes)* s. fecundidad. **/less** *(trútles)* adj. infructuoso.

frustrat/e *(frö'streit)* adj. frustrado; tr. frustrar. **/ion** *(fröstréischön)* s. frustración.

fry *(frái)* s. fritada, fritura, morralla; tr., intr. freír(se) **/ing-pan** *(fráingpan)* s. sartén.

fuel *(fiuel)* s. combustible.

fugitive *(fiúdchitiv)* s. adj. fugitivo; fugaz.

fulfil(l) *(fulfíl)* tr. llenar; cumplir. **/ment** *(fulfílment)* s. realización.

full *(fúl)* adj. lleno; entero; s. colmo; lleno; **/ness** *(túlnes)* s. plenitud.

fulmina/nt *(fö'lminant)* adj. fulminante. **/te** *(fo'lminet)* tr., intr. estallar, volar, fulminar.

fumble *(fö'mbl)* tr. e intr. tantear; manosear.

fum/e *(fiúm)* s. vaho, humo, tufo; intr. humear. **/igate** *(fiúmiguéit)* intr. fumigar.

fun *(fö'n)* s. diversión.

function *(fö'nkschön)* s. función. **/al** *(fö'nschönal)* adj. funcional.

fund *(fö'nd)* s. fondo; capital; tr. invertir.

fundament *(fö'ndament)* s. fundamento; cimiento. **/al** *(föndaméntal)* adj. fundamental.

funeral *(fiúnöral)* adj. funeral; s. funeral(es).

funicular *(fiunikiular)* adj. funicular. **/— railway** s. (tren) funicular.

funnel *(fö'nel)* s. embudo; chimenea de barco.

funny *(fö'ni)* adj. gracioso; cómico; s. esquife.

fur *(fö'r)* s. piel; **— coat** s. abrigo de pieles.

furious *(fiuriös)* adj. furioso.

furlough *(fö'rlo)* s. Mil. permiso; tr. dar permiso.

furnace *(fö'rnes)* s. horno hogar de caldera

furni/sh *(fö'rnisch)* tr. surtir; proveer; equipar. **/ture** *(fö'rnichör)* s. muebles, mobiliario.

furrow *(fö'rou)* s. surco; arruga; tr. surcar.

further *(fö'dör)* adj. otro; ulterior; tr. avanzar, promover; adv. más lejos, aun, además. **/er** *(fordörör)* s. promotor.

furtive *(fö'rtiv)* adj. furtivo; oculto.

fury *(fiúri)* s. furor.

fuse *(fiús)* s. espoleta, fulminante, fusible; tr. fundir, intr. fundirse.

fusion *(fiuchön)* s. fusión.

fuss *(fö's)* s. alboroto; jaleo; intr. alborotar.

fusty *(fö'sti)* adj. mohoso.

futile *(fiútail)* adj. fútil.

future *(fiúchö)* adj. futuro; s. futuro, porvenir.

fuzz *(fö's)* s. pelusa.

G

gabble *(gábl)* intr. charlar; s. parloteo. charla.

gad *(gád)* s. aguijón, punzón, intr. corretear.

gadget *(gádchit)* s. aparato, artefacto.

Gaelic *(guélic)* s. y adv. gaélico.

gaff *(gaf)* s. arpón. **/er** *(gáför)* s. vejete.

gag *(gág)* s. mordaza; truco; tr. amordazar.

gage *(guéidch)* s. prenda. calibre; tr. empeñar.

gaiety *(guéieti)* s. jovialidad, alegría, animación.

gain *(guéin)* s. ganancia; tr. e intr. ganar.

gainsay *(guéinsei)* tr. contradecir; contrariar.

gait *(guéit)* s. porte.

gala *(guéla)* s. gala; fiesta, festividad.

gale *(guéil)* s. vendaval.

gall *(gól)* s. hiel, bilis. tr. irritar. **/-bladder** s. vesícula biliar. **/— stone** s. cálculo biliar.

gallant *(gálant)* adj. galante, cortés, valiente. s. galán. **/ry** *(gálantri)* s. valor; galanteo.

gallery *(gálöri)* s. galería, sala. *Teat.* general.

gallicism *(gálisism)* s. galicismo.

gallon (*gálön*) s. galón, (G. B. 4,5 litros; U. S. A. 3,8 litros).

gallop (*gálöp*) s. galope; tr. galopar.

gallows (*gálous*) s. horca.

gambl/e (*gámbl*) intr. jugar; s. jugada. /**er** (*gámblör*) s. jugador. /**ing** (*gámbling*) s. juego.

gambol (*gámbol*) s. brinco; travesura; intr. brincar.

game (*guéim*) s. juego; partido, partida, caza; intr. jugar.

gander (*gándör*) s. ganso.

gang (*gáng*) s. pandilla, banda. /**ster** (*gángster*) s. atracador.

gangren/e (*gángrin*) s. gangrena; tr. e intr. gangrenar(se). /**ous** (*gángrinös*) adj. gangrenoso.

gaol (*dchéil*) s. cárcel.

gap (*gáp*) s. boquete; brecha; hueco, claro.

gape (*guéip*) s. bostezo; abertura; intr. bostezar.

garb (*gárb*) s. vestido; traje; apariencia.

garbage (*gárbidch*) s. desperdicios; basura.

garden (*gárdn*) s. jardín; huerto; intr. cultivar un jardín. /**er** (*gárdnör*) s. jardinero. /**ing** (*gárdning*) s. jardinería

gargle (*gárgl*) s. gárgara; tr. e intr. gargarizar.

garlic (*gárlic*) s. ajo.

garment (*gárment*) s. prenda de vestir, vestido.

garnish (*gárnisch*) s. adorno, atavío, tr. adornar.

garret (*gáret*) s. bohardilla, desván.

garrison (*gárisön*) s. *Mil.* guarnición; tr. guarnicionar, guarnecer.

garrul/ity (*garriúliti*) s. garrulidad. /**ous** (*gárrulös*) adj. gárrulo.

garter (*gártör*) s. liga; jarretera; **Order of the —** Orden de la Jarretera.

gas (*gás*) s. gas. /**eous** (*gáseös*) adj. gaseoso.

gash (*gásch*) s. cuchillada.

gasp (*gásp*) s. boqueada.

gastr/ic (*gástric*) adj. gástrico. /**itis** (*gastritis, -áitis*) gastritis. /**onomist** (*gastrónomist*) s. gastrónomo. /**onomy** (*gastrónomi*) s. gastronomía.

gate (*guéit*) s. puerta.

gather (*gädör*) tr. reunir; recoger; inferir; intr. reunirse. /**ing** (*gädöring*) s. reunión.

gaudy (*gódi*) adj. chillón.

gauge (*guéidch*) s. calibrador, calibre, medida; tr. calibrar, medir.

gauze (*gós*) s. gasa.

gay (*guéi*) adj. alegre.

gaze (*guéis*) s. mirada fija; tr. intr. mirar.

gazette (*gasét*) s. gaceta.

gear (*guir*) s. atavío; aparejo; equipo, engranaje, mecanismo; tr. aparejar, engranar.

gelatine (*dchélatin*) adj. gelatina, adj. gelatinoso.

geld (*guéld*) tr. castrar.

gelid (*dchélid*) adj. helado

gem (*dchém*) s. joya; piedra preciosa.

gender (*dchéndör*) s. género gramatical.

general (*dchéneral*) adj. general; común; s. *Mil.* general. /**ity** (*dcheneráliti*) s. generalidad. /**ize** (*dchéneralais*) generalizar.

generat/e (*dchénereit*) tr. engendrar. /**ion** (*dcheneréischön*) s. generación.

genero/sity (*dchenerósiti*) s. generosidad. /**us** (*dchénerös*) adj. generoso.

gene/sis (*dchénesis*) s. génesis. /**tic** (*dchinétic*) adj. genético. /**tics** (*dchinétics*) s. genética.

genial (*dchínial*) adj. afable, campechano. /**ity**

(dchiniáliti) s. afabilidad.

genital (dchénital) adj. genital.

genius (dchíniös) s. genio.

gent/eel (dchentíl) adj. gentil; cortés; /ile (dchéntail) s. gentil, pagano. /lity (dchentíliti) s. nobleza.

gentle (dchéntol) adj. noble; suave; /man (dchéntlman) s. caballero; señor. /manlike (dchéntlmanlaik) adj. caballeroso. /ness (dchéntlnes) s. nobleza; delicadeza.

gentry (dchéntri) s. clase media.

genuine (dchénuin) adj. genuino. /ness (dchénuines) s. autenticidad.

genus (dchínös) s. género.

geograph/er (dchiógraför) s. geógrafo. /ical (dchiográfical) adj. geográfico. /y (dchiógrafi) s. geografía.

geolog/ical (dchiolódchical) adj. geológico. /y (dchiólodchi) s. geología.

geometr/ic(al) (dchiometric(al) adj. geométrico. /y (dchiómetry) s. geometría.

geranium (dcheréiniöm) s. Bot. geranio.

germ (dchö'rm) s. Bot. germen; yema; botón.

German (dchö'rman) s. y adj. alemán. /ic (dchörmánic) adj. germánico. y/ (dchö'rmani) s. Alemania.

gest/iculate (dchestikiuleit) intr. gesticular. /iculation (dchestikiuléischön) s. gesticulación. /ure (dchéschur) s. gesto.

get (guét) tr. obtener, alcanzar, adquirir, tener, recibir, lograr, llegar; intr. ponerse, volverse. /- away escaparse. /—

back volver, /— **down** bajar. /— lost perderse. /— **on** progresar, seguir /— ready prepararse. /—**rid of** librarse. /— **up** levantarse.

geiser (gáisör) s. géiser, calentador de agua.

ghastl/iness (gástlines) s. palidez; /y (gástli) adj. lívido; cadavérico.

gherkin (gör'kin) s. pepinillo.

ghost (góust) s. espíritu.

giant (dcháiant) s. gigante; adj. gigantesco.

gibbet (dchibet) s. horca.

gibe (dcháib) s. burla; mofa; tr. ridiculizar.

giblets (dchiblets) s. pl. menud(ill)os de ave.

giddy (guídi) adj. atolondrado; inconstante.

gift (guíft) s. regalo. /ed (guíftid) adj. dotado.

gigantic (dchaigántic) adj. gigantesco.

giggle (guigl) tr. risa falsa, risita; intr. reírse.

gil/d (guíld) tr. dorar. /t (guílt) s. dorado; oropel.

gin (dchin) s. ginebra (licor); trampa.

ginger (dchíndchör) s. jenjibre; adj. rojizo.

gipsy (dchípsi) s. gitano.

giraffe (dchiráf) s. jirafa.

gird (gö'rd) tr. ceñir; rodear; /er (gö'rdör) s. viga; /le (gö'rdl) s. faja, tr. ceñir.

girl (gö'rl) s. muchacha; chica, moza, niña.

girth (gö'rz) s. cincha.

gist (dchist) s. substancia.

give (guív) tr. dar. /— away dar gratuitamente. /— back devolver. /— **in** ceder. /— **up** abandonar.

glaci/al (gléschial) adj. glacial. /er (gláschiör) s. ventisquero; glaciar.

glad (glád) adj. contento. /den (gládn) tr. alegrar.

glance (gláns) s. brillo; ojeada; intr. relucir.

gland (glánd) s. glándula.

glare (glér) s. brillo.

glass (glás) s. vidrio; espejo; vaso, copa; adj. de cristal, de vidrio. /es (glásis) s. gafas, lentes.

gleam (glím) intr. relucir; radiar; s. resplandor.

glee (glí) s. alegría. /ful (glíful) adj. alegre.

glen (glén) s. cañada.

glide (gláid) s. deslizamiento, planeo; tr. deslizarse, planear. /r. (gláider) s. planeador.

glimmer (glímör) s. vislumbre; intr. rielar.

glimpse (glimps) s. vistazo; tr. dar un vistazo.

gli/nt (glint) s. destello, intr. lucir. /sten (glísen) intr. relucir. /tter (glítör) s. brillo, intr. brillar.

globe (glóub) s. globo.

gloom (glúm) s. obscuridad; desaliento; intr. obscurecerse, entristecerse. /y (glúmi) adj. obscuro; sombrío.

glor/ification (glorifikéischön) s. glorificación. /ify (glórifai) tr. glorificar. /ious (glóriös) adj. gloriosb; espléndido. /y (glóri) s. gloria; intr. gloriarse.

gloss (glós) s. lustre; barniz, glosa; tr. lustrar, glosar. /ary (glósari) s. glosario. /y (glósi) adj. lustroso; satinado.

glove (glö'v) s. guante; tr. enguantar.

glow (glóu) s. fulgor; intr. relucir. /-worm s. luciérnaga.

glue (glú) s. cola; engrudo; tr. encolar, pegar.

glum (glö'm) adj. malhumoradb, displicente.

glut (glö't) s. hartura, intr. ahitarse; tr. saciar. /ton (glö'tn) s. glotón; /tonous (glö'tnös) adj. voraz; /tony (glö'tni) s. glotonería; gula.

gnat (nát) s. mosquito.

gnaw (nó) tr. roer.

go (góu) intr. ir; irse; andar; partir, s. empuje. /— **astray** descarriarse. /— **away** marcharse. /— **back** regresar. /— **down** bajar. /— **off** irse. /— **on** continuar /— **out** salir. /— **up** subir. /**let** — soltar.

goad (góud) s. aguijón; pincho; tr. aguijonear.

goal (góul) s. meta.

goat (góut) s. cabra.

god (gód) s. Dios. /**child** (gódchaild) s. ahijado. /**daughter** (góddotör) s. ahijada. /**dess** (gódes) s. diosa. /**father** (gódfadör) s. padrino. /**less** (gódles) adj. impío; ateo. /**like** (gódlaik) adj. divino. /**ly** (gódli) adj. piadoso. /**mother** (gódmodör) s. madrina. /**son** (gódsön) s. ahijado.

gold (góuld) s. oro. /**en** (góldn) adj. de oro; áureo. /**fish** (góuldfisch) s. pez de colores. /**smith** (góuldsmiz) s. platero.

golf (golf) s. golf(juego). /— **links** campo de golf.

gondola (góndola) s. góndola.

good (gúd) adj. bueno; — **looking** guapo, bien parecido; s. bien; s. pl. bienes; mercancías; adv. bien; interj. ¡bueno! ¡bien! /**ness** (gúdnes) s. bondad.

goose (gús) s. ganso, oca.

gooseberry (gúsberi) s. grosella.

gorge (górch) s. garganta; tr. engullir, tragar. /**ous** (górdchös) adj. espléndido; magnífico.

gosh (gósch) interj. ¡por Dios! ¡pardiez!

gospel (góspel) s. evangelio; tr. evangelizar.

gossip (gósip) s. chisme; intr. chismear.

gourd (*górd*) s. *Bot.* calabaza.
gout (*gáut*) s. *Med.* gota, /y (*gáuti*) adj. gotoso.
govern (*gö'vörn*) tr. gobernar; intr. mandar. /ess (*gö'vörnes*) s. aya; institutriz. ‖ment (*gö'vörnment*) s. gobierno. mental (*govörnméntal*) adj. gubernamental. /or (*gö'vörnör*) s. gobernador.
gown (*gáun*) s. toga, bata.
grab (*gráb*) s. agarro, asimiento; tr. asir, agarrar.
grace (*gréis*) s. gacia; tr. favorecer, agraciar. /ful (*gréisful*) adj. gracioso; agraciado
gracious (*gréschös*) adj. graciable, gracioso, grato, /ness (*gréischüsnes*) s. afabilidad.
grad/ation (*gradéischön*) s. grad(u)ación. /e (*greid*) s. grado; rango. /ient (*grédient*) s. pendiente /ual (*grádiual*) ad. gradual. /uate (*grádiueit*) s. graduado; tr. graduar; intr. graduarse.
graft (*gráft*) s. injerto; púa; *fam.* estafa, tr. injertar, empalmar.
grain (*gréin*) s. grano, semilla; tr. granular.
gramma/r (*grámar*) s. gramática. /tical (*gramátical*) adj. gramatical.
gramme (*grám*) s. gramo.
grand (*gránd*) adj. grande; /child (*grándchaild*) s. nieto, nieta. /daughter (*gránddotör*) s. nieta. /father (*grándfadör*) s. abuelo. /mother (*grándmodör*) s. abuela. /son (*grándsön*) s. nieto.
grange (*gréindch*) s. granja; quinta; alquería.
granite (*gránit*) s. *Min.* granito.
grant (*gránt*) s. concesión; tr. conceder, subvencionar. /to take for —ed dar por supuesto.

grape (*gréip*) s. *Bot.* uva, /-fruit s. pomelo, toronja. /-shot s. metralla.
graph (*graf*) s. diagrama. /ic (*gráfic*) adj. gráfico.
grapple (*grápl*) intr. agarrarse; s. lucha.
grasp (*grásp*) tr. empuñar; agarrar; usurpar; s. puño; asimiento, alcance.
grass (*grás*) s. hierba; yerba, pasto. /hopper (*grásjopör*) s. saltamontes.
grate (*gréit*) s. reja; verja; parrilla; tr. rallar.
grateful (*greitful*) adj. agradecido. /ness (*gréitfulnes*) s. gratitud.
gratify (*grátifai*) tr. gratificar; contentar.
grating (*gréiting*) s. reja.
gratis (*gréitis*) adv. gratis; adj. gratuito.
gratitude (*grátitiud*) s. gratitud, agradecimiento.
gratuit /ous (*gratiúitós*) adj. gratuito; /y (*gratiúiti*) s. propina.
grave (*gréiv*) s. sepultura; tumba; adj. serio; grave; tr. grabar.
gravel (*grável*) s. grava.
gravit/ate (*gráviteit*) tr. gravitar. /ation (*gravitéischön*) s. gravitación; /y (*gráviti*) s. gravedad.
gravy (*gréivi*) s. jugo.
graze (*gréis*) tr. pastorear; pacer; intr. pastar.
greas/e (*grís*) s. grasa; tr. engrasar, lubricar; fig. sobornar, /y (*grísi*) adj grasiento.
great (*gréit*) adj. gran; grande. /a — many muchos. /ness (*gréitnes*) s. grandeza.
greed (*grid*) s. voracidad. /iness (*grídines*) s. voracidad; gula. /y (*grídi*) voraz; ávido; insaciable.
Greek (*gríc*) s. y adj. griego.
green (*grín*) adj. verde; fresco; s. verde, prado, pl. verduras, /house (*grínjaus*) s. invernadero.

/ish (grínisch) adj. verdoso. /ness (grínnes) s. verdor.

greet (grít.) tr. saludar; intr. saludarse. /ing (gríting) s. saludo.

gregarious (griguériös) adj. gregario.

grenade (grenéid) s. Mil. granada; bomba.

grey (gréi) adj. gris. / hound (gréijaund) s. galgo.

grie/f (gríf) s. pesar. / vance (grívans) s. agravio; /ve (grív) tr. agraviar; lastimar; intr. afligirse. /vous (grivös) adj. penoso.

grill (gríl) s. parrilla; tr. asar en la parrilla.

grim (gsrím) adj. feo; disforme; horrible; /ness (grímnes) s. grima.

grimace (griméis) s. visaje, mueca, mohín.

grime (gráim) s. mugre; suciedad; tr. ensuciar.

grin (grín) s. mueca; visaje; sonrisa; intr. hacer muecas, gesticular.

grind (gráind) tr. triturar, apretar; s. trabajo duro. /er (gráindör) s. molinillo.

grip (gríp) s. apretón, agarro; tr.. intr. apretar, /e (gráip) s. asimiento; pl. retortijón; tr. asir; agarrar; dar cólico; intr. asir; padecer cólicos.

grit (grít) s. arena; firmeza; /tiness (grítints) s. entereza. /ty (grítí) adj. arenoso; valeroso.

groan (gróun) s. gemido; intr. gemir, suspirar.

grocer (gróusör) s. tendero, dueño del colmado. /y (gróusöri) s. tienda de comestibles; colmado.

grog (grög) s. grog, ponche. /gy (grógui) adj. achispado; vacilante.

groin (gróin) s. ingle; groom (grúm) s. mozo

groove (grúv) s. surco, ranura, estría; tr. estriar.

grope (gróup) intr. andar a tientas.

gross (grós) adj. grueso; bruto; s. gruesa. /ness (grósnes) s. rudeza; grosería.

grotesque (grotésk) s. y adj. grotesco.

grotto (gróto) s. gruta.

ground (gráund) s. suelo; terreno; fundamento; tr. fundar. /less (gráundles) adj. infundado.

group (grúp) s. grupo; tr., intr. agrupar(se).

grove (gróuv) s. arboleda.

grow (gróu) intr. crecer; tr. cultivar. /— dark oscurecer. /ing (gróing) s. crecimiento; adj. creciente.

growl (grául) s. gruñido; intr. gruñir, regañar.

grown (gróun) p. p. crecido, desarrollado. /— up s. adulto, mayor.

growth (gróuz) s. crecida.

grudg/e (grö'dch) s. resentimiento; tr. envidiar, guardar rencor a.

gruff (grö'f) adj. ceñudo.

grumble (grö'mbl) s. regaño; intr. gruñir.

grunt (grö'nt) s. gruñido; intr. gruñir.

guarant/ee (garantí) s. garantía; aval. tr. garanti(za)r, avalar. /or (gárantor) s. fiador. /y (gáranti) s. garantía; fianza.

guard (gárd) s. guarda; guardia; tr. guardar. / ian (gardían) s. guardián; adj. protector.

guess (gués) s. conjetura; tr., intr. conjeturar.

guest (guést) s. huesped.

guid/ance (gáidans) s. dirección; guía. /e (gáid) s. guía. tr. guiar.

guild (guíld) s. gremio; corporación; hermandad.

guile (gáil) s. engaño.

guilt (guílt) s. culpa. /less (guíltles) adj. inocente.

guinea (*guiní*) s. guinea, (21 chelines) **/-pig** s. conejillo de Indias.

guitar (*guitár*) s. guitarra.

gulf (*gö'lf*) s. golfo.

gull (*gö'l*) s. engaño; fraude; *Orn.* gaviota; tr. engañar, defraudar.

gulp (*gö'lp*) s. trago. tr. engullir, tragar.

gum (*gö'm*) s. goma; encía; tr. engomar, tragar.

gun (*gö'n*) s. fusil; carabina, cañón; **machine** — ametralladora. **/man** (*gö'nman*) s. pistolero. **/ner** (*gö'nör*) s. artillero **/powder** (*gö'npaudör*) s. pólvora.

gurgle (*gö'rgl*) gorgoteo; intr. murmurar.

gush (*gö'sch*) s. chorro. intr.. chorrear, brotar.

gust (*gö'st*) s. ráfaga.

gut (*gö't*) s. tripa; tr. destripar; pl. valor.

gutter (*gö'tör*) s. zanja.

guttural (*gö'toral*) adj gutural.

guy (*gái*) s. tipo, "tío".

gymnas/ium (*dchimnési-öm*) s. gimnasio **/tic** (*dchimnástic*) adj. gimnástico.

gynecolog/ist (*dchinicólodchist*) s. ginecólogo, **/y** (*dchinicólodchi*) s. ginecología.

H

haberdasher (*jábördachör*) s. mercero. **/y** (*jábödacheri*) s. mercería.

habit (*jábit*) s. hábito.

hack (*jác*) s. rocín; mella; corte; tr. picar. **/ney** tr. vulgarizar.

haft (*jáft*) s. mango.

haggard (*jágard*) adj. huraño; macilento.

haggle (*jágl*) tr. destrozar; intr. regatear.

hail (*jéil*) s. saludo; granizo; tr. saludar; intr. granizar.

hair (*jéa*) s. pelo; cabello. **/do** (*jérdu*) s. peinado. **/dresser** (*jérdresör*) s. peluquero. **/less** (*jérles*) adj. adj. pelado. **/y** (*jéri*) adj. peludo

hake (*jéik*) s. merluza.

half (*jáf*) s. mitad; adj. medio; semi; casi; adv. a medias. **/bred** (*jáfbred*) s. mestizo. **/brother** (*jáfbradör*) s. hermanastro.

hall (*jól*) s. pórtico; vestíbulo; salón; palacio.

hallo (*jalóu*) interj. ¡hola! ¡eh!

hallow (*jálou*) tr. santificar. **/mas** (*jálomas*) s. día de Todos los Santos. **/een** (*jálouin*) s. (U. S. A.) víspera de Todos los Santos.

hallucination (*jallusinéls-chön*) s. alucinación.

halo (*jéilo*) s. halo.

halt (*jolt*) s. parada; alto; tr. (mandar) ᴘᴀʀᴀʀ; intr. detenerse.

halve (*jáv*) tr. partir.

ham (*jám*) s. jamón.

hammer (*jámör*) s. martillo; tr. martillar.

hammock (*jámoc*) s. hamaca.

hamper (*jámpör*) s. cesto; fam. estorbo, tr. encestar; estorbar.

hand (*jánd*) s. mano, manecilla operario, letra, ventaja, acción tr. entregar. **/bill** (*jándbil*) s. prospecto. **/book** (*jándbuc*) s. manual. **/cuff**

(jándköf) s. esposas; tr.
maniatar. **/ful** *(jándful)*
s. puñado. **/icap** *(jándi-
cap)* s. desventaja. **/
icraft** *(jándicraft)* s. ar-
tesanía. **/kerchief** *(ján-
körchif)* s. pañuelo. **/y**
(jándi) adj. cómodo,
mañoso.
handl/e *(jándl)* s. asa; tr.
manejar. **/ing** *(jánding)*
s. manejo.
handsome *(jándsöm)* adj.
hermoso, generoso.
hang *(jáng)* tr. colgar;
intr. colgar. **/— about**
merodear. **/— on** persis-
tir. **/man** *(jángman)* s.
verdugo.
hangar *(jángar)* s. hangar.
hanker *(jankör)* intr. an-
siar.
happ/en *(jápen)* intr. suceder. **/iness** *(jápines)* s.
felicidad. **/y** *(jápi)* adj.
feliz.
harangue *(jaráng)* s. arenga; tr. arengar.
harass *(járas)* s. devastación; tr. acosar.
harbour *(járbör)* s. puerto, refugio; tr. alojar.
hard *(járd)* adj. duro. **/—
boiled egg** s. huevo du-
ro. **/en** *(járdn)* tr. endu-
recer; intr. endurecerse.
/iness *(járdines)* s. atre-
vimiento; ánimo. **/ly**
(járdli) adv. difícilmen-
te; apenas. **/ness** *(járd-
nes)* s. dureza. **/ship**
(járddschip) s. pena(li-
dad). **/ware** *(járduar)* s.
ferretería. **/y** *(járdi)* adj.
osado.
hare *(jéa)* s. liebre.
harem *(jéirem)* s. harén.
haricot *(járicot)* s. judía.
harlot *(járlot)* s. puta.
harm *(járm)* s. mal; daño; tr. dañar; lastimar.
/ful *(jármful)* adj. dañino. **/less** *(jármles)* adj.
inofensivo.
harmon/ic *(jarmónic)* adj.
armónico. **/ious** *(jarmó-*

niòs) adj. armonioso; armónico. **/ize** *(jármonals)*
tr. armonizar. **/y** *(jármo-
ni)* s. armonía.
harness *(járnes)* s. arnés.
harp *(járp)* s. arpa. **/ist**
(járpist) s. arpista.
harpoon *(jarpún)* s. arpón; tr. arponear.
harpy *(járpi)* s. arpía.
harsh *(jársch)* adj. rígido; tudo; agrio; áspero.
/ness *(járschnes)* s. aspereza; rudeza.
harvest *(járvest)* s. cosecha; siega; tr. cosechar.
/er *(járvestör)* s. cose-
chador(a).
haste *(jéist)* s. prisa; tr.,
intr. apresurar(se).
hat *(ját)* s. sombrero.
hatch *(lách)* s. cría; ni-
dada; compuerta; tr.
incubar, tramar.
hat/e *(jéit)* s. odio; tr.
odiar. **/eful** *(jéitful)* adj.
odioso. **/red** *(jéitred)* s.
odio.
haught/ily *(jótili)* adv.
arrogantemente. **/iness**
(jótines) s. altanería. **/y**
(jóti) adj. altanero.
haul *(jól)* s. tirón; arrastre; tr. arrastrar.
haunch *(jónch)* s. anca.
haunt *(jont)* s. guarida;
hábito; tr. frecuentar.
have *(jáv)* tr. haber; tener; poseer, tomar.
haven *(jévn)* s. puerto.
haversck *(jávörsak)* s. mochila, talego, morral.
havoc *(jávoc)* s. devastación; tr. asolar.
hawk *(jóc)* s. halcón. **/er**
(jókör) s. buhonero.
hawthorn *(józorn)* s. Bot.
espino blanco.
hay *(jéi)* s. heno.
hazard *(lásard)* s. riesgo;
azar; tr., intr. arriesgar-
se. **/ous** *(lásardös)* adj.
arriesgado.
haze *(leis)* s. bruma.
hazel *(jéisl)* s. avellano.
/— nut avellana.

haz/iness (jéisines) s. bruma. /y (jéisi) adj. brumoso; nebuloso

he (ji) pron. él.

head (jéd) s. cabeza; jefe; caudillo; tr. encabezar, mandar. /— dress s. tocado. /— master s. director de un colegio. /ing (jéding) s. encabezamiento. /light (jédlait) s. faro delantero. /line (jédlain) s. titular. / quarters (jedcuórtörs) s. s. cuartel general. / /strong (jédstrong) adj. terco. /y (jédi) adj. arrojado; terco.

heal (jíl) tr. curar; sanar; intr. curarse. /ing (jíling) adj. curativo; s. curación. /th (jélz) s. salud. /thy (jélzi) adj. sano, saludable.

heap (jíp) s. montón; pila; tr. amontonar, apilar.

hear (jía) tr. oír; escuchar intr. oír, oír decir. /er (jírör) s. oyente. /ing (jíring) s. oído; audiencia. /say (jírsei) s. rumor.

hearse (jörs) s. coche fúnebre.

heart (járt) s. corazón; /en (jártn) tr. animar; by — de memoria. /y (járti) adj. cordial.

hearth (járz) s. hogar.

heat (jít) s. calor; celo; tr. calentar; /er (jitör) s. calentador.

heath (jiz) s. Bot. brezo.

heathen (jízen) s. y adj. pagano; idólatra. /ism (jizenism) s. paganismo.

heather (jídör) s. brezo.

heating (jíting) s. calefacción.

heave (jív) tr. alzar; elevar. /— a sigh suspirar.

heaven (jéven) s. cielo. /ly (jévenli) adj. celeste.

heav/ily (jévili) adv. pesadamente. /iness (jévi-

nes) s. pesadez. /y (jévi) adj. pesado.

Hebr/aic (jibréic) adj. hebreo; hebraico. /ew (íibru) s. hebreo.

hedge (jédch) s. seto; vallado; tr. cercar.

heed (jíd) s. cuidado; tr. atender. /ful (jídful) adj. cuidadoso. /less (jídles) adj. descuidado.

heel (jíl) s. tacón; talón.

height (jáit) s. altura estatura. /en (jáiten) tr. realzar; levantar.

heinous (jínös) adj. atroz; odioso, detestable.

heir (éa) tr. heredero; tr. heredar. /ess (éares) s. heredera. /less (éales adj. sin heredero.

helicopter (jélicopter) s. helicóptero.

hell (jél) s. infierno. /ish adj. infernal.

Hellen/c (jelénic) adj. helénico. /sm (jélinism) s. helenismo.

helmet (jélmet) s. casco.

help (jélp) tr. ayudar; servir; intr. contribuir; s. ayuda; auxilio. /ful (jélpful) adj. útil. /less (jélples) adj. desamparado.

hemisphere (jémisfir) s. hemisferio.

hemorrhage (jémoredch) s. Med. hemorragia.

hemorrhoids (jémoroids) s. pl. Med. hemorroides.

hemp (jémp) s. cáñamo.

hen (jén) s. gallina.

hence (jéns) adv. de aquí; por tanto. /forth (jénsforz) adv. de aquí en adelante.

henchman (jénchman) s. paniaguado, satélite.

her (jör) pron. su (de ella); la, le, a ella.

herald (jérald) s. heraldo tr. anunciar; /ic (jíráldic) adj. heráldico.

herb (jö'rb) s. hierba. sweet —s. s. hierbas

aromáticas. /alist (*jö'r-balist*) s. herbolario.

herd (*jö'rd*) s. hato; rebaño; intr. ir en manada /sman (*jödsmän*) s. vaquero; pastor.

here (*jía*) adv. aquí; acá. — you are tenga. /after (*jiraftör*) adv. en adelante. /at (*jirát*) adv. a esto. /by (*jirbái*) adv por la presente. /in (*jirín*) adv. aquí dentro. /with (*jiauíd*) adv. (junto) con esto.

here/sy (*jérisi*) s. herejía. /tic (*jéretic*) adj. hereje. /tical (*jerética*l) adj. herético.

hermetic (*jörmétic*) adj. hermético.

heritage (*jéritidch*) s. herencia.

hermit (*jö'rmit*) s. ermitaño: eremita. /age (*jö'rmitidch*) s. ermita.

hernia (*jö'rnia*) s. hernia.

hero (*jírou*) s. héroe. /ic (*jiróic*) s. heróico. /ine (*jéroin*) s. heroína. /ism (*jérousin*) s. heroísmo, heroicidad.

herring (*jéring*) s. Zool. arenque.

hers (*jö'rs*) pron. pos. suyo; de ella. /elf (*jörsélf*) pron. ella misma.

hesitat/e (*jésiteit*) tr. dudar; titubear. /ion (*jesitéischön*) s. duda.

hetero/dox (*jéterodocs*) adj. heterodoxo. /doxy (*jéterodocsi*) s. heterodoxia. /generous (*jeterodchiniös*) adj. heterogéneo.

hiccup (*jícöp*) s. hipo; intr. hipar, tener hipo.

hid/den (*jídn*) adj. oculto. /e (*jáid*) s. cuero, tr. esconder. /e-out s. escondite. /ing (*jáiding*) s. paliza, ocultación.

hideous (*jidiös*) adj. horrible. /ness (*jídiösnes*) s. horror: espanto.

hier/archy (*jáierarki*) s. jerarquía. /oglyph (*jáieroglif*) s. jeroglífico.

high (*jái*) adj. alto; s. cielo; adv. altamente. / brow (*jáibrau*) adj. y s. intelectual. /flying (*jaifláing*) adj. de altos vuelos. /land (*jáiland*) s. país montañoso. /lander (*jáilandör*) s. montañés. /ness (*jáines*) s. altura; alteza. /way (*jáuei*) s. carretera.

hike (*jáik*) s. excursión; intr. hacer una excursión. /r (*jáikör*) s. excursionista.

hill (*jil*) s. colina. /ock (*jíloc*) s. loma. /side (*fíl said*) s. ladera. /y (*jíli*) adj. montuoso.

hilt ((*jilt*) s. empuñadura.

him (*jím*) pron. le; a él. /self (*jimsélf*) pron. él mismo; se.

hind (*jáind*) s. cierva; adj. posterior; trasero. /er (*jíndör*) tr. impedir; estorbar. /ance (*jíndörans*) s. impedimento.

Hind/u, -oo (*jindú*) s. indostánico.

hinge (*jíndch*) s. gozne.

hint (*jint*) s. insinuación; sugerencia; tr. insinuar.

hip (*jíp*) s. cadera.

hippopotamus (*jipopótamös*) s. hipopótamo.

hire (*jáir*) s. alquiler; jornal; tr. alquilar, arrendar. /-purchase s. venta a plazos.

his (*jís*) pron. su; sus; suyo; de él.

Hispani/c (*jispánic*) adj. hispánico.

Hispano/American (*jispano-américan*) adj. hispanoamericano. **-phile** (*jispanofil*) adj. y s. hispanófilo, hispanista.

hiss (*jís*) s. siseo, silbido; tr., intr. silbar, sisear.

histor/ian (*jistórian*) s. historiador. /ic (*jistó-*

ric) adj. histórico. **/y** (*jistóri*) s. historia.

hit (*jít*) s. tropiezo; encuentro; fig. éxito; tr. golpear. acertar.

hitch (*jích*) s. tropiezo, *fam.* pega; tr. altar, mover(se) a saltos. **/-hike** v. viajar en auto-stop.

hither (*jídör*) adv. acá; aquí, hacia acá. **/to** (*jídörtu*) adv. hasta ahora;

hive (*jáiv*) s. colmena.

hoar (*jóa*) adj. blanco.

hoard (*jóad*) s. tesoro; montón; tr. intr. atesorar, **/lng** (*jóadin*) s. acaparamiento.

hoarse (*jóas*) adj. ronco;

hoary (*jóeri*) adj. blanco; cano; escarchado.

hoax (*jócs*) s. mentira, tr. chasquear, burlar.

hobble (*jóbl*) s. cojera; traba; intr. cojear.

hobby (*jóbi*) s. afición, "violín de Ingres".

hodge - podge (*jódch-pódch*) s. batiburrillo.

hoe (*jou*) s. azada.

hog (*jóg*) s. puerco.

hoist (*jóist*) s. cabria, grúa; tr. alzar, elevar.

hold (*jóuld*) tr. tener; asir, contener; celebrar; intr. tener; aguantarse; s. presa; asidero. **/er** (*jóuldär*) s. (man)tenedor, asa. **/lng** (*jóulding*) s. tenencia; arendamiento.

hole (*jóul*) s. agujero; hoyo; tr. agujerear.

holiday (*jólidei*) s. día festivo; fiesta; pl. vacaciones.

holiness (*jóulines*) s. santidad; beatitud.

hollow (*jólou*) adj. hueco, cóncavo, s. cavidad.

holly (*jóli*) s. *Bot.* acebo.

holster (*jólstör*) s. pistolera.

holy (*jóuli*) adj. santo; sagrado; bendito. **/—Ghost** s. Espíritu Santo.

homage (*jómidch*) s. homenaje; respeto.

home (*joum*) s. casa; hogar; patria, adj. doméstico; interior; adv. en casa, a casa. **/bred** (*jóumbred*) adj. casero. **/less** (*jóumles*) adj. sin hogar **/ly** (*jóumli*) adj. casero, acogedor. **/sick** (*jóumsic*) adj. nostálgico.

homicide (*jómisaid*) s. homicidio; homicida.

homosexual (*jomosékschual*) adj. homosexual.

honest (*ónest*) adj. honrado; honesto. **/y** (*ónesti*) s. honestidad.

honey (*fö'ni*) s. miel. **/moon** (*jö'nimun*) s. luna de miel. **/suckle** (*jö'nisökl*) s. madreselva.

honorary (*ónörari*) adj. honorario; honorífico; pl. honorarios.

hono(u)r (*ónör*) s. honor, tr. honrar. **/able** (*ónörabl*) adj. honorable.

hood (*júd*) s. capucha, *Mec.* capota; tr. encapuchar. **/wink** (*júduink*) tr. vendar los ojos.

hoof (*júf*) s. pezuña.

hook (*júc*) s. garfio; anzuelo; fig. atractivo, tr. enganchar.

hooligan (*júligan*) s. gamberro.

hoop (*júp*) s. aro; arco.

hoot (*jút*) s. grito, ruido, bocinazo; intr. gritar, tocar la bocina.

hop (*jóp*) s. salto, brinco; lúpulo; intr. saltar.

hope (*jóup*) s. esperanza; tr. esperar. **/ful** (*jóupful*) adj. esperanzado **/less** (*jóuples*) adj. desesperado.

horde (*jórd*) s. horda.

horizon (*joráisön*) s. horizonte. **/tal** (*jorisóntal*) adj. horizontal.

horn (*jórn*) s. cuerno; asta; bocina.

horoscope (*jóroscoup*) s. horóscopo.

horr/ible (*jóribl*) adj. horrible. **/id** (*jórid*) adj. horrible. **/ify** (*jórrifai*) tr. horrorizar. **/or** (*jórör*) s. horror.

horse (*jórs*) s. caballo; caballería. **on —back** a caballo. **/man** (*jórsman*) s. jinete. **/manship** (*jórsmanship*) s. equitación. **/— sense** s. *fam.* sentido común, gramática parda. **/shoe** (*jórschu*) s. herradura. **/whip** (*jórsjuip*) s. látigo; fusta. **/woman** (*jórsuman*) s. amazona.

hos/e (*jóus*) s. manguera, media. **/ier** (*jóuchör*) s. mediero; calcetero. **/iery** (*jóuchöri*) s. calcetería.

hospita/ble (*jóspitabl*) adj. hospitalario **/l** (*jóspital*) s. hospital. **/lity** (*jóspitálitii*) s. hospitalidad.

host (*jóust*) s. anfitrión, huésped; hostia. **/age** (*jóstidch*) s. rehén. **/el** (*jóstel*) s. posada; hostería. **/elry** (*jóstelri*) s. fonda. **/tess** (*jóstes*) s. patrona. **/ile** (*jóstli*) adj. hostil. **/ility** (*jóstíliti*) s. hostilidad.

hot (*jót*) adj. caliente; cálido; ardiente; picante.

hotel (*joutél*) s. hotel. **/keeper** (*joutélkipör*) s. hotelero.

hound (*jáund*) s. sabueso.

hour (*a'ö*) s. hora.

house (*jáus*) s. casa; sala o público (de un teatro); tr. albergar; intr. residir. **/hold** (*jáusjould*) s. casa; familia. **/wife** (*jáusuaif*) s. ama de casa.

housing (*jáusing*) s. alojamiento, vivienda.

hover (*jö'vör*) intr. cernerse; revolotear.

how (*jáu*) adv. cómo; cuan; cuánto; de qué modo. **/— long?** cuánto tiempo? **/— do you do?** tanto gusto **/ever** (*jaué-*

**vör*) adv. de cualquier modo; conj. sin embargo.

howl (*jául*) s. aullido, alarido; intr. aullar.

huckster (*jö'kstör*) s. vendedor ambulante.

huddle (*jö'dl*) s. confusión; tr. amontonar.

hue (*jiú*) s. color; matiz.

huff (*jö'f*) s. bufido; tr. bufar; intr. inflarse.

hug (*jö''g*) s. abrazo; tr. abrazar. estrechar.

huge (*jiúdch*) adj. inmenso; enorme; gigante.

hull (*jö'l*) s. cáscara; vaina, tr. mondar.

hum (*jö'm*) s. zumbido; susurro; tr. zumbar.

human (*jiúman*) adj. humano. **/e** (*jiuméin*) adj. comprensivo. **/ism** (*jiúmanism*) s. humanismo. **/ist** (*jiúmanist*) s. humanista. **/itarian** (*jiumanitéiriön*) adj. humanitario. **/ty** (*jiumániti*) s. humanidad.

humble (*jö'mbl*) adj. humilde; tr. humillar. **/ness** (*jö'mblnes*) s. modestia.

humbug (*jö'mbög*) s. patraña; fraude; farsante.

humid (*jiúmid*) adj. húmedo. **/ity** (*jiumíditi*) s. humedad.

humili/ate (*jiumílieit*) tr. humillar. **/ation** (*jiumiliéischön*) s. humillación. **/ty** (*jiumíliti*) s. humildad.

humor/ist (*jiúmörist*) s. humorista. **/ous** (*jiúmörös*) adj. humorístico.

humo(u)r (*jiúmör*) s. humor; tr. mimar.

hump (*jö'mp*) s. joroba.

hundred (*jö'ndred*) adj. cien; s. ciento.

hung/er (*jö'ngö*) s. hambre. **/ry** (*jö'ngri*) adj. hambriento. **to be —,** tener hambre.

hunt (*jö'nt*) s. caza; tr. cazar; intr. ir de caza. **/er** (*jö'ntör*) s. cazador.

montero. /ing (jö'nting) s. caza; cacería.
hurdle (jörd) s. zarzo.
hurl (jö'rl) s. tiro; lanzamiento, tr. tirar, lanzar.
hurrah (jurrá) interj. ¡viva! ¡hurra!
hurricane (jö'rikein) s. huracán.
hurry (jö'ri) s. apresuración; intr. apresurarse.
hurt (jö'rt) tr. dañar; s. herida; daño.
husband (jö'sband) s. marido; esposo; tr. economizar. /ry (jö'sbandri) s. agricultura; frugalidad.
hush (jö'sch) s. silencio, tr. acallar, apaciguar.
husk (jö'sk) s. cáscara; tr. mondar. /y (jö'skļ) adj. de corteza ruda.
hut (jö't) s. choza.
hyacinth (jáisinz) s. Bot. jacinto.

hybrid (jáibrid) adj. híbrido.
hidr/aulic (jaidrólic) adj. hidráulico. /ophobia (jaidrofobia) s. hidrofobia.
hyena (jaiína) s. hiena.
hygien/e (jáidchin) s. higiene. /ic (jáidchiénic) adj. higiénico.
hymn (jím) s. himno.
hyphen (jáifen) s. guión.
hypnoti/c (jipnótic) adj. hipnótico. /sm (jipnotism) s. hipnotismo. /ze (jípnoťais) tr. hipnotizar.
hypochondria (jipokö'ndria) s. hipocondría. /ç (jipokö'ndriac) s. hipocondríaco.
hypocrite (jípocrit) s. hipócrita.
hypothe/sis (jaipózisis) s. hipótesis. /tic (jaipozétic) adj. hipotético.
hysterics (jistértcs) s. histerismo.

I

I (ái) pron. yo.
Iberian (aibírian) adj. ibérico.
ice (áis) s. hielo; helado; tr. helar. /-cream s. helado (mantecado).
ichthyology (icziólodchi) s. ictiología.
icon (áicon) s. icono.
icy (áisi) adj. glacial.
idea (aidía) s. idea. /l (aidíal) adj. y s. ideal. /lism (aidíalism) s. idealismo. /lize (aidíalais) tr. idealizar.
identi/cal (aidéntical) adj. idéntico. /fication (aidéntifikeischön) s. identificación. /fy (aidéntifay) tr. identificar. /ty (aidéntiti) s. identidad.
ideology (aidiólodchi) s. ideología.

idiocy (ídiosi) s. idiotez.
idiom (idiöm) s. idioma; modismo.
idiot (idiöt) s. idiota.
idle (didl) adj. holgazán; intr. holgazanear. /ness (dídlnes) s. ociosidad. /r (dídlör) s. haragán.
idol (áidöl) s. ídolo. /ater (aidólatör) s. idólatra. /atrize (aidólatrais) tr. idolatrar. /atry (aidólatri) s. idolatría.
idyl (ídil) s. idilio.
if (if) conj. si; aunque.
ignoble (ignóbl) adj. innoble.
ignomin/ious (ignomíniös) adj. ignominioso. /y (ígnomini) s. ignominia.
ignor/ance (ignorans) s. ignorancia. /ant (igne-

rant) adj. s. ignorante. /e *(ignór)* tr. ignorar.

ill *(il)* adj. malo, enfermo; malvado; s. mal; adv malamente; mal. /-timed adj. inoportuno.

illegal *(iligal)* adj. ilegal. /ity *(ilegáliti)* s. ilegalidad.

illegible *(ilédchibl)* adj. ilegible.

illegitima/cy *(iledchítimasi)* s. ilegitimidad. /te *(iledchítimeit)* adj. ilegítimo; falso.

illimited *(ilimited)* adj. ilimitado.

illitera/cy *(iliterasi)* s. analfabetismo. /te *(ilítereit)* adj. analfabeto.

illness *(ilnes)* s. mal, enfermedad.

illogical *(ilódchical)* adj. ilógico.

illus/ion *(ilúchön)* s. ilusión. /ory *(iliúsori)* adj. ilusorio.

illustrat/e *(ilö'streit)* tr. ilustrar. /ion *(ilöstréischön)* s. ilustración.

illustrious *(ilö'striös)* adj. ilustre; preclaro.

imag/e *(imidch)* s. imagen; tr. figurar, representar. /inary *(imádchinöri)* s. imaginario. /ination *(imádchinéischön)* s. imaginación. /ine *(imádchin)* tr. imaginar.

imbecil/e *(imbesil)* adj. imbécil. /ity *(imbesíliti)* s. imbecilidad.

imbibe *(imbáib)* tr. embeber, empapar.

imburse *(imbö'rs)* tr. embolsar.

imitat/e *(imiteit)* tr. imitar. /ion *(imitéischön)* s. imitación.

immaculate *(imákiuleit)* adj. inmaculado.

immature *(imatiúr)* adj. inmaturo; temprano; adj.

immediate *(imídiet)* adj. inmediato.

immens/e *(iméns)* adj. inmenso. /ity *(iménsiti)* s. inmensidad.

immigra/nt *(imigrant)* s. inmigrante. /te *(imigreit)* tr. inmigrar. /tion *(imigréischön)* s. inmigración.

imminence *(iminens)* s. inminencia; riesgo.

immoral *(imóral)* adj. inmoral. /ity *(imoráliti)* s. inmoralidad.

immortal *(imórtal)* adj. y s. inmortal. /ity *(imortáliti)* s. inmortalidad. /ize *(imórtalais)* tr. inmortalizar.

immuni/ty *(imiúniti)* s. franquicia. /ze *(imiunais)* tr. inmunizar.

immutab/ility *(imiutabíliti)* s. inmutabilidad. /le *(imiútabl)* adj. inmutable.

imp *(imp)* s. diablillo.

impact *(impact)* s. impacto.

impair *(impéa)* tr. perjudicar. /ment *(impéament)* s. deterioración.

impart *(impárt)* tr. impartir, conferir.

impartial *(impárschal)* adjet. imparcial. /ity *(imparschiáliti)* s. imparcialidad.

impassible *(impásibl)* adj. impasible.

impassive *(impásiv)* adj. impasible; insensible.

impatien/ce *(impéischens)* s. impaciencia /t *(impéischent)* adj. impaciente; inquieto.

impeccable *(impécabl)* adj. impecable.

imped/e *(impíd)* tr. impedir, /iment *(impédiment)* s. impedimento.

impel *(impél)* tr. impeler.

impenetrable *(impénetrabl)* adj. impenetrable.

impenitent *(impénitent)* adj. impenitente.

imperative *(impérativ)* adj. imperativo.

imperceptible *(imperséptibl)* adj. imperceptible.

imperfect *(impö'rfect)* adj. imperfecto; incompleto. **/ion** *(impörfécschön)* s. imperfección; falta.

imperi/al *(impírial)* adj. imperial. **/ous** *(impiriös)* adj. imperioso.

imperishable *(impérischabl)* adj. imperecedero.

impermeable *(impö'rmeabl)* adj. impermeable.

impersona/l *(impö'rsonal)* adj. impersonal. **/te** *(impö'rsoneit)* tr. personificar; representar.

impertinen/ce *(impö'rtinens)* s. impertinencia. **/t** *(impö'rtinent)* adj. impertinente; fútil.

imperturbable *(impörtö'rbabl)* adj. imperturbable.

impervious *(impö'rviös)* adj. impenetrable.

impetu/ous *(impétiuös)* adj. impetuoso. **/ousness** *(impétiuösnes)* s. impetuosidad. **/s** *(impetös)* s. ímpetu.

impi/ety *(impáieti)* s. impiedad. **/ous** *(impiös)* adj. impío

implacable *(implécabl)* adj. implacable.

implant *(implánt)* tr. implantar, inculcar.

implement *(implement)* s. instrumento; utensilio.

implic/ate *(implikeit)* tr. implicar. **/ation** *(implikéischön)* s. implicación. **/it** *(implísit)* adj implícito.

implore *(implöa)* tr. implorar; rogar.

imply *(implái)* tr. implicar; enredar; suponer.

impolite *(impoláit)* adj. descortés **/ness** *(impoláitnes)* s. descortesía.

import *(impört)* intr. importar. **/** *(import)* s. importación, importancia.

importan/ce *(impörtans)*

s. importancia. **/t** *(impörtant)* adj. importante.

import/ation *(impörtéischön)* s. importación. **/er** *(impörtör)* s. importador.

importun/ate *(impörtiuneit)* adj. importuno. **/e** *(impörtiún)* tr. importunar. **/ity** *(importiúniti)* s. importunidad.

impos/e *(impóus)* tr. imponer. **/ing** *(impóusing)* adj. imp r e s i o n a n t e. **/ition** *(imposíschön)* imposición.

impossible *(impósibl)* adj. imposible.

impostor *(impöstör)* s. impostor.

impoten/ce *(impotens)* s. impotencia. **/t** *(impotent)* adj. impotente.

impoverish *(impóvörisch)* tr. empobrecer.

impregnate *(imprégneit)* tr. impregnar; fecundar.

impress *(imprés)* tr. impresionar, imprimir. **/ion** *(impréschön)* s. impresión. **/ive** *(imprésiv)* adj. impresionante.

imprint *(imprínt)* s. impresión; tr. imprimir.

imprison *(imprísn)* tr. encarcelar; encerrar. **/ment** *(imprísonment)* s. encarcelamiento

improbable *(impróbabl)* adj. improbable.

impromptu *(imprómtiu)* s. improvisación, repente.

improper *(impröpör)* adj. impropio.

improve *(imprúv)* tr. mejorar; intr progresar, mejorarse. **/ment** *(imprúvment)* s mejora

imprudence *(imprúdens)* s. prudencia. **/t** *(imprúdent)* adj. imprudente.

impugn *(impiún)* tr. impugnar.

impuls/e *(impöls)* s. impulso. **/ive** *(impö'lsiv)* adj. impulsivo.

impunity (*impiúniti*) s. impunidad.

impure (*impiúa*) adj. impuro.

imput/able (*impiútabl*) adj. imputable. /e (*impiút*) tr. imputar.

in (*in*) prep. en; dentro de, por, de; a; con; entre; adv. (a)dentro.

inaccessible (*inacsésibl*) adj. inaccesible.

inaccura/cy (*inákiurasi*) s. inexactitud. /te (*inákiuret*) adj. inexacto

inactivity (*inactíviti*) s. inactividad, ociosidad.

inadequate (*inádicuit*) adj. inadecuado; defectuoso.

inadmisible (*inadmísibl*) adj. inadmisible.

inadvertence (*inadvö'rtens*) s. inadvertencia.

inanimate (*inánimit*) adj. inánime; inanimado.

inappreciable (*inaprischiabl*) adj. imperceptible.

inapt (*inápt*) adj. inepto, inhabil. /itude (*ináptitiud*) s. ineptitud.

inattenti/on (*inaténschön*) s. desatención; inadvertencia. /ve (*inaténtiv*) adj. desatento.

inaugurat/e (*inóguiureit*) tr. inaugurar; iniciar. /ion (*inoguiuréischön*) s. inauguración.

inborn (*ínborn*) adj. innato.

incalculable (*inkálkiulabl*) adj. incalculable.

incandescent (*incandésent*) adj. incadescente.

incapa/bility (*inkeipabíliti*) s. incapacidad. /ble (*inkéipabl*) adj. incapaz. /city (*incapásiti*) s. incapacidad.

incarnat/e (*incárneit*) tr. encarnar; adj. encarnado. /ion (*incarnéischön*) s. encarnación.

incense (*insens*) s. incienso; (*inséns*) tr incensar.

incentive (*inséntiv*) s. incentivo; estímulo.

incertitude (*insértitiud*) s. incertidumbre.

incessant (*insésant*) adj. incesante.

incest (*insest*) s. incesto. /tuous (*inséschiuös*) adj. incestuoso.

inch (*inch*) s. pulgada.

inciden/ce (*insídens*) s. incidencia. /t (*insídent*) s. incidente. /tal (*insidéntal*) adj. incidental.

incinerat/e (*insínöreit*) tr. incinerar. /ion insinöréischön*) s. incineración.

incite (*insáit*) tr. incitar.

incivility (*insivíliy*) s. grosería; descortesía.

inclin / ation (*inclinéischön*) s. inclinación; /e (*incláin*) tr. inclinar; intr. inclinarse; tender a.

inclu/de (*inclúd*) tr. incluir; comprender. /sive (*inclúsiv*) adj. inclusive.

income (*ínköm*) s. ingreso, renta. /— tax s. impuesto sobre la renta.

incomparable (*incómparabl*) adj. incomparable.

incompatib / ility (*incompatibíliti*) s. incompatibilidad. /le (*incompátibl*) adj. incompatible.

incompeten/cy (*incómpetensi*) s. incompetencia. /t (*incómpetent*) adj. incompetente; inepto.

incomplete (*incomplít*) adj. incompleto.

inconceivable (*inconsívabl*) adj. inconcebible.

inconditional (*incondíschönal*) adj. incondicional.

incongruen/ce (*incóngruens*) s. incongruencia. /t (*incóngruent*) adj. incongruente.

inconsiderate (*inconsidöreit*) adj. desconsiderado.

inconsisten/cy (*inconsístensi*) s. inconsistencia. /t (*inconsistent*) adj. inconsistente.

inconstan/cy *(incónstansi)*
s. inconstancia. /t *(incónstant)* adj. inconstante, variable.

incontinence *(incóntinens)*
s. incontinencia.

inconvenien/ce *(inconvíniens)* s. inconveniencia.
tr. incomodar. /t *(inconvínient)* adj. inconveniente.

incorporat/e *(incórporeit)*
tr. incorporar; intr. incorporarse. /ion *(incorporéischön)* s. incorporación.

incorr/ect *(incoréct)* adj.
incorrecto. /igible *(incóridchibl)* adj. incorregible.

incorrupt *(incorrö'pt)* adj.
incorrupto; puro; probo.

increase *(incrís)* s. aumento; tr. aumentar.

incred/ible *(incrédibl)* adj.
increíble. /ulity *(incrediúliti)* s. incredulidad.
/ulous *(incrédiulös)* adj. incrédulo.

increment *(íncrement)* s.
incremento; aumento.

incubat/e *(ínkiubeit)* tr.
incubar. /ion *(inkiubéischön)* s. incubación.

inculcate *(inkö'lkeit)* tr.
inculcar.

inculpate *(inkö'lpeit)* tr.
inculpar; imputar.

incult *(inkö'lt)* adj. inculto

incumbency *(inkö'mbensi)* s. incumbencia.

incur *(inkö'r)* tr. incurrir.

incurable *(inkiúrabl)* adj.
incurable.

incurious *(inkiúriös)* adj.
indiferente, anodino.

incursion *(inkö'scrön)* s.
incursión, correría.

indagat/e *(índagueit)* tr.
indagar. /ion *(indaguéischön)* s. indagación.

indebted *(indétid)* adj.
adeudado, endeudado.

indecen/cy *(indísensi)* s.
indecencia. /t *(indísent)* adj. indecente.

indecisi/on *(indesíchön)* s.
indecisión. /ve *(indesáisiv)* adj. indeciso.

indecorous *(indicóuròs)*
adj. indecoroso.

indeed *(indíd)* adv. verdaderamente; ¿de veras?

indefinite *(indéfinit)* adj.
indefinido.

indelica/cy *(indélicasi)* s.
indelicadeza. /te *(indélikit)* adj. grosero.

indemni/fication *(indemnifikéischön)* s. indemnización. /ify *(indémnifai)* tr. indemnizar; resarcir.

indent *(indént)* s. muesca, diente; tr. dentar.

independen/ce *(indipéndens)* s. independencia.
/t *(indipéndent)* adj. independiente.

index *(índecs)* s. índice;
India *(índia)* s. India. /n
(indian) adj. indio /n
summer s. veranillo de
S. Martín.

indicat/e *(índikeit)* tr. indicar. /ion *(indikéischön)* s. indicación; indicio. /ive *(indícativ)* adj. indicativo.

indict *(indáit)* tr. acusar.

indiferen/ce *(indíferens)*
s. indiferencia. /t *(indíferent)* adj. indiferente.

indigen/ce *(índidchens)* s.
indigencia. /t *(índidchent)* adj. indigente.

indigenous *(indídchinös)*
adj. indígena.

indigesti/ble *(indidchéstibl)* adj. indigesto. /on
(indiáchésschön) s. indigestión.

indign/ant *(indígnant)* adj.
indignado. /ation *(indignéischön)* s. indignación.

indiscr/eet *(indiscrít)* adj.
indiscreto. /etion *(indiscréschön)* s. indiscreción.

indiscriminate *(indiscríminit)* adj. confuso.

indispensable *(indispénsabl)* adj. indispensable.

indispos/e *(indispóus)* tr.
indisponer. /ed *(indis-*

póusd) adj. indispuesto. **/ition** (*indisposíschön*) s. indisposición.

indissoluble (*indisoliubl*) adj. indisoluble; firme.

indistinct (*indistínct*) adj. indistinto; confuso.

individual (*individíual*) adj. individual; s. individuo; sujeto. **/ity** (*individuálíti*) s. individualidad. **/ize** (*individíaualais*) tr. individualizar.

indoctrinate (*indóctrinett*) tr. (a)doctrinar.

indolen/ce (*índolens*) s. indolencia. **/t** (*indolent*) adj. indolente .

indomitable (*indómitabl*) adj. indomable.

indoor (*índoa*) adj. interior. **/s.** (*indóas*) adv. dentro (de casa).

indorse (*indórs*) tr. endosar; respaldar. **/ment** (*indórsment*) s. endoso.

indubitable (*indúbitabl*) adj. indubitable.

induce (*indiús*) tr. inducir; instigar; inferir.

induct (*indö'ct*) tr. introducir. **/ion** (*indö'cschön*) s. inducción. **/ive** (*indö'ctiv*) adj. inductivo.

indulge (*indö'ldch*) t r. permitir; intr. entregarse a. **/nce** (*indö'ldchens*) s. indulgencia. **/nt** (*indö'l-chent*) adj. indulgente.

industr/ial (*indö'strial*) adj. industrial. **/ialize** (*indöstrialais*) tr. industrializar. **/ious** (*indö's-triös*) adj. industrioso. **/y** (*indöstri*) s. industria.

inebriate (*iníbrieit*) tr. embriagar; adj. ebrio.

inedible (*inédibl*) adj. incomible.

inedited (*inéditd*) adj. inédito.

ineffable (*inéfabl*) adj. inefable.

ineff / ective (*ineféctiv*) adj. **/ectual** (*ineféc-chiual*) adj. **/icient** (*ine-fichent*) adj. ineficaz.

inept (*inépt*) adj. inepto; incapaz. **/itude** (*inépti-tiud*) s. ineptitud.

inequality (*iníciuoliti*) s. desigualdad.

inert (*inö'rt*) adj. inerte. **/ia** (*inö'rschia*) s. inercia; inacción; indolencia.

inestimable (*inéstimabl*) adj. inestimable.

inevitable (*inévitabl*) adj. inevitable.

inexhaustible (*inegsóstibl*) adj. inagotable.

inexorable (*inécsorabl*) adj. inexorable.

inexpedient (*inecspídient*) adj. inoportuno.

inexperience (*inecspíri-ens*) s. inexperiencia, impericia. **/d** (*inecspíri-enst*) adj. inexperto.

inexplicable (*inécsplicabl*) adj. inexplicable.

inexpressive (*inecsprésiv*) adj. inexpresivo.

inextinguishable (*inecstin-guíschabl*) adj. inextinguible.

infallib/ility (*infalibíliti*) s. infalibilidad. **/le** (*in-fálibl*) adj. infalible.

infam/ous (*infamös*) adj. infame. **/y** (*infami*) s. infamia.

infan/cy (*infanst*) s. infancia. **/t** (*ínfant*) s. infante, criatura, adj. infantil. **/ticide** (*infánti-said*) s. infanticidio; infanticida. **/tile** (*infantail*) adj. infantil.

infantry (*ínfantri*) s. infantería.

infect (*inféct*) tr. infectar; adj. infecto. **/ion** (*infécschön*) s. infección. **/ious** (*infécschös*) adj. infeccioso.

infer (*infö'r*) tr. inferir; deducir. **/ence** (*infórens*) s. inferencia.

inferior (*infiríör*) s. inferior; adj. subordinado. **/ity** (*inferióriti*) s. inferioridad

infernal (*infö'rnal*) adj. infernal.

infest (*infést*) tr. infestar.

infidel (*infidel*) s. y adj. infiel, impío. **/ity** (*infidéliit*) s. infidelidad.

infiltrat/e (*infíltreit*) tr. infiltrar. **/ion** (*infiltréischön*) s. infiltración.

infinit/e (*infinit*) adj. infinito. **/ive** (*infinitiv*) s. infinitivo.

infirm (*inför'm*) adj. enfermizo. **/ary** (*infö'rmari*) s. enfermería.

inflam/e (*infléim*) tr. inflamar; intr. inflamarse. **/mable** (*inflámabl*) adj. inflamable.

inflat/e (*infléit*) tr. inflar; **/ion** (*infléischön*) s. inflación; hinchazón.

inflexib/ility (*inflecsibiliti*) s. inflexibilidad. **/le** (*inflécsibl*) adj. inflexible.

inflict (*inflíct*) tr. influir.

influen/ce (*influens*) s. influencia; tr. influir. **/tial** (*influénschal*) influyente.

influenza (*influénsa*) s. gripe.

influx (*inflöcs*) s. influjo.

inform (*infórm*) tr. informar. **/al** (*infórmal*) adj. informal. **/ation** *inforˈméischön*) s. información, informes; aviso.

infr/action (*infrácschön*) s. infracción. **/inge** (*infrínch*) tr. infringir.

infuriate (*infiúriet*) tr. enfurecer; enojar. **/d** (*infiuriétit*) adj. furioso.

infus/e (*infiús*) tr. infundir. **/ion** (*infiúdchön*) s. infusión.

ingen/ious (*indchiniös*) adj. ingenioso; hábil. **/iousness** (*indchíniösnes*) s. **/uity** (*indcheníuiti*) s. ingeniosidad.

ingenuous (*indchénuös*) adj. ingenuo, sincero.

/ness (*indchéniuösnes*) s. ingenuidad.

ingratiate (*ingréischeit*) tr. congraciarse.

ingratitude (*ingrátitiud*) s. ingratitud.

ingredient (*ingrídient*) s. ingrediente.

ingress (*ingres*) s. ingreso.

inhabit (*injábit*) tr. habitar; intr. vivir. **/able** (*injábitabl*) adj. habitable. **/ant** (*injábitant*) s. habitante.

inhale (*inféil*) tr. inhalar.

inhere (*infía*) intr. residir; ser inherente. **/nt** (*injírent*) adj. inherente.

inherit (*injérit*) tr. heredar. **/ance** (*injéritans*) s. herencia; patrimonio.

inhibit (*injíbit*) tr. inhibir; vedar. **/ion** (*injibischön*) s. inhibición.

inhospitable (*injóspitabl*) adj. inhospitalario.

inhuman (*injúman*) adj. inhumano; desalmado.

inhumation (*injuméischön*) s. inhumación.

inimical (*inímical*) adj. enemigo; hostil.

inimitable (*inímitabl*) adj. inimitable.

iniquit/ous (*inícuitös*) adj. inícuo. **/y** (*iníicuiti*) s. iniquidad.

initia/l (*iníschal*) adj. inicial **/te** (*iníschieit*) tr. iniciar, comenzar ;intr. iniciarse. **/tion** (*inischiéischön*) s. iniciación.

inject (*indchéct*) tr. inyectar.

injur/e (*indchua*) tr. injuriar; perjudicar, ofender. **/ious** (*indchiúrios*) adj. injurioso. **/y** (*índchuri*) s. injuria; lesión.

ink (*ink*) s. tinta.

inlaid (*inléid*) adj. incrustado; embutido.

inland (*inland*) s. interior; adj. interior, nacional.

in-laws (*inlos*) s. parientes políticos.

inlay (*inléi*) tr. taracear.

inlet (*ínlet*) s. entrada; pasaje; *Mar.* ensenada.

inmate (*ínmeit*) s. inquilino; pupilo; huésped.

inmost (*ínmoust*) adj. íntimo; profundo.

inn (*in*) s. posada; fonda. **/keeper** (*ínkipör*) s. posadero, fondista.

inn/ate (*innéit*) adj. innato. **/er** (*ínör*) adj. interior; secreto. **/ermost** (*ínörmoust*) adj. íntimo.

innoc/ence (*ínosens*) s. inocencia; pureza. **/ent** (*ínosent*) adj. inocente; s. simple. **/uous** (*inókiuös*) adj. inocuo.

innovate (*ínoveit*) tr. innovar.

inoculate (*inókiuleit*) tr. inocular, injertar

inodorous (*inódörös*) adj. inodoro.

inoffensive (*inoténsiv*) adj. inofensivo.

inoperative (*inópörativ*) adj. inoperante.

inopportune (*inóportiun*) adj. inoportuno.

inquest (*íncuest*) s. sumario; indagación.

inquietude (*incuáietiud*) inquietud; indisposición.

inqui/re (*incuáia*) tr. e intr. inquirir. **/ry** (*incuáiri*) s. encuesta, interrogación. **/sition** (*incuisi schön*) s. inquisición.

inroad (*ínroud*) s. incursión.

insalubri/ous (*insaliúbriös*) adj. insalubre; malsano. **/ty** (*insaliúbriti*) s. insalubridad.

insan/e (*inséin*) adj. insano; demente. **/ity** (*insániti*) s. demencia.

inscri/be (*inscráib*) tr. inscribir; dedicar. **/ption** (*inscrípschön*) s. inscripción; título.

inscrutable (*ínscrútabl*) adj. inescrutable.

insect (*ínsect*) s. insecto.

insecure (*insekiúr*) adj. inseguro; incierto.

inseminate (*insémineit*) tr. sembrar, inseminar.

insensate (*insénseit*) adj. insensato.

insensible (*insénsibl*) adj. insensible; impasible.

inseparable (*inséparabl*) adj. inseparable.

insert (*insö'rt*) tr. insertar; meter; introducir.

inside (*insáid*) adj. interior, interno; adv. adentro; prep. dentro de; s. interior, parte interna.

insidious (*insídiös*) adj. insidioso; pérfido.

insight (*ínsait*) s. discernimiento; perspicacia.

insignificant (*insigníficant*) adj. insignificante.

insincere (*insinsír*) adj. falso; hipócrita.

insinuate (*insíniueit*) tr. insinuar(se).

insipid (*insípid*) adj. insípido, soso.

insist (*insíst*) intr. insistir; instar; exigir.

insolation (*insolêischön*) s. insolación.

insolen/ce (*insolens*) s. insolencia. **/t** (*ínsolent*) adj. insolente.

insoluble (*insóliubl*) adj. insoluble.

insolvent (*insólvent*) adj. insolvente.

insomnia (*insómnia*) s. insomnio, desvelo.

insomuch (*insoumö'ch*) conj. de manera que

inspect (*inspéct*) tr. inspeccionar. **/ion** (*inspécschön*) s. inspección. **/or** (*inspéctör*) s. inspector.

inspire (*inspáia*) intr. inspirar; tr. sugerir.

instab/ility (*instabíliti*) s. inestabilidad. **/le** (*instéibl*) adj. inestable.

install (*instál*) tr. instalar. **/ation** (*instaléischön*) instalación.

instalment (*instólment*) s. plazo, entrega.

instance *(instans)* s. ejemplo, caso, instancia, ruego; **/for** — por ejemplo. tr. ejemplificar.

instant *(instant)* adj. urgente; corriente (mes); s. instante; momento.

instead *(instéd)* adv. en cambio. **/—** of prep. en vez de, en lugar de.

instigate *(instigeit)* tr. instigar; incitar.

instil(l) *(instil)* tr. instilar; inculcar; insinuar.

instinct *(instinkt)* s. instinto. **/ive** *(instínktiv)* adj. instintivo.

institut/e *(instítiut)* s. instituto; tr. instituir, establecer. **/ion** *(institiúschön)* s. institución.

instruct *(inströ'ct)* tr. instruir. **/ion** *(inströ'cschön)* s. instrucción.

instrument *(instrument)* s. instrumento; utensilio.

insubordination *(insöbordinéischön)* s. insubordinación.

insufferable *(insö'förabl)* adj. insufrible.

insufficient *(insöfischent)* adj. insuficiente

insula/r *(insiular)* s. y adj. insular; isleño. **/te** *(insiuleit)* tr. aislar. **/tion** *(insiuléischön)* s. aislamiento.

insult *(insölt)* s. insulto; *(insö'lt)* tr. insultar.

insuperable *(insiúpörabl)* adj. insuperable.

insupportable *(insöpórtabl)* adj. insoportable.

insur/ance *(insiúrans)* s. seguro; seguridad. **/e** *(insiúa)* tr. asegurar.

insur/gent *(insö'rdchent)* s. insurgente; rebelde. **/rection** *(insörécschön)* s. insurrección.

intact *(intáct)* adj. intacto; íntegro.

intake *(inteik)* s. (orificio de) entrada; toma

integr/al *(íntigral)* adj. íntegro. **/ate** *(íntegreit*

tr , intr. integrar(se) **/ation** *(integréischön)* s. integración. **/ity** *(intégriti)* s. integridad.

intellect *(intelect)* s. intellecto. **/ual** *(inteléc-chiual)* adj. intelectual.

intellig/ence *(intélidchens)* s. inteligencia; armonía. **/ent** *(intélidchent)* adj. inteligente. **/ible** *(intélidchibl)* adj. inteligible

intempera/nce *(intémpörans)* s. intemperancia; exceso. **/te** *(intémpöreit)* adj. intemperante.

intend *(inténd)* tr. proponerse; pensar. **/ed** *(inténdid)* adj. proyectado.

intens/e *(inténs)* adj. intenso; violento. **/ity** *(inténsiti)* s. intensidad. **/ive** *(inténsiv)* adj. intensivo.

intent *(intént)* s. designio; adj. cuidadoso. **/ion** *(inténschön)* s. intención.

inter *(intö'r)* tr. enterrar.

intercede *(intersíd)* intr. interceder; interponerse.

intercept *(intörsépt)* tr. interceptar; interrumpir.

intercession *(intörséschön)* s. intercesión.

interchange (*intörchéindch)* tr. alternar; trocar.

intercourse *(intörkoues)* s. relacion(es), trato, **comercio, intercambio.

interdict *(intördíct)* tr. vedar; s. veto.

interest *(intörest)* s. interés; tr. interesar. **/ing** *(intöresting)* adj. interesante.

interfere *(intörfía)* intr. interferir. **/nce** *(intörfírens)* s. interferencia.

interior *(intíríör)* adj. interior; s. el interior.

interjection *(intörchécschön)* s. interjección.

interlace *(intörléis)* tr. entrelazar; entremezclar.

interlocutor *(intörlókiutör)* s. interlocutor.

interlude (*íntörliud*) s. intermedio; entreacto

intermed/dle (*intörmédl*) intr. entremeterse. **/iate** (*intörmídieit*) adj. intermedio; intr. intermediar.

interminable (*intö'rminabl*) adj. interminable.

intermi/ssion (*intörmíschön*) s. intermisión; pausa. **/t** (*intörmít*) tr. interrumpir. **/ttent** (*intörmítent*) adj. intermitente.

intern(al) [*intö'rn(al)l*] adj. interno; interior.

international (*intörnáschönal*) adj. internacional.

interpose (*intörpóus*) tr. intr. interponer(se).

interpret (*intö'rpret*) tr. interpretar. **/er** (*intö'rpretör*) s. intérprete.

interrogat/e (*intérogueit*) tr. e intr. interrogar. **/ive** (*interógativ*) adj. interrogativo. **/ory** (*interógatori*) s. interrogatorio.

interrupt (*intörö'pt*) tr. interrumpir; estorbar.

interval (*intörval*) s. intervalo; blanco; espacio.

interven/e (*intörvín*) intr. intervenir; interponerse. **/tion** (*intörvénschön*) s. intervención.

interview (*intörviu*) s. entrevista; conferencia; tr. entrevistar(se con).

intestin/al (*intéstinal*) adj. intestinal. **/e** (*intéstin*) adj. interior; s. intestino.

intima/cy (*íntimasi*) s. intimidad. **/te** (*íntimeit*) tr. For. intimar; (*íntimit*) s. amigo íntimo; adj. íntimo. **/tion** (*intiméischön*) s. insinuación; indicio.

intimidat/e (*intímideit*) tr. intimidar. **/ion** (*intimidéischön*) s. intimidación.

into (*íntu*) prep. en; dentro: adentro; sobre; por.

intolera/ble (*intólörabl*) adj. intolerable; insufrible. **/nce** (*intólörans*) s. intolerancia.

inton/ation (*intonéischön*) s. entonación. **/e** (*intóun*) intr. entonar.

intoxicat/e (*intócsikeit*) tr. embriagar; intoxicar. **/ion** (*intocsikéischön*) s. intoxicación.

intractable (*intráctabl*) adj. intratable, indócil.

intrepid (*intrépid*) adj. intrépido. **/ity** (*intripíditi*) s. intrepidez.

intrigue (*intríg*) s. intriga; tr. intrigar.

introduc/e (*introdiús*) tr. p r e s e n t a r; introducir. **/tion** (*intrödö'kschön*) s. introducción; prólogo.

intromission (*intromischön*) s. intromisión.

introspection (*introspécschön*) s. introspección.

introvert (*íntrovö'rt*) adj. introvertido.

intru/de (*intrúd*) intr. introducirse. **/der** (*intrúdör*) s. intruso.

intuiti/on (*intiuíschön*) s. intuición. **/ve** (*intiúitiv*) adj. intuitivo.

inundate (*inö'ndeit*) tr. inundar, abrumar.

inutility (*iniutíliti*) s. inutilidad.

invade (*invéid*) tr. invadir. **/r** (*invéidör*) s. invasor.

invalid (*inválid*) adj. inválido, nulo; (*invalid*) s. inválido. **/ate** (*inválideit*) tr. invalidar; anular.

invaluable (*inváliuabl*) adj. inestimable.

invariable (*invériabl*) adj. invariable.

invasión. (*invéichön*) s. invasión.

invent (*invént*) tr. inventar. **/ion** (*invénschön*) s. invención.

99 **item**

inventory (*inventori*) s. inventario; tr. inventariar.

inver/sión (*invö'rschön*) s. inversión. **/t** (*invö'rt*) tr. invertir; trastrocar.

invest (*invést*) tr. invertir, imponer (capital), **/ment** (*invéstiment*) s. inversión (de capital). **/or** (*invéstor*) s. inversionista, imponente.

investigat/e (*invéstigueit*) tr investigar; averiguar. **/ion** (*investiguéischön*) s. investigación.

invidious (*invídiös*) adj. envidioso, odioso.

invincible (*invínsibl*) adj. invencible.

invisible (*invísibl*) adj. invisible.

invit/ation (*invitéischön*) s. invitación. **/e** (*inváit*) tr. invitar; convidar.

invoice (*ínvois*) s. factura; tr. facturar.

invoke (*invóuc*) tr. invocar; rogar; suplicar.

involuntary (*invölönteri*) adj. involuntario.

involve (*invólv*) tr. envolver; enredar, implicar.

invulnerable (*invö'lnörabl*) adj. invulnerable.

inward (*inuöd*) s. adj. interior; adv. hacia dentro. **/s** (*inuöds*) s. pl.; entrañas; adv. hacia dentro.

iodin(e) (*diodin*) s. Quím. yodo.

ir/ascible (*airásibl*) adj. irascible. **/ate** (*airéit*) adj. airado, enfadado. **/e** (*áia*) s. ira; enojo.

iris (*áiris*) s. iris; arco iris; Bot. (flor de) lis.

Irish (*áirisch*) adj. y s. irlandés.

irk (*ö'rk*) tr. fastidiar. **/some** (*ö'rksöm*) adj. tedioso; fastidioso.

iron (*áiön*) s. hierro; plancha; adj. de hierro, férreo; tr. planchar.

iron/ic (*airónic*) adj. irónico. **/y** (*áiröni*) s. ironía.

irradiate (*iréidieit*) tr. irradiar; esparcir.

irrational (*iráschönal*) adjet. irracional.

irreducible (*irediúsibl*) adj. irreducible.

irrefutable (*irétiutabl*) adj. irrefutable.

irregular (*iréguiular*) adj. irregular. **/ity** (*ireguiuláriti*) s. irregularidad.

irre/levant (*irélevant*) adj. ajeno (a la cuestión). **/mediable** (*irémidiabl*) adj. irremediable. **/prehensible** (*ireprejénsibl*) adj. irreprensible. **/proachable** (*iripróuchabl*) adj. irreprochable. **/sistible** (*irisístibl*) adj. irresistible.

irre/solute (*irésoliut*) adj. irresoluto. **/sponsible** (*irispónsibl*) adj. irresponsable. **/verent** (*irévörent*) adj. irreverente. **/vocable** (*irévokabl*) adj. irrevocable.

irrigat/e (*iriguett*) tr. irrigar, regar. **/ion** (*iriguéischön*) s. riego.

irrita/ble (*iritabl*) adj. irritable. **/nt** (*íritant*) adj. irritante. **/te** (*íriteit*) tr. irritar. **/tion** (*iritéischön*) s. irritación.

isl/and (*áiland*) s. isla; ínsula. **/ander** (*áilöndör*) s. isleño; insular. **/e** (*áil*) s. islote.

isolate (*ísoleit*) tr. aislar.

issue (*íschu*) s. salida; edición, fin, resultado, sucesión; intr. salir, tr. emitir, publicar.

isthmus (*ístmös*) s. istmo.

it (*it*) pron. (neutro); lo.

Italian (*itálian*) adj. y italiano.

itch (*ich*) s. sarna; comezón; deseo; intr. picar.

item (*aitem*) s. artículo,

punto, asunto, número. | su, el suyo. /**self** (*itself*)
itinerary (*itinöreri*) s. iti- | pron. él mismo.
nerario; ruta. | **ivory** (*áivöri*) s. marfil.
it/s (*its*) pron. adj. pos. | **ivy** (*áivi*) s. *Bot.* hiedra.

J

jab (*dchab*) s. pinchazo; tr. pinchar.
jack (*dchác*) s. Juanito; mozo; *Mec.* cric, sacabotas, macho, banderín. /-(o') **lantern** s. fuego fatuo. /**anapes** (*dchácaneips*) s. mequetrefe. /-**boots** s. botas de montar.
jackal (*dchácal*) s. chacal.
jacket (*dcháket*) s. chaqueta, americana.
jade (*dchéid*) s. jade (piedra); muzerzuela, rocín; tr. fatigar, cansar.
jag (*dchág*) s. diente; mella; tr. dentar, mellar.
jaguar (*dchegudr, dcháguar*) s. jaguar.
jail (*achéil*) s. cárcel.
jam (*dchám*) s conserva; apretura, llo (de tráfico); tr. apiñar. apretar.
jamboree (*dchamborí*) s. fam. francachela, gran reunión (boy-scouts).
jangle (*dchángl*) s. ruido.
janitor (*dchánitor*) s. bedel; portero; conserje.
January (*dchániuari*) s. enero.
Japan (*dchapán*) n. p. Japón. s. charol; barniz.
jar (*dchár*) s. jarro(a), tarro, choque; intr. chocar. tr. agitar, sacudir.
jargon (*dchárgon*) s. jerga; guirigay; jerigonza.
jasmin(e) (*dchásmin*) s. *Bot.* jazmín.
jaundice (*dchóndis*) s. ictericia.

jaunt (*dchont*) s. paseo; intr. corretear.
jaw (*dchó*) s. mandíbula, quijada charla.
jealous (*dchélös*) adj. celoso; envidioso. /**y** (*dchélosi*) s. celos; recelo.
jean (*dchín*) s. dril, pl. pantalones tejanos.
jeer (*dchía*) s. befa; burla; tr., intr. mofar(se).
jelly (*dchéli*) s. jalea; gelatina. /-**fish** s. medusa.
jeopard/ize (*dchépördais*) tr. arriesgar, exponer. /**y** (*dchépördi*) s. riesgo.
jerk (*dchérk*) s. sacudida, tirón; tr. sacudir.
jest (*dchést*) s. chanza; intr. burlarse. /**er** (*dchéstör*) s. burlón; chancero.
Jesuit (*dchésiuit*) s. jesuita.
jet (*dchét*) s. chorro, surtidor, azabache; tr. lanzar ;intr. salir a chorro. /**ty** (*dchéti*) s. saledizo; malecón.
jew (*dchú*) s. judío. /**ess** (*dchúes*) s. judía, israelita. /**ish** (*dchúisch*) adj. judaico, judío. /**ry** (*dchúri*) s. judería.
jewel (*dchúel*) s. joya. tr. enjoyar. /**(l)er** (*dchúelör*) s. joyero. /**(le)ry** *dchéelri*) s. joyería.
jingo (*dchingo*) s. patriotero, jingoísta.
job (*dchób*) s. empleo.
jocose (*dchocóus*) adj. jocoso; festivo.
jog (*dchóg*) s. empujón; tr. sacudir, empujar.

join (*dchóin*) tr. juntar; intr. unirse; **/er** (*dchóinör*) s. ebanista.

joint (*dchóint*) s. juntura; cuarto de animal; adj. unido; tr. juntar.

joke (*dchóuc*) s. chanza; chiste; intr. chancearse. **/r** (*dchóukör*) s. burlón.

jolly (*dchóli*) adj. alegre.

jolt (*dchólt*) s. vaivén; tr. e intr. traquetear.

jot (*dchót*) s. jota; ápice.

journal (*dchö'nal*) s. diario; periódico. **/ism** (*dchö'nalism*) s. periodismo. **/lst** (*dchö'nalist*) s. periodista.

journey (*dchö'ni*) s. viaje, intr. viajar.

joy (*dchói*) s. alegría; júbilo; gozo. **/ful** (*dchóiful*) adj. alegre, gozoso.

jubil/ant (*dchiúbilant*) adj. alegre. **/ation** (*dchiubiléischön*) s. júbilo. **/ee** (*dchubiíi*) s. jubileo.

Judaic (*dchudéic*) adj. judaico; judío; hebreo.

judg/e (*dchö'dch*) s. juez; tr. **j u z g a r . /ment** (*dchö'dchment*) s. juicio.

judici/al (*dchiudischal*) adj. judicial. **/ous** (*dchiudischös*) adj. juicioso.

jug (*dchö'g*) s. jarro.

juggle (*dchö'gl*) s. juego de manos; intr escamo-

tear. **/r** (*dchö'glör*) s. juglar prestidigitador.

juic/e (*dchús*) s. zumo. **/y** (*dchúsi*) adj. jugoso.

juke-box (*dchuc-bocs*) s. pianola eléctrica.

July (*dchiulái*) s. julio.

jumble (*dchö'mbl*) s. mezcla; enredo; tr. mezclar.

jump (*dchö'mp*) intr. saltar, brincar. **/er** (*dchö'mpör*) s. saltador.

junct/ion (*dchö'nkschön*) s. junta; unión, bifurcación. **/ure** (*dchö'nkchur*) s. juntura; coyuntura.

June (*dchún*) s. junio.

jungle (*dchö'ngl*) s. jungla, selva, manigua.

junior (*dchúniör*) adj. menor, más joven, hijo.

junk (*dchö'nk*) s. Mar. junco fam. trastos.

jur/idical (*dchurídical*) adj. jurídico. **/isdiction** (*dchurisdícschön*) s. jurisdicción. **/ist** (*dchúrist*) s. jurista; legalista. **/or** (*dchúrör*) s. jurado (miembro del). **/y** (*dchúri*) s. jurado; tribunal.

just (*dchö'st*) adj. justo.

justi/ce (*dchö'stis*) s. justicia. **/fy** (*dchö'stifat*) tr. justificar; defender.

jut (*dchö't*) s. salidizo, resalto; intr. sobresalir.

juvenile (*dchúvenail*) adj. juvenil; s. joven.

K

kaleidoscope (*calóidoscoup*) s. calidoscopio.

kangaroo (*cangarú*) s. Zool. canguro.

keel (*kíl*) s. quilla.

keen (*kiin*) adj. agudo. **/ness** (*kínnes*) s. agudeza; perspicacia.

keep (*kiip*) tr. guardar, seguir; cuidar. **/— from**

abstenerse de. **/— in mind** tener presente. **/ing** (*kíping*) s. cargo; custodia.

ken (*ken*) s. alcance.

kerb (*kö'rb*) s. bordillo.

kerchief (*körchif*) s. pañuelo.

kernel (*kö'rnel*) s. almendra; pepita; meollo.

kettle *(kétl)* s. caldera; marmita; *Amér.* pava.

key *(kí)* s. llave; clave; tecla. */hole (kíïoul)* s. ojo de cerradura.

khaki *(cáqui)* s. y adj. caqui (ropa).

kick *(kík)* s. puntapié; coz; tr. dar coces o puntapiés, patear.

kid *(kíd)* s. cabrito; cabritila; fam. niño(a). */nap (kídnap)* tr. secuestrar. */napper (kídnapör)* s. secuestrador.

kidney *(kídni)* s. riñón.

kill *(kíl)* tr. matar. */er (kilör)* s. asesino.

kiln *(kíln)* s. horno.

kilo/gram *(kílogram)* s. kilógramo. */meter (kílomitör)* s. kilómetro.

kilt *(kílt)* s. tonelete, faldillas escocesas.

kin *(kin)* s. parentesco; linaje; adj. familiar, afín, emparentado.

kind *(cáind)* adj. benévolo; amable; s. género; especie. */ness (cáindnes)* s. amabilidad.

kindle *(kíndl)* tr. encender; intr. arder.

kindred *(kíndrit)* s. afinidad; adj. emparentado.

king *(kíng)* s. rey. */dom (kingdöm)* s. reino.

kiosk *(kiósc)* s. kiosco.

kiss *(kís)* s. beso; tr. besar.

kit *(kít)* s. equipo, avíos. **kitchen** *(kíchen)* s. cocina. */garden* s. huerta.

kite *(cáit)* s. milano; gavilán; volantín, cometa.

kitten *(kítn)* s. gatito; gatillo; intr. parir la gata.

knack *(nác)* s. chuchería; destreza; maña, tino.-

knapsack *(nápsac)* s. mochila; morral, alforja.

knav/e *(néiv)* s. bribón. */ish (néisvisch)* adj. picaresco.

knead *(níd)* amasar.

knee *(ní)* s. rodilla; curva, codo. */l (níl) (down)* intr. arrodillarse.

knife *(náif)* s. cuchillo.

knight *(náit)* s. caballero; caballo de ajedrez.

knit *(nít)* tr. enlazar; intr. hacer punto. */ting (nitting)* s. calceta.

knob *(nób)* s. prominencia; nudo; botón.

knock *(nóc)* s. golpe; llamada; tr. e intr. golpear, pegar, llamar a. */er (nókör)* s. aldaba.

knoll *(nól)* s. loma.

knot *(nót)* s. nudo; lazo; tr. anudar, atar.

know *(nóu)* tr. conocer; saber. */ledge (nóledch)* s. conocimiento.

L

label *(léibel)* s. etiqueta, rótulo; tr. etiquetar.

laboratory *(láboretori)* s. laboratorio.

laborious *(labóuriös)* adj. laborioso, trabajoso.

labo(u)r *(léiba)* trabajo, labor, dolores del parto. */— party* s. partido laborista; tr. trabajar; esforzarse. */er (léibörör)* s. trabajador.

labyrinth *(lábirinz)* s. laberinto; dédalo.

lac *(lác)* s. laca.

lace *(léis)* s. encaje.

lack *(lác)* s. falta; carencia; tr. carecer de.

laconic *(lacónic)* adj. lacónico.

lacquer (*lákör*) s. laca, tr. dar laca, barnizar.

lact/eous (*láctiös*) adj. /**ic** (*láctic*) adj. lácteo.

lad (*lád*) s. muchacho.

ladder (*ládör*) s. escala; carrera (en medias).

lad/e (*léid*) tr. cargar. /**ing** (*léiding*) s. carga(mento), flete.

ladle (*léidl*) s. cucharón.

lady (*léidi*) s. señora; dama. /**-killer** s. tenorio.

lag (*lág*) adj. rezagado, s. retraso; intr. rezagarse, retratarse /**gard** (*lágard*) s. rezagado.

lager (*láguer*) s. cerveza suave.

lagoon (*lagún*) s. laguna.

laic (*léic*) s. y adj. laico.

lair (*léa*) s. madriguera.

laity (*léiti*) s. laicado.

lake (*léic*) s. lago.

lamb (*lám*) s. cordero.

lame (*léim*) adj. lisiado. /**ness** (*léimnes*) s. cojera.

lament (*lamént*) s. lamento; queja; tr. e intr. lamentar(se).

laminate (*lámineit*) r. laminar; adj. laminado.

lamp (*lámp*) s. lámpara. /**-holder** s. portalámparas.

lampoon (*lampún*) s. libelo; tr. satirizar.

lance (*láns*) s. lanza; tr. lancear. /**free - s.** francotirador. /**t** (*lánset*) s. bisturí.

land (*lánd*) s. tierra; país; tr. aterrizar, desembarcar. /**holder** (*lándjouldör*) s. terrateniente. /**ing** (*lánding*) s. desembarco. /**lady** (*lándleidi*) s. ama; patrona. /**lord** (*lándlord*) s. patrón. /**m a r k** (*lándmarc*) s. hito. /**scape** (*lándskeip*) s. paisaje.

landward(s) (*lánduördt(s)*) adv. hacia tierra.

lane (*léin*) s. vereda.

language (*lánggueidch*) s. lengua; lenguaje.

langu/id (*lángüid*) adj. lánguido. /**ish** (*lángüitsch*) intr. languidecer . /**or** (*lángör*) s. languidez.

lantern (*lántörn*) s. linterna; farol; fanal.

lap (*láp*) s. falda; solapa. /**— dog** s. perro falfaldero. /**el** (*lapél*) s. solapa.

lapse (*láps*) s. desliz; lapso; intr. transcurrir.

larceny (*láseni*) s. hurto.

lard (*lárd*) s. manteca de cerdo; tr. mechar. /**er** (*lárdör*) s. despensa.

large (*lárdch*) adj. grande; amplio. /**at — en libertad; con todo detalle. /**ly** (*lárdchli*) adv. en gran parte.

lark (*larc*) s. *Orn.* alondra; fam. jolgorio.

laryn/gitis (*larindcháitis*) s. laringitis. /**x** (*lérins*) s. *Anat.* laringe.

lascivious (*lasiviös*) adj. lascivo.

lash (*lásch*) s. latigazo; tr. azotar, fig. zaherir.

lass (*lás*) s. moza, chica.

lassitude (*lásitiud*) s. laxitud; cansancio.

last (*lást*) adj. último; pasado; intr. durar; s. horma. /**ing** (*lásting*) adj. duradero.

latch (*lách*) s. aldaba; cerrojo. **— key** s. llavín.

late (*léit*) tardío; reciente; difunto; adv. tarde. /**ly** (*léitli*) adv recientemente.

latent (*léitent*) adj. latente.

lathe (*léiz*) s. torno.

Latin (*látin*) adj. latino; s. latín.

latitude (*látitiud*) s. latitud; extensión; amplitud.

latter (*látör*) adj. último.

laud (*lód*) tr. alabar.

laugh (*láf*) s. risa; intr., tr. reír(se de). /**able** (*láfabl*) adj. risible. /**ing**

(láfing) s. risa; adj. **ri-sueño.** /**ter** *(láftör)* s. risa; risotada.

launch *(lónch)* s. lancha, botadura; tr. botar, lanzar; intr. lanzarse.

laundr/ess *(lóndres)* s. lavandera. /**y** *(lóndri)* s. lavadero, lavandería.

laure/ate *(lórieit)* adj. laureado; tr. laurear. /**l** *(lórel)* s. Bot. laurel.

lava *(léiva)* s. lava.

lavatory *(lávatori)* s. retrete, excusado, lavabo.

lavender *(lávendör)* s. Bot. espliego; lavánd(u)a.

lavish *(lávish)* adj. pródigo; tr. prodigar.

law *(ló)* s. ley. /**-court** s. tribunal, audiencia. /**ful** *(lóful)* adj. legal. /**suit** *(lósiut)* s. pleito. /**yer** *(lóiör)* s. abogado.

lawn *(lón)* s. césped.

lax *(lács)* adj. laxo; flojo. /**ative** *(lácsativ)* adj. y s. laxativo; laxante. /**ity** *(lácsiti)* laxitud.

lay *(léi)* s. lecho; sesgo, adj. laico; tr. colocar, extender. /**er** *(léia)* s. lecho; capa.

laz/e *(leis)* s. vagancia, intr. gandulear. /**iness** *(léisines)* s. pereza. /**y** *(léisi)* adj. perezoso.

lead *(léd)* s. plomo; plomada. /**en** *(ledn)* adj. de plomo.

lead *(líd)* tr. conducir; guiar; s. delantera, ejemplo. /**er** *(lídör)* s. conductor; guía. /**ing** *(líding)* adj. principal.

leaf *(líf)* s. Bot. hoja. /**y** *(lífi)* adj. frondoso.

league *(líg)* s. liga; alianza; tr., intr. aliar(se).

leak *(líc)* s. gotera; vía de agua; intr. gotear; **lean** *(lín)* s. carne mollar; a d j. flaco; pobre; tr. apoyarse, reclinarse. /**out of** asomarse a.

leap *(líp)* s. salto; brinco; v. saltar, brincar.

learn *(lö'rn)* v. aprender. /**ed** *(lö'rnid)* adj. sabio; docto. /**ing** *(lö'rning)* s. saber.

lease *(lis)* s. arriendo, tr. arrendar.

leash *(lisch)* s. correa.

least *(líst)* adj. mínimo, el menor, adv. lo menos.

leather *(lédör)* s. cuero; piel, ante.

leav/e *(lív)* s. licencia; permiso; despedida; tr. dejar; tr. partir. /**ings** *(lívings)* s. sobras.

leaven *(lévn)* s. levadura; tr. fermentar.

lecture *(lécchör)* s. conferencia, tr. conferenciar. /**r** *(lécchörör)* s. conferenciante; profesor.

lee *(li)* s. socaire; Mar. sotavento. /**ward** *(líuörd)* adj. a sotavento.

leek *(líc)* s. puerro.

lees *(lís)* s. pl. heces.

left *(léft)* adj. izquierdo (a); s. la izquierda /**-handed** adj. zurdo.

leg *(lég)* s. pierna; pata.

legacy *(légasi)* s. legado.

legal *(ligal)* adj. legal. /**ity** *(legáliti)* s. legalidad. /**ize** *(lígalais)* tr. legalizar.

legat/e *(léguet)* s. legado. /**ion** *(liguéschön)* s. legación; embajada.

legend *(lédchend)* s. leyenda. /**ary** *(lédchendari)* adj. legendario.

legion *(lídchön)* s. legión. /**ary** *(lídchenari)* adj. y s. legionario.

legislat/e *(lédchisleit)* tr., intr. legislar. /**ion** *(ledchisléischön)* s. legislación. /**ive** *(lédchisleitiv)* adj. legislativo.

legitim/acy *(ledchítimast)* s. legitimidad. /**ate** *(lidchítimeit)* adj. legítimo, tr. legitimar.

legume *(léguium)* s. Bot. legumbre.

leisure *(lédcha)* s. ocio.

lemon (*lémön*) s. limón. /**ade** (*lémoneid*) s. limonada, gaseosa.

lend (*lénd*) tr. prestar. /**er** (*léndör*) s. prestador; prestamista.

length (*lengz*) s. longitud, extensión. /**en** (*léngzen*) tr. alargar; prolongar.

lenien/cy (*líniensi*) s. indulgencia; tolerancia. /**t** (*línient*) benigno.

lens (*léns*) s. lente.

Lent (*lént*) s. cuaresma.

lep/er (*lépör*) s. leproso. /**rosy** (*léprosi*) s. lepra.

less (*lés*) adj. menor, menos; adv. menos; s. io menos. /**en** (*lésn*) tr. disminuir.

lesson (*lésn*) s. lección.

lest (*lést*) conj. para que no; no sea que.

let (*lét*) tr. dejar; conceder; arrendar.

letharg/ic (*lizárdchic*) adj. letárgico. /**y** (*lézardchi*) s. letargo..

letter (*létör*) s. letra; cartt. /**registered** — s. carta certificada. /**-box** s. buzón.

lettuce (*léits*) s. lechuga.

levant (*levánt*) s. levante. /**ine** (*livántin*) adj. y s. levantino.

level (*lével*) s. nivel; plano; adj. llano; nivelado; tr. nivelar.

lever (*lévör*) s. palanca; levity (*léviti*) s. ligereza.

levy (*lévi*) s. leva; colecta, tr. reclutar, recaudar.

lewd (*liúd*) adj. depravado, lascivo. /**ness** (*liudnes*) s. lascivia.

lexico/grapher (*lecsicógraför*) s. lexicógrafo. /**graphy** (*lecsicógrafi*) s lexicografía. /**n** (*lécsicon*) s. léxico.

liab/ility (*laiabíliti*) s. responsabilidad. /**le** (*láiabl*) adj. expuesto a.

liaison (*liéison*) s enlace, unión, lío (**sexual**).

libel (*láibel*) s. libelo; tr. calumniar, difamar.

liberal (*líböral*) adj. liberal; generoso; s. liberal. /**ism** (*liberalism*) s. Liberalismo.

liberat/e (*liböreit*) tr. liberar. /**ion** (*liböréischön*) s. liberación. ʼ

libertin/e (*líbörtin*) adj. y s. libertino. /**ism** (*libörtinism*) s. libertinaje.

liberty (*líbörti*) s. libertad, exención, privilegio.

librar/ian (*laibrérian*) s. bibliotecario. /**y** (*láibrari*) s. biblioteca.

licen/se (*láisens*) s. licencia; permiso, libertinaje; tr. licenciar. /**sed** (*láisenst*) adj. autorizado. /**tiate** (*laisénschiet*) s. licenciado. /**tious** (*laisénschös*) adj. licencioso.

licit (*lísit*) adj. lícito.

lick (*lik*) s. lamedura; tr. lamer, fam. pegar.

lid (*líd*) s. tapa(dera).

lie (*lái*) s. mentira, embuste; intr. mentir.

lie (*lái*) intr. yacer.

lieutenant (*leflénant*) s. teniente, lugarteniente.

life (*láif*) s. vida.

lift (*líft*) s. alzamiento, ascensor; tr. alzar.

light (*láit*) s. luz; adj. claro; ágil; ligero; tr. encender, aligerar. /**en** (*ldin*) tr iluminar; aligerar. /**er** (*láitör*) s. encendedor. /**ing** (*láiting*) s. alumbrado. /**ness** (*láitnes*) s. ligereza. /**ning** (*láitning*) s. relámpago; rayo. /— **conductor** s. pararrayos.

like (*láik*) tr. gustarle a uno, querer; adj. semejante; verosímil; s. semejante; conj. como :. /**lihood** (*láiklijud*) s. probabilidad. /**ly** (*láikli*) adj adj. verosímil, adv. probablemente. /**ness** (*láiknes*) s. semejanza. /**wise**

(*láicuais*) adv. asimismo.

liking (*láiking*) s. gusto.

lilac (*láilac*) s. Bot. lila.

lily (*lili*) s. Bot. lirio.

limb (*lim*) s. miembro del cuerpo, rama.

lime (*láim*) s. cal; liga; Bot. tilo, lima.

limit (*limit*) s. límite; tr. limitar. **/ation** (*limitéischön*) s. limitación.

limp (*limp*) s. cojera; adj. cojo, tr. cojear.

line (*láin*) s. línea; hilera, hilo, tr. rayar forrar. / **age** (*linieidch*) s. linaje. **/al** (*linial*) adj. lineal. **/ar** (*liniar*) adj. lineal. **/r** (*láinör*) barco o avión de línea regular.

linen (*linen*) s. llno; lienzo; ropa interior.

linguist (*língüist*) s. lingüista. **/ic** (*linguistic*) adj. lingüístico.

lining (*láining*) s. forro.

link (*link*) s. eslabón; tr. enlazar. **/s** (*links*) s. pl. campo de golf.

linoleum (*linóuliön*) s. linóleo.

lintel (*lintel*) s. dintel.

lion (*láiön*) s. león. **/ness** (*láiönes*) s. leona.

lip (*lip*) s. labio; borde. **/stick** (*lipstic*) barra, lápiz de labios.

liquor (*likö'r*) s. licor.

liquid (*licuid*) adj. y s. líquido. **/ate** (*licuidéit*) tr. liquidar.

lisp (*lisp*) s. intr. cecear.

list (*list*) s. lista; catálogo; margen; tr. registrar.

listen (*lisen*) tr., intr. escuchar; atender. **/er** (*lisnör*) s. (radio)oyente.

listless (*listles*) adj. indiferente; descuidado.

literal (*literal*) adj. literal, exacto.

litera/ry (*literari*) adj. literario. **/ture** (*litörecha*) s. literatura.

litiga/nt (*litigant*) adj. y s. litigante. **/tion** (*litiguéischön*) s. litigio.

litre (*litör*) s. litro.

litter (*litör*) s. litera; camilla; suciedad, basura; tr. ensuciar.

little (*litl*) s. un poco; adj pequeño; poco; escaso; adv. poco. **/ness** (*litlnes*) s. pequeñez.

liturgy (*litördchi*) s. liturgia.

live (*liv*) intr. vivir.

live (*láiv*) adj. vivo; activo. **/lihood** (*láivlijud*) s. vida. **/ly** (*láivli*) adj. vivo; brioso; adv. vivamente.

liver (*livör*) s. hígado.

livid (*livid*) adj. lívido.

living (*living*) s. vida; adj. vivo; viviente. **/room** s. sala de estar.

lizard (*lisard*) s. lagarto.

load (*lóud*) s. carga; tr. cargar. **/star** (*lóudstar*) s. estrella polar, norte.

loaf (*lóuf*) s. pan; tr. e intr. gandulear. **/er** (*lóuför*) s. gandul.

loan (*lóun*) s. préstamo; empréstito; tr. prestar.

loath (*lóuz*) adj. contrario, reacio. **/e** (*lóud*) tr. aborrecer. **/some** (*lóudsön*) adj. asqueroso.

bobby (*lóbi*) s. pasillo; tr. cabildear, intrigar.

lobe (*lóub*) s. lóbulo.

lobster (*lóbstör*) s. (pez) langosta.

loca/l (*lóucal*) adj. local. **/lity** (*loucáliti*) s. localidad. **/te** (*loukéit*) tr. colocar. **/tion** (*loukéischön*) s. colocación.

lock (*loc*) s. cerradura; bucle, tr. cerrar (con llave). **/er** (*lókör*) s. armario, "taquilla". **/-out** s. cierre de fábricas).

locomoti/on (*loucomóuschön*) s. locomoción. / **ve** (*loucomóutv*) s. locomotora.

locution (lokiúschön) s. locución.

lode (lóud) s. vena; veta.

lodg/e (lódch) s. pabellón; conserjería; tr. alojar. **/ement** (lódchment) s. alojamiento. **/er** (lódchör) s. huésped. **/ing** (lódching) s. posada; alojamiento. **/ings** (lódchings) hospedaje.

loft (lóft) s. buhardilla. **/iness** (lóftines) s. altura, altanería. **/y** (lófti) adj. elevado.

log (lóg) s. leño; tronco.

logic (lódchic) s. lógica; adj. lógico. **/al** (lódchical) adj. lógico.

loin (lóin) s. lomo.

loiter (lóitör) intr. vagar.

lollipop (lólipop) s. golosina.

lone (lóun) adj. solitario; solo; **/liness** (lóunlines) s. soledad. **/ly** (lóunli) adj. **/some** (lóunsöm) adj. solitario.

long (lóng) adj. largo; adv. largo tiempo; s. longitud; largo; intr. — **for** anhelar. **/as** — **as** mientras. **/how** —¿cuánto tiempo? **/ing** (lónguing) s. anhelo.

longitude (lóndchitiud) s. longitud.

look (lúk) s. mirada; aspecto; tr., intr. mirar. **/- for** buscar. **/ing** (lúking) s. aspecto.

loop (lúp) s. ojal; lazo.

loose (lús) tr. desatar; soltar; adj. suelto; licencioso. **/n** (lúsn) intr. desasirse; tr. aflojar. **/ness** (lúsnes) s. relajamiento.

loot (lut) s. botín; tr. saquear.

lop (lóp) s. escamonda; poda; tr. podar.

loquacious (lokuéischös) adj. hablador; locuaz.

lord (lóod) s. señor; amo dueño; (G. B.) lord; intr. dominar.

lore (lóu) s. saber.

los/e (lús) tr. perder. **/s** (lós) s. pérdida. **/t** (lóst) adj. perdido.

lot (lót) s. lote, suerte. **/a** — **of** muchos.

lotion (lóschön) s. loción.

lottery (lótöri) s. lotería; rifa.

loud (láud) adj. alto (de voz). **/ly** (láudli) adv. **en** voz alta. **/speaker** (láudspikör) s. altavoz.

lounge (láundch) intr. haraganear, s. descanso; sala de estar, sofá.

lous/e (láus) s. piojo. **/y** (láusi) adj. piojoso; fam. asqueroso.

lovable (lö'vabl) adj. amable, encantador.

lov/e (lö'v) s. amor; cariño; tr. amar; **fall in** — enamorarse. **/eliness** (lö'vlines) s. amabilidad; encanto. **/ely** (lö'vli) adj. amable; encantador. **/er** (lö'vör) s. amante. **/ing** (lö'ving) adj. amoroso.

low (lóu) adj. bajo; ruin; adv. bajo; s. mugido; intr. mugir. **/er** (lóua) adj. más bajo, inferior; tr. bajar, humillar, abatir.

loyal (lóial) adj. leal; fiel. **/ty** (lóialti) s. lealtad.

lubric/ate (liúbrikeit) engrasar, lubri(fi)car.

luci/d (lúsid) adj. lúcido. **/fer** (liúsiför) s. Lucifer; lucero del alba.

luck (lüc) s. suerte. **/y** (lö'ki) adj. dichoso.

lucr/ative (lúcrativ) adj. lucrativo. **/e** (liukör) s. lucro.

ludicrous (lúdicrös) adj. risible. cómico.

luggage (lö'guidch) s. bagaje; equipaje.

lugubrious (lugiúbriös) lúgubre.

lukewarm (lácuöm) adj. tibio; templado.

lull (lö'l) s. arrullo; tr. arrullar. **/aby** (lö'labai) s. canción de cuna, nana.

lumber (*lŏ'mbŏr*) s. armatoste, madera.
lump (*lŏ'mp*) s. bulto, pedazo, terrón.
luna/cy (*lúnasi*) s. locura; manía. /**r** (*lúnar*) adj. lunar; lunático. /**tic** (*lúnatic*) s. y adj. lunático.
lunch(eon) [*lŏ'nch(ŏn)*] s. comida almuerzo.
lung (*lŏ'ng*) s. pulmón.
lure (*liua*) s. señuelo; tr. inducir, tentar.
lurk (*lŏ'rk*) intr. acechar.
lust (*lŏ'st*) s. codicia; lujuria. /**ful** (*lŏ'stful*) adj. voluptuoso.
Lutheran (*lúźŏran*) s. y adj. luterano.
luxat/e (*lŏ'cseit*) tr. dislocar. /**ion** (*lŏcséisehŏn*) s. luxación, dislocación.
luxur/iance (*lŏgschúriens*) s. exuberancia. /**iant** (*lŏgschúriant*) adj. exuberante. /**ious** (*lŏcschúriŏs*) adj. lujurioso. /**y** (*lŏ'cschŏri*) s. lujo; molicie, lujuria.
lyceum (*laisiŏm*) s. liceo.
lye (*lái*) s. lejía.
lying (*láing*) p. a. falso, mentiroso; tendido, echado, s. mentira. /**-in** hospital s. casa de maternidad.
lynch (*linch*) tr. linchar.
lyr/e (*láia*) s. lira. /**ic** (*líric*) adj. lírico.

M

macaroni (*macaróuni*) s. macarrones.
mace (*méis*) s. maza.
macerate (*másŏrěit*) tr. macerar.
machine (*maschín*) s. máquina, aparato. /**— gun** s. ametralladora.
mackerel (*mákŏrel*) s. caballa (pez).
mackintosh (*mácklntosch*) s. impermeable.
mad (*mád*) adj. loco; demente, furioso. **go —** volverse loco. /**den** tr., intr. enloquecer. /**house** (*mádjaus*) s. casa de locos, manicomio. /**man** (*mádman*) s. loco. /**ness** (*mádnes*) s. locura.
madam (*madam*) s. señora.
magazine (*magasín*) s. ʌ'-macén; revista.
magi (*méidchai*) s. pl. Magos. /**c** (*mádchic*) adj. mágico; s. magia; /**cal**
(*mádchical*) adj. mágico. /**cian** (*madchíschan*) s. mago; mágico.
magistrate (*mádchistrett*) s. magistrado, juez.
magna/nimity (*magnanimiti*) s. magnanimidad. /**nimous** (*magnánimŏs*) adj. magnánimo. /**te** (*mágneit*) s. magnate.
magnet (*mágnet*) s. imán; magneto. /**ic** (*magnétic*) adj. magnético.
magnif/icent (*magnífisent*) adj. magnífico. /**y** (*mágnifai*) tr. aumentar.
magnitude (*mágnitiud*) s. magnitud.
magnolia (*magnólia*) s. *Bot.* magnolia.
mahogany (*majógani*) s. caoba.
maid (*méid*) s. doncella, virgen, moza. /**en** (*méidn*) s. virgen; soltera; adj. virginal. (**en**)**hood** [*méid(en)jud*] s. doncellez.

mail (*méil*) s. correo(s).
maim (*méim*) s. mutilación; daño; tr. mutilar.
main (*méin*) adj. mayor; principal; importante.
maint/ain (*meintéin*) tr. mantener. /**enance** (*méintenans*) s, mantenimiento.
maize (*méis*) s. maíz.
majest/ic (*mádchéstic*) adj. majestuoso. /**y** (*mádchesti*) s. majestad.
major (*méidcha*) adj. mayor; más grande; s. *Mil.* comandante. /**ity** (*madchóriti*) s. mayoría.
make (*méik*) tr. hacer; producir; fabricar; s. marca. /**-fun** of burlarse de. /**-beleve** adj. falso, s. artimaña. /**-up** s. maquillaje.
malady (*máladi*) s. mal; enfermedad.
male (*méil*) s. y adj. macho; varón.
male/diction (*malídicschön*) s. maldición. /**fice** (*málifis*) s. maleficio.
malic/e (*mális*) s. malicia. /**ious** (*malischös*) adj. malicioso.
malign (*maláin*) adj. maligno; tr. difamar.
mall (*mol*) s. mallo; mazo, alameda, paseo.
malpractise (*malpráctis*) s. fechoría; abuso.
malt (*mólt*) s. malta.
maltreat (*maltrít*) tr. maltratar.
mamma (*máma*) s. mama, teta. /**l** (*mámal*) s. mamífero. /**lian** (*maméilian*) adj. mamífero.
mammy (*mámi*) s. mamá.
man (*mán*) s. hombre; tr guarnecer, tripular.
manacle (*mánacl*) tr. maniatar. /**s** (*mánacls*) s. pl. esposas, manilla.
manage (*mánidch*) tr. e intr. manejar; dirigir; intr. arreglarse. /**ment** (*mánidchment*) s. manejo; administración. /**r**

(*mánidchör*) s. administrador.
mandat/ary (*mándateri*) s. mandatario. /**e** (*mándeit*) s. mandato; orden.
mane (*méin*) s. crin.
manful (*mánful*) adj. bravo, valiente.
manger (*méindchör*) s. pesebre.
mangle (*mángl*) s. calandria; tr. despedazar.
mango (*mángo*) s. *bot.* mango.
manhood (*mánjud*) s. virilidad, valentía.
mania (*mélnia*) s. manía. /**c** (*méiniac*) adj. y s. loco, maniático.
manicure (*mánikiuör*) s. manicuro(a).
manifest (*mánifest*) adj. manifiesto; tr. manifestar. /**o** (*manifésto*) s. manifiesto.
manifold (*mánifould*) adj. múltiple; variado.
manikin (*mánikin*) s. maniquí.
manipulate (*manipiuleit*) tr. manipular.
man/kind (*mancáind*) s. humanidad. /**like** (*mánlaik*) adj. viril. **ly** (*mánli*) adj. varonil.
manner (*mánör*) s. manera; modo; pl. modales.
manœuvre (*manúva*) s. maniobra; tr., intr. maniobrar.
manor (*nána*) s. casa solariega. /**ial** (*manórial*) adj. solariego.
mansion (*mánschön*) s. mansión; morada.
manslaughter (*mánslotör*) s. homicidio.
mantel (*mántl*) s. campana de chimenea. /**piece** (*mántulpis*) repisa.
mantle (*mántl*) s. manto.
manual (*mánual*) adj. y s. manual.
manufactur/e (*maniufakcha*) s. manufactura, tr. manufacturar.

manure (*maniúa*) s. abono; estiércol; tr. abonar.

manuscript (*mániuscript*) s. manuscrito.

many (*méni*) adj. muchos.

map (*máp*) s. mapa.

marble (*marbl*) s. mármol; bola (de juego).

March (*márch*) s. marzo (mes); intr. marchar.

mare (*méa*) s. yegua.

margin (*mádchin*) s. margen, borde; tr. marginar.

marine (*marín*) adj. marino, marítimo; s. marina, marino. /r (*márinör*) s. marinero.

mark (*maak*) s. marca; marco (moneda); tr. marcar. /trade — marca de fábrica.

market (*márket*) s. mercado, tr. mercar. /able (*márketebl*) adj. comerciable.

mirmalade (*mármaleid*) s. mermelada (de naranja).

marquis (*márcuis*) s. marqués.

marr/iage (*máridch*) s. matrimonio. /y (*mári*) tr., intr. casar(se). /led (*márid*) adj. casado.

marrow (*márou*) s. tuétano; médula.

marsh (*mársh*) s. pantano; ciénaga; laguna.

marshal (*márschal*) s. mariscal; tr. ordenar.

mart (*márt*) s. mercado.

martial (*márschal*) adj. marcial; militar. /court — s. consejo de guerra.

martyr (*máta*) s. mártir; tr. martirizar. /d o m (*mátódöm*) s. martirio.

marvel (*márvel*) s. maravilla; intr. maravillarse; /lous (*márvelös*) adj. maravilloso.

masculine (*máskiulin*) adj. masculino; varonil.

mash (*másch*) s. masa; mezcla; tr. triturar.

mask (*másk*) s. máscara; tr. enmascarar, disfrazar.

mason (*méisn*) s. albañil; francmasón. /ry (*méisenri*) s. albañilería.

mass (*más*) s. masa; montón; misa, tr. juntar.

massacre (*másakör*) s. degüello, matanza.

mass/age (*másidch*) s. masaje; tr. hacer (un) masaje.

master (*másta*) s. amo; maestro; patrón; adj. principal; tr. gobernar. /ly (*mástörli*) adj. magistral.

masticate (*mástikeit*) tr. masticar; mascar.

mastiff (*mástif*) s. mastín.

mat (*mát*) s. estera.

match (*mách*) s. cerilla; partido, combate, pareja, igual, tr. aparear; casar; intr. concordar, /less (*máchles*) adj. incomparable.

mate (*méit*) s. compañero, pareja, mate en ajedrez; *Mar.* piloto; tr. aparear.

material (*matíriąl*) adj. material; s. material. /ism (*matírialism*) s. materialismo. /lst (*matírialist*) s. materialista.

matern/al (*matö'rnal*) adj. maternal, /ity (*matö'rniti*) s. maternidad.

mathematic(al) [*mazimátic(al)*] adj. matemático. /s (*mazimátics*) s. pl. matemáticas.

matriculat/e (*matrikiuleit*) tr. matricular; /ion (*matrikiuléischön*) s. matriculación.

matrimon/ial (*matrimónial*) adj. matrimonial; marital. /y (*mátrimöni*) s. matrimonio.

matrix (*métrics*) s. matriz.

matron (*méitrön*) s. matrona, mujer casada

matter (*mátö*) s. materia; asunto: *Med.* pus; tr. importar; **what is the — ?** ¿qué pasa?

mattress (*mátres*) s. colchón.

matur/e (*matiúa*) adj. maduro; tr. madurar. **/ity** (*matiúriti*) s. madurez; sazón.

maul (*mól*) s. mazo.

maxim (*mácsim*) s. máxima. **/um** (*mácsimöm*) s. máximo.

may (*méi*) intr. poder; tener permiso. **/be** (*méibi*) adv. quizá(s), acaso.

May (*méi*) s. mayo (mes).

mayor (*méör*) s. alcalde.

maze (*méis*) s. laberinto; confusión, perplejidad;

me (*mí*) pron. me, mi.

meadow (*médou*) s. prado, pradera.

meagre (*mígör*) adj. magro; flaco.

meal (*míil*) s. comida.

mean (*míin*) s. y adj. sórdido, mezquino; medio; s. (término) medio; pl. medios; tr. significar, pretender; intr. proponerse. **/ing** (*míning*) s. significado. **/ness** (*mínnes*) s. mezquindad.

m e a n d e r (*miándör*) s. meandro.

measles (*míisels*) s. sarampión; roña.

measur/e (*méchör*) s. medida; tr. medir. **/ement** (*méchörment*) s. medición.

meat (*míit*) s. carne.

mechani/c (*mecánic*) adj. y s. mecánico; pl. mecánica (la). **/cal** (*mecánical*) adj. mecánico. **/ze** (*mécanais*) tr. mecanizar

medal (*médal*) s. medalla.

meddle (*médl*) intr. (entre)meterse. **/some** (*médölsöm*) adj. entremetido.

mediæval (*medíival*) adj. medieval.

mediat/e (*mídieit*) r. procurar; mediar; intr. interponerse; adj. mediato; medio. **/ion** (*midiéischön*) s. mediación.

medic/al (*médical*) adj. médico. **/inal** (*medísinal*) adj. medicinal. **/ine** (*médisin*) s. medicina.

mediocr/e (*midiókör*) adj. mediocre. **/ity** (*midiócriti*) s. mediocridad.

meditat/e (*méditet*) tr. e intr. meditar. **/ion** (*meditéischön*) s. meditación.

medium (*mídiöm*) s. medio; adj. medio.

medley (*médli*) s. mezcla; adj. mezclado.

meek (*míik*) adj. manso, humilde. **/ness** (*míiknes*) s. mansedumbre.

meet (*míit*) tr. encontrar; hacer frente a; intr. encontrarse; reunirse; adj. idóneo. **/ing** (*míting*) s. asamblea.

melancholy (*mélancoli*) s. melancolía; hipocondría; adj. melancólico.

mellow (*mélou*) adj. maduro; tr. madurar.

melod/ious (*milóudiös*) adj. melodioso. **/y** (*mélodi*) s. melodía.

melon (*mélön*) s. melón. **/water** — s. sandía.

melt (*mélt*) tr., intr. fundir(se), derretir(se). **/ing** (*mélting*) s. fusión.

m e m b e r (*mémbör*) s. miembro.

membrane (*mémbrein*) s. membrana.

mem/ento (*miménto*) s. memoria. **/oir** (*mémuar*) s. memoria; **/orandum** (*memorándöm*) s. memoria. **/orial** (*memórial*) s. memorial; adj. conmemorativo. **/orize** (*mémorais*) aprender de memoria

men (*mén*) s. pl. hombres; gentes.

menace (*ménes*) s. amenaza; tr. amenazar.

mend (*ménd*) tr. remendar; intr. enmendarse.

mendaci / ous (*mendéschös*) adj. mentiroso. **/ty** (*mendásiti*) s. mentira, mendacidad.

menial (*mínial*) adj. doméstico; bajo; servil.

mens/es (*ménsis*) se pl. menstruación, regla. **/trual** (*ménstrual*) adj. menstrual. **/truate** (*ménstrueit*) intr. menstruar. **/truation** (*menstruéischön*) s. menstruación; regla.

mental (*méntal*) adj. mental; s. fam. maniático.

mention (*ménschön*) s. mención; tr. mencionar.

mercenary (*mö'rseneri*) adj. y s. mercenario.

merchan/dise (*mö'rchandais*) s. mercancía. **/t** (*mö'rchant*) s. comerciante; adj. mercantil.

merc/iful (*mö'rsiful*) adj. misericordioso. **/iless** (*mö'rsiles*) adj. despiadado. **/y** (*mö'rsi*) s. misericordia.

mercury (*mö'rkiurï*) s. mercurio; azogue.

mere (*mía*) adj. mero.

merge (*mö'rdch*) tr. sumergir; fundir.

meridi/an (*mirídian*) s. meridiano; mediodía; adj. meridiano. **/onal** (*mirídional*) adj. meridional.

merit (*mérit*) s. mérito; tr. merecer.

merr/iment (*mériment*) s. júbilo. **/y** (*méri*) adj. alegre. **/y-go-round** s. tiovivo, caballitos.

mess (*més*) s. porción, ración, rancho, lío. **mess/age** (*mésidch*) s. mensaje. **/enger** (*mésendchör*) s. mensajero.

Messiah (*mesáia*) s. Mesías.

metal (*métal*) s. metal. **/lic** (*metálic*) adj. metálico. **/lurgy** (*métalördchi*) s. metalurgia.

metamorphos/e (*metamórfous*) s. metamorfosis. **/is** (*metamórfousis*) s. metamorfosis.

metaphor (*métaför*) s. metáfora.

metaphysic (*metafísic*) adj. metafísico. **/s** (*metafísics*) s. metafísica (la).

meteor (*mitiör*) s. meteoro. **/ological** (*mitiorolódchical*) adj. meteorológico. **/ology** (*mitiorólodchi*) s. meteorología.

meter (*mitör*) s. contador, medidor.

method (*mézöd*) s. método. **/ic(al)** [*mezódic(al*)] adj. metódico.

metr/e (*mitör*) s. metro. **/ical** (*métrical*) adj. métrico. **/opolitan** (*metropólitan*) s. y adj. metropolitano.

mettle (*métl*) s. temple.

mew (*miú*) s. jaula; corral; maullido; tr. enjaular; maullar intr. **/s** (*miús*) caballerizas.

Mexican (*mécsican*) adj. y s. mejicano.

micro/be (*máicroub*) s. microbio. **/scope** (*máicroscoup*) s. microscopio.

mid (*mid*) adj. medio. **/day** (*middei*) s. mediodía. **/dle** (*mídl*) adj. medio; central; s. medio. **/dle man** s. intermediario. **/dling** (*midling*) adj. mediocre. **/st** (*midst*) s. medio; adv. en medio; prep. entre. **/wife** (*miduaif*) s. comadre.

mien (*miin*) s. semblante.

might (*máit*) s. poder. **/y** (*máiti*) adj. fuerte.

migrat/e (*maigréit*) intr. emigrar. **/ion** (*maigréischön*) s. emigración.

mild (*máild*) adj. suave,
mildew (*míldiu*) s. moho;
intr. enmohecerse.
mile (*máil*) s. milla
milita/ry (*militari*) adj.
militar. /**te** (*militeit*) intr. militar; pelear.
milk (*mílk*) s. leche; tr.
ordeñar. /**man** (*mílkman*)
s. lechero. /**y** (*mílki*)
adj. lácteo; fig. dulce.
/**y way** s. vía láctea.
mill (*míl*) s. molino; fábrica; tr. moler. /**er**
(*milör*) s. molinero.
millenary (*mílenary*) s.
adj. milenario.
milliner (*milinör*) s. som-
brerera, modista.
million (*mílliön*) s. millón.
/**aire** (*milonéa*) s. mi-
llonario
mim/e (*máim*) s. mimo;
pantomima; intr. imitar.
/**ic** (*mímic*) s. mimo;
adj. mímico; tr. imitar.
mince (*mins*) tr. desmenuzar, picar carne, paliar
mind (*máind*) s. mente;
intención; tr. observar,
considerar, cuidar de.
/**never** —! ¡no importa!
mine (*máin*) pron. mío.
mine (*máin*) s. mina; intr.
minar, zapar. /**r** (*máinör*) s. minero. /**ral**
(*mínöröl*) s y adj. mineral.
mingle (*míngl*) tr. e intr.
mezclar(se).
miniature (*míniatiua*) s.
miniatura.
minim/al (*mínimal*) adj.
mínimo. /**ize** (*mínimats*)
tr. quitar importancia.
/**um** (*mínimöm*) s. mínimo.
minist/er (*mínistö*) s.
ministro; tr. e intr. au-
xiliar, servir; intr. ofi-
car. /**erial** (*ministírial*)
adj. ministerial. /**ery**
(*ministöri*) s. ministerio.
mink (*mínk*) s. visón.
minor (*máinör*) s. menor;
adj. menor. /**ity** (*mainó-
riti*) s. minoría

minster (*mínstör*) s. monasterio; catedral.
mint (*mint*) s. *Bot.* menta; ceca; tr. acuñar.
minus (*máinös*) adj. menos; en déficit negativo.
minute (*minit*) s. minuto,
momento; minuta, nota;
adj. menudo, diminuto.
minx (*mínks*) s. bribona.
mirac/le (*míracl*) s. milagro. /**ulous** (*mirákiu-
lös*) adj. milagroso.
mirage (*mírách*) s. espe-
jismo.
mire (*máia*) s. lodo; fango; cieno; tr. enlodar.
mirror (*míra*) s. espejo.
mirth (*mörz*) s. alegría;
gozo. /**ful** (*mö'rzful*)
adj. alegre; jovial; go-
zoso.
mis/adventure (*misadvén-
cha*) s. desventura.
mis/apply (*misaplái*) tr.
hacer mal uso de. /**ap-
prehend** (*misapriénd*) tr.
entender mal. /**appre-
hension** (*misaprijéns-
chön*) s. equivocación.
/**become** (*misbekö'm*)
intr. no convenir. /**be-
have** (*misbijéiv*) intr.
portarse mal. /**behaved**
(*misbijéivt*) adj descortés. /**behaviour** (*misbi-
jéivia*) s. mala conducta.
/**carriage** (*miscáridch*) s.
aborto.
miscellan/eous (*miseléi-
niös*) adj. diverso. /**y**
(*míseleni*) s. miscelánea.
mischie/f (*míschif*) s.
mal; daño. /**vous** (*mís-
chivös*) adj. dañino.
misconceive (*misconstv*)
tr. entender mal
misconduct (*miscóndöct*)
s. extravío, mala con-
ducta; (*miscondö'ct*) tr.
desacertar, errar.
miscount (*miscáunt*) tr.
contar mal.
misdeed (*misdíd*) s. fechoría.
misdeem (*misdím*) tr. juzgar mal; equivocar.

misdemeano(u)r (*misde-minör*) s. mala conducta

misdoing (*misdúing*) s. yerro; mala acción.

miser (*máisör*) s. tacaño. **/able** (*mísörabl*) adj. miserable. **/y** (*mísöri*) s. miseria.

misfit (*misfít*) intr. encajar mal, sentar mal.

misfortune (*misfótiun*) s. infortunio; desgracia.

misgiv/e (*misguív*) tr. llenar de dudas. **/ing** (*misguíving*) s. recelo; duda.

misguide (*misgáid*) tr. des(en)caminar.

mishap (*misjáp*) s. desgracia; contratiempo.

mislay (*misléi*) tr. colocar mal; extraviar.

mislead (*mislíd*) tr. extraviar; desorientar.

mismanage (*mismánidch*) tr. administrar mal.

misplace (*mispléis*) tr colocar mal.

misprint (*misprínt*) s. errata (de imprenta).

mispronounce (*mispronáuns*) intr. pronunciar mal.

misrepresent (*misrepresént*) tr. tergiversar.

miss (*mís*) tr. perder (el tren), errar, echar de menos; intr. frustrarse. **/ing** (*mísing*) adj. ausente.

miss (*mís*) s. señorita; pérdida; falta.

missile [*mís(a)il*] s. proyectil; adj. arrojadizo.

mission (*mischön*) s. misión. **/ary** (*mischöneri*) adj. misionero misional; s. misionero.

misspell (*misspél*) tr. deletrear mal.

mist (*míst*) s. niebla.

mistake (*mistéik*) s. equivocación, error, yerro; tr. e intr. equivocar(se).

mister (*místör*) s. señor

mistimed (*mistáimt*) adj. inoportuno.

mistletoe (*míseltou*) s. *Bot.* muérdago.

mistress (*místres*) maestra, ama (de casa); fulana, amante.

mistrust (*míströ'st*) s. desconfianza; recelo; tr. desconfiar de, dudar de.

misty (*místi*) adj. brumoso; nebuloso.

misunderstand (*misöndörstánd*) tr. comprender mal. **/ing** (*misöndörstánding*) s. incomprensión, equivocación.

misuse (*misiús*) abuso, maltrato; tr. abusar de.

mitigate (*mítigueit*) tr. mitigar; aplacar; calmar.

mitre (*máitör*) s. mitra.

mix (*mícs*) tr. mezclar; intr. mezclarse. **/ed** (*micst*) adj. mezclado. **/ture** (*míkschör*) s. mezcla.

mizzle (*mísl*) s. llovizna; intr. lloviznar.

moan (*móun*) s. gemido; intr. gemir.

moat (*móut*) s. foso.

mob (*mób*) s. tumulto; populacho; tr. atropellar.

mobil/e [*móub(a)il*] adj. móvil, movible. **/ization** (*mobilaiséischön*) s. movilización. **/ize** (*móubilais*) tr. movilizar.

mock (*móc*) s. burla; adj. falso; tr. burlarse de; intr. burlarse. **/ery** (*móköri*) s. mofa.

mode (*móud*) s. modo; moda. **/l** (*módel*) s. modelo; tr. modelar.

moderat/e (*módöreit*) adj. moderado; tr. moderar. **/ion** (*modöréischön*) s. moderación.

modern (*módörn*) adj. y s. moderno. **/ize** (*módörnais*) tr. modernizar.

modest (*módest*) adj. modesto. **/y** (*módesti*) s. modestia.

modif/ication (*modifikéischön*) s. modificación.

/y (módifai) tr. modificar.

modulat/e (módiuleit) tr. modular. **/ion** (modiuléischön) s. modulación;

Mohammedan (mojámedan) s. y adj. mahometano.

moist (móist) adj. húmedo; mojado. **/en** (móisn) tr. humedecer.

mole (móul) s. muelle; topo, lunar, mancha.

molecul/ar (molékiular) adj. molecular. **/e** (mólekiul) s. molécula.

molest (molést) tr. molestar.

moment (móument) s. momento; importancia. **/ous** (moméntös) adj. crítico.

monarch (mónac) s. monarca. **/ic(al)** (monákic(al) adj. monárquico. **/y** (mónaki) s. monarquía.

monast/ery (mónastöri) s. monasterio. **/ic** (monástic) adj. monástico.

Monday (mö'ndei) s. lunes.

mone/tary (mö'netari) adj. monetario. **/y** (mö'ni) s. dinero, moneda. **/y order** s. giro (postal).

mongrel (mö'ngrel) s. mestizo; adj. mezclado.

monitor (mónitör) s. instructor.

monk (mö'nk) s. monje.

monkey (mön'ki) s. mono,(a); simio.

mono/logue (mónolog) s. monólogo. **/mania** (monoménia) s. monomanía. **/maniac** (monoméiniac) s. maníaco. **/polize** (monópolais) tr. monopolizar. **/poly** (monópoli) s. monopolio.

monst/er (mónstör) s. monstruo. **/rosity** (monstrósiti) s. monstruosidad. **/rous** (mónströs) adj. monstruoso; maravilloso;

month (mö'nz) s. mes **/ly** (mö'nzli) adj. mensual; adv. mensualmente.

monument (móniument) s. monumento.

mood (múd) s. humor, talante, genio; capricho; Gram. modo. **/y** (múdi) adj. caprichoso.

moon (mún) s. luna. **moor** (múa) s. pantano; moro; tr. amarrar.

mop (mop) s. estropajo, aljofifa; tr. fregar.

moral (móral) adj. moral; s. moralidad; moraleja; pl. costumbres. **/e** (morál) s. moral, estado de ánimo. **/ity** (moráliti) s. moralidad. **/ize** (móralais) tr. moralizar.

morb/id (mórbid) adj. mórbido. **/ose** (morbóus) adj. morboso.

more (móa) adj. más, mayor; adv. más. **/over** (moaróuva) adv. además.

morning (móning) s. mañana; adj. matutino.

Morocc/an (morócan) adj. y s. marroquí. **/o** (moróco) s. marroquí.

morose (moróus) adj. moroso.

morsel (mórsel) s. bocado, pedazo.

mortal (mórtal) adj. y s. mortal. **/ity** (mortáliti) s. mortalidad.

mortar (mórtör) s. mortero; almirez, argamasa.

mortgage (móguedch) s. hipoteca; tr. hipotecar.

mort/iferous (mortífiirös) a d j. mortífero. **/fy** (mórtifai) tr. mortificar. **/uary** (mórtiueri) s. cementerio; adj. mortuorio.

mosaic (moséic) adj. y s. mosaico.

mosque (mosk) s. mezquita.

mosquito (moskítou) s. mosquito.

moss (mós) s. moho.

most (*móust*) adj. lo
más; los más; adv. su-
mamente; s. el mayor
número. /**ly** (*móustli*)
adv. generalmente.

moth (*móz*) s. polilla.

mother (*mö'dö*) s. madre; matriz; adj. mater-
nal. /**-in-law** s. suegra.
/**hood** (*mödörjud*) s. maternidad.

motion (*móuschön*) s.
movimiento; ademán,
moción. /**less** (*móuschön-
les* adj. inmóvil.

motive (*móutiv*) s. moti-
vo; móvil; adj. motriz.

motor (*móuto*) s. motor.
/**-car** s. automóvil. /**-cy-
cle** s. moto(cicleta).

mottle (*motl*) tr. motear.

motto (*mótou*) s. lema.

mould (*móuld*) s. molde;
moho; tr. moldear; intr.
enmohecerse.

mound (*máund*) s. terraplén, montículo.

mount (*máunt*) s. monte;
montura; tr. montar.

mountain (*máunten*) s.
montaña. /**- range** s.
cordillera. /**eer** (*maun-
tenía*) s. montañés, mon-
tañero. /**ous** (*máuntenös*)
adj. montañoso.

mountebank (*máuntibank*)
s. saltimbanquis.

mourn (*mourn*) tr. deplorar; llorar; intr. lamen-
tarse; llevar luto. /**ful**
(*mournful*) adj. lúgubre.
/**ing** (*mourning*) s. aflicción; luto.

mouse (*máus*) s. ratón.

mouth (*máuz*) s. boca,
desembocadura. /**ful**
(*máuzful*) s. bocado.

mov/e (*múv*) s. movimiento; tr. mover, con-
mover; intr. moverse.
/**ement** (*múvment*) s.
movimiento. /**ies** (*mú-
vies*) s. fam. películas.
/**ing** (*múving*) adj. mo-
riz; conmovedor.

mow (*móu*) tr. guadañar;
segar. /**ing** (*móuing*) s.
siega.

much (*möch*) adj. mucho; adv. mucho; muy.
/**as** — **as** tanto como.

muck (*mö'k*) s. estiércol;
abono; tr. estercolar.

mud (*mö'd*) s. lodo; tr.
enturbiar. /**dle** (*mö'dl*)
s. desorden; tr. entur-
biar. /**-guard** s. guarda-
barros.

muffle (*mö'fl*) s. funda;
tr. embozar. /**r** (*mö'flör*)
s. embozo; bufanda, si-
lenciador.

mulatto (*miuláto*) s. mulato.

mulberry (*mö'lberi*) s.
Bot. mora.

mule (*miúl*) s. mulo.

multi/millionaire (*mölti-
miliönea*) s. multimillo-
nario. /**ple** (*mö'ltipl*)
adj. múltiple. s. múlti-
plo. /**plication** (*moltipli-
kéischön*) s. multiplica-
ción. /**ply** (*mö'ltiplai*)
tr. multiplicar.

multitud/e (*mö'ltitiud*) s.
multitud; muchedumbre.

mumble (*mö'mbl*) intr.
gruñir; murmurar.

mumm/ify (*mö'mifai*) tr.
momificar. /**y** (*mö'mi*) s.
momia.

mump (*mö'mp*) tr. farfu-
llar. /**s** (*mö'mps*) s. murria; *Méd.* paperas.

munch (*mö'nch*) tr. mascar, ronzar.

mundane (*mö'ndein*) adj.
mundano.

municipal (*miunísipal*)
adj. municipal.

munition (*miunischön*) s.
Mil. municiones.

murder (*mö'rdör*) s. ase-
sinato; tr. asesinar, ma-
tar. /**er** (*mö'rdörör*) s.
asesino; homicida. /**ess**
(*mö'rdörös*) f. asesina.

murmur (*mö'rmör*) s.
murmullo; murmuración;
intr. murmurar.

muscat (*mŏs'cat*) s. moscatel. **/el** (*mŏ'scatel*) s.
moscatel.
musc/le (*mŏ'sl*) s. músculo. **/ular** (*mŏ'skiular*)
adj. muscular.
mus/e (*miús*) intr. meditar; s. musa.
museum (*miusiŏm*) s. museo.
mushroom (*mŏ'schrum*) s.
Bot. seta; hongo.
music (*miúsic*) s. música.
/-hall s. cabaret, sala de
fiestas. **/al** (*miúsical*) adj.
musical. **/ian** (*miusis-
chan*) s. músico.
muslim (*mŏ'slim*) adj. y
s. musulmán.
muslin (*mŏ'slin*) s. muse-
lina.
mussel (*mŏ'sl*) s. meji-
llón.
must (*mŏ'st*) aux. deber;
ser preciso.
must (*mŏ'st*) s. mosto.
mustache (*mŏstásch*) s.
bigote, mostacho.
m u s t a r d (*mŏ'stard*) s.
mostaza.
muster (*mŏ'stŏr*) s. Mil.
revista; tr. pasar revista.
must/iness (*mŏ'stines*) s.
moho. **/y** (*mŏ'sti*) adj.
mustio; mohoso; añejo.
mutab/ility (*miutabíliti*)

s. mutabilidad. **/le** (*miú-
tabl*) adj. mudable.
mute (*miút*) s. mudo.
mutilat/e (*miútileit*) tr.
mutilar. **/ion** (*miutiléis-
chŏn*) s. mutilación.
mutin/eer (*miutinía*) s.
rebelde, faccioso. **/ous**
(*miútinŏs*) adj. amotina-
do. **/y** (*miútini*) s. motín, intr. amotinarse.
mutter (*mŏ'tŏr*) tr., intr.
gruñir; refunfuñar.
mutton (*mŏ'tn*) s. carne
de carnero.
mutual (*miútiual*) adj.
mutuo. **/ity** (*miutiudlíti*)
s. mutualidad.
muzzle (*mŏ'zl*) s. hocico,
bozal, boca, mordaza,
tr. embozar.
myop/e (*máioup*) s. miope. **/y** (*máiopi*) s. mio-
pía.
myself (*maisélf*) pron. yo
o mí mismo, me, a mí.
myster / ious (*mistiriŏs*)
adj. misterioso. **/y** (*mís-
tŏri*) s. misterio.
mystic (*místic*) adj. y s.
místico. **/ism** (*místisism*)
s. misticismo.
myth (*míz*) s. mito. **/ic**
(*mízic*) adj. mítico. **/olo-
gical** (*mizolódchical*) adj.
mitológico. **/ology** (*mi-
zólodchi*) s. mitología.

N

nag (*nág*) s. rocín, pen-
co, tr. regañar.
nail (*néil*) s. uña; garra;
clavo; tr. clavar.
naive (*naív*) adj. ingénuo.
naked (*néikit*) adj. desnudo, faccioso. **/ness**, (*néikidnes*)
s. desnudez.
name (*néim*) s. nombre;
apellido, tr. nombrar.
/less (*némles*) adj. innominado. **/ly** (*néimli*)

adv. a saber.
nanny (*náni*) s. niñera.
nap (*náp*) s. sueño ligero; siesta, pelusa, vello.
nape (*néip*) s. nuca.
napkin (*nápkin*) s. servi-
lleta; **baby** — s. pañal.
narcotic (*narcótic*) adj. y
s. narcótico; soporífero.
narrat/e (*naréit*) tr. na-
rrar. **/ion** (*naréischŏn*)
s. narración. **/ive** (*nára-

tiv) adj. narrativo; s.
narrativa; relato, cuento.
narrow *(nárou)* adj. estrecho, angosto, tr., intr.
estrechar(se). */s (nárous)*
s. (paso) estrecho.
nasal *(néisal)* adj. nasal.
nast/iness *(nástines)* s. suciedad. */y (násti)* adj.
sucio, obsceno.
natal *(néital)* adj. natal.
nation *(néischön)* s. nación. */al (náschönal)*
adj. nacional. */ality (ná-
schönáliti)* s. nacionali-
dad.
nativ/e *(néitiv)* adj. nativo; originario; natural;
s. indígena. */ity (nati-
víti)* s. natividad.
natural *(náchöral)* adj. natural. */ize (náchöralais)*
tr. naturalizar.
nature *(néicha)* s. naturaleza; carácter. */good
—d* adj. bondadoso.
naught *(nót)* s. cero.
naughty *(nóti)* adj. malo; travieso; díscolo.
nause/a *(nóschia)* s. náusea. */ate (nóschieit)* tr.
causar náuseas; intr. te-
ner bascas. */ous (nós-
chiös)* adj. nauseabundo.
naval *(néival)* adj. naval.
navel *(néivl)* s. ombligo.
naviga/ble *(návigabl)* adj.
navegable. */te (návigue-
it)* tr. navegar; gober-
nar. */tion (naviguéis-
chön)* s. navegación.
navy *(néivi)* s. marina.
nay *(nei)* adv. no; además; s. negación; no, vo-
to negativo.
near *(nía)* prep. cerca de;
adv. cerca, cerca de.
tr., intr. acercar(se). */ly
(níali)* adv. cerca; casi.
neat *(níit)* adj. neto; limpio. */ness (nítnes)* s. limpieza; pulcritud.
necess/ary *(néseseri)* adj.
necesario; s. lo impres-
cindible. */ity (nesésiti)*
s. necesidad.

neck *(nék)* s. cuello. */la-
ce (nékleis)* collar. */tie
(néktai)* s. corbata.
necrosis *(nicróusis)* s. necrosis; gangrena.
need *(níd)* s. necesidad,
tr. necesitar, intr. ser
necesario. */ful (nídful)*
adj. necesario. */less (ní-
dles)* adj. inútil. */y (ni-
di)* adj. indigente.
needle *(nídl)* s. aguja.
/work (nÍduluörk) s.
costura, labor de aguja.
nefarious *(neferiös)* adj.
malvado, nefando.
negative *(négativ)* s. negativa; adj. negativo.
negl/ect *(negléct)* s. ne-
glicencia, tr. descuidar.
/ectful (negléctful) adj.
negligente. */igent (né-
glidchent)* adj. negligente.
negotia/te *(nigóuschieit)*
tr. intr. negociar. */tion
(nigouschiéischön)* s. ne-
gociación.
negr/ess *(nigres)* s. negra. */o (nígro)* s. ne-
gro.
neigh *(néi)* s. relincho;
intr. relinchar.
neighbour *(néiba)* s. vecino; prójimo. */hood
(néibajud)* s. vecindario;
vecindad.
neither [n(a)idör] pron.
ni uno ni otro; adj. nin-
gún (de dos); conj. ni.
neologism *(niólodchism)*
s. neologismo.
nephew *(néviu)* s. sobri-
no.
nepotism *(népotism)* s. nepotismo; sobrinazgo.
nerv/e *(nö'rv)* s. nervio;
vigor; *fam.* descaro.
/ous (nö'rvös) adj. nervioso.
nest *(nést)* s. nido; tr.
anidar. */le (nésl)* intr.
acurrucarse; tr. acari-
ciar.
net *(net)* s. red; malla;
adj. neto; tr. enredar.

neur/algia (*niuráldchia*) s. *Med.* neuralgia. **/asthenia** (*niuraszínia*) s. neurastenia. **/asthenic** (*niuraszínic*) adj. neurasténico. **/otic** (*niurótic*) adj. neurótico.

neut/er (*niútr*) adj. y s. neutro. **/ral** (*niútral*) adj. s. neutral, **/rality** (*niutráliti*) s. neutralidad.

never (*néva*) adv. nunca, jamás. **/theless** (*nóvórdeles*) adv. sin embargo, no obstante.

new (*niú*) adj. nuevo. **/s** (*niús*) s. noticia(s), aviso. **/spaper** (*niúspeipa*) s. periódico. **/sreel** (*niúsril*) s. noticiario (cinematográfico).

next (*necst*) adj. próximo; contiguo; siguiente; sucesivo; adv. luego.

nice (*ndís*) adj. bonito, agradable, delicado, fino, amable, simpático. **/ly** (*náisli*) adv. delicadamente. **/ness** (*náisnes*) s. finura; delicadeza.

niche (*nísch*) s. nicho.

nick (*níc*) s. muesca. tr., intr. hacer muescas.

nickel (*níkl*) s. *Quim.* níquel; (U. S. A.) moneda de cinco centavos.

nickname (*nícneim*) s. apodo; mote.

nicotine (*nícotin*) s. nicotina.

niece (*nís*) s. sobrina.

niggard (*nígórd*) adj. y s. avaro, tacaño.

nigh (*nái*) prep. cerca de; junto a; adv. cerca; casi; adj. vecino.

night (*náit*) s. noche. **/fall** (*náitfol*) s. anochecer. **/ingale** (*náitingueil*) s. ruiseñor. **/mare** (*náitmea*) s. pesadilla.

nihilism (*náijilism*) s. nihilismo.

nimble (*nímbl*) adj. ligero; ágil. **/ness** (*nímbulnes*) s. ligereza; agilidad.

nimbus (*nímbös*) s. nimbo; aureola.

nine (*náin*) s. y adj. nueve. **/pins** (*náinpins*) s. juego de bolos. **/teen** (*náintin*) adj. diez y nueve. **/ty** (*náinti*) adj. noventa.

nip (*níp*) s. pellizco, uñada, tr. pellizcar. **/pers** (*nipörs*) s. pl. alicates.

nipple (*nípl*) s. pezón.

no (*nóu*) adv. no; adj. ninguno; s. no.

nob/iliary (*nobíliary*) s. nobiliario. **/ility** (*nobíliti*) s. n o b l e z a. **/le** (*nóubl*) adj. noble. s. aristócrata, noble. **/leman** (*nóubulman*) s. noble.

nobody (*nóubodi*) s. nadie; ninguno.

noct/ambulist (*noctámbiulist*) s. noctámbulo. **/urnal** (*noctó'rnal*) adj. nocturno. **/urne** (*nóctörn*) s. nocturno.

nod (*nód*) intr. cabecear; tr. hacer señas con la cabeza; s. cabeceo; saludo.

nois/e (*nóis*) s. ruido. **/eless** (*nóisles*) adj. silencioso. **/y** (*nóisi*) adj. ruidoso.

nomad (*nóumad*) adj. nómada; errante. **/ic** (*noumádic*) adj. nómada.

nomin/al (*nóminal*) adj. nominal. **/ate** (*nómineit*) tr. nombrar. **/ation** (*nomineíschön*) s. nombramiento.

none (*nö'n*) pron. y adj. nadie, ninguno.

nonplus (*nónplös*) s. perplejidad, estupefacción; tr. dejar perplejo.

nonsense (*nónsens*) s. disparate; necedad.

noodle (*núdl*) s. tallarín; *fam.* s. simplón.

nook (*núc*) s. rincón.

noon (*nún*) s. mediodía.

noose (*nús*) lazo corredizo; tr. lazar, entrampar.

nor (*nór*) conj. ni.

norm (*nórm*) s. norma. /al (*nórmal*) adj. normal.

north (*nórz*) s. norte; adj. del norte. /ern (*nórdörn*) adj. norteño. /erly (*nozörli*) adj. septentrional.

nose (*nóus*) s. nariz; olfato; sagacidad. tr. oler.

nostalgia (*nostáldchia*) s. nostalgia.

nostril (*nóstril*) s. ventana de la nariz.

not (*nót*) adv. no.

notable (*nóutabl*) adj. notable.

notary (*nóutari*) s. notario.

notch (*nóch*) s. muesca; mella; tr. mellar.

note (*nóut*) s. nota; señal; tr. notar, anotar. /book (*nóutbuc*) s. libreta. /d (*nóuttit*) adj. notable. /worthy (*nóutuördi*) adj. notable.

nothing (*nö'zing*) s. nada; cero, adv. de ningún modo.

notice (*nóutis*) s. nota; aviso; anuncio; tr. notar, advertir. /-board s. tablón de anuncios.

notify (*nótifai*) tr. notificar; advertir.

notion (*nóuschön*) s. noción; idea. /al (*nóuschönal*) adj. imaginario.

notor/iety (*notoráleti*) s. notoriedad. /ious (*notóriös*) adj. notorio.

notwithstanding (*notuizstánding*) adv. no obstante; prep. a pesar de.

nought (*nóot*) s. nada.

nourish (*nö'rich*) tr. nutrir; alimentar. /ing (*nö'rtsching*) adj. nutritivo.

novel (*nóvel*) adj. novel; s. novela. /ist (*nóvelist*) s. novelista. /ty (*nóvelti*) s. novedad.

November (*novémbör*) s. noviembre.

novice (*nóvis*) s. novicio.

now (*náu*) adv. ahora, ya. /adays (*náuedeis*) adv. hoy (en) día.

nowhere (*nóuea*) adv. (en) ninguna parte.

noxious (*nócschös*) adj. nocivo; pernicioso.

nucle/ar (*niúclier*) adj. nuclear, atómico. /us (*niúcleös*) s. núcleo.

nud/e (*niúd*) adj. desnudo. /ity (*niúditi*) s. desnudez.

nudge (*nödch*) s. codazo, tr. dar con el codo.

nuisance (*niúsans*) s. incomodidad, fastidio.

null (*nö'l*) adj. nulo; inválido; tr. anular. /ity (*nö'liti*) s. nulidad.

numb (*nö'm*) adj. entumecido; aterido; tr. entorpecer.

number (*nö'mbör*) s. número; tr. numerar, contar. /less (*nö'mbörles*) adj. innumerable.

numer/al (*niúmöral*) adj. numeral, numérico. /ary (*niúmörari*) adj. numerario. /ical (*niumérical*) adj. numérico. /ous (*niúmörös*) adj. numeroso.

nun (*nö'n*) s. monja; religiosa. /nery (*nö'nöri*) s. convento de monjas.

nunci/ature (*nö'nschiatia*) nunciatura. /o (*nö'nschio*) s. nuncio.

nurse (*nö'rs*) s. enfermera, niñera, ama, nodriza; tr. criar, cuidar. /—ry (*nö'söri*) s. cuarto de los niños; plantel.

nurture (*nö'rcha*) s. nutrimento; tr. criar.

nut (*nö't*) s. nuez, tuerca; fam. chiflado. /cracker (*nö'tcrakör*) s. cascanueces.

nutritio/n (*niutrischön*) s. nutrición. /us (*niutrischös*) adj. nutritivo.

o (*o*) s. interj. ¡oh!

oak (*óuc*) s. roble.

oar (*óa*) s. *Mar.* remo; remero; tr., intr. remar.

oasis (*óasis, oéisis*) s. oasis.

oat (*óut*) s. *Bot.* avena.

oath (*óuz*) s. juramento; blasfemia.

obdura/cy (*óbdiurasi*) s. obstinación. **/te** (*óbdiureit*) adj. obstinado.

obedien/ce (*obidiens*) s. obediencia. **/t** (*obidient*) adj. obediente.

obese (*obís*) adj. obeso.

obey (*obéi*) tr. obedecer.

obfuscat/e (*objó'skeit*) tr. ofuscar. **/ion** (*objóskéischön*) s. ofuscación.

obituary (*obichuari*) s. obituario; necrología.

object (*óbdchect*) s. objeto; (*obdchéct*) tr. objetar; intr. oponerse. **/ion** (*obdchécschön*) s. objeción. **/ive** (*obdchéctiv*) adj. s. objetivo.

obligat/e (*óbligueit*) tr. obligar; comprometer. **/ion** (*obligéischön*) s. obligación. **/ory** (*óbliguetori*) adj. obligatorio.

oblig/e (*obláideh*) tr. obligar. **/ing** (*obláidching*) adj. servicial.

oblique (*oblíc*) adj. oblicuo; sesgado; inclinado.

oblivio/n (*oblívion*) s. olvido. **/us** (*obliviós*) adj. olvidadizo.

obnoxious (*obnócschös*) adj. ofensivo, odioso.

obscen/e (*obsín*) adj. obsceno. **/ity** (*obséniti*) s. obscenidad, indecencia.

obscure (*obskiúa*) adj. obscuro; tr. obscurecer.

obsequi/es (*óbsicuis*) s. pl. exequias. **/ous** (*obsículös*) adj. obsequioso.

observ/ance (*obsö'rvans*) s. observancia. **/ant** (*obsö'rvant*) adj. observante; atento. **/ation** (*obsörvéischön*) s. observación. **/atory** (*obsö'rvatori*) s. observatorio. **/e** (*obsö'rv*) v. observar. **/ing** (*obsö'rving*) adj. atento.

obsess (*obsés*)` tr. obsesionar. **/ion** (*obséschön*) s. obsesión.

obsolete (*óbsolit*) adj. anticuado; desusado.

obstacle (*óbstacl*) s. obstáculo; impedimento.

obstetrics (*obstétrics*) s. obstetricia.

obstina/cy (*óbstinasi*) s. obstinación. **/te** (*óbstineit*) adj. obstinado.

obstruct (*obströ'ct*) tr. obstruir. **/ion** (*obströ'cschön*) s. obstrucción.

obtain (*obtéin*) tr. obtener, conseguir, lograr.

obtrude (*obtrúd*) tr. imponer.

obtuse (*obtiús*) adj. obtuso; embotado, torpe.

obvi/ate (*óbvieit*) tr. obviar, evitar. **/ous** (*óbviös*) adj. obvio.

occasion (*okéichön*) s. ocasión, tr. ocasionar, causar. **/al** (*okéichönal*) adj. ocasional.

occident (*ócsident*) s. occidente. **/al** (*ocsidéntal*) adj. occidental.

occult (*okö'lt*) adj. oculto; tr., intr. ocultar.

occup/ancy (*ókiupanst*) s. ocupación; trabajo **/ant** (*ókiupant*) s. ocupante. /ate (ókiupeit) tr. ocupar. /ation (okiupéischön) s. ocupación. /y (ókiupai) tr. ocupar.

occur (okö'r) tr. ocurrir. /rence (okö'rens) s. ocurrencia; incidente.

ocean (óuschön) s. océano; inmensidad.

o'clock (oclóc) abreviatura de of the clock. /it is five —, son las cinco.

October (octóbör) s. octubre.

octopus (óctopös) s. pulpo.

ocul/ar (ókiular) adj. ocular. /ist (ókiulist) s. oculista.

odd (ód) adj. impar; desemparado, raro. /forty — cuarenta y pico. /ity (óditi) s. rareza. /s (óds) s. desigualdad; ventaja. /s and ends s. retazos, trozos.

ode (óud) s. oda.

odious (óudiös) adj. odioso; detestable.

odour (óuda) s. olor; fragancia; perfume.

of (óv) prep. de; (a, en, con, por, para). /— course naturalmente.

off (óf) adv. lejos; fuera; prep. distante de, de; adj. lo más lejos de, interj. ¡fuera. /go — intr. irse. /switch — tr. apagar. /take — tr. quitar(se); intr. despegar.

offen/ce (oféns) s. ofensa. /d (oténd) tr. ofender; intr. pecar, delinquir. /der (öféndör) s. ofensor. /sive (ofénsiv) ofensiva; adj. ofensivo.

offer (óför) s. oferta; tr. ofrecer, intr. ofrecerse. /ing (óföring) s. ofrenda.

offhand (ófjand) adj. y adv. improvisado.

offic/e (ófis) s. oficio; cargo; oficina; agencia. /er (ófisör) s. oficial,

funcionario, agente, empleado. /ial (ofíschal) adj. oficial; s. funcionario. /iate (ofíschieit) tr. oficiar. /ious (ofíschös) adj. oficioso.

offset (ófset) s. compensación; tr. componer.

offspring (ófspring) s. vástago, linaje.

oft (óft) /en (óftn) adv. frecuentemente.

oil (óil) s. aceite; óleo; petróleo; tr. lubri(fi)car, engrasar. /- cloth s. hule. /skin (óilskin) s. impermeable. /y (óili) adj. adj. aceitoso.

oint (óint) tr. untar. /ment (óintment) s. ungüento.

old (óuld) adj. viejo, anciano, antiguo. /-fashioned adj. anticuado.

olive (óliv) s. Bot. aceituna, oliva. /-grove s. olivar. /-tree s. olivo.

olympi/ad (olímpiad) s. olimpiada. /c (olímpic) adj. olímpico.

omelet (ómlet) s. tortilla.

omen (óumen) s. agüero, presagio. /ed (óument) adj. fatídico.

ominous (óminös) adj. ominoso; siniestro.

omi/ssion (omíschön) s omisión. /t (omít) tr omitir; excluir.

omnibus (ómnibös) s. omnibus.

omnipoten/ce (omnípotens) s. omnipotencia. /t (omnipotent) adj. omnipotente.

on (ón) prep. sobre, en, encima de; adv. encima; interj. ¡vamos! /- foot a pie /come — ¡vamos!

once (uóns) adv. una vez, en otro tiempo; at — en seguida.

one (uons) adj. un; uno cierto, único; s. uno, pron. uno, alguno. /self (uónsélf) pron. se, a sí mismo. /-armed adj. manco.

onion *(ó'niön)* s. cebolla.

only *(óunli)* adj. único; solo; adv. solamente; conj. sólo que, pero.

onset *(ónset)* s. ataque.

onward *(ónuard)* adv. adelante; adj. avanzado.

ooze *(ús)* s. fango; limo; intr. exudar, rezumar.

opaque *(oupék)* adj. opaco.

open *(óupn)* adj. abierto; libre, franco; s. aire libre, raso, tr. abrir, intr. abrirse. /**ing** *(óupening)* s. abertura. /**ness** *(óupennes)* s. franqueza.

opera *(ópöra)* s. ópera.

operat/e *(ópöreit)* intr. obrar; operar; tr. gobernar. /**ion** *(opöréischön)* s. operación.

opinion *(opíniön)* s. opinión.

opium *(óupiöm)* s. opio.

opponent *(opóunent)* s. adversario; antagonista.

opportun/e *(oportiún)* adj. oportuno. /**ity** *(oportiúniti)* s. oportunidad.

oppos/e *(opóus)* tr. oponer, intr. oponerse. /**ed** *(opóusd)* adj. opuesto. /**er** *(opóusör)* s. opositor; antagonista. /**ite** *(óposit)* adj. fronterizo; opuesto. /**ition** *(oposíschön)* s. oposición.

oppress *(oprés)* tr. oprimir. /**ion** *(opréschön)* s. opresión. /**ive** *(oprésiv)* adj. opresivo.

opt *(opt)* intr. optar.

opt/ic(al) *(óptic(al)]* adj. óptico. /**ician** *(optíschan)* s. óptico.

optimis/m *(óptimism)* s. optimismo. /**t** *(óptimist)* s. optimista.

option *(ópschön)* s. opción. /**al** *(ópschönal)* adj. discrecional.

opulen/ce *(ópiulens)* s. opulencia. /**t** *(ópiulent)* adj. opulento.

or *(or)* conj. o, u.

oracle *(óracl)* s. oráculo.

oral *(óural)* adj. oral.

orange *(órendch)* s. naranja. /**-grove** *(órendch)* s. naranjal. /**ade** *(orendchéid)* s. naranjada.

orat/ion *(oréischön)* s. oración; discurso. /**or** *(órator)* s. orador. /**ory** *(óratori)* s. oratorio.

orb *(órb)* s. orbe; esfera. /**it** *(órbit)* s. órbita.

orchard *(óochad)* s. huerto.

orchestra *(órkestra)* s. orquesta.

orchid *(orkid)* s. Bot. orquídea.

ordain *(ordéin)* tr. ordenar; disponer; mandar.

ordeal *(ordíal, órdil)* s. ordalía; prueba dura.

order *(órdör)* s. orden; pedido; tr. ordenar, encargar. /**in — to** para. con objeto de. /**out of —** estropeado. /**ly** *(órdörli)* adj. ordenado; s. Mil. ordenanza.

ordina/ry *(órdineri)* adj. ordinario. /**te** *(órdinit)* adj. regular; ordenado.

ordnance *(órdnans)* s. artillería, cañones.

organ *(órgan)* s. órgano. /**ic** *(orgánic)* adj. orgánico. /**ism** *(órgänism)* s. organismo. /**ization** *(organiséischön)* s. organización. /**ize** *(órganais)* tr. organizar.

orgy *(órdchi)* s. orgía.

Orient *(órient)* s. oriente. adj. oriental, v. orientar(se). /**al** *(ouriéntal)* s. y adj. oriental.

origin *(órìdchin)* s. origen. /**al** *(oridchinal)* adj. s. original. /**ality** *(oridchináliti)* s. originalidad.

orna/ment *(órnament)* s. orna(mento, adorno, atavío; tr. adornar. /**te** *(órnet)* adj. ornado.

orphan *(órfan)* s. y adj. huérfano. /**age** *(órfanidch)* s. orfanato.

orthodox (órzodocs) adj. ortodoxo. **/y** (órzodocsi) s. ortodoxia.

oscillat/e (ósilelt) intr. oscilar; vibrar. **/ion** (osiléischön) s. oscilación.

ostentat/ion (ostentéischön) s. ostentación; fausto. **/ious** (ostentéischös) ostentoso.

ostracism (óstrasism) s. ostracismo.

ostrich (óstrich) s. Orn. avestruz.

other (ö'dör) pron. otro; adj. otro. **/wise** (ö'döruais) adv. de otro modo.

ought (ót) intr. deber.

ounce (áuns) s. onza.

our (áur) pron. nuestro. **/s** (áurs) pron. el nuestro. **/selves** (aursélvs) pron. nos, nosotros mismos.

oust (áust) tr. desalojar.

out (áut) adv. fuera, afuera; adj. agotado, cesante; s. exterior; interj. ¡fuera! tr. expulsar. **/bid** (autbíd) tr. sobrepujar. **/cast** (áutcast) adj. arrojado; s. proscrito. **/come** (áutcam) s. resultado. **/cry** (áutcrai) s. clamor. **/do** (autdú) tr. sobrepujar. **/door** (áutdoa) adj. externo. **/doors** (autdóas) adv. al aire libre. **/er** (áutör) adj. exterior. **/fit** (áufit) s. equipo, ajuar. **/last** (autlást) tr. durar más que. **/law** (áutlo) s. proscrito; tr. proscribir. **/let** (áulet) s. salida. **/line** (áutlain) s. diseño; silueta; tr. perfilar. **/live** (autlív) tr. sobrevivir. **/look** (áútluc) s. aspecto. **/lying** (áutlaiing) adj. distnate. **/most** (áutmoust) adj. extremo. **/number** (autna'mbör) tr. exceder en número. **/post** (áutpoust) s. puesto avanzado. **/rage** (áutréidch) s.

ultraje; tr. ultrajar. **/rageous** (autréidchös) adj. ultrajante. **/right** (áutrait) adj. sincero; adv. en seguida, completamente. **/root** (outrút) tr. desarraigar. **/run** (autrö'n) tr. correr más que otro. **/set** (áutset) s. principio. **/side** (áutsaid) s. exterior; adj. exterior. adv. (a)fuera. **skirts** (áutskörts) s. afueras. **/spoken** (autspóuken) adj. despejado. **/spread** (autspréd) tr. extender. **/standing** (autstánding) adj. sobresaliente; Com. pendiente. **/stretch** (autstréch) tr extender. **/ward** (áutuard) adj. exterior; adv. fuera. **/wards** (áutuards) adv. hacia afuera. **/weigh** (autuéi) tr. preponderar. **/wit** (autuít) tr. chasquear. **/worn** (autuörn) adj. gastado.

oval (óuval) s. óvalo; adj. oval; ovalado.

oven (ö'vn) s. horno.

over (óuva) prep. sobre, encima de; allende, en; adv. al otro lado, al revés, más, demasiado, al dorso. **/ — and —** una y otra vez. **/act** (ovöráct) tr. exagerar. **/alls** (óvörols) s. pl. mono. **/bearing** (ovörbéaring) adj. arrogante. **/board** (óvörbord) adv. Mar. al mar, por la borda. **/burden** (evörbö'rden) tr. sobrecargar; s. sobrecarga. **/cast** (ovörcást) tr. obscurecer; adj. nublado, encapotado. **/charge** (ovörchárdch) tr. sobrecargar; cobrar más. **/coat** (ovörcout) s. abrigo. **/come** (ovörkö'm) tr. superar; intr. sobreponerse. **/do** (ovördú) intr. exceder; tr. exagerar. **/due** (ovördíú) retrasado. **/flow** (ouvaflóu) tr. inundar, intr. desbordarse. *(óuvaflou)* s. inundación; /**growth** *(ovörgróuz)* s. vegetación exuberante. /**haul** *(ovörjól)* tr. revisar. /**head** *(ovörjéd)* adv. encima; /**hear** *(ovörjía)* tr. entreoír. /**heat** *(ovörjít)* tr. e intr. recalentar(se). /**land** *(óvórland)* adj. y adv. por tierra. /**load** *(óvörloud)* s. sobrecarga, tr. sobrecargar. /**look** *(ovörlúk)* tr. dominar; descuidar, disimular. /**night** *(ovörnáit)* adv. de la noche a la mañana. /**power** *(ovörpáuör)* tr. predominar. /**press** *(ovörprés)* tr. oprimir. /**rate** *(ovöréit)* tr. encarecer. /**ripe** *(óvöraip)* demasiado maduro. /**run** *(ovörö'n)* tr. invadir; plagar. /**sea** *(óvörsi)* adj. ultramarino. /**sea(s)** *[óvörsi(s)]* adv. en, a ultramar. /**see** *(ovörsi)* tr. vigilar. /**seer** *(ovö'rsia)* s. superintendente. /**sight** *(övörsait)* s. inadvertencia. /**state** *(ovörstéit)* tr. exagerar. /**stock** *(ovörtóc)* tr. atestar; s. surtido excesivo. /**take** *(ovörtéik)* tr. alcanzar, adelantar a. /**tax** *(ovörtács)* tr. sobrecargar de impuestos. /**throw** *(ovörzróu)* tr. derribar; s. vuelco. /**turn** *(ovörtö'rn)* s. vuelco. /**weight** *(óvöruei)* s. sobrepeso.

ow/e *(óu)* tr. deber, adeudar. /**ing** *(óuing)* adj. debido; — **to** debido a.

owl *(dul)* s. buho.

own *(óun)* adj. propio; tr. poseer. /**er** *(öunör)* s. dueño. /**ership** *(öunörschip)* s. propiedad.

ox/id *(ócsid)* s. óxido /**ygen** *(ócsidchen)* s. oxígeno.

oyster *(óistör)* s. ostra

P

pace *(péis)* s. paso; tr. medir a pasos.

pacif/ic *(pasífic)* adj. pacífico. /**ication** *(pasifikéischón)* s. pacificación. /**y** *(pásifai)* tr. pacificar; calmar.

pack *(pac)* s. paquete. baraja de naipes, manada; tr. embalar, intr. hacer el equipaje. /**age** *(pákidch)* s. fardo; embalaje. /**et** *(páket)* s. paquete. /**ing** *(páking)* s. embalaje.

pact *(páct)* s. pacto.

pad *(pád)* s. almohadilla, bloc de papel; bloque. /**dle** *(pádl)* s. canalete. /**dlock** *(pádloc)* s. candado; tr. cerrar.

pagan *(péigan)* s. y adj. pagano. /**ism** *(péiganism)* s. paganismo.

page *(péidch)* s. página; plana; paje; mensajero. /**ant** *(pádchönt)* s. espectáculo; trofeo. /**ry** *(pádchöntri)* s. fausto.

pail *(péil)* s. cubo.

pain *(péin)* s. pena; castigo; tr. apenar. intr. doler. /**ful** *(péinful)* adj. doloroso. /**staking** *(péinsteiking)* adj. cuidadoso.

paint *(péint)* s. pintura; color, colorete; tr. pintar. intr. pintarse. /**er** *(péintör)* s. pintor. /**ing** *(peinting)* s. pintura.

pair (*péa*) s. par; pareja;
tr., intr. aparear(se).

pal (*pal*) s. fam. camarada; amigo, compinche.

palace (*páles*) s. palacio.

palate (*pálet*) s. paladar

pale (*peil*) s., adj. pálido;
s. palizada. **/grow —**
palidecer. **/ness** (*péilnes*)
s. palidez.

palette (*pálet*) s. paleta.

palisade (*paliséid*) s.
(em)palizada, estacada.

pall (*pol*) tr. paño mortuorio, manto, tr. vaciar;
intr. desvirtuarse.

palli/ate (*pélieit*) tr. paliar; excusar; mitigar.
/d (*pálid*) adj. pálido.

palm (*pám*) s. Bot. palma, palmera; tr. esca-
motear. **— Sunday** s.
Domingo de Ramos.

palpable (*pálpabl*) adj.
palpable.

palpitat/e (*pálpitei*) intr.
palpitar. **/ion** (*palpitéis-
chön*) s. palpitación.

palsy (*pólsi*) s. parálisis;
tr. paralizar.

pamper (*pámpör*) tr. acariciar; mimar.

pamphlet (*pámflet*) s. libelo, panfleto, folleto.

pan (*pán*) s. cacerola,
cazo, cazuela. **/frying-
— s. sartén.**

pane (*péin*) s. panel, cua-
dr(ad)o, tablero. **/l** (*pá-
nel*) s. cuadro, tabla,
lista; tr. formar tableros
o cuadros.

panegyric (*panidchíric*)
y adj. panegírico.

pang (*páng*) s. angustia,
dolor; tr. atormentar.

panic (*pánic*) adj. y s. pánico.

pant (*pánt*) s. palpitación,
resuello, intr. jadear.

pantheis/m (*pánzeism*) s.
panteísmo. **/t** (*pánzeist*)
s. panteísta.

panther (*pánzör*) s. pantera.

pantry (*pántri*) s. despen-
sa.

pants (*pants*) s. panalo-
nes.

papa/cy (*péipasi*) s. papado. **/l** (*péipal*) adj.
papal.

paper (*péipa*) s. papel;
periódico; tr. empapelar.

par (*pár*) s. par.

para/ble (*párabl*) s. será-
bola. **/bola** (*parábola*)
s. Geom. parábola.

parachut/e (*páraschut*) s.
paracaídas; tr., intr. lan-
zar(se) en paracaídas.
/ist (*páraschutist*) s. pa-
racaidista.

parade (*paréid*) s. osten-
fación; desfile, cabalga-
ta; intr. desfilar.

paradise (*páradais*) s. paraíso.

paradox (*páradocs*) s. paradoja.

paragon (*páragon*) s. de-
chado, modelo.

paragraph (*páragraf*) s.
párrafo.

parallel (*páralel*) s. paralelo; cotejo; adj. parale-
lo; conforme; tr. cote-
jar, corresponder a.

paralys/e (*páralais*) tr.
Med. paralizar. **/is** (*parálisis*) s. Med. parálisis.

paramount (*páramaunt*)
adj. supremo; superior.

parapet (*párapet*) s. pa-
rapeto, intr. parapetar-
se.

paraphrase (*párafreis*) s.
paráfrasis; tr. parafra-
sear.

parasit/e (*páraseit*) s. parásito; gorrón. **/ic** (*pa-
rasític*) adj. parásito.

parasol (*párasol*) s. parasol, sombrilla.

parcel (*pársel*) s. paque-
t e, bulto, parcela (de
tierra); tr. parcelar.

parch (*páach*) tr. tostar,
resecarse; intr tostarse.

parchment (*páachmönt*) s.
pergamino.

pardon (*párdn*) s. perdón;
indulto; tr. perdonar.

pare (*péat*) tr. pelar; recortar; mondar.

parent (*pérent*) s. padre, madre; s. pl. padres.

parish (*párisch*) s. parroquia; adj. parroquial. /**ioner** (*parischönör*) s. feligrés.

park (*páak*) s. parque; coto; tr. cercar; aparcar. **—ing lot, place** s. zona de aparcamiento.

parley (*párli*) s. conferencia; parlamento; tr. parlamentar.

parliament (*páalement*) s. pa rla me n to, congreso. /**ary** (*paaleméntari*) adj. parlamentario.

parlo(u)r (*párlör*) s. salón, sala de recibir.

parody (*párodi*) s. parodia; tr. parodiar.

parole (*paról*) s. palabra de honor. /**on —** bajo palabra.

paroxysm (*párocsism*) s. paroxismo.

parricide (*párisaid*) s. parricida; parricidio.

parrot (*páröt*) s. loro.

parsimon/ius (*parsimóniös*) adj. frugal; parco. /**y** (*pársimoni*) s. parsimonia; tacañería.

parsley (*páasli*) s. perejil.

parson (*páasn*) s. párroco.

part (*páat*) s. parte; porción; papel (teatral), paraje; tr. partir, separar; intr. separarse. /**ial** (*párschal*) adj. parcial. /**iality** (*parschiáliti*) s. parcialidad; /**icipate** (*partisipeit*) intr. participar. /**icipateon** (*partispéischön*) s. participación. /**icle** (*párticl*) s. partícula. /**icular** (*patíkiular*) adj. particular; s. circunstancia, detalle. /**ing** (*párting*) s. separación, despedida, raya. /**isan** (*páatisan*) s. partidario. /**ition** (*partís-*

chön) s. partición. /**ly** (*páatli*) adv. en parte.

partner (*páatna*) s. socio, pareja, compañero.

partridge (*páatridch*) s. perdiz.

party (*páati*) s. partido; parcialidad; parte; partida; reunión.

pass (*pás*) tr. pasar; aprobar un examen; intr. pasar; s. pase, permiso; puerto, paso (de montaña). /**— away** morir. /**age** (*pásedch*) s. pasaje; travesía. /**enger** (*pásendchör*) s. pasajero. /**er-by** (*pásör-bai*) s. transeúnte. /**ing** (*pásing*) adj. pasajero.

passion (*páschön*) s. pasión; /**-flower** s. Bot. pasionaria. /**ate** (*páschonet*) adj. apasionado.

passiv/e (*pásiv*) adj. pasivo. /**ity** (*pasíviti*) s. pasividad.

passport (*páaspoot*) s. pasaporte.

past (*páast*) adj. pasado; último; s. (lo) pasado; Gram. pretérito; prep. más (allá) de.

paste (*péist*) s. pasta; tr. empastar, pegar. /**board** (*péist board*) s. cartón.

pastime (*páastaim*) s. pasatiempo; recreación.

pastoral (*pástöral*) adj. pastoril; pastoral.

pastry (*péistri*) s. pastelería; pastas.

pasture (*pás-cha*) s. dehesa; intr. pastar

pat (*pát*) s. golpecito; pastilla; adj. conveniente, cómodo; adv. a propósito; tr. acariciar, dar golpecitos.

patch (*pách*) s. remiendo; tr. remendar.

patent (*péitent*) adj. patente; s. patente; tr patentar; **— leather** s. charol.

patern/al *(patò'rnal)* adj. paternal. **/ity** *(patö'rniti)* s. paternidad.

path *(páz)* s. senda.

pathetic(al) *(pazétic(al)* adj. patético.

patholog/ical *(pazolódchical)* adj. patológico. **/y** *(pazólodchi)* s. patología?

pathos *(péizös)* s. sentimiento, patetismo.

patien/ce *(péischens)* s. paciencia; resignación. **/t** *(péischent)* adj. paciente; s. paciente.

patriot *(péitriot)* s. patriota. **/ic** *(péitriótic)* adj. patriótico. **/ism** *(péitriotism)* s. patriotismo.

patrol *(patróul)* s. patrulla; intr. patrullar.

patron *(péitrön)* s. patrón; protector; cliente. **/age** *(péitroneidch)* s. patrocinio. **/ize** *(péitronais)* tr. patrocinar.

pattern *(pátörn)* s. patrón; modelo; tr. modelar.

pause *(pós)* s. pausa; intervalo; intr. parar.

pave *(péiv)* tr. pavimentar. **/ment** *(péivment)* s. pavimento; acera.

pavilion *(pavilión)* s. pabellón.

paw *(póo)* s. garra; pata.

pawn *(pón)* s. prenda, empeño; tr. empeñar. **/broker** *(pónbroukör)* s. prestamista.

pay *(péi)* s. paga; sueldo; tr. pagar. **/ — back** reembolsar devolver. **/ — cash** pagar al contado. **/- a visit** hacer una visita. **/able** *(péiabl)* adj. pagadero. **/ment** *(péiment)* s. pago

pea *(pi)* s. guisante.

peace *(piis)* s. paz; intr. silencio! **/ful** *(piisful)* adj. tranquilo. **/maker** *(piismeikör)* s. pacificador.

peach *(pích)* s. *Bot.* melocotón; tr. delatar

peacock *(pícoc)* s. pavo real.

peak *(pík)* s. pico.

peanut *(pínöt)* s. cacahuete, maní.

pear *(péa)* s. pera. **/-tree** s. peral.

pearl *(pööl)* s. perla.

peasant *(pésant)* s. campesino. **/ry** *(pésantri)* s. campesinado. gente del campo.

pebble *(pébl)* s. guijarro.

peck *(péc)* s. picotazo; tr. pic(ote)ar.

peculiar *(pikiúlia)* adj. peculiar. **/ity** *(pikiuliáriti)* s. peculiaridad.

pecuniary *(pekiúniari)* adj. pecuniario; monetario.

pedagog/ue *(pédagog)* s. pedagogo. **/y** *(pédagodchi)* s. pedagogía.

pedal *(pídal)* s. pedal; tr. e intr. pedalear.

pedant *(pédant)* s. pedante. **/ic** *(pedántic)* adj. pedantesco. **/ry** *(pédantri)* s. pedantería.

pedestal *(pédestal)* s. pedestal; peana.

pedestrian *(pedéstrian)* s. peatón adj. pedestre.

pedigree *(pédigri)* s. genealogía, linaje.

peel *(píil)* s. corteza; piel; tr. pelar, mondar. **/ing** *(piiling)* s. mondadura.

peep *(píp)* s. ojeada, atisbo; tr. atisbar, asomar.

peer *(pía)* s. par; igual, noble. **/age** *(píridch)* s. la grandeza. **/ess** *(pires)* s. paresa. **/less** *(pirles)* adj. incomparable.

peevish *(pívisch)* adj. quisquilloso, regañón.

peg *(pég)* s. clavija.

pen *(pén)* s. pluma (de escribir); corral, pocilga; tr. escribir; encerrar.

pena/lty *(pénälti)* s. pena; castigo. **/nce** *(pénans)* s. penitencia pence (péns) s. pl. peniques.

pencil (pénsil) s. lápiz.

pend/ing (pénding) adj. pendiente. /ulum (péndiulóm) s. péndulo.

penetra/ble (pénetrabl) adj. penetrable. /te (pénetreit) tr. e intr. penetrar. /tion (penetréischön) s. penetración.

penguin (pénguin) s. pingüino.

peninsula (peninsula) s. península. /r (peninsiulör) adj. peninsular.

peniten/ce (pénitens) s. penitencia. /t (pénitent) s. penitente. /tiary (peniténschari) s. penitenciaría, adj. penitenciario.

penniless (péniles) adj. sin dinero, pelado.

penny (péni) s. penique.

pension (pénschön) s. pensión, subvención, retiro; tr. pensionar. /ary (pénschöneri) adj. pensionado; s. pensionista. /er (pénschoner) s. pensionista, pensionado.

pensive (pénsiv) adj. pensativo, melancólico.

pentagon (péntagon) s. s. Geom. pentágono.

people (pípl) s. gente, pueblo; tr. poblar. / — say se dice.

pep (pep) s. (U. S. A. fam.) vigor, ánimo, brío.

pepper (pépör) s. pimienta.

per (pör) prep. por.

perambulat/e (pörámbiuleit) tr. deambular. /or (porámbiuleitör) Gram. s. coche de niño.

perceive (pörsívö) tr. percibir.

perceiv/able (pörsívabl) adj. perceptible. /e (pörsív) tr. percibir.

percentage (persö'ntidch) s. porcentaje.

percepti/on (pörsépschön) s. percepción. /ve (pörséptiv) adj. perceptivo.

perch (pö'rch) s. percha.

percolat/e (pör'coleit) tr. tr. colar, filtrar; intr. filtrarse. /or (pör'coleitör) s. colador; filtro.

peremptory (péremtori) adj. perentorio.

perennial (pörénial) adj. perenne; permanente.

perfect (pör'fect) adj. perfecto; (pörféct) tr. perfeccionar. /ion (pörféchön) s. perfección.

perfidious (pörfídiös) adj. pérfido. /ness (pörfídiösnes) s. perfidia.

perforat/e (pör'foreit) tr. perforar; horadar. /ion (pörforéischön) s. perforación. /or (pö'rforeitör) s. perforador, barrena.

perform (pörfórm) tr. desempeñar; representar. /ance (pörförmans) s. actuación.

perfume (pö'rfium) s. perfume; (pöfiúm) tr. perfumar. /ry (pöfiumöri) s. perfumería.

perfunctory (pörfö'nctori) adj. superficial.

perhaps (pöjáps) adv. quizá(s), tal vez.

peril (péril) s. peligro. /ous (péritös) adj. peligroso.

period (píriöd) s. período; punto final /ical (piriódical) adj. y s. periódico.

periphrase (périfreis) s. perífrasis; tr. perifrasear.

periscope (périscoup) s. periscopio.

perish (périsch) intr. perecer; fenecer.

perjur/e (pérdchiur) tr. perjurar. /y (pérdchiuri) s. perjurio.

permanent (pö'mqnent) adj. permanente.

permea/ble (pör'meabl) adj. permeable. /te (pör'miet) tr. penetrar.

permi/ssible (pörmísibl) adj. permisible. /ssion (pörmíschön) s. permiso. /t (pör'mit) s. per-

miso; (*pŏrmít*) tr. per-
mitir.
pernicious (*pŏrníschŏs*)
adj. pernicioso.
perpendicular (*pŏrpendi-
kiular*) adj. y s. perpendicular.
perpetu/al (*pŏrpétiual*)
adj. perpetuo. **/te** (*pŏr-
pétiueit*) tr. perpetuar.
perplex (*pŏrplécs*) adj.
perplejo; tr. confundir.
perquisite (*pŏ'rcuisit*) s.
gaje; propina, ventaja.
persecut/e (*pŏ'rsikiut*) tr.
perseguir. **/ion** (*pŏrsi-
kiúscŏn*) s. persecución.
persever/ance (*pŏrsevi-
rans*) s. perseverancia;
constancia. **/e** (*pŏrsevia*)
intr. perseverar.
persist (*pŏrsíst*) intr. per-
sistir; insistir. **/ence** (*pŏr-
sistens*) s. persistencia.
person (*péesŏn*) s. persona. **/age** (*pŏ'sŏneidch*)
s. personaje. **/al** (*pŏ'r-
sŏnal*) adj. personal.
/ality (*pŏrsŏnáliti*) s.
p e r s o n a l i d a d. **/alize**
(*pŏ'rsŏnalais*) tr. perso-
nalizar. **/ify** (*pŏsŏníjai*)
tr. personificar.
perspective (*pŏrspéctiv*) s.
perspectiva; adj. pers-
pectivo.
perspicacious (*pŏrspikéi-
schŏs*) adj. perspicaz.
perspir/ation (*pŏrspiréis-
chŏn*) s. transpiración;
sudor. **/e** (*pŏrspáia*) intr. transpirar; sudar.
persua/de (*pŏrsuéid*) tr.
persuadir. **/sion** (*pŏr-
suéischŏn*) s. persuasión.
/sive (*pŏrsuéisiv*) adj.
persuasivo.
pert (*pŏ'rt*) adj. listo.
pertain (*pŏrtéin*) intr. pertenecer; incumbir.
pertinacious (*pŏrtinéi-
schŏs*) adj. pertinaz.
pertinent (*pŏ'rtinent*) adj.
pertinente; a propósito.
perturb (*pŏrtŏ'rb*) tr. perturbar. **/ation** (*pŏrtŏr-

béischŏn) s. perturba-
ción.
pervade (*pŏrvéid*) tr. penetrar, impregnar.
perver/se (*pŏrvŏ'rs*) adj.
perverso. **/sion** (*pŏrvŏ's-
chŏn*) s. perversión. **/si-
ty** (*pŏrvŏ'siti*) s. perver-
sidad. **/t** (*pŏrvŏ'rt*) s.
pervertido; tr. pervertir.
pessimis/m (*pésimism*) s.
pesimismo. **/t** (*pésimist*)
s. pesimista.
pest (*pést*) s. peste. **/er**
(*péstŏr*) tr. infestar, importunar. **/ience** (*pésti-
lens*) s. pestilencia; peste. **/ient** (*péstilent*) adj.
pestilente.
pet (*pét*) s. (animal) favorito; enojo; tr. mi-
mar.
petition (*petíschŏn*) s. petición; v. suplicar.
petrol (*pétrol*) s. gasolina, bencina. **/eum** (*pi-
tróuliŏm*) s. petróleo.
petticoat (*péticout*) s. enaguas.
pett/iness (*pétines*) s. pequeñez; mezquindad. **/y**
(*péti*) adj. pequeño. **/y
larceny** s. ratería. **/y
officer** s. suboficial.
pew (*piú*) s. banco de
iglesia.
pewter (*piútŏr*) s. peltre.
phalanx (*fálancs*) **s.** fa-
lange.
phantom (*fántŏm*) s. fan-
tasma; espectro.
pharmacy (*fármasi*) s. farmacia; botica.
phase (*féis*) s. fase.
phenomen/al (*fenómenal*)
adj. fenomenal. **/on** (*fe-
nómenon*) s. fenómeno.
philanthrop/ist (*filánzro-
pist*) s. filántropo. **/y** (*fi-
lánzropi*) s. filantropía.
philharmonic (*filjarmó-
nic*) adj. filarmónico.
philolog/er (*filólodchŏr*)
s. filólogo. **/y** (*filólod-
chi*) s. filología
philosoph/er (*filósofŏr*) s.
filósofo. **/ize** (*filósofais*)

tr. filosofar. /y *(filóso-fi)* s. filosofía.

phlegm *(flém)* s. flema, cachaza. /atic *(flegmá-tic)ö* adj. flemático. /on *(flégmön)* s. flemón.

phonetic *(fonétic)* adj. fonético. /s *(fonétics)* s. fonética.

photograph *(fóutograf)* s. foto(grafía) (una). /er *(fotógraför)* fotógrafo. /y *(fotógrafi)* s. fotografía.

phrase *(fréis)* s. frase.

physic/al *(físical)ª* adj. físico. /ian *(fisischön)*. s. médico. /s *(físics)* s. pl. física.

physiology *(fisiólodchi)* s. *Med.* fisiología.

physique *(fisíc)* s. físico.

pian/ist *(piánist)* s. pianista. /o *(piánou)* s. piano. /grand — piano de cola.

pick *(pík)* s. pico; ganzúa; lo escogido; tr. picar, escoger, robar; intr. picar; — **out** seleccionar; — **up** recoger. /pocket *(píkpoket)* s. ratero.

pickle *(pikl)* s. encurtido(s), variantes, escabeche; tr. escabechar.

picnic *(píknic)* s. jira; merienda campestre; intr. ir a un **picnic**.

pict/orial *(pictóurial)* adj. pictórico; gráfico. /ure *(píkcha)* s. pintura, grabado, ilustración, retrato; tr. pintar, imaginar. /uresque *(píkcharesk)* adj. pintoresco.

pie *(pái)* s. pastel; empanada; *Orn.* urraca.

piece *(pís)* s. pieza, trozo. / — **of advice** s. consejo. / — **of furniture** s. mueble. /meal *(písmil)* adv. en pedazos.

pier *(píia)* s. muelle.

pier/ce *(píers)* tr. penetrar; conmover. /ing adj. penetrante.

piety *(páieti)* s. piedad.

pig *(píg)* s. cerdo.

pigeon *(pídchön)* s. *Orn.* pichón; palomo(a); *fam.* incauto. /-hole casilla.

pigment *(pígment)* s. pigmento.

pigmy *(pígmi)* s. pigmeo.

pike *(páik)* s. pica.

pile *(páil)* s. estaca; pila, tr. apilar, amontonar.

pilfer *(pílför)* tr. e intr. ratear; hurtar. /er *(pilförör)* s. ratero, ladrón.

pilgrim *(pílgrim)* s. peregrino; intr. peregrinar, viajar. /age *(pílgrim-eidch)* s. peregrinación.

pill *(píl)* s. píldora.

pillage *(píledch)* s. pillaje; tr. pillar, saquear.

pillar *(píla)* s. pilar.

pillory *(pílori)* s. picota.

pillow *(pílou)* s. almohada; cojín.

pilot *(páilöt)* s. *Mar.* piloto; práctico; tr. pilotar, guiar.

pimple *(pímpl)* s. grano.

pin *(pín)* s. alfiler; clavija. /safety — s. aguja imperdible. / — **up** tr. sujetar, con alfileres.

pincers *(pínsörs)* s. pinzas; alicates.

pinch *(pínch)* s. pinza; pellizco; v. pellizcar.

pine *(páin)* s. pino. /apple *(páincpl)* s. piña americana, ananá.

pink *(pínk)* s. *Bot.* clavel; adj. rosado; tr. ojetear.

pinnacle *(pínacl)* s. pináculo, cima.

pint *(páint)* s. pinta.

pioneer *(paienía)* s. explorador. tr. explorar.

pious *(páiös)* adj. pío.

pipe *(páip)* s. tubo; cañería, conducto, pipa pito; tr. pitar. /r *(páipör)* s. flautista; gaitero. /line *(páiplain)* s. oleoducto.

piquan/cy *(pícansi)* s. picante; acrimonia. /t *(pícant)* adj. picante.

pique *(píc)* s. rencilla; tr., intr. picar(se).

pira·cy (*páiraci*) s. pira-
tería. /te (*páirat*) s. pi-
rata. tr. piratear.

pistol (*pístöl*) s. pistola.

pit (*pít*) s. foso; hoyo;
mina; patio del teatro;
tr. cavar. /fall (*pítfol*)
s. trampa.

pitch (*pích*) s. pez, brea;
tono, caída; tr. embrear.
/er (*píchör*) s. cántaro.

piteous (*pítiös*) adj. lastimoso; compasivo.

pity (*píti*) s. compasión;
tr. compadecer.

pivot (*pívöt*) s. picote.

placard (*plácard*) s. cartel; letrero; anuncio.

place (*pléis*) s. lugar, empleo; tr. colocar.

placid (*plásid*) adj. plácido; sosegado. /ity (*pla-
síditi*) s. placidez.

plagiari·sm (*pléidchia-
rism*) s. plagio. /ze (*plé-
idchiarais*) v. plagiar.

plague (*pléig*) s. plaga;
peste; tr. infestar.

plaice (*pléis*) s. platija.

plain (*pléin*) s. llano, adj.
llano; sencillo; adv. cla-
ramente; tr. allanar. /—
clothes s. ropa de pai-
sano. /ness (*pléinnes*) s.
llaneza.

plait (*pléit*) s. trenza;
pliegue; tr. plegar.

plan (*plán*) s. plan; proyecto; plano; tr. pla-
near.

plane (*pléin*) s. plano;
planicie, *fam.* avión.

planet (*plánet*) s. planeta.
/arium (*planitéiriöm*) s.
planetario.

plank (*plánk*) s. tablón;
tr. entarimar, entablar.

plant (*plánt*) s. planta;
fábrica s. planfar, fi-
jar. /ation (*plantéischön*)
s. plantación; plantío.

plasm (*plásm*) s. plasma.

plaster (*plástör*) s. yeso;
emplasto, tr. enyesar.

plastic (*plástíc*) adj. y s.
plástico.

plate (*pléit*) s. plato, lámina, tr. platear, dorar.

platform (*plátform*) s.
plataforma; andén.

platitude (*plátitiud*) s. perogrullada, trivialidad.

platoon (*platún*) pelotón.

plaudit (*plódit*) s. aplauso; aclamación.

play (*pléi*) s. juego; fun-
cionamiento; obra tea-
tral; tr. jugar a, tocar
un instrumento; ejecutar.
/er (*pléya*) s. jugador;
actor; actriz. /ful (*pléi-
ful*) adj. juguetón.

plea (*plíi*) s. alegato, ruego. /d (*plíid*) intr. argüir; suplicar; tr. de-
fender en juicio; alegar.

pleas/ant (*plésant*) adj.
agradable; /e (*plíis*) tr.
agradar. /ing (*plíssing*)
adj. grato. /ure (*plécha*)
s. gusto, placer.

pleat (*plíit*) s. pliegue.

plebeian (*plebíian*) s. y
adj. plebeyo.

pledge (*plédch*) s. prenda; tr. empeñar.

plen/ary (*plénari*) adj.
plenario. /ipotentiary
(*plenipoténschieri*) s. ple-
nipotenciario. /itude
(*plénitiud*) s. plenitud.
/ty (*plénti*) s. abundancia; adj abundante.

plia/ble (*pláiabl*) adj. flexible. /nt (*pláiant*) adj.
flexible; dócil; blando.

pliers (*pláiörs*) s. pl. alicates; tenacillas.

plight (*pláit*) s. promesa,
empeño, apuro.

plot (*plót*) s. solar, parcela, trama, conspira-
ción; tr. tramar, conspi-
rar, dividir en zonas.

plough (*pláu*) s. arado; tr.
arar.

pluck (*plö'c*) s. ánimo,
resolución, tr arrancar.

plug (*plög*) s. tapón; enchufe; tr. tapar, enchu-
far; s. bujía.

plum (*plö'm*) s. ciruela.

plumb (*plö'mb*) s. plomada; plomo; adj. de plomo; adv. a plomo; tr. sondear. **/er** (*plö'mör*) s. fontanero.

plume (*plum*) s. pluma. intr. vanagloriarse.

plump (*plö'mp*) s. caída brusca; adj. rollizo.

plunder (*plö'ndör*) s. pillaje; botín; tr. saquear.

plunge (*plö'ndch*) s. sumersión; zambullida; tr., intr. zambullirse.

plural (*plúral*) s. y adj. plural.

plus (*plös*) adv. más.

ply (*plái*) s. pliegue, inclinación; tr. ejercer, intr. afanarse.

pneumonia (*niumóunia*) s. *Med.* pulmonía.

poach (*póuch*) tr. escalfar (huevos), cazar o pescar en vedado, pillar.

pock (*poc*) s. hoyuelo.

pocket (*póket*) s. bolsillo; bolsa; tr. embolsar. **/knife** s. cortaplumas.

pod (*pód*) s. vaina.

poe/m (*póuem*) s. poema. **/sy** (*póuesi*) s. poesía. **/t** (*póuet*) s. poeta. **/tess** (*póuetes*) s. poetisa. **/tic** (al) [*pouétic(al)*] adj. poético. **/try** (*póuetri*) s. poética, poesía.

point (*póint*) s. punto, punta, sentido; tr. apuntar. **— out** señalar. **/ed** (*póintit*) adj. puntiagudo. **/less** (*péintles*) adj. obtuso, inútil.

poise (*póis*) s. equilibrio, tr. equilibrar

poison (*póisn*) s. veneno; tr. envenenar. **/ous** (*pöisönös*) adj. venenoso.

poke (*póuk*) s. empujón, hurgonazo; tr. hurgar. **/r** (*póukör*) s. hurgón.

polar (*póula*) adj. polar.

pole (*póul*) s. polo; poste, pértiga.

Pole (*póul*) s. polaco.

polemic (*polémic*) adj. polémico. **/s** (*polémics*) s. polémica.

police (*polís*) s. policía. **/-station** s. comisaría. **/man** (*polísman*) s. (agente de) policía; guardia.

policy (*pólisi*) s. política, póliza de seguros.

poliomyelitis [*póliou(maieláitis*)] s. polio(mielitis).

polish (*pólisch*) s. pulimento; tr. pulir.

polite (*poláit*) adj. cortés; atento; educado. **/ness** (*poláitnes*) s. cortesía.

politic (*pólitic*) adj. político. **/al** (*political*) adj. político. **/ian** (*politíschan*) s. político. **/s** (*pólitics*) s. pl. política

poll (*pól*) s. lista, censo electoral, elecciones; intr. votar.

pollen (*pólen*) s. polen

pollut/e (*poliút*) tr. manchar; violar. **/ion** (*poliúschön*) s. polución

poly/chrome (*pólicroum*) adj. policromo. **/gamist** (*polígamist*) s. polígamo. **/gamy** (*polígamí*) s. poligamia. **/glot** (*póliglot*) s. políglota. **/gon** (*póligon*) s. polígono. **/phony** (*polifóni*) s. polifonía. **/syllabic** (*polisilábic*) adj. polisílabo.

pomegranate (*pómigranit*) s. *Bot.* granada.

pomp (*pómp*) s. pompa; fausto. **/osity** (*pompósiti*) s. pompa. **/ous** (*pómpös*) adj. pomposo.

pond (*pónd*) s. estanque

ponder (*póndör*) tr. e intr. ponderar.

poniard (*pónyard*) s. puñal, intr. apuñalar.

pontif/f (*póntif*) s. pontífice; obispo. **/ical** (*pontífical*) adj. pontifical; pontificio. **/icate** (*pontífikeit*) s. pontificado.

pontoon (*pontún*) s. pontón, barcaza.

pony (*póuni*) s. jaca.

pool (púl) s. charco; depósito; pl. quinielas.
poor (púr) adj. y s. pobre. **/ness** (púrnes) s. pobreza; miseria.
pop (póp) s. chasquido; taponazo; ¡chás! ¡paf! tr. e intr. disparar(se).
Pop/e (póup) s. Papa; el Sumo Pontífice. **/edom** (póupdöm) s. papado.
popplin (póplin) s. popelín.
poppy (pópi) s. amapola.
popula/ce (pópiulis) s. populacho. **/r** (pópiular) adj. popular. **/rity** (pópiuláriti) s. popularidad. **/rize** (pópiularais) s. popularizar. **/te** (pópiuleit) tr. e intr. poblar(se). **/tion** (popiuléischön) s. población.
porcelain (pórslein) s. porcelana; loza fina.
porch (póoch) s. pórtico.
por/e (póa) s. poro; intr. — over escudriñar. **/ous** (pórös) adj. poroso.
pornography (pornógrafi) s. pornografía.
porridge (pórridch) s. potaje; gachas; puches.
port (póot) s. puerto; puerta; porte; *Mar.* babor. **/able** (pórtabl) adj. portátil **/er** (póota) s. portero; mozo. **/folio** (pórtfóuliou) s. cartera.
porten/d (porténd) tr. pronosticar, anunciar. **/t** (pórtent) s. portento.
portion (pórschön) s. porción; tr. (re)partir.
portra/it (pórtret) s. retrato. **/y** (portréi) tr. retratar.
pos/e (póus) s. posición; actitud, tr. colocar; intr. posar, alardear. **/ition** (posíschön) s. posición.
positive (pósitiv) adj. positivo; s. positiva.
possess (posés) tr. poseer. **/ed** (posést) adj. poseído. **/ion** (poseschön) s.

posesión. **/ive** posésiv) adj. posesivo.
possible (pósibl) adj. posible.
post (póust) s. poste; puesto, correo, tr. fijar (carteles); echar al correo; apostar; colocar. **-office** s. casa de Correos. **/age** (póustidch) s. franqueo. **/card** (póustcard) s. tarjeta postal. **/er** (póusta) s. cartel. **/man** (póustman) s. cartero.
posteri/or (postíriör) adj. posterior. **/ty** (pastériti) s. posteridad.
posthumous (póstiumös) adj. póstumo.
postscript (póustscript) s. posdata, apostilla.
postulate (póstiuleit) s. postulado; tr. postular.
posture (póschör) s. postura; estado; tr. poner.
pot (pót) s. pote, tarro, maceta, **/hole** s. bache.
potato (potéitou) s. patata.
poten/cy (póutensi) s. potencia. **/t** (póutent) adj. potente. **/tate** (póutenteit) s. potentado. **/tial** poténschal) adj. potencial.
potter (pótör) s. alfarero. **/y** (pótöri) s. alfarería.
pouch (páuch) s. bolsa.
poultice (póultis) s. cataplasma; emplasto.
poultry (póultri) s. aves de corral, volatería.
pound (páund) s. libra (peso; 456 gramos); libra esterlina (— sterling); corral; tr. golpear, **/er** (páundör) s. mazo.
pour (póa) tr. verter.
pout (áut) s pucherito.
poverty (póvörti) s. pobreza; indigencia.
powder (páudör) s. polvo; polvos de tocador; pólvora. tr. pulverizar, (es)polvorear. **/y** (páudöri) adj. polvoriento

power (*páua*) s. poder. **/ful** (*páuaful*) adj. poderoso. **/less** (*páuales*) adj. impotente.

pox (*pócs*) s. pústulas, sífilis. **/chicken—** s. viruelas locas. **/small—** s. viruelas.

practi/cal (*práctical*) adj. práctico /ce (*práctis*) s. práctica. **/se** (*práctis*) tr. e intr. practicar. **/tioner** (*practischönör*) s. médico, profesional en ejercicio.

prairie (*préiri*) s. pradera.

praise (*préis*) s. alabanza; tr. alabar. **/worthy** (*préisuördi*) adj. loable.

prawn (*prón*) s. camarón.

pray (*préi*) tr. rogar; pedir; intr. orar. **/er** (*préa*) s. oración; súplica.

preach (*prich*) tr. e intr. predicar; exhortar. **/er** (*prícha*) s. predicador.

precarious (*prikéiriös*) adj. precario; incierto.

precede (*prisíd*) tr. preceder. **/nt** (*prisídent*) adj. precedente.

precept (*prícept*) s. precepto. **/or** (*preséptör*) s. preceptor.

precinct (*prísinct*) s. recinto, distrito.

precious (*préschös*) adj. precioso.

precipi/ce (*présipis*) s. precipicio. **/tate** (*presipíteit*) adj. y s. precipitado, tr. e intr. precipitar(se). **/tation** (*presipitéischön*) s. precipitación. **/tous** (*presipitös*) adj. escarpado.

precis/e (*prisáis*) adj. preciso. **/ion** (*prisídchön*) s. precisión.

precocious (*pricóschös*) adj. precoz.

preconize (*príconais*) tr. preconizar.

predecessor (*prídisesa*) s. predecesor; antepasado.

predicament (*predica-*

ment) s. predicamento, clase, apuro, trance.

predict (*prídict*) tr. predecir. **/ion** (*predicschön*) s. predicción.

predilection (*pridilécschön*) s. predilección.

predomina/nce (*predómtnans*) s. predominio. **/te** (*predómineit*) intr. predominar, prevalecer.

preface (*préfes*) s. prefacio; tr. prologar.

prefect (*prífect*) s. prefecto.

prefer (*prifóö*) tr. preferir. **/able** (*préföörabl*) adj. preferible. **/ence** (*préförens*) s. preferencia. **/ment** (*preföö'rment*) s. promoción.

pregnan/cy (*prégnansi*) s. preñez, embarazo. **/t** (*prégnant*) adj. preñada(o), encinta.

prejud/ge (*pridchö'dch*) tr. prejuzgar. **/ice** (*prédchiudis*) s. prejuicio; tr. predisponer, perjudicar. **/icial** (*prédchudischal*) adj. perjudicial.

preliminary (*préliminart*) adj. y s. preliminar.

predude (*préliud*) s. preludio; tr. preludiar.

premeditat/e (*primédíteit*) tr. premeditar. **/ion** (*priméditéischön*) s. premeditación.

premier (*primiör*) s. primer ministro; adj. primero.

premise (*prémis*) s. premisa; pl. local, recinto.

premium (*prímiöm*) s. prima; intéres, premio.

preoccup/ation (*priokiupéischön*) s. preocupación. **/y** (*priókiupai*) tr. preocupar.

premeditation (*primeditéischön*) s. premeditación.

prepar/ation (*preparéischön*) s. preparación. **/ative** (*prípárativ*) adj.

preparatorio s. preparativo. /e (prepéa) preparar(se), disponer(se).
preponderate (pripóndöreit) v. preponderar.
prerogative (prerógativ) s prerrogativa.
presage (priséidch) s. presagio; tr. presagiar.
presbyter/ial (presbitírial) adj. presbiteral. /ian s. y adj. presbiteriano.
prescri/be (prescráib) tr. e intr. prescribir; recetar, mandar. /ption (priscrípschön) s. prescripción, receta.
presen/ce (présens) s. presencia. /t (présent) s. presente, don; adj. presente; actual; (présént) tr. presentar, regalar. /ly adv. en breve.
preserv/ation (presörvéischön) s preservación. /e (priséev) tr. conservar; s. conserva.
preside (prisáid) intr. presidir /ncy (présidensi) s. presidencia. /nt (président) s. presidente.
press (prés) s. prensa; imprenta; presión armario; tr. apretar, prensar; fig. afligir, obligar, planchar. /ing (pjrésing) adj. urgente; s. compresión; planchado. /ure (préscha) s. presión.
prestige (préstidch) s. prestigio.
presume (presiúm) tr. e intr. presumir. /ption (presö'mpschön) s. presunción. /ptive (presö'mptiv) adj. presunto. /ptuous (presö'mpchiuös) adj. presuntuoso.
preten/d (priténd) tr. pretender. /sion (preténschön) s. pretensión. /tious (priténschös) adj. pretencioso.
pretext (pritécs) s. pretexto.
pretty (príti) adj. bonito, lindo; adv. bastante, texto.

preva/il (privéil) intr. prevalecer. /iling (privéiling) adj. (pre)dominante. /lent (prévalent) adj. predominante.
prevent (privént) tr. impedir. /ive (prevéntiv) adj. preventivo.
previous (priviös) adj. previo; anterior.
prey (préi) s. presa /-(up)on tr. pillar.
price (práis) s. precio; tr. evaluar. /less (práisles) adj. inapreciable.
prick (príc) s. punzón, punzada; tr. picar.
pride (práid) s. orgullo; intr. enorgullecerse.
priest (príst) s. sacerdote; cura. /ess (prístes) s. sacerdotisa. /hood (prístjud) s. sacerdocio.
prim (prim) adj. peripuesto; relamido.
prima/cy (práimasi) s. primacía. /ry (práimari) adj. primario; principal.
prim/e (práim) s. plenitud, la flor y nata; adj. principal; primero; tr. preparar. /er (primör) s. cartilla para los niños; adj. primero. /eval (praimíval) adj. primitivo. /itive (primitiv) adj. y s. primitivo.
prince (prins) s. príncipe. /dom (prínsdöm) s. principado. /like (prinslaik) adj. /ly (prínsli) adj principesco. /ss (prínces) s. princesa
principal (prínsipal) adj. principal; s. director.
principle (prínsipl) s. principio.
print (prínt) s. impresión; marca; grabado; tr. imprimir. /ed matter (príntit mátör) s. impresos. /er (printör) s. impresor. /ing (printing) s. impresión, tipografía
prior (práiör) adj. anterior; s. prior. /ess (práis-

ores) s. priora. /ity (*praióriti*) s. prioridad.

prism (*prísm*) s. prisma.

prison (*prísn*) s. prisión; c á r c e l; tr. encarcelar. /er (*prísnör*) s. preso;

priva/cy (*práivasi*) s. re-tiro. /te (*práivet*) adj. privado, particular; s. soldado raso.

privati/on (*praivéischön*) s. privación. /ve (*priva-tiv*) adj. privativo.

privilege (*príviledch*) s. privilegio; tr. privilegiar. /d (*príviledcht*) adj. privilegiado, inmune.

privy (*prívi*) adj. privado; particular; s. retrete.

prize (*práis*) s. premio; presa; tr. apreciar.

pro (*pró*) s. pro.

probab/ility (*probabíliti*) s. probabilidad. /le (*pró-babl*) adj. probable.

prob/ation (*probéischön*) s. prueba; testimonio. /e (*próub*) s. sonda, tienta, prueba; tr. sond-e(e)ar.

probity (*próbiti*) s. probi-dad.

problem (*próblem*) s. pro-blema.

proce/dure (*prosídchör*) s. proceder. /ed (*prosíd*) intr. proceder; (com)portarse. /eding (*pro-síding*) s. procedimiento; trámite; pl. actas. /eds (*prosíds*) s. productos.

process (*próuses*) s. pro-ceso; tr. elaborar. /ion (*proséschön*) s. proce-sión.

procla/im (*procléim*) tr. proclamar. /mation (*pro-claméischön*) s. procla-mación; edicto.

proclivity (*proclíviti*) s. propensión.

procreat/e (*próucrieit*) tr. procrear. /ion (*prou-criéischön*) s. procrea-ción.

procure (*prokiúa*) tr. pro-curar, lograr. /r (*pro-*

kiúrör) s. alcahuete. /ss (*prokiúres*) s. celestina.

prod (*prod*) s. pincho, tr. aguijar, pinchar.

prodigal (*pródigal*) adj. pródigo. /ity (*prodigáli-ti*) s. prodigalidad.

prodig/ious (*prodidchös*) adj. prodigioso. /y (*pró-didchi*) s. prodigio.

produc/e (*pródius*) s. pro-ducto; (*prodiús*) tr. pro-ducir; mostrar. /t (*pró-döct*) s. producto. /tion (*prodö'cschön*) s. pro-ducción. /tive (*prodö'c-tiv*) adj. productivo.

profan/ation (*profanéis-chön*) s. profanación; abuso. /e (*proféin*) adj. profano; tr. profanar.

profess (*profés*) tr. pro-fesar, declarar. /ed (*pro-fést*) adj. declarado. /ion (*proféschön*) s. profesión. /or (*profésa*) s. cate-drático, profesor.

proficien/cy (*profíschensi*) s. pericia. /t (*profís-chent*) s. perito, experto.

profile (*próufail*) s. per-fil; tr. perfilar.

profit (*prófit*) s. provecho, tr. aprovechar(se).

profligate (*prófligueit*) adj. y s. libertino.

profound (*profáund*) adj. profundo; hondo; s. abis-mo, sima. /ity (*profäun-diti*) s. profundidad.

profuse (*profiús*) adj. pró-digo, profuso.

progen/itor (*prodchö'ni-tör*) s. progenitor. /y (*pródcheni*) s. progenie.

prognostic (*prognóstic*) s. pronóstico. /ate (*prog-nóstikeit*) tr. pronosticar.

program(me) (*próugram*) s. programa.

progress (*prógres*) s. pro-greso; (*progrés*) intr. progresar. /ive (*progré-siv*) adv. progresivo.

prohibit (*projíbit*) tr. pro-hibir. /ion (*projibischön*)

s. prohibición. **/ive** (*projíbitiv*) adj. prohibitivo.
project (*pródchect*) s. proyecto; (*prodchéct*) tr. proyectar. **/ile** (*prodchéctil*) s. proyectil; adj. arrojadizo. **/ion** (*prodchécschön*) s. proyección. **/or** (*prodchéctor*) s. proyector.
proletarian (*prolitérian*) adj. y s. proletario.
prolific (*prolífic*) adj. prolífico; fértil; fecundo.
prolix (*prolics*) adj. prolijo; difuso.
prologue (*próulog*) s. prólogo.
prolong (*proulóng*) tr. prolongar; extender.
promenade (*prómeneid*) s. paseo; intr. pasearse.
prominen/ce (*próminens*) s prominencia; fig. distinción. **/t** (*próminent*) adj. prominente.
promiscuous (*promískiuös*) adj. promiscuo.
promis/e (*prómis*) s. promesa; tr., intr. prometar(se). **/ing** (*prómising*) adj. prometedor.
promot/e (*promóut*) tr. promover. **/er** (*promóu-tör*) s. promotor. **/ion** (*promóuschön*) s. promoción; ascenso.
prompt (*prómpt*) adj. pronto; presto; puntual; tr. sugerir, apuntar (teatro). **/er** (*prómptör*) s. apuntador (teatral). **/itude** (*prómptitud*) s. prontitud.
promulgat/e (*promö'lgueit*) tr. promulgar. **/ion** (*promölguéischön*) s. promulgación.
prone (*próun*) adj. inclinado; propenso.
pron/ounce (*pronáuns*) tr. pronunciar. **/unciation** (*pronönsiéschön*) s. pronunciación.
proof (*prúf*) s. prueba; ensayo; adj. a prueba de.
prop (*próp*) s. apoyo.

propaga/nda (*propagánda*), s. propaganda. **/ndist** (*propagándist*) s. propagandista. **/te** (*própagueit*) tr., intr. propagar(se). **/tion** (*propaguéischön*) s. propagación.
propensity (*propénsiti*) s. propensión.
propel (*propél*) tr. impeler. **/ler** (*propélör*) s. hélice, propulsor.
proper (*própa*) adj. propio; decoroso. **/ty** (*própörti*) s. propiedad.
prophe/cy (*prófesi*) s. profecía. **/sy** (*prófesai*) tr. e intr. profetizar. **/t** (*prófit*) s. profeta. **/tic** (*profétic*) adj. profético.
prophilactic (*profiláctic*) adj. profiláctico.
propitious (*propíschös*) adj. propicio; favorable.
proportion (*propóschön*) s. proporción; tr. proporcionar. **/al** (*propóschönal*) adj. proporcional.
propos/al (*propóusal*) s. propuesta. **/e** (*própóus*) tr. e intr. proponer(se); intr. declararse. **/ition** (*propösischön*) s. proposición.
propriet/or (*propráieta*) s. propietario. **/y** (*propráieti*) s. propiedad.
prorog/ation (*prouroguéischön*) s. prórroga. **/ue** (*proróug*) tr. prorrogar.
proscri/be (*proscráib*) tr. proscribir. **/ption** (*proscrípschön*) s. proscripción.
prose (*próus*) s. prosa.
prosecut/e (*prósekiut*) tr. procesar. **/or** (*prósekiutör*) s. demandante
prospect (*próspect*) s. perspectiva; v. explorar.
prosper (*próspör*) intr. prosperar. **/ity** (*prospériti*) s. prosperidad **/ous** (*prósperös*) adj. próspero.
prostitut/e (*próstitut*) s. prostituta; ramera; adj.

prostituido; tr. prostituir.
/ion (*prostitiúschön*) s.
prostitución.

prostrat/e (*próstreit*) adj.
postrado; humillado; tr.
postrar. /ion (*prostréis-chön*) s. postración.

protect (*protéct*) tr. proteger; defender. /ion (*protécschön*) s. protección; amparo. /ive (*protéctiv*) adj. y s. protector, preservativo. /or (*protéctör*) s. protector.

protest (*prótest*) s. protesta; protesto (*protést*) tr., intr. protestar.

Protestant (*prótestant*) s., adj. protestante. /ism (*prótestantism*) s. protestantismo.

protocol (*próutocol*) s. protocolo.

protrude (*protúd*) tr. empujar; intr. sobresalir.

protuberan/nce (*protiúbö-rans*) s. protuberancia. /te (*protiúböreit*) intr. sobresalir; hincharse.

proud (*práud*) adj. orgulloso; altivo; soberbio.

prove (*prúv*) tr. probar; intr. resultar; mostrar.

proverb (*próvörb*) s. proverbio; sentencia.

provide (*prováid*) tr. proveer; suministrar. /d that supuesto que. /nce (*próvidens*) s. providencia.

provinc/e (*próvins*) s. provincia. /al (*provínschal*) adj. provincial.

provision (*providchön*) s. provisión. /al (*providchönal*) adj. provisional.

provo/cation (*provokéis-chön*) s. provocación. /cative (*provócativ*) adj. provocativo. /ke (*provóuc*) tr. provocar. /king (*provóuking*) adj. provocativo.

prow (*práu*) s. proa.
prowess (*práues*) s. proeza.

prowl (*prául*) intr. rondar; vagar; merodear.

proxim/ate (*prócsimit*) adj. próximo; inmediato. /ity (*procsímiti*) s. proximidad; inmediación.

proxy (*prócsi*) s. procuración; apoderado; gestor.

prude (*prúd*) s. mojigato.
pruden/ce (*prúdens*) s. prudencia. /t (*prúdent*) adj. prudente.

prun/e (*prún*) s. ciruela pasa; tr. podar. /ing (*prúning*) s. poda.

pry (*prái*) v. espiar.
psalm (*sáam*) s. salmo.
pseudo (*siúdo*) adj. (p)seudo, falso /nym (*siúdonim*) s. seudónimo.

psychiatr/ist (*saikiétrist*) s. psiquiatra. /y (*saikáietri*) s. psiquiatría.

psychic (*al*) [*sáikik(al)*] adj. psíquico.

psycho/logist (*saicólodch-ist*) s. psicólogo. /logy (*saicólodchi*) s. psicología. /sis (*saicóusis*) s. psicosis.

public (*pö'blic*) adj. público; s. público. /-house (abrev. pub) taberna. /an (*pö'blican*) s. tabernero. /ation (*pöblikéis-chön*) s. publicación. /ity (*pö'blisiti*) s. publicidad.

publish (*pö'blisch*) tr. publicar. /er (*pö'blischör*) s. editor.

pudding (*púding*) s. pudín.

pueril/e (*piúeril*) adj. pueril. /ity (*pluörÍliti*) s. puerilidad.

puff (*pöf*) s. soplo, bufido, bocanada de humo, racha de viento, borla; tr. soplar, hinchar; intr. hincharse.

pug/ilism (*piúdchilism*) s. pugilato; pugilismo. /nacious (*pögnéischös*) adj. belicoso; batallador.

pull (púl) s. tirón, sacudida; tr. tirar, arrastrar. /— out tr. arrancar.

pulley (púli) s. polea.

pulp (pö'lp) s. pulpa. /ous (pöl'pös) adj. pulposo, mollar, carnoso.

pulpit (púlpit) s. púlpito.

puls/ate (pö'lseit) intr. pulsar; latir. /e (pö'ls) s. pulso; pulsación.

pulveriz/ation (pölveriséischön) s. pulverización, trituración. /e (pö'lverais) tr. pulverizar.

pump (pö'mp) s. bomba; tr. bombear, sonsacar.

pumpkin (pö'mpkin) s. calabaza.

pun (pö'n) s. equívoco; juego de palabras.

punch (pö'nch) s. punzón; ponche; fam. puñetazo; tr. punzar, pegar. /er (pö'nchör) s. punzón.

punctilio (pönktilio) s. puntillo. /us (pänktiliös) adj. puntilloso.

punctu / al (pö'nktiual) adj. puntual. /ality (pönktiualiti) s. puntualidad. /ate (pö'nktiueit) intr. puntuar. /re (pö'nchör) s. pinchazo.

punish (pö'nisch) tr. castigar. /ment (pö'nischment) s. castigo.

puny (piúni) adj. pequeño; débil; enfermizo.

pupil (piúpil) s. alumno, discípulo; pupila. /age (piúpilidch) s. pupilaje.

puppet (pö'pet) s. títere; marioneta.

puppy (pö'pi) s. cachorro.

purchase (pö'rchis) s. compra, adquisición, tr. comprar, adquirir.

pure (piúa) adj. puro.

purgative (pö'rgativ) adj. purgante. /atory (pö'rgatori) s. purgatorio; adj. expiatorio. /e (pö'rdch) s. purgar; tr. purgar.

purif/ication (piurifikéischön) s. purificación. /y (piúrifai) tr. e intr. purificar(se).

Puritan (piúritan) s. puritano. /ism (piúritanism) s. puritanismo.

purity (piúriti) s. pureza.

purple (pö'rpl) adj. purpúreo; purpurino; s. púrpura; tr. purpurar.

purport (pö'rport) s. sentido; tr. significar.

purpose (pö'rpös) s. propósito, mira; tr. e intr. proponer(se). /ly (pö'pösli) adv. adrede.

purse (pö'rs) s. bolsa;

pursu/e (pörsiú) tr. e intr. perseguir, proseguir; acosar, seguir. /t (pörsiút) s. persecución; pesquisa.

purvey (pörvéi) tr. e intr. proveer. /or (pörvéör) s. abastecedor.

push (púsch) tr. empujar; intr. dar empellones, apresurarse; s. empuje, empellón. /ing (púsching) adj. emprendedor activo, agresivo.

pusillanimous (piusiláni-mös) adj. pusilánime.

put (pút) tr. poner; colocar; exponer; proponer. /— by tr. ahorrar. /— down tr. depositar; apuntar. /— on ponerse (una prenda). /— up tr. alojar.

putref/action (piutriféac-schön) s. putrefacción. /y (piútrifai) tr. e intr. pudrir(se).

putrid (piútrid) adj. podrido putrefacto.

puzzle (pö'sl) s. rompecabezas, enigma, tr. embrollar.

pygmy (pígmi) s. y adj. pigmeo.

pyjamas (pedchámas) s. pijama.

pyramid (píramid) s. pirámide.

pyre (pála) s. pira.

Pyrene/an (pirenían) adj. pirenaico. /es (pírints) s. Pirineos.

Q

quack (*cuák*) s. y adj. charlatán; curandero.

quadrate (*cuádreit*) s. cuadro; cuadrado; tr. e intr. (en)cuadrar.

quaff (*cuáf*) tr. beber a grandes tragos.

quail (*cuéil*) s. Orn. codorniz; intr. abatirse.

quaint (*cuéint*) adj. raro.

quake (*cuéik*) s. temblor; intr. temblar, trepidar.

qualif/ication (*cuolifiké-tschön*) s. calificación; cualidad. **/ied** (*cuólifait*) adj. calificado, idóneo. **/y** (*cuólifai*) tr. habilitar; calificar; intr. capacitarse.

quality (*cuóliti*) s. calidad; cualidad.

quantity (*cuóntiti*) s. cantidad; número, suma.

quarantine (*cuórantin*) s. cuarentena; lazareto; tr. someter a cuarentena.

quarrel (*cuórel*) s. riña, pelea, intr. reñir, pelear. **/some** (*cuórelsöm*) adj. pendenciero.

quarry (*cuóri*) s. cantera, pedrera.

quart (*cuórt*) s. cuarta. **/er** (*cuóta*) cuarto (de hora, de animal, de peso), barrio, trimestre; pl. alojamiento, cuartel; tr. cuartear; alojar.

quash (*cuósch*) tr reprimir; anular.

quay (*ki*) s. muelle.

queen (*cuín*) s. reina.

queer (*cuía*) adj raro. **/ness** (*cuíanes*) s. rareza.

quell (*cuél*) tr. subyugar

quench (*cuénch*) tr. apagar, extinguir, sofocar.

querulous (*cuérulös*) adj. quejoso, quisquilloso.

query (*cuíri*) s. cuestión; pregunta; tr. e intr. inquirir, examinar, dudar.

quest (*cuést*) s. pesquisa; indagación; tr. indagar. **/ion** (*cuéschön*) s. cuestión, pregunta; v. preguntar, poner en duda.

queue (*kiú*) s. cola (fila); v. formar cola.

quibble (*cuibl*) s. argucias; intr. usar argucias.

quick (*cuík*) adj. vivo; veloz; adv. rápidamente. intr. avivarse. **/ness** (*cuíknes*) s. presteza. **/sand** (*cuíksand*) s. arenas movedizas. **/set** (*cuíkset*) tr. trasplantar.

quiet (*cuáiet*) adj. tranquilo; quieto; s. quietud; tr. aquietar. **/ness** (*cuáietnes*) s. quietud, sosiego. **/us** (*cuáitös*) s. reposo; muerte.

quilt (*cuílt*) s. colcha; tr. acolchar.

quince (*cuíns*) s. membrillo. **/— tree** s. membrill(er)o.

quinquennial (*cuincuén-nial*) adj quinquenal.

quinquina (*cuincuáina*) s. quina.

quintessence (*cuintésens*) s. quintaesencia.

quit (*cuít*) tr dejar, abandonar, adj. libre.

quite (*cuáit*) adv. completamente, bastante.

quits (*cuíts*) interj. en paz

quiver (*cuívör*) s. temblor; aljaba; intr. temblar.
quixotic (*cuicsótic*) adj. quijotesco. **/sm** (*cuicsotism*) s. quijotismo.
quiz (*cuíz*) tr. engañar; s. acertijo, interrogatorio.
quot/a (*cuóta*) s. cuota. **/ation** (*cuotéischön*) s. cita, cotización. **/e** (*cuóut*) tr. citar; cotizar.

R

rabbit (*rábit*) s. conejo.
rabble (*rábl*) s. populacho, chusma
rabid (*rábid*) adj. rabioso; furioso; feroz.
rabies (*réibiis*) s. rabia, hidrofobia.
race (*réis*) s. raza; carrera intr. correr, competir.
rack (*rák*) s. bastidor, colgadero, asador, potro de tortura; tr. atormentar, torturar, estirar.
racket (*ráket*) s. raqueta; barahunda; parranda.
radia/nce (*réidiens*) s. brillo, **/nt** (*rédiant*) adj. radiante, **/te** (*réidieit*) int. radiar, irradiar; tr. iluminar. **/tion** (*reidiéischön*) s. radiación.
radical (*rádical*) adj. radical.
radio (*réidio*) s. radio.
raffle (*ráfl*) s. rifa; tr. rifar.
raft (*ráft*) s. balsa.
rag (*rág*) s. trapo, harapo.
rag/e (*réidch*) s. rabia; furor; enojo; intr. rabiar. **/ing** (*réidching*) s. rabia; adj. rabioso.
raid (*réid*) s. incursión, ataque.
rail (*réil*) s. barrera; baranda; riel, tr. insultar. **/road** (*réilroud*) **/way** (*réiluei*) s. ferrocarril.
rain (*réin*) s. lluvia; intr. llover. **/bow** (*réinbou*)

s. arco iris. **/coat** (*réincout*) s. impermeable. **/y** (*réini*) adj. lluvioso.
raise (*réis*) tr. levantar; criar, s. aumento.
raisin (*réisin*) s. pasa.
rake (*réik*) s. rastro; rastrillo; calavera; tr. rastrillar, raspar.
rally (*ráli*) s. reunión, concentración (de tropa); tr., intr. reunir(se).
ram (*rám*) s. carnero; *Mec.* embolo, ariete; tr. apisonar, atacar.
ramble (*rámbl*) s. paseo, intr. vagar, pasear.
ramp (*rámp*) s. rampa.
rampart (*rámpart*) s. terraplén; muralla.
ramshackle (*rámschaköl*) adj. desvencijado.
ranch (*ranch*) s. rancho, hacienda, estancia. **/er** (*ráncher*) s. ranchero.
rancid (*ránsid*) adj. rancio.
rancour (*ránkör*) s. rencor; encono. **/ous** (*ránkoröš*) adj. rencoroso.
random (*rándom*) s. azar. acaso; adj. fortuito.
range (*réindch*) s. alcance, extensión, c a m p o (de actividad), fila, hornillo, tr. arreglar, alinear. **/r** (*rétndchör*) s. guardabosques; batidor.
rank (*ránk*) s. rango; fila, grado; adj. lozano
ransack (*ránsac*) tr. saquear; revolver.

ransom (*ránsöm*) s. rescate; tr. rescatar.

rapacious (*rapéischös*) adj. rapaz. /**ness** (*rapéischösnes*) s. rapacidad.

rape (*réip*) s. rapto; fuerza; estupro; tr. violar.

rapid (*rápid*) adj. rápido. /**ity** (*rápiditi*) s. rapidez.

rapt (*rápt*) adj. encantado; extasiado. /**ure** (*rápchör*) s. éxtasis.

rare (*réa*) adj. raro. /**ness** (*réanes*) s. rareza. /**ripe** (*réaraip*) adj. precoz.

rascal (*ráscal*) s. pícaro.

rash (*rásch*) adj. arrojado; temerario; atolondrado; s. erupción; sarpullido. /**ness** (*ráschnes*) s. temeridad; arrojo.

rasher (*ráschör*) s. lonja.

rasp (*rásp*) s. raspa(dor), tr. raspar, rascar.

raspberry (*rásberri*) s. *Bot.* trambuesa.

rat (*rát*) s. rata.

rat/e (*réit*) s. tasa, proporción, tarifa, razón, valuación, prima, modo, tipo, porcentaje; tr. tasar, (e)valuar. /**ing** (*réiting*) s. valuación.

rather (*rádör*) adv. más bien; un poco, mejor; fam. naturalmente.

ratify (*rátifai*) tr. ratificar.

ratio (*réschio*) s. razón.

ration (*réschön*) s. ración; porción. /**al** (*ráschönal*) adj. racional. /**ize** (*ráschönalais*) tr. racionalizar.

rattl/e (*rátl*) s. rechinamiento, sonajero, cascabel, tr., intr. (hacer) sonar. /**ing** (*rátling*) s. estertor; adj. ruidoso.

ravage (*rávidch*) s. asolamiento, tr. asolar.

rave (*réiv*) intr. delirar.

raven (*révn*) s. *Orn.* cuervo; (*ravn*) tr., intr. apresar, devorar; s. presa. /**ous** (*rávnös*) adj. voraz.

ravine (*ravín*) s. barranca; quebrada; garganta.

ravish (*rávisch*) tr. seducir, violar. /**er** (*rávischör*) s. raptor, estuprador. /**ment** (*rávischment*) s. rapto; éxtasis; estupro.

raw (*ró*) adj. crudo; verde; áspero, bruto, — **material** s. materia prima.

ray (*réi*) s. rayo.

razor (*réisör*) s. navaja, máquina de afeitar.

reach (*rích*) s. alcance, extensión, tr. alcanzar.

react (*riáct*) tr. reaccionar. /**ion** (*riácschön*) s. reacción.

read (*ríd*) tr. leer; estudiar, intr. leer, decir. /**able** (*rídabl*) adj. leíble. /**er** (*rídör*) s. lector, profesor de universidad, corrector de imprenta. /**ing** (*ríding*) s. lectura, estudio.

read/ily (*rédili*) adv. prontamente. /**iness** (*rédines*) s. presteza. /**y** (*rédi*) adj. listo, pronto, a punto. /**y made** adj. hecho, de confección.

real (*rial*) adj. real; efectivo. /— **estate** s. bienes raíces. /**ize** (*rialais*) tr. darse cuenta, ver; realizar. /**ty** (*rialti*) s. bienes raíces.

realm (*rélm*) s. reino.

reap (*ríp*) tr. cosechar, segar. /**er** (*rípör*) s. segador, cosechadora.

rear (*ría*) s. adj. posterior, trasero; s. fondo, trasero, zaga, tr. levantar, criar, /**-guard** s. retaguardia.

reason (*risön*) s. razón; tr. argüir; intr. razonar. /**able** (*rísnabl*) adj. razonable. /**ing** (*rísning*) s. argumento.

re/assemble (*riasémbl*) tr. juntar de nuevo, reunir.

/assure (riaschúa) tr. tranquilizar; reasegurar.

rebate (ribéit) s. rebaja; tr. rebajar, descontar.

rebel (rébel) s. rebelde; faccioso; intr. rebelarse. **/lion** (ribéliön) s. rebelión. **/llous** (ribéliös) adj. **rebelde.**

rebound (ribáund) s. rebote; intr. rebotar.

rebuff (ribö'f) s. repulsa, desaire; tr. rechazar.

rebuke (rebiúk) s. reprensión; tr. reprender.

recall (ricól) s. revocación, tr. revocar.

recapitulate (ricapítiuleit) tr. recapitular.

recast (ricást) tr. refundir, reformar.

recede (risíd) intr. cejar; retroceder.

receipt (risít) s. recibo; receta; tr. extender un recibo.

receive (risív) tr. recibir; admitir; acoger. **/r** (risivör) s. recibidor, receptor (radio).

recent (rísent) adj. reciente.

recept/acle (riséptacl) s. receptáculo. **/ion** (risépschön) s. recepción.

recess (risés) s. retiro; alejamiento; recreo.

recipe (résipi) s. receta.

recipient (resípient) adj. y s. recipiente.

reciproc/al (risíprocal) adj. recíproco, mutuo. **/ate** (risíprokeit) intr. corresponder. **/ity** (resíprósiti) s. reciprocidad.

recit/al (risáital) s. recitación, recital. **/ation** (resitéischön) s. recitación. **/e** (risáit) tr. recitar.

reckless (rékles) adj. descuidado, temerario.

reckon (réckn) tr. contar; estimar; considerar. **/ing** (rékning) s. cuenta.

reclaim (ricleim) tr. reclamar; recuperar.

recline (ricláin) tr., intr. reclinar(se).

reclus/e (riclús) adj. y s. recluso. **/ion** (riclúchön) s. reclusión.

recogni/tion (recognischön) s. reconocimiento. **/zance** (ricógnisans) s. reconocimiento. **/ze** (récognais) tr. reconocer.

recoil (ricóil) s. reculada; intr. recular.

recollect (recoléct) tr. recordar. **/ion** (recolécschön) s. recuerdo.

recommend (recoménd) tr. recomendar.

recompense (récompens) s. recompensa; tr. recompensar.

reconcile (réconsail) tr. (re)conciliar, concordar.

recondite (récondait) adj. recóndito; secreto.

reconn/aissance (ricónesens) s. Mil. reconocimiento, exploración. **/oitre** (reconóitör) tr. Mil. reconocer, explorar.

record (récöd) s. registro; acta, recuerdo, disco de gramófono, hoja de servicios; record, (ricód) tr. registrar, archivar, grabar. **/— player** s. tocadiscos.

recourse (ricórs) s. recurso, auxilio.

recover (ricöva) tr. recuperar, recobrar; intr. resatblecerse. **/y** (rikö'vöri) s. recuperación, restablecimiento.

recreat/e (ricriéit) tr. recrear. **/ion** (recriéischön) s. recreación.

recruit (ricrút) tr. reclutar; s. Mil. recluta; fam. quinto. **/ing** (ricrúting) s. Mil. reclutamiento.

rectify (réctifai) tr. rectificar; corregir. **/tude** (réctitud) s. rectitud.

rector (réctör) s. rector; cura párroco.

recumbent (*rikö'mhent*)
adj. recostado.

recuperat/e (*rikiúpöreit*)
tr. recuperar. **/ion** (*rikiuporéischön*) s. recuperación.

recur (*rikö'a*) intr. repetirse. **/rence** (*rikö'rens*) s. vuelta. **/rent** (*rikö'rent*) adj. periódico.

red (*réd*) adj. rojo; encarnado; s. color rojo. **/— pepper** s. pimentón. **/— tape** formulismo. **/den** (*rédn*) tr. enrojecer., intr. ruborizarse. **/dish** (*rédisch*) adj. rojizo.

rede/em (*redím*) tr. redimir, Com. amortizar. **/mption** (*redémpschön*) s. redención, rescate; Com. amortización.

redound (*ridáund*) intr. redundar en.

redress (*ridrés*) s. reparación; tr. reparar.

reduc/e (*rediús*) tr. reducir; degradar. **/tion** (*ridö'cschön*) s. reducción.

redundan/ce (*ridö'ndans*) s. redundancia. **/t** (*ridö'ndant*) adj. redundante.

reed (*riíd*) s. caña; junco.

reef (*riíf*) s. arrecife, rizo.

reel (*riíl*) s. aspa, carrete; tr. devanar.

re/embark (*riembárk*) tr. reembarcar. **/enforce** (*rienfórs*) tr. fortalecer. **/establish** (*riestáblisch*) tr. restablecer.

refer (*rifö'a*) tr. e intr. referir; remitir; referirse a. **/ee** (*refört*) s. árbitro. **/ence** (*réförens*) s. referencia. **/endum** (*riforéndöm*) s. referendum.

refine (*rifáin*) tr., intr. refinar(se). **/d** (*rifáind*) adj. refinado; fino. **/ment** (*rifáinment*) s. refinamiento. **/ry** (*rifáinöri*) s. refinería.

refit (*rifít*) tr. reparar.

refle/ct (*rifléct*) tr., intr. reflejar; reflexionar. **/ction** (*riflécschön*) s. reflexión. **/ctive** (*rifléctiv*) adj. reflexivo. **/x** (*riuécs*) adj. y s. reflejo.

reform (*rifóom*) s. reforma; v. reformar(se).

refrain (*rifréin*) tr., intr. contener(se), s. estribillo.

refresh (*rifrésch*) tr. refrescar. **/ment** (*rifréschment*) s. refresco.

refrigerat/e (*rifrídchöreit*) tr. refrescar. **/ion** (*rifridchöréischön*) s. refrigeración. **/or** (*rifrídchöreitör*) s. refrigerador, nevera (eléctrica).

refuge (*réfiudch*) s. refugio; asilo; amparo. **/e** (*refiudchí*) s. refugiado.

refund (*rifö'nd*) s. reembolso; tr. reembolsar.

refus/al (*rifiúsal*) s. negativa. **/e** (*rifiús*) s. desecho; basura; tr. rehusar, (de)negar.

refute (*refiút*) tr. refutar.

regain (*riguíén*) tr. recobrar; recuperar.

regal (*rígal*) adj. regio.

regard (*rigárd*) s. atención; consideración; mirada; tr. mirar, reparar. **/with — to** con respecto a. **/ing** (*rigárding*) prep. con relación a. **/less of** sin tomar en cuenta. **/s** (*rigárds*) s. recuerdos.

regen/cy (*rídchensi*) s. regencia. **/t** (*rídchent*) s. y adj. regente.

regenerate (*ridchenoreit*) tr. regenerar; adj. regenerado.

regimen (*rédchimen*) s. régimen; Med. dieta.

regiment (*rédchiment*) s. Mil. regimiento. **/als** (*redchiméntals*) s. uniforme militar.

region (*ridchön*) s. región, territorio, zona.

regist/er (*rédchistör*) s. registro, matrícula, tr.

registrar, matricular. /
rar (*redchistrár*) s. registrador. **/ration** (*redchistréischön*) s. registro.

regression (*rigréischön*) s. regresión.

regret (*rigrét*) s. sentimiento, pesar, tr. lamentar, arrepentirse. /**ful** (*rigrétful*) adj. lamentable.

regula/r (*réguiular*) adj. regular. /**ity** (*reguiuláriti*) s. regularidad. /**te** (*réguiuleit*) tr. regular. /**tion** (*reguiuléischön*) s. regulación.

rehabilitate (*rijabíliteit*) tr. rehabilitar.

rehears/al (*rijö'rsal*) s. ensayo. /**e** (*rijö'rs*) tr. ensayar.

reign (*rein*) s. rein(ado)u intr. reinar.

reimburse (*riimbö'rs*) tr. reembolsar. /**ment** (*riimbö'rsment*) s. reembolso.

rein (*réin*) s. rienda.

reinforce (*riinfö'rs*) tr. reforzar. /**ment** (*riinförsment*) s. refuerzo.

reinstate (*riinstéit*) tr. restablecer, reintegrar.

reiterate (*reitöreit*) tr. reiterar.

reject (*richéct*) ir. rechazar; desechar. /**ion** (*rechéchön*) s. rechaz(amiento), desestima(ción).

rejoice (*ridchóis*) tr., intr. alegrar(se), regocijar(se).

rejoin (*ridchóin*) tr. reunirse con; intr. replicar.

relapse (*riláps*) s. recaída; intr. reincidir.

relat/e (*riléit*) tr. relatar; relacionar; intr. referirse. /**ed** (*riléitit*) adj. emparentado. /**ion** (*riléischön*) s. relación; parentesco. /**ions** (*riléischöns*) s. familia(res). /**ive** (*rélativ*) adj. relativo; s. pariente(a). /**ivity** (*relatíviti*) s. relatividad.

relax (*rilács*) tr. relajar; descansar. /**ation** (*rilac-séischön*) s. relajación; descanso.

release (*rilís*) s. liberación, soltura, tr. soltar, legar.

relegate (*rélegueit*) tr. relegar.

relent (*rilént*) intr. aplacarse, /**less** (*riléntles*) adj. empedernido.

relevan/cy (*rélevansi*) s. pertinencia. /**t** (*rélevant*) adj. pertinente.

reliab/ility (*rilaiabíliti*) s. precisión, seguridad. /**le** (*rildíebl*) adj. seguro.

reliance (*reláians*) s. confianza; seguridad.

relic (*rélick*) s. reliquia.

relie/f (*rilíf*) s. consuelo; socorro; Mil. relevo. /**ve** (*rilív*) tr. relevar, socorrer.

religio/n (*rilíchön*) s. religión. /**us** (*rilíchös*) adj. religioso; devoto

relinquish (*rilíncuish*) tr. abandonar; ceder.

relish (*rélisch*) s. gusto, fruición; tr. saborear.

reluctan/ce (*rilö'ctans*) s. repugnancia. /**t** (*rilö'c-tant*) adj. repugnante; contrario. /**tly** (*rilö'c-tantli*) adv. de mala gana.

rely (*rilái*) /— (up)on tr. confiar en, contar con.

remain (*riméin*) intr. permanecer; quedar(se). /**s** (*riméins*) s. pl. restos.

remark (*rimáak*) s. observación, nota, tr. observar, notar, advertir. /**able** (*rimárkabl*) adj. notable.

remedy (*rémedi*) s. remedio, tr. remediar.

rememb/er (*rimémbör*) tr. recordar; intr. acordarse. /**rance** (*rimémbrans*) s. memoria.

remind (*rimáind*) tr. recordar. /**er** (*rimátndör*) s. recordatorio.

remi/ss *(rimís)* adj. negligente; omiso. **/t** *(rimít)* tr. remitir; perdonar.

remnant *(rémnant)* s. remanente; adj. restante.

remonstrance *(rimónstrans)* s. protesta.

remorse *(rimórs)* s. remordimiento.

remote *(rimóut)* adj. remoto.

remov/al *(rimúval)* s. traslado, mudanza. **/e** mudar; dar; intr. alejarse.

remunerat/e *(rimiunöreit)* tr. remunerar. **/ion** *(rimiunöréischön)* s. remuneración.

Renaissance *(renésans)* s. Renacimiento.

render *(réndör)* tr. volver, dar, traducir.

renegade *(rénigueid)* s. renegado; desertor.

renew *(riniú)* tr. renovar. **/al** *(riniúal)* s. renovación; prórroga.

renounce *(rináuns)* tr. e intr. renunciar; renegar.

renown *(rináun)* s. fama; renombre. **/ed** *(rináunt)* adj. afamado; célebre.

rent *(rént)* s. renta; alquiler; grieta; tr. alquilar. **/al** *(réntal)* s. alquiler.

repa/ir *(ripéa)* s. reparo, reparación, tr. reparar. **/ration** *(reparéischön)* s. reparación.

repass *(repás)* tr. repasar.

repay *(ripéi)* tr. reembolsar; restituir; reintegrar.

repeat *(ripit)* s. repetición; tr. repetir.

repel *(ripél)* tr. repeler. **/lent** *(ripélent)* adj. y s. repelente.

repent *(ripént)* tr. e intr. arrepentirse (de). **/ance** *(ripéntans)* s. arrepentimiento. **/ant** *(ripéntant)* adj. arrepentido.

repercuss *(ripörkö's)* tr. repercutir.

repertory *(répörtor'i)* s. repertorio.

repetition *(repetíschön)* s. repetición, reiteración.

replace *(ripléis)* tr. reemplazar. **/ment** *(ripléisment)* s. reemplazo.

replenish *(riplénisch)* tr. rellenar; llenar.

replete *(riplít)* adj. repleto; lleno.

reply *(replái)* s. respuesta; tr. contestar.

report *(ripóot)* s. relación; informe; parte; fama; tr. redactar; informar; intr. presentar dictamen, presentarse. **/er** *(ripóota)* s. repórter.

repose *(ripóus)* s. reposo, tr. descansar; intr. dormir; reclinarse.

reprehen/d *(reprijénd)* tr. reprender; **/sible** *(reprijénsibl)* adj. reprensible. **/sion** *(reprijénchön)* s. reprensión.

represent *(reprisént)* tr. representar. **/ation** *(representéischön)* s. representación. **/ative** *(represéntativ)* adj. representativo; representante.

repress *(riprés)* tr. reprimir. **/ion** *(ripréschön)* s. represión. **/ive** *(ripréstv)* adj. represivo.

reprieve *(riprív)* s. aplazamiento; tr. aplazar, aliviar, indultar.

reprimand *(riprimánd)* s. reprimienda; reprensión; tr. reprender.

reprint *(riprint)* s. reimpresión; tr. reimprimir.

reprisal *(ripráisal)* s. represalia.

reproach *(ripróuch)* s. reproche; tr. reprochar.

reproduc/e *(riprodiús)* tr. reproducir. **/tion** *(riprodö'cschön)* s. reproducción.

repro/of *(riprúf)* s. reprensión; reproche. **/ve** *(riprúv)* tr. reprochar.

reptile (*réptail*) adj. reptil, rastrero; s. reptil.

republic (*ripö'blic*) s. república. /an (*ripö'blican*) adj. y s. republicano.

repudiat/e (*ripiúdïeit*) tr. repudiar. /ion (*ripiudiéischŏn*) s. repudiación.

repugnan/ce (*ripö'gnans*) s. repugnancia. /t (*ripö'gnant*) adj. repugnante.

repuls/e (*ripö'ls*) s. rechazar. /ive (*repö'lstv*) adj. repulsivo; repugnante.

reput/able (*répiutabl*) adj. respetable. /ation (*repiutéischŏn*) s. reputación. /e (*répiut*) s. estimación; reputación; tr. reputar, juzgar.

request (*ricuést*) s. petición; tr. rogar, pedir.

requi/re (*ricuáia*) tr. requerir; necesitar. /rement (*ricuáiament*) s. requisito. /site (*récuisit*) adj. preciso; s. requisito.

resci/nd (*risind*) tr. rescindir. /ssion (*risíschŏn*) s. rescisión.

rescue (*réskiu*) s. rescate; salvamento; tr. rescatar, salvar. /r (*réskiuŏr*) s. libertador.

research (*risö'ch*) s. investigación; tr. investigar.

resembl/ance (*risémblans*) s. semejanza /e (*risémbl*) tr. parecerse a.

resent (*risént*) tr. resentirse de. /ful (*riséntful*) adj. resentido. /ment (*riséntment*) s. resentimiento.

reserv/ation (*resörvéischŏn*) s. reserva. /e (*risö'rv*) s. reserva; Mil. retén; tr. reservar. /ed (*risö'rvd*) adj. reservado. /oir (*résörvuar*) s. depósito, pantano.

reside (*risáid*) intr. residir. /nce (*résidens*) s. residencia; domicilio. /nt (*résident*) adj. residente.

residu/al (*residiual*) adj. restante. /e (*résidiu*) s. residuo; resto.

resign (*risáin*) tr. dimitir, renunciar. /ation (*resignéischŏn*) s. dimisión; resignación.

resin (*résin*) s. resina. /ous (*résinös*) adj. resinoso.

resist (*resíst*) tr. e intr. resistir. /ance (*resístans*) s. resistencia.

resolut/e (*résoliut*) adj. resuelto. /eness (*résoliutnes*) s. /ion (*resoliúschŏn*) s. resolución.

resolve (*risölv*) s. resolución; tr., intr. resolver, disolver(se).

resonan/ce (*résonans*) s. resonancia. /t (*résonant*) adj. resonante.

resort (*risórt*) s. concurrencia; lugar concurrido; intr. acudir, recurrir.

resource (*risórs*) s. recurso. /ful (*risórsful*) adj. ingenioso.

respect (*rispéct*) s. respeto; miramiento; tr. respetar. /in — to en cuanto a. /able (*rispéctabl*) adj. respetable. /ful (*rispéctful*) adj. respetuoso. /ive (*rispéctiv*) adj. respectivo. /s (*rispécts*) s. recuerdos, saludos.

respir/ation (*respiréischŏn*) s. respiración; respiro. /e (*rispáia*) tr. e intr. respirar.

respite (*réspait*) s. tregua, tr. dar tregua.

respon/d (*rispónd*) tr. e intr. responder; corresponder. /sibility (*risponsibiliti*) s. responsabilidad. /ible (*rispónsibl*) adj. responsable.

rest (*rést*) s. reposo; tr., intr. descansar, apoyar(se). /**ive** (*réstiv*) adj. inquieto. s. /**less** (*réstles*) adj. inquieto.
restaurant (*réstörant, restorán*) s. restaurante.
restor/ation (*restoréischön*) s. restauración. /**e** (*ristóa*) tr. restituir; restablecer.
restrain (*ristréin*) tr. restringir. /**t** (*ristréint*) s. sujeción.
restrict (*ristríct*) tr. restringir. /**ion** (*ristríschön*) s. restricción. /**ive** (*ristríctiv*) adj. restricto.
result (*risö'lt*) s. resultado; intr. resultar.
resum/e (*risíum*) tr. reanudar. /**ption** (*risömpschön*) s. reanudación.
resurrect (*resörect*) tr. resucitar. /**ion** (*resörécschön*) s. resurrección.
retail (*ritéil*) s. venta al por menor; tr. vender al por menor. /**er** (*retéilör*) s. detallista.
retain (*ritéin*) tr. retener.
retaliat/e (*ritálieit*) tr. e intr. desquitarse. /**on** (*ritaliéischön*) s. represalia; desquite.
retard (*ritárd*) s. demora, retraso; tr. demorar.
retention (*riténschön*) s. retención.
reticence (*rétisens*) s. reticencia.
retina (*rétina*) s. retina.
retinue (*rétiniu*) s. comitiva.
retire (*ritáia*) tr. retirar; intr. retirarse; jubilarse. /**d** (*ritáied*) adj. retirado; jubilado. /**ment** (*ritáirment*) s. retiro, jubilación.
retort (*ritórt*) s. réplica; tr. replicar.
retrace (*ritréis*) tr. desandar; volver atrás.
retract (*ritráct*) tr., intr. retractar(se). /**ation** (*ri-*

tractéischön) s. retractación.
retreat (*ritrit*) s. retiro, refugio; Mil. retirada, retreta; intr. retirarse.
retribut/e (*retríbiut*) tr. retribuir. /**ion** (*retribiúschön*) s. retribución.
retrieve (*ritrív*) tr. restablecer; reparar.
retroactive (*ritroáctiv*) adj. retroactivo.
retrograde (*rétrogreid*) adj. retrógrado; intr. retrogradar, retroceder.
return (*ritö'ön*) s. retorno; recompensa, ganancia; tr. (de)volver, retornar, recompensar; intr. volver, regresar. /**-ticket** s. billete de ida y vuelta.
reuni/on (*riyúnión*) s. reunión. /**te** (*riyunáit*) tr., intr. reunir(se).
reveal (*riríil*) tr. revelar.
revel (*révél*) s. jarana, juerga. /**ler** (*révélör*) s. juerguista /**ry** (*révelri*) s. jarana.
revelation (*reveléischön*) s. revelación.
revenge (*rivénch*) s. venganza; tr., intr. vengar(se). /**ful** (*rivéndchful*) adj. vengativo.
revenue (*révöniu*) s. renta, ingresos, beneficios.
revere (*rivía*) tr. reverenciar; venerar. /**nce** (*révörens*) s. reverencia. /**nt** (*révörent*) adj. reverente.
reverie (*révöri*) s. ensueño; arrobamiento.
revers/al (*rivö'sal*) s. reversión. /**e** (*rivö'rs*) adj. reverso, invertido. s. la inversa, revés; dorso; tr. invertir, trasformar. /**ion** (*rivö'rschön*) s. reversión.
review (*riviú*) s. revista, repaso, reseña; tr. revisar, reseñar.
revise (*riváis*) s. revista; revisión; tr. revisar.

reviv/al *(riváival)* s. resurgimiento. **r e a c t i v a** - miento. **/e** *(rivái)* tr. hacer revivir, avivar, intr. revivir.

revo/cable *(révocabl)* adj. revocable. **/cation** *(revokéischön)* s. revocación. **/ke** *(rivóuk)* tr. revocar.

revolt *(rivóult)* s. revuelta; levantamiento; tr. sublevar; intr. revelarse.

revol/ution *(revoliúschön)* s. revolución. **/utionary** *revoliúchöneri)* s. revolucionario. **/utionise** *(revoliúschönais)* 'tr. revolucionar. **/ve** *(rivólv)* intr. rodar, girar; tr. girar; tr. hacer girar. **/ver** *(rivölvör)* s. revólver.

reward *(riuöd)* s. premio; recompensa; ~ tr. premiar.

rhetoric *(rétoric)* s. retórica. **/al** *(retórical)* adj. retórico.

rheumati/c *(riumátic)* adj. reumático. **/sm** *(riúmatism)* s. reumatismo.

rhinoceros *(rainósöros)* s. Zool. rinoceronte.

rhyme *(ráim)* s. rima; tr. rimar.

rhythm *(rizm)* s. ritmo; cadencia. **/ical** *(rízmical)* adj. rítmico.

rib *(ríb)* s. costilla.

ribald *(ríbold)* adj. impúdico; lascivo; obsceno

ribbon *(ríbön)* s. cinta.

rice *(ráis)* s. arroz.

rich *(rích)* adj. rico. **/ness** *(ríchnes)* s. riqueza.

rid *(ríd)* tr. librar. **/ get — of** tr. librarse de.

riddle *(rídl)* s. enigma; adivinanza; acertijo; tr. adivinar.

ride *(ráid)* intr. cabalgar; ir en coche; tr. conducir; s. paseo (en coche). **/r** *(ráidör)* s. jinete.

ridge *(rídch)* s. lomo; cumbre; sierra.

ridicul/e *(rídikiul)* s. ridículo; ridiculez; 'r. ri-

diculizar. **/ous** *(rídiniulös)* adj. ridículo.

rife *(ráif)* adj. abundante; común; numeroso.

rifle *(ráifl)* s. carabina; rifle; tr. robar, pillar.

rift *(ríft)* s. grieta; hendidura; tr. hender.

right *(ráit)* adj. derecho; recto; justo; s. derecho, razón, (mano) derecha; adv. justamente; interj. ¡muy bien!; tr. hacer justicia, enmendar. **/eous** *(ráichös)* adj. justo. **/er** *(ráitör)* s. justiciero. **/ful** *(ráitful)* adj. legítimo.

rigid *(ridchid)* adj. rígido.

rigo/rous *(rígorös)* adj. riguroso; severo. **/ur** *(rígör)* s. rigor.

rim *(rím)* s. canto.

rime *(ráim)* s. rima, escarcha; tr. versificar.

rind *(ráind)* s. corteza, tr. descortezar, pelar.

ring *(ring)* s. círculo; anillo, sortija, aro; pista (de circo), campanillazo, toque; tr. tocar (un timbre), repicar, llamar; intr. (re)sonar, tañer. **/— up** llamar por teléfono.

rink *(rink)* s. pista de patinar, campo de juego.

rinse *(ríns)* tr. enjuagar.

riot *(ráiöt)* s. tumulto, motín; intr. amotinarse, alborotar. **/ous** *(ríotös)* adj. sedicioso.

rip *(ríp)* s. rasgadura, tr. rasgar.

ripe *(ráip)* adj. maduro; sazonado. **/n** *(ráipn)* tr. e intr. madurar. **/ness** *(ráipnes)* s. madurez.

ripple *(rípl)* s. ola; rizo; murmullo; tr. rizar; intr. rizarse.

ris/e *(ráis)* s. levantamiento; ascenso, salida (del sol), alza (de precios),; intr. levantarse. **/give — to** dar lugar a.

risk *(rísk)* s. riesgo; tr. arriesgar.

rit/e (*ráit*) s. rito. /**es** (*ráits*) s. exequias. /**ual** (*rítiual*) adj. y s. ritual.

rival (*ráivöl*) adj. contrario; s. rival; tr. rivalizar. /**ry** (*ráivalri*) s. rivalidad.

river (*rivör*) s. río.

rivet (*rivet*) s. remache; tr. remachar; afianzar.

road (*róud*) s. camino; carretera; *Mar.* rada.

roam (*róum*) intr. rondar; tr. recorrer. /**er** (*róumör*) s. vagabundo.

roar (*róa*) s. rúgido; bramido; intr. rugir.

roast (*róust*) adj. asado; tostado; s. carne asada; tr. asar, tostar, calcinar.

rob (*rób*) tr. robar. /**ber** (*róbör*) s. bandido. /**bery** (*róböri*) s. robo.

robe (*róub*) s. túnica.

robust (*robö'st*) adj. robusto, vigoroso.

rock (*rók*) s. roca, peña(asco); v. mecer(se) /**y** (*róki*) adj. peñascoso.

rocket (*róket*) s. cohete.

rod (*ród*) s. var(ill)a, caña de pescar, pértiga.

roe (*róu*) s. *Zool.* corzo; hueva (de pescado).

rogu/e (*róug*) s. bribón. /**ery** (*róugöri*) s. bribonada; picardía.

rôle (*róul*) s. papel, parte, función. /**play a —** desempeñar un papel.

roll (*roul*) s. rollo; rodillo; panecillo; lista; registro; tr. rodar, allanar con rodillo; intr. rodar, girar.

Roman (*róuman*) adj. y s. romano. /**— Catholic** adj. y s. católico (romano). /**ce** (*románs*) s. romance, fábula, novela de amor; intr. fingir, mentir; *fam.* hacer el amor. /**esque** (*roumanésc*) adj. romántico. /**tic** (*roumántic*) adj. romántico.

romp (*rómp*) s. retozo; intr. retozar, brincar.

roof (*rúf*) s. techo; tejado; azotea; tr. techar.

rook (*rúk*) s. *Orn.* corneja; torre (de ajedrez).

room (*rúm*) s. habitación, cuarto; espacio. /**y** (*rúmi*) adj. espacioso.

root (*rút*) s. raíz; origen; tr. e intr. arraigar(se).

rope (*róup*) s. soga; cuerda; cabo; tr. atar.

ros/ary (*róusari*) s. rosario; rosaleda. /**e** (*róus*) s. *Bot.* rosa; rosal; adj. rosa. /**emary** (*róusmeri*) s. *Bot.* romero. /**ewater** (*róusuótör*) s. agua de rosas. /**y** (*róusi*) adj. (son)rosado.

rot (*rót*) s. podre(dumbre); *fam.* tontada, intr. pudrirse. /**ten** (*rótn*) adj. podrido; corrompido.

rotat/e (*róuteit*) (*rotéit*) intr. girar. /**ion** (*rotéischön*) s. rotación.

rotund (*rotö'nd*) adj. rotundo; redondo.

rouge (*rúdch*) s. color(ete), tr. y r. dar(se) colorete.

rough (*rö'f*) adj. áspero; aproximativo. /**en** (*rö'fn*) tr. e intr. poner(se) áspero.

round (*ráund*) adj. redondo, s. círculo, ronda; adv. y prep. alrededor (de); tr. redondear. /**about** (*ráundabaut*) adj. indirecto; s. tiovivo.

rouse (*ráus*) tr. e intr. despertar(se), excitar(se).

rout (*ráut*) s. derrota; chusma; tr. derrotar.

route (*rút*) s. ruta, rumbo, camino, itinerario.

routine (*rutín*) s. rutina.

rove (*róuv*) intr. recorrer, vaga(bundea)r. /**r** (*róuvör*) s. vag(abund)o.

row (*róu*) s. fila, hilera; riña, jaleo; intr. pelearse, remar. /**dy** (*ráudi*) s. y adj. rufián.

royal (*róial*) adj. real; regio. **/ty** (*róyalti*) s. realeza, derechos de autor.

rub (*rö'b*) tr. frotar, **s.** frotamiento, roce / — **out** tr. borrar. **/ber** (*rö'-bör*) s. caucho, goma de borrar.

rubbish (*rö'bisch*) s. escombros; basura.

ruble (*rúbl*) s. rublo.

ruby (*rúbi*) s. rubí.

rudder (*rö'dör*) s. Mar. timón.

ruddy (*rö'di*) adj. rojizo.

rude (*rúd*) adj. rudo, grosero, rústico, tosco. **/ness** (*rúdnes*) s. grosería.

rudiment (*rúdiment*) s. rudimento; elemento.

rue (*rú*) s. Bot. ruda; tr. llorar. **/ful** (*rúful*) adj. triste.

rug (*rö'g*) s. felpudo, alfombr(ill)a; manta de viaje. **/ged** (*rö'gued*) adj. áspero.

ruin (*rúin*) s. ruina; tr. arruinar. **/ous** (*rúinös*) adj. ruinoso.

rul/e (*rúl*) s. regla; mando, gobierno; tr. gobernar, intr. mandar, reinar, regir. **/er** (*rúlör*) s. gobernante; regla (de dibujo).

rum (*rö'm*) s. ron; fam. aguardiente.

rumble (*rö'mbl*) s. alboroto, estruendo, retumbo; tr. e intr. retumbar.

rumina/nt (*rúminant*) adj y s. rumiante. **/te** (*rúmineit*) tr. e intr. rumiar.

rumour (*rúmör*) s. rumor.

rump (*rö'mp*) s. grupa.

run (*rö'n*) s. carrera; corrida; cursó; intr. correr, pasar, funcionar; tr. hacer funcionar, deslizar, dirigir; **in the long —** a la larga. **/away** (*rö'nauei*) adj. y s. fugitivo.

rupture (*rö'pchör*) s. rotura, Med. hernia; tr. e intr. romper(se).

rural (*rúral*) adj. rural.

rush (*rö'sch*) s. ímpetu, prisa, afluencia, tropel; Bot. junco; intr. (aba)lanzarse; agolparse; tr. empujar.

rusk (*rö'sk*) s. galleta, rosca.

Russian (*rö'schön*, *rúschön*) adj. y s. ruso.

rust (*rö'st*) s. orín; tr. e intr. enmohecer(se).

rustic (*rö'stic*) adj. rústico; s. patán; paleto. **/ity** (*röstísiti*) s. rusticidad.

rustiness (*rö'stines*) s. moho, herrumbre.

rustle (*rö'sl*) s. susurro; intr. susurrar.

rusty (*rö'sti*) adj. mohoso; rancio.

rut (*rö't*) s. carril; rodada, celo; tr. hacer rodadas; intr. estar en celo.

ruthless (*rúzles*) adj. cruel.

rye (*rái*) s. Bot. centeno.

S

sabotage (*sábotedch*) s. sabotaje.

sabre (*séibör*) s. sable.

saccharin (*sácarin*) s. sacarina.

sack (*sác*) s. saco; saqueo, botín; tr. ensacar. saquear; fam. despedir.

sacr/ament (*sácrament*) s. sacramento. **/amental** (*sacraméntal*) adj. sacramental. **/ed** (*séicrit*) adj.

sagrado. /edness (séi-
crednes) s. santidad. /ifi-
ce (sácrifais) tr. e intr.
sacrificar; renunciar; s.
sacrificio. /llege (sácri-
ledch) s. sacrilegio. /ile-
gious (sacrilídchös) adj.
sacrílego.

sad (sád) adj. triste. /den
(sádn) tr. entristecer;
intr. entristecerse. /ness
(sádnes) s. tristeza.

saddle (sádl) s. silla de
montar; sillín (de bici-
cleta); /r (sádlör) s.
guarnicionero.

safe (séif) adj. seguro;
salvo; ileso, a prueba
de; s. arca, caja de cau-
dales. /ness (séifnes) s.
seguridad. /ty (séifti) s.
seguridad; — belt s. sal-
vavidas; — pin s. aguja
imperdible.

saffron (sáfrön) s. Bot.
azafrán.

sag (sag) s. comba.

sagaci/ous (saguéischös)
adj. sagaz; /ousness (sa-
guéischösnes) s. sagaci-
dad. /ty (sagásiti) s. sagacidad.

sage (séidch) s. sabio;
adj. prudente; juicioso.

sail (séil) s. vela; buque;
tr. navegar; darse a la
vela. /or (séilör) s. ma-
rinero; marino.

saint (séint) s. santo(a);
adj. santo; piadoso; all
—s' day, todos los san-
tos.

sake (séik) s. causa; fin;
razón. for God's —!
¡por el amor de Dios!

salad (sálad) s. ensalada
/-bowl s. ensaladera.

salary (sálari) s. salario.

sale (séil) s. venta; on —
en venta; /sman (sélls-
men) s. viajante.

saliva (salíva) s. saliva.

sally (sáli) s. ocurrencia;
salida; Mil. salida;
intr. Mil. salir; avanzar.

salmon (sámön) s. salmón;
adj. salmonado.

salt (sólt) s. sal; gusto;
agudeza; adj. salado; tr.
salar. /ing (sólting) s.
saladura, salazón. /y
(sólti) adj. salado.

salu/brious (saliúbriös)
adj. salubre. /brity (sa-
liúbriti) s. salubridad.

salut/ation (saliutéischön)
s. salutación. /e (saliút)
s. salutación, saludo (militar); tr. saludar.

salv/age (sálvidch) s. Mar.
salvamento; tr. salvar.
/ation (salvéischön) s.
salvación. /e (salv) s.
emplasto, tr. salvar.

salvo (sálvo) s. salvedad,
excepción. Mil. salva.

same (séim) adj. mismo.

sample (sámpl) s. mues-
tra tr. probar.

sanatorium   (sanatóu-
riöm) s. sanatorio.

sanct/ification (sanctifi-
kéischön) s. santifica-
ción. /ify (sánctifai) tr.
santificar. /imonious
(sanctimóniös) adj. bea-
to, santurrón. /uary
(sángkchueri) s. santua-
rio.

sanction (sáncschön) s.
sanción, tr. sancionar.

sand (sánd) s. arena.

sandal (sándal) s. sanda-
lia: Bot. sándalo.

sandwich (sánduich) s.
emparedado; bocadillo.

sane (séin) adj. sano;
cuerdo.

sanguin/ary (sángüineri)
adj. sanguinario. /e (sán-
güin) adj. sanguíneo.

sanit/ary (sánitari) adj.
sanitario, higiénico; —
towel s. paño higiénico.
/y (sániti) s. cordura,
juicio, razón.

sap (sáp) s. Bot. savia;
Mil. zapa; tr. zapar.

sapphire (sáfair) s. za-
firo.

sarcas/m (sárcasm) s. sar-
casmo. /tic (sárcastic)
adj. sarcástico.

sardine (*sardín*) s. sardina.

sash (*sásch*) s. faja (de seda), banda, ceñidor.

Satan (*séitan*) s. Satanás. /**ic** (*satánic*) adj. satánico; diabólico.

satchel (*sáchel*) s. bolsa; cartera (de mano).

sateen (*satín*) s. satén.

satellite (*sátelait*) s. satélite.

sati/ate (*séischieit*) tr. saciar; hartar; adj. harto. /**ety** (*satáieti*) s. saciedad.

satin (*sátin*) s. raso.

satir/e (*sátaia*) s. sátira. /**ic** (*satíric*) adj. satírico. /**ist** (*sátirist*) s. (escritor) satírico. /**ize** (*sátirais*) tr. satirizar.

satisf / action (*satisfácschön*) s. satisfacción; desagravio./**actory** (*satisfáctori*) adj. satisfactorio. /**y** (*sátisfai*) tr. e intr. satisfacer, resarcir.

satur/ate (*sáchereit*) tr. saturar. /**ion** (*sachiuréischön*) s. saturación.

Saturday (*sátödei*) s. sábado.

satyr (*sétör*) s. sátiro.

sauc/e (*sós*) s. salsa; tr. condimentar; fig. poner pimienta en. /**epan** (*sóspan*) s. cacerola. /**er** (*sósör*) s. platillo. /**iness** (*sósines*) s. descaro. /**y** (*sósi*) adj. descarado.

saunter (*sóntör*) intr. callejear; vagar.

sausage (*sósedch*) s. salchicha; embutido.

savage (*sáveidch*) adj. y s. salvaje. /**ry** (*sáveidcheri*) s. salvajismo.

savanna(h) (*sávána*) s. sabana; pradera.

sav/e (*séiv*) prep. salvo; excepto; conj. sino; a menos que; tr. salvar, ahorrar. /**ing** (*séiving*) adj. ahorrativo; s. ahorro. /**iour** (*séivia*) s. salvador.

savour (*séiva*) s. gusto; sabor; tr. saborear. /**y** (*séiveri*) adj. sabroso

savvy (*sávi*) s. fam. saber, "vista", "mano d e r e - cha". /—? ¿entiende vd?

saw (*só*) s. sierra; proverbio; refrán; tr., intr. (a)serrar. /**dust** (*sódöst*) s. serrín. /**mill** (*sómil*) s. aserradero, serrería.

Saxon (*sácson*) adj. y s. sajón.

saxophone (*sáxofoun*) s. saxofón.

say (*séi*) tr. decir; s. opinión, voz; **I —** ¡oiga!; **they — se** dice, dicen. /**ing** (*séing*) s. dicho; refrán, proverbio.

scab (*scab*) s. costra.

scabbard (*scábörd*) s. vaina de espada; funda.

scaffold (*scáföld*) s. andamio, cadalso. /**ing** (*scáfölding*) s. andamiaje.

scald (*scóld*) tr. escaldar; s. escaldadura.

scale (*skéil*) s. balanza; báscula; escala; gama; escama, costra; tr. (des)escamar, raspar; escalar. /**s** (*skéils*) s. balanza(s).

scalp (*scálp*) s. cuero cabelludo; tr. escalpar. /**el** (*scálpel*)₌ s. Med. escalpelo;

scamper (*scámpör*) s. fuga; intr. escabullirse.

scan (*scán*) tr. escudriñar.

scandal (*scándal*) s. escándalo. /**ize** (*scándalais*) tr. escandalizar. / **ous** (*scándalös*) adj. escandaloso.

scant (*scánt*) s. escaso; corto. /**iness** (*scántines*) s. escasez. /**y** (*scánti*) adj. escaso.

scar (*scár*) s. cicatriz; tr. tr., intr. cicatrizar(se).

scarce (*skérs*) adj. escaso, raro. /**ly** (*skérsli*) adv. apenas.

scare (skéa) tr. espantar; asustar. s. susto. /crow (skéacrou) s. espantajo.

scarf (scárf) s. bufanda.

scarlet (scárlet) s. y adj. escarlata; — fever s. escarlatina.

scatter (scátör) tr., intr. esparcir(se).

scen/e (síin) s. escena; paisaje; panorama. /ery (sínöri) s. paisaje; decorado.

scent (sént) s. olfato, olor, perfume, rastro; tr. olfatear, humear.

sceptic (sképtic) s. escéptico. /al (sképtical) adj. escéptico. /ism (sképtisism) s. escepticismo.

schedule (schédiul) s. cédula; lista, horario.

scheme (skíim) s. proyecto, esquema, plan, tr., intr. proyectar.

schism (skísm) s. cisma. /atic (skismátic) s. y adj. cismático; disidente.

schola/r (scólar) s. erudito, letrado, sabio. escolar. /rship (scólarschip) s. beca; erudición. /stic (scolástic) adj. escolástico.

school (scúl) s. escuela, colegio; tr. instruir, enseñar. /boy (scúlboi) s. colegial. /girl (scúlgörl) s. colegiala. /ing (scúling) s. instrucción (elemental). /master (scúlmaster) s. maestro (de escuela). /mistress (scúlmistres) s. maestra.

scien/ce (sáiens) s. ciencia. /tific (saientífic) adj. científico.

scion (sáion) s. vástago.

scissors (sísörs) s. pl. tijeras.

scoff (scót) s. mofa, burla; intr. mofarse.

scold (scóuld) tr. e intr. regañar; reprender.

scoop (scúp) s. pala de mano, librador; tr. sacar con pala, verter.

scope (scóup) s. alcance, propósito, objeto, mira.

scorch (scórch) tr. chamuscar; abrasar (el sol);

score (scóa) s. muesca; marca; cuenta; escote; tr. marcar, rayar.

scorn (scórn) s. desdén; desprecio; tr. despreciar.

scorpion (scórpiön) s. escorpión; alacrán.

Scot (scét) s. escocés. /ch (scótch) adj. y s. escocés.

scoundrel (scáundrel) s. y adj. canalla; bribón.

scour (scáua) tr. fregar.

scout (scáut) s. Mil. explorador; escucha; batidor; tr., intr. explorar.

scowl (scául) s. ceño; intr. mirar con ceño.

scramble (scrámbl) s. (ar)rebatiña, trepa; tr. arrebatar; intr. trepar.

scrap (scrap) s. mendrugo, residuo, sobra; tr. desechar, retirar.

scrape (scréip) s. raspadura; tr., intr. rascar.

scratch (scrách) s. rasguño; tr. rascar.

scream (scrím) s. grito, intr. gritar, chillar. /ing (scríming) s. gritería.

screech (scrích) s. chillido; intr. chillar.

screen (scrín) s. pantalla; biombo; tr. cubrir.

screw (scrú) s. tornillo; tuerca, tr. atornillar.

scribble (scríbl) s. garabato; v. garabatear.

script (scrípt) s. escritura; guión (cinematográfico), ejercicio escrito.

Scripture (scrípcha) s. La Sagrada Escritura.

scroful/ism (scrófiulism) s. escrofulismo. /ous (scrófiulös) adj. escrofuloso.

scroll (scról) s. rollo de papel o pergamino.

scruff (scróf) s. nuca.

scrup/le *(scrupl)* s. escrúpulo. **/ulous** *(scrúpiulös)* adj. escrupuloso.

scrutin/ize *(scrútinais)* tr. escudriñar; inquirir; **/y** *(scrútini)* s. escrutinio.

scuffle *(skö'fl)* s. contienda; riña; intr. reñir.

sculpt/or *(skö'lpta)* s. escultor. **/ress** *(skö'lptres)* s. escultora. **/ure** *(skö'lpcha)* s. escultura; tr., intr. esculpir.

scum *(skö'm)* s. espuma, escoria; tr. espumar.

scurf *(skö'f)* s. costra.

scurril/ity *(sköríliti)* s. grosería. **/ous** *(skö'rilös)* adj. grosero, procaz.

scythe *(sáis)* s. guadaña.

sea *(si)* s. mar; océano; golpe de mar. **/board** *(sibord)* s. orilla del mar. **/sick** *(sisic)* adj. mareado. **/sickness** *(sísicnes)* s. mareo. **/weed** *(siuid)* s. alga marina.

seal *(sil)* s. sello; timbre; *Zool.* foca; tr. sellar; lacrar. **/ing-wax** s. lacre

seam *(sim)* s. costura; cicatriz; filón. **/stress** *(simstres)* s. costurera. **/y** *(simi)* adj. con costuras; fig. peor.

search *(sö'rch)* s. registro; busca; tr., intr. buscar; indagar. **/-light** s. reflector.

season *(sisn)* s. estación (del año); temporada; tr. sazonar. **/able** *(sisönöbl)* adj. oportuno. **/-ticket** s. abono.

seat *(sit)* s. asiento; silla; situación; tr. (a)sentar.

sece/de *(sísíd)* tr. apartarse; separarse. **/ssion** *(siséschön)* s. secesión.

seclu/de *(seclúd)* tr. apartar. **/sion** *(siclúchön)* s. separación.

second *(sékönd)* adj. segundo; s. segundo; tr. ary *(sékönderi)* adj. secundario.

secre/cy *(sícresi)* s. secreto; sigilo. **/t** *(sícret)* adj. y s. secreto.

secretary *(sécreteri)* s. secretario.

sect *(séct)* s. secta. **/arian** *(sectérian)* adj. y s. sectario. **/ary** *(séctari)* s. sectario.

section *(sécschön)* s. sección; porción.

secur/e *(sikiúa)* adj. secular; seglar. **/ize** *(sékiularais)* tr. secularizar.

secur/e *(sikiúa)* adj. seguro; tr. asegurar. **/ity** *(sekiúrities)* Com. valores, obligaciones.

sedentary *(sedenteri)* adj. sedentario.

sediment *(sediment)* s. sedimento; poso.

seduc/e *(sidiús)* tr. seducir. **/er** *(sidiúsör)* s. seductor. **/tion** *(sidö'eschön)* s. seducción. **/tive** *(sidö'ctiv)* adj. seductor.

see *(si)* tr. e intr. ver; — **about** tr. cuidar de. — **off** tr. despedir. — **that** tr. ver de. **/r** *(sia)* s. vidente, profeta.

see *(si)* s. sede. **/Holy See** Santa Sede.

seed *(sid)* s. semilla; simiente; tr. sembrar.

seek *(sík)* tr. e intr. buscar; inquirir; intentar.

seem *(sim)* intr. parecer. **/ing** *(siming)* s. apariencia; adj. aparente. **/ly** *(simli)* adj. decoroso.

seesaw *(siso)* s. vaivén; balance; columpio; intr. columpiarse.

seethe *(siiz)* intr. hervir.

segment *(ségment)* s. segmento.

segregat/e *(ségregueit)* adj. segregado; tr. segregar. **/ion** *(segreguéischön)* s. segregación

seiz/e *(siis)* tr. e intr. asir; prender, embargar. **/ure** *(siidcha)* s. asimiento; embargo.

seldom (*séldöm*) adv. raramente, pocas veces

select (*siléct*) adj. selecto; escogido; tr. seleccionar. **/ion** (*silécschön*) s. selección.

self (*sélf*) pron. y adj. mismo, propio; s. el yo, uno mismo. **/ish** (*sélfish*) adj. egoísta. **/ishness** (*sélfischnes*) s. egoísmo.

sell (*sél*) tr. vender; traficar; intr. venderse. **/er** (*sélör*) s. vendedor.

semblance (*sémblans*) s. semejanza; ficción.

semicolon (*semicólön*) s. punto y coma.

seminar (*séminár*) s. seminario. **/y** (*séminari*) s. seminario.

senat/e (*sénet*) s. senado. **/or** (*senátör*) s. senador.

send (*sénd*) tr. e intr. enviar; expedir. **/— back** tr. devolver. **/— word** tr. avisar. **/er** (*séndör*) s. remitente.

senior (*sínia*) adj. mayor; más antiguo; decano; s. decano, señor (mayor), padre. **/ity** (*siníoriti*) s. antigüedad.

sensation (*senséischön*) s. sensación.

sens/e (*séns*) s. sentido; juicio. **/eless** (*sénsles*) adj. insensible; absurdo. **/ibility** (*sensibíliti*) adj. sensibilidad. **/ible** (*sénsibl*) adj. sensato, cuerdo. **/itive** (*sénsitiv*) adj. sensitivo, sensible. **/orial** (*sensórial*) adj. sensorial. **/ual** (*sénsiual*) adj. sensual.

sentence (*séntens*) s. frase, oración. *For.* s. sentencia; tr. sentenciar.

sentiment (*séntiment*) s. sentimiento. **/al** (*sentiméntal*) adj. sentimental.

sent/inel (*séntinel*) s. centinela; guardia. **/ry** (*séntri*) s. centinela.

separat/e (*sépareit*) adj. separado; tr. separar; intr. apartarse. **/ion** (*separéischön*) s. separación; divorcio.

September (*septémbör*) s. septiembre.

septentrional (*septéntrional*) adj. septentrional.

sepulchre (*sépölkör*) s. sepulcro; sepultura.

seque/l (*sícuel*) s. secuela; consecuencia. **/nce** (*sícuens*) s. serie, secuencia, ilación.

serenade (*serenéid*) s. serenata.

seren/e (*serín*) adj. sereno. **/ity** (*seréniti*) s. serenidad.

sergeant (*sádchent*) s. sargento.

seri/al (*sírial*) adj. consecutivo; s. serial. **/es** (*síriis*) s. serie.

serious (*siriös*) adj. serio; grave. **/ness** (*síriösnes*) s. seriedad; gravedad.

sermon (*sö'rmön*) s. sermón.

serpent (*sö'rpent*) s. serpiente; sierpe. **/ine** (*sö'rpentin*) adj. serpentino; s. serpentina.

serum (*sírön*) s. suero.

serv/ant (*sö'rvant*) s. sirviente. **/e** (*sö'rv*) tr. e intr. servir. **/ice** (*sö'vis*) s. servicio. **/iceable** (*sö'rvisabl*) adj. servicial. **/ile** (*sö'rvil*) adj. servil.

session (*séschön*) s. sesión.

set (*sét*) tr. poner; fijar; engastar; s. colección; serie, grupo; adj. señalado. **/— down** tr. anotar. **/— fire to** tr. pegar fuego a. **/— off** tr. apartar; intr. partir. **/— up** tr. establecer.

settee (*setí*) s. canapé.

sett/er (*sétör*) s. montador; perdiguero. **/ing** (*séting*) s. colocación; medio ambiente.

settl/e *(sétl)* tr. colocar; fijar; decidir, saldar, apaciguar; intr. fijarse, calmarse. /ed *(sételd)* adj. colocado; sosegado. /ement *(sétlment)* s. establecimiento; arreglo. / er *(sétlör)* s. colono.

seven *(sévn)* adj. y s. siete. /teen *(seventín)* adj. diecisiete. /ty *(sévnti)* adj. setenta.

sever *(sévör)* tr. e intr. separar(se). /al *(sévöral)* adj. y pron. varios.

severe *(sevía)* adj. severo.

sew *(sóu)* tr. e intr. coser. /er *(sóuör)* s. costurera; *(siúer)* cloaca. /ing *(sóuing)* s. costura.

sex *(secs)* s. sexo. /ual *(séxiual)* ad. sexual

sexton *(sécstön)* s. sepulturero; sacristán.

shabb/iness *(schábines)* s. desaseo, desgaste. /y *(shábi)* adj. raído.

shad/e *(shéid)* s. sombra; matiz; pantalla; tr. sombrear. /ow *(schádou)* s. sombra; tr. e intr. obscurecerse. /owy *(schádoui)* adj. umbrío. /y *(schéidi)* adj. umbrío.

shaft *(schájt)* s. flecha; fuste; mango; pozo.

shak/e *(schéik)* tr. sacudir; blandir; estrechar (la mano) intr. estremecerse; s. sacudida; apretón de manos. /ing *(schéiking)* s. estremecimiento. /y *(schéiki)* adj. trémulo.

shall *(schal)* verbo def. aux. para el futuro.

shallow *(schálou)* adj. superficial, vadoso, s. bajío.

sham *(schám)* s. ficción; adj. postizo; v. fingir.

shame *(schéim)* s. vergüenza; tr. avergonzar. /faced *(schéimfeisd)* adj. tímido; vergonzoso. /ful *(schéimful)* adj. vergon-

zoso. /less *(schéimles)* adj. desvergonzado.

shape *(schéip)* s. tr. e intr. formar; modelar. /less *(schéiples)* adj. informe. /ly *(schéipli)* adj. proporcionado.

share *(schéa)* s. parte; porción. *Com.* acción; tr. compartir, intr. participar.

shark *(schárk)* s. *Ict.* tiburón, escualo; pillastre.

sharp *(schárp)* adj. agudo; afilado, perspicaz; s. estafador. /en *(schárpen)* tr. e intr. afilar(se); s. amolador; afilador. /er *(schárpör)* s. estafador. /ness *(schárpnes)* s. agudeza.

shatter *(schátör)* tr. e intr. quebrar(se), hacer(se) añicos.

shav/e *(schéiv)* tr. rasurar; afeitar; raspar. /ing *(schéiving)* afeitado. / ings *(schéivings)* s. virutas.

shawl *(schól)* s. chal.

she *(schi)* pron. ella, la que; s. hembra.

sheaf *(schif)* s. gavilla; garba; haz; tr. agavillar.

shear *(schía)* tr. esquilar.

sheath *(schiz)* s. vaina; funda; estuche. /e *(schíd)* tr. encajonar; envainar.

shed *(schéd)* s. cobertizo; tr. verter. /ding *(schéding)* s. derramamiento.

sheep *(schiip)* s. carnero, oveja(s), ganado lanar.

sheer *(schír)* adj. puro.

sheet *(schiit)* s. sábana; hoja, lámina, plancha.

shelf *(schélf)* s. estante.

shell *(schél)* s. *Zool.* concha, cáscara, cascarón, *Mil.* granada; bomba; tr. descascarar, bombardear. /-fish s. crustáceo.

shelter *(schéltör)* s. refugio, albergue, asilo; tr. e intr. guarecer(se).

shelve (*schélv*) intr. inclinarse; tr. poner en un estante; aplazar.

shepherd (*schépôrd*) s. pastor.

sherry (*schéri*) s. (vino de) Jerez.

shield (*schíld*) s. escudo; tr. escudar, proteger.

shift (*schíft*) s. cambio, turno, recurso, ardid; tr., intr. cambiar(se).

shilling (*schíling*) s. chelín.

shin (*schin*) s. canilla. /**bone** (*schinboun*) s. tibia

shin/e (*scháin*) s. brillo; esplendor; intr. lucir, tr. pulir, limpiar. /**y** (*scháini*) adj. lustroso.

ship (*schíp*) s. barco, buque, nave; tr. embarcar, transportar. /**ment** (*schípment*) s. embarque; remesa. /**ping** (*schíping*) s. buques; expedición; embarco; adj. marítimo, /**wreck** (*schíprec*) s. naufragio; tr. hacer naufragar; **to be** — naufragar. /**yard** (*schípyard*) s. astillero.

shire (*schía* o *scháia*) s. condado.

shirk (*schö'rk*) tr. esquivar; intr. esconderse.

shirt (*schö'rt*) s. camisa.

shiver (*schívôr*) s. temblor, escalofrío; intr. tiritar. /**ing** (*schivôring*) s. (es)calofrío.

shoal (*schóul*) s. multitud; banco de peces; adj. poco profundo.

shock (*schók*) s. choque; conmoción; tr. chocar, disgustar. /**ing** (*schóking*) adj. chocante, ofensivo.

shoe (*schú*) s. zapato, herradura; tr. calzar, herrar. /**maker** (*schúmeika*) s. zapatero.

shoot (*schút*) s. tiro; pimpollo, vástago; tr. tirar, disparar, herir o matar, fusilar, chutar (la pelo-

ta); intr. disparar. /**er** (*schúôr*) s. tirador. /**ing** (*schúting*) s. tiro.

shop (*schóp*) s. tienda; taller; tr. e intr. ir de tiendas, comprar. /**assistant** s. dependiente. /**keeper** (*schópkipôr*) s. tendero (a). /**ping** (*schóping*) s. compra(s).

shore (*schóa*) s. costa, ribera, playa, orilla.

short (*schóot*) adj. corto; bajo; adv. brevemente. /**age** (*schórtidch*) s. escasez. /**coming** (*schórtcaming*) s. deficiencia /**en** (*schórin*) v. acortar, abreviar. /**hand** (*schórtjand*) s. taquigrafía. /**ness** (*schórines*) s. brevedad. /**s** (*schórts*) s. pantalones cortos. /**sighted** adj. miope.

shot (*schót*) s. tiro.

should (*schud*) verbo auxiliar para el potencial y obligación.

shoulder (*schóulda*) s. hombro; espalda(s); tr. llevar a hombros.

shout (*schdut*) s. exclamación; aclamación; grito; tr. gritar. /**ing** (*scháuting*) s. gritería.

shove (*schö'v*) s. empellón; empujón. /**l** (*schö'vel*) s. pala.

show (*schóu*) s. espectáculo, exposición, ostentación; tr. mostrar; intr. aparecer. /**y** (*schóui*) adj. fastuoso.

shower (*scháuôr*) s. aguacero; — **bath** (*schduôrbaz*) s. ducha.

shred (*schréd*) s. triza.

shrew (*schrú*) s. arpía, mujer gruñona. /**d** (*schrúd*) adj. astuto. /**dness** (*schrúdnes*) s. sagacidad.

shriek (*schríc*) s. chillido; intr. chillar.

shrill (*schríl*) adj. agudo; penetrante.

shrimp (*schrímp*) s. gamba.

shrine (*schráin*) s. santuario, relicario.

shrink (*schrínk*) s. encogimiento; intr. encogerse.

shrivel (*schivl*) tr., intr. arugar(se).

shroud (*schráud*) s. mortaja, tr. amortajar.

shrub (*schrö'b*) s. mata.

shudder (*schö'dör*) s. estremecimiento; intr. estremecerse.

shuffle (*schö'fl*) s. barajadura, excusa, v. barajar.

shun (*schö'n*) tr. e intr. esquivar, rehuir.

shut (*schö't*) tr. cerrar; — **down** tr., intr. cesar en el negocio; — **up** intr. cerrar la boca. **/ter** (*schö'tör*) s. postigo.

shy (*schái*) adj. timido; esquivo. **/ness** (*scháines*) s. timidez; reserva.

sick (*síc*) adj. enfermo; mareado; **/— of** adj. harto de. **/en** (*síken*) tr. dar asco, poner enfermo; intr. enfermarse. **/ly** (*siclí*) adj. enfermizo. **/ness** (*sícnes*) s. enfermedad; náusea.

sickle (*síkl*) s. hoz.

side (*sáid*) s. lado, flanco, bando; **/board** (*sáidbood*) s. aparador. **/long** (*sáidlong*) adj. lateral. **/walk** (*sáiduoc*) s. acera. **/ways** (*sáidueis*) adv. de lado.

siege (*sídch*) s. sitio.

si/eve (*sív*) s. cedazo; tamíz; criba. **/ft** (*síft*) tr. cribar; examinar.

sigh (*sái*) s. suspiro; intr. suspirar.

sight (*sáit*) s. vista; visión, espectáculo tr. ver, percibir.

sign (*sáin*) s. seña(l), signo, tr. señalar, firmar. **/al.** (*sígnal*) s. señal; adj. señalado; tr. adver-

tir. **/alize** (*signalais*) tr. señalar. **/ature** (*signatiua*) s. firma.

signif/icance (*significans*) s. significación. **/icant** (*signíficant*) adj. significante. **/y** (*signifai*) tr. significar.

silen/ce (*sáilens*) s. silencio; interj. ¡silencio!, tr. imponer silencio a. **/t** (*sáilent*) adj. silencioso.

silk (*sílk*) s. seda; — **hat** s. sombrero de copa. **/en** (*sílken*) adj. de seda. **/y** (*sílki*) adj. sedoso.

sill (*síl*) s. antepecho.

sill/iness (*sílines*) s. tonteía. **/y** (*síli*) adj. necio; tonto; imbécil.

silver (*sílvör*) s. plata; adjet. plateado; de plata; tr. platear. **/smith** (*sílvörsmiz*) s. platero. **/y** (*sílvöri*) adj. argentino.

simil/ar (*símilar*) adj. similar. **/arity** (*similáriti*) s. semejanza. **/e** (*símili*) s. símil. **/itude** (*similítiud*) s. similitud.

simpl/e (*símpl*) s. simplón, tonto.; adj. simple. **/eton** (*símpulton*) s. simplón. **/ify** (*símplifai*) tr. simplificar.

simulat/e (*símuleit*) tr. simular. **/ion** (*simuléischön*) s. simulación.

simultaneous (*simölténiös*) adj. simultáneo.

sin (*sín*) s. pecado; tr. intr. pecar. **/ful** (*sínful*) adj. pecaminoso.

since (*síns*) adv. desde (que); prep. desde, después de; conj. ya que.

sincer/e (*sinsía*) adj. sincero, franco. **/ity** (*sinsériti*) s. sinceridad.

sinecure (*sáinikiua*) s. sinecura; fam. enchufe.

sinew (*síniu*) s. tendón.

sing (*síng*) tr. e intr. cantar. **/er** (*síngör*) s. cantor(a), cantante. **/ing**

singing (*sínging*) adj. cantante: s. canto.

single (*singl*) adj. único, soltero, sencillo, solo; s. billete de ida; tr. singularizar; — **out** tr. separar.

singular (*sínguiular*) adj. singular, único; peculiar.

sinister (*sínistör*) adj. siniestro; zurdo.

sink (*sínk*) intr. hundirse, naufragar; tr. hundir; s. sentina; fregadero. /**ing** (*sínking*) s. hundimiento.

sinner (*sínör*) s. pecador.

sinuous (*síniuös*) adj. sinuoso tortuoso.

sip (*síp*) s. sorbo; trago pequeño; tr. sorber.

sir (*sö'r*) s. señor; caballero. /**e** (*sáir*) s. padre; anciano.

siren (*sáiren*) s. sirena.

sirloin (*sö'rloin*) s. solomillo.

sister (*sístör*) s. hermana; monja, enfermera jefe. /**-in-law** s. cuñada.

sit (*sít*) intr. estar sentado, sentarse, residir; tr. asentar. /— **down**, sentarse.

site (*sáit*) s. sitio, solar.

situation (*sitiuéschön*) s. situación; colocación.

six (*sícs*) s. seis. /**teen** (*sicstín*) adj. dieciséis /**ty** (*sícstí*) adj. sesenta.

siz/able (*sáisabl*) adj. considerable. /**e** (*sáis*) s. tamaño; medida, cola, goma; tr. calibrar, encolar.

skate (*skéit*) s. patín; intr. patinar.

skeleton (*skéletön*) s. esqueleto; armazón; — **key** s. ganzúa.

skeptic (*sképtic*) s. escéptico. /**ism** (*sképtisism*) s. escepticismo.

sketch (*skétch*) s. esbozo, apunte; tr. diseñar.

skew (*skiú*) adj. oblícuo.

ski (*skí*, *schi*) s. esquí; tr. esquiar.

skid (*skíd*) s. patinazo, intr. resbalar, patinar.

skil/ful (*skílful*) adj. diestro; hábil. /**l** (*skíl*) s. destreza, maña; /**led** (*skílt*) adj. práctico.

skim (*skím*) s. espuma; escoria; tr. desnatar.

skin (*skin*) s. piel, cutis, tr. pelar, mondar. /**ny** (*skíni*) adj. flaco.

skip (*skíp*) s. brinco; intr. brincar tr. saltarse. /**per** (*skípör*) s. patrón.

skirmish (*skö'rmisch*) s. escaramuza refriega.

skirt (*skö'rt*) s. falda, faldón, borde; tr. orillar.

skit (*skít*) s. pasquín.

skull (*skö'l*) s. cráneo.

sky (*skái*) s. cielo; firmamento. /**lark** (*skáilarc*) s. alondra. /**light** (*skáilait*) s. claraboya.

slab (*sláb*) s. losa.

slack (*slák*) adj. flojo; lacio; s. flojedad /**en** (*slákn*) tr. aflojar; intr. aflojarse. /**ness** (*sláknes*) s. flojedad. /**s** (*sláks*) s. pantalones amplios.

slag (*slág*) s. escoria.

slake (*sléik*) tr. extinguir; calmar; intr. cejar.

slam (*slám*) s. portazo; tr. cerrar de golpe.

slander (*slándör*) s. calumnia; difamación; tr. calumniar. /**ous** (*slándörös*) adj. calumnioso.

slang (*sláng*) s. jerga.

slant (*slánt*) adj. sesgado; s. sesgo, inclinación; tr., intr. sesgar(se).

slap (*sláp*) s. manotazo; revés; tr. abofetear.

slash (*slásch*) s. cuchillada; tajo; tr. acuchillar.

slate (*sléit*) s. pizarra.

slaughter (*slóta*) s. matanza; tr. matar; — **house** s. matadero.

slav/e (*sléiv*) s. esclavo; intr. trabajar como un esclavo. /ery (*sléivöri*) s. esclavitud. /ish (*sléivisch*) adj. servil.

slay (*sléi*) tr. matar. /er (*sléa*) s. matador.

slaver (*slávör*) s. baba.

sled (*sléd*) s. trineo. /ge (*slédch*) s. trineo.

sleek (*slík*) adj. pulido; liso;tr. alisar.

sleep (*slíp*) s. sueño; intr. dormir. /er (*slíp*) s. durmiente; travesaño, coche-cama; adj. durmiente. /iness (*slípnes*) s. somnolencia;/ing (*slíping*) s. sueño. /less (*slíples*) adj. desvelado; /lessness (*slíplesnes*) s. insomnio. /y (*slípi*) adj. soñoliento.

sleet (*slít*) s. aguanieve.

sleeve (*slív*) s. manga. /— fish s. calamar.

sleigh (*sléi*) s. trineo.

sleight (*sláit*) s. habilidad pericia, maña. /-of-hand s. prestidigitación.

slender (*slénda*) adj. delgado; sutil; esbelto.

slice (*sláis*) s. rodaja, rebanada; tr. rebanar, cortar en rodajas.

slid/e (*sláid*) s. resbaladero; resbalón, alud; tr., intr. (hacer) resbalar. /ing (*sláiding*) s. deslizamiento; adj. escurridizo

slight (*sláit*) s. desdén; descuido; adj. ligero, leve; tr. menospreciar.

slim (*slím*) adj. delgado; intr. adelgazar.

sling (*slíng*) s. honda; vendaje; tr. arrojar (con honda), poner en cabestrillo.

slip (*slíp*) s. resbalón; desliz, error, tira de papel; combinación (de mujer); v. deslizar(se). /per (*slipör*) s. zapatilla.

/pery (*slípöri*) adj. resbaladizo.

slit (*slít*) s. raja; ranura; v. rajar(se).

slobber (*slóbör*) s. baba; tr. babosear.

slogan (*slóugan*) s. lema.

slope (*slóup*) s. sesgo; declive; rampa; tr. sesgar; intr. inclinarse.

slot (*slót*) s. ranura.

sloth (*slóz*) s. pereza.

slough (*sláu*) s. lodazal.

sloven (*slövn*) s. persona desaseada o sucia. /liness (*slö'vnlines*) s. desaliño; dejadez. /ly (*slö'vnli*) adj. desaliñado.

slow (*slóu*) adj. lento, tardo, pesado. /ness (*slóunes*) s. lentitud, tardanza.

sluggish (*slö'guisch*) adj. perezoso; indolente; /ness (*slö'guischnes*) s. pereza; pesadez.

sluice (*slús*) s. esclusa.

slum (*slóm*) s. barrio bajo; suburbio pobre.

slumber (*slö'mbör*) s. sueño ligero, tr. dormitar.

slur (*slör*) s. mancha; borrón; tr. manchar.

sly (*slái*) adj. astuto; taimado. /ness (*sláines*) s. astucia; malicia.

small (*smól*) adj. pequeño; bajo. /— hours altas horas. /ness (*smólnes*) s. pequeñez. /pox (*smólpox*) s. viruelas.

smart (*smart*) adj. listo; activo; hábil; elegante; s. escozor, intr. escocer. /ness (*smártnes*) s. elegancia, astucia.

smash (*smásch*) s. rotura destrozo; tr. romper, hacer pedazos; intr fracasar. /ing (*smásching*) adj. *fam.* estupendo.

smear (*smía*) s. mancha; smell (*smel*) s. olor; olfato; tr. intr. oler.

smelt (*smélt*) tr. fundir.

smil/e (smáil) s. sonrisa;
intr. sonreirse. /ing (smá
iling) adj. risueño.

smit/e (smáit) tr. herir;
golpear; dar en. /h
(smíz) s. herrero.

smok/e (smóuk) s. humo;
intr. humear; fumar. /
er (smóukör) s. fuma-
dor. /no -ing se prohibe
fumar.

smooth (smúz) adj. liso;
suave; tr. allanar. /ness
(smúznes) s. suavidad.

smother (smö'dör) s. hu-
mareda, tr. sofocar.

smug (smö'g) adj. presu-
mido, atildado, cómodo.

smuggl/e (smö'gl) tr.
matutear; pasar de con-
trabando. /er (smö'glör)
s. contrabandista. /ing
(smö'gling) s. contraban-
do; matute.

snack (snác) s. parte, pis-
colabis. /go —s ir a
medias; /-s! ¡a partir!

snag (snág) s. protuberancia, dificultad, "pega".

snail (snéil) s. caracol.

snake (snélk) s. serpien-
te, culebra.

snap (snáp) s. chasquido,
mordedura, cierre de re-
sorte; (fotografía) ins-
tantánea; tr. chasquear,
cerrar; intr. chasquear.
/— shot s. (fotografía)
instantánea.

snare (snéa) s. trampa;
tr. cazar con trampas.

snarl (snárl) s. regaño;
refunfuño; intr. gruñir.

snatch (snách) s. arreba-
tamiento; tr. arrebatar.

sneak (snik) intr. arras-
trarse; ratear. /ers (sní-
körs) s. zapatos de suela
blanda. /ing (sníking)
adj. rastrero.

sneer (snía) s. mirada des-
pectiva, mofa.

sneeze (snis) s. estornudo,
intr. estornudar.

sniff (sníf) s. olfateo,
husmeo, tr. olfatear.

snip (sníp) s. tijeretada;
recorte; tr. recortar.

snivel (snívl) s. moquita.

snob (snób) s. "snob",
fachendón. /bish (snó-
bisch) adj. fachendoso.
/bishness (snóbischnes)
s. fachenda; vulgaridad.

snooze (snús) s. siesteci-
ta, intr. dormitar.

snor/e (snóa) s. ronqui-
do; intr. roncar. /ing
(snóring) s. ronquido.

snort (snórt) s. resoplido;
bufido; intr. resoplar.

snout (snáut) s. hocico.

snow (snóu) s. nieve; in-
tr. nevar. /-clad adj. cu-
bierto de nieve. /drift s.
ventisquero. /fall (snóu-
fol) s, nevada. /plough
s. máquina quitanieves;
s. ventisca.

snub (snö'b) s. riña; re-
primenda; -storm tr. re-
ñir, reprender; adj. cha-
to.

snug (snö'g) adj. abriga-
do; cómodo, conforta-
ble. /gery (snö'göri) s.
lugar confortable.

so (sóu) adv. así como,
por tanto, tan, tanto,
conj. con tal de que.
/— far adv. hasta ahora.
/— long ¡hasta luego!

soak (sóuk) s. remojo;
calada; fam. borrachín.
tr., intr. remojar(se).

soap (sóup) s. jabón; tr.
enjabonar; adular, /y
(sóupi) adj. jabonoso.

soar (sóa) intr. remontar-
se; elevarse.

sob (sób) s. suspiro; so-
llozo; intr. suspirar.

sober (sóbör) adj. sobrio;
moderado; serio. /ness
(sóbörnes) s. sobriedad.

soccer (sókör) s. fútbol.

soci/able (sóuschiabl) adjet. sociable. /al (sóu-
schal) adj. social. /alism
(sóuschalism) s. socialis-
mo. /alist (sóuschalist)
adj. y s. socialista. /ali-

ze (sóuschalais) tr. socializar. /ety (sosáieti) s. sociedad; Com. compañía.

sock (sók) s. calcetín.

socket (sóket) s. cubo; caja; cajera; cuenca.

soda (sóuda) s. soda.

sodden (sódn) adj. empapado; saturado.

sodom/ite (sódomait) s. sodomita, invertido. /y (sódomi) s. sodomía.

sofa (sóufa) s. sofá.

soft (sóft) adj. blando; interj. ¡despacio!. —drinks s. bebidas no alcohólicas. /en (sófn) v. ablandar(se). /ish (sóftisch) adj. blandengue. /ness (sóftnes) s. blandura.

soho (sojó) interj ¡so!.

soil (sóil) s. suelo, tierra, tr. ensuciar, abonar.

sojourn (sóudchörn) s. estancia; intr. residir.

solace (sólis) s. consuelo solaz; tr. consolar.

soldier (sóuldchör) s. soldado, militar. /s (sóuldchörs) s. pl. tropa. /like (sóuldchörlaik) adj marcial. /y (sóuldchöri) s. tropa.

sole (sóul) s. planta del pie; suela; (pez) lenguado; adj. solo, único.

solemn (sólem) adj. solemne. /ess (sólemnes) s. solemnidad.

solicit (solísit) tr. solicitar; importunar, incitar. /or (solísitör) s. solicitador; procurador; pretendiente. /ous (solísitös) adj. solicito.

solid (sólid) adj. y. s. sólido. /ify (solídifai) v. solidificar(se).

soliloquy (solílocui) s. soliloquio; monólogo.

solitude (sólitiud) s. soledad.

solu/ble (sóliubl) adj. soluble. /tion (soliúschön) s. solución.

solv/able (sólvabl) adj. (di)soluble. /e (sólv) tr. resolver; disolver /ency (sólvensi) s. solvencia. /ent (sólvent) adj. (re)solvente.

sombre (sómbör) adj. sombrio. lóbrego.

some (sön) adj. algo de; un poco; algún; alguno; unos; pron. algunos; los unos. /body (sö'mbodī) s. alguien. /how (sö'mjau) adv. de algún modo. /one (sö'muan) pron. alguien. / t h i n g (sö'mzing) s. adv. algo. /time (sö'mtain) adv. en algún tiempo, algún día. algunas veces. / w h a t (sö'muot) s. adv. algo; un poco. /where (sö'muea) adv. en alguna parte.

somn/ambulism (somnámbiulism) s. so(m)nambulismo. /ambulist (somnámbulist) adj. y s. so(m)námbulo. /iferous (somníförös) adj. somnífero.

son (sö'n) s. hijo. /-in-law s. yerno.

song (sóng) s. canción.

sonnet (sönét) s. soneto.

sonorous (sonórös) adj. sonoro. /ness (sonórösnes) s. sonoridad.

soon (sún) adv. pronto, temprano, en breve. /

soot (sút) s. hollín.

sooth/e (sud) tr. calmar, complacer. /er (súdör) s lisonjero. chupete (de bebé). /ing (súding) s. lisonja; calmante; adj. calmante.

soothsayer (súzseia) s. adivino; calmante.

sophis/m (sófism) s. sofisma. /t (sófist) s. sofista. /ticate sofistikeit) adj. falsificado; tr. falsi-

ficar /try (sófistri) s. sofistería.

soporific (sopórifik) adj. soporífero.

sorcer/er (sórsörör) s. hechicero. /ess (sórsöres) s. hechicera. /y (sórsöri) s. hechizo; magia.

sordid (sórdid) adj. sórdido. /ness (sórdidnes) s. sordidez.

sore (sóua) s. mal; dolor; llaga; adj. doloroso. /—ears dolor de oídos; /—eyes s. dolor de ojos. / ness (sóanes) s. mal; dolor.

sorr/ow (sórou) s. pena; pesar; dolor; intr. afligirse. /owful (sórouful) adj. afligido. /y (sóri) adj. apenado; I am — lo siento.

sort (sórt) s. clase; tipo; suerte; tr. clasificar.

sot (sot) s. tonto. /tish (sótish) adj. torpe.

soul (sóul) s. alma.

sound (sáund) s. sonido; son; tienta; sonda; adj. sano; bueno; seguro; tr. sonar, sond(e)ar. /less (sáundles) adj. insondable. /ness (sáundnes) s. salud; vigor.

soup (súp) s. sopa.

sour (sáua) adj. agrio; acre, ácido; áspero; tr. intr agriar(se). /ness (sáuanes) s. acidez.

source (sórs) s. manantial; origen, fuente.

south (sáuz) s. sur; me. diodía; adj. meridional. /ern (sö'zörn) adj. meridional.

sovereign ¦ sóvörein) s. y adj. soberano. /ty (sóvöreinti) s. soberanía.

sow (sóu) s. puerca: marrana, tr. sembrar

spa (spá) s. balneario.

spac/e (spéis) s. espacio extensión. /ious (spéis chös) adj. espacioso.

spade (spéid) s. azada.

span (spán) s. palmo, tramo, ojo de puente. tr. medir a palmos, extenderse sobre, salvar.

spangle (spángl) s. lentejuela.

Spani/ard (spániard) s. español. /el (spániel) s. perro de aguas. /sh (spánish) adj. y s. español; s. español (idioma).

spank (spánk) tr. zurrar.

spar (spár) s Min. espato; Mar. mástil; riña.

spar/e (spéa) adj. disponible; sobrante; tr. ahorrar, prestar. /parts s. piezas de recambio; —time s. tiempo libre.

spark (spárk) s. chispa; centella; fig. petimetre; tr., intr. centellear. /— plug s. bujía de ignición. /le (spárkl) s. destello; intr. chispear. /ling (spárkling) adj. chispeante.

sparrow (spárou) s. Orn. gorrión; pardal.

spasm (spásm) s. espasmo. /odic (spasmódic) adj espasmódico.

spatter (spátör) s. salpicadura; tr. salpicar.

speak (spik) tr., intr. hablar, decir. /— up hablar en voz alta. /er (spíkör) s orador.

spear (spia) s. lanza

special (spéschal) adj. especial. /ist (spéschalist) adj. y s. especialista / ity (speschálili) s. /ze (spéschalais) tr. intr. especializar(se).

speci/es (spíschis) s (sg y pl.). especie, clase, género. /fic (spesific) s y adj. específico /fical (spesífical) adj específico. /fy (spésifai) tr. especificar. /men (spésimen) s. muestra

specta/cle (spéctakl) s. espectáculo. /cles (spéctakls) s. pl. anteojos, gafas. /tor (spectéitör) s. espectador.

spectre (spéctör) s. espectro; visión.

speculat/e (spékiuleit) intr. especular. /ion s. especulación. /ive (spékiuletiv) adj. especulativo; teórico. /or (spékiuleitör) s. especulador.

speech (spích) s. habla; discurso. /less (spíchles) adj. mudo, cortado.

speed (spíd) s. velocidad, tr., intr. apresurar(se).

spell (spél) s. hechizo; turno, rato, período: tr. e intr. deletrear, hechizar. /ing (spéling) s. deletreo.

spen/d (spénd) tr. gastar, pasar (tiempo); / **dthrift** (spéndzrift) s. pródigo; derrochador. /t (spént) adj. gastado.

spher/e (sfía) s. esfera; globo. /ic (sféric) adj. esférico.

sphinx (sfínks) s. esfinge.

spice (spáis) s. especia; tr. especiar, sazonar.

spider (spáidör) s. araña.

spike (spáik) s. espiga.

spill (spíl) tr. intr. derramar(se), verter(se).

spin (spin) s. giro, vuelta; tr. girar, voltear, hilar ;intr. girar.

spinach (spínedch) s. Bot. espinaca.

spin/e (spáin) s. espinazo; espina (dorsal). /y (spáini) adj. espinoso.

spin/ner (spínör) s. hilador; hilandera. / **ning** (spíning) s. hilado, hilatura. /ster (spínstör) s. solterona.

spir/al (spáiral) adj. espiral. /e (spáia) s. espira; cumbre, obelisco.

spirit (spírit) s. espíritu; valor. /s (spírits) s. pl. alcohol, bebidas alcohó-

licas; (buen) humor. /ed (spíritit) adj. animoso. /less (spíritles) adj. abatido. / **ual** (spíritiual) adj. espiritual. /**uality** (spíritiuáliti) s. espiritualidad. /**aulize** (spíritiualais) tr. espiritualizar. /**uous** (spíritiuös) adj. espirituoso.

spit (spit) s. asador; salivazo; v. escupir.

spite (spáit) s. despecho; rencor; tr. mostrar resentimiento. /in — of a pesar de. /ful (spáitful) adj. rencoroso.

splash (splásch) s. salpicadura; tr. salpicar.

spleen (splín) s. Anat. bazo, bilis; hipocondría.

splend/id (spléndid) adj. espléndido. /our (spléndör) s. esplendor.

splint (splint) s. astilla. Med. tablilla, férula. / **er** (splíntör) s. astilla; tr. entablillar.

split (split) s. hendidura, tr., intr. partir(se).

splutter (splö'tör) s. balbuceo; intr. balbucear.

spoil (spóil) s. despojo; perdición; botín; tr. despojar, corromper, mimar; intr. corromperse, echarse a perder. /s (spóils) s. gajes.

spokesman (spóuksman) s. portavoz.

spong/e (spöndch) s. esponja; fam. gorrón, tr. absorber. /er (spö'ndchör) s. sablista, gorrón. /y (spö'ndchi) adj. esponjoso.

sponsor (spónsör) s. fiador; patrocinador, padrino; tr. patrocinar.

spontaneous (spontéiniös) ad. espontáneo.

spool (spúl) s. canilla; carrete; tr. ovillar.

spoon (spún) s. cuchara. /ful (spúnful) s. cucharada.

sport (spóot) s. deporte, juego, broma; tr. ostentar, lucir; intr. divertirse. /**ing** (spóoting) adj. deportivo. /**ive** (spóotiv) adj. juguetón. /**s m a n** (spóotsman) s. deportista.

spot (spót) s. lugar, punto; mancha, tr. manchar, localizar, descubrir. / **less** (spótles) adj. limpio. /**light** (spótlait) s. reflector.

spouse (spáus) s. esposo(a), conyuge.

spout (spáut) s. caño; conducto; v. arrojar.

sprain (spréin) s. Med. torcedura; t r . torcer, intr. dislocarse.

sprawl (spról) tr., intr. tender(se).

spray (spréi) s. rociada; tr. rociar, pulverizar.

spread (spréd) s. extensión; propagación; tapete, tr. intr. esparcir(se).

spree (sprí) s. jolgorio.

spring (spríng) s. primavera; Mec. resorte, muelle; intr. saltar, brincar. /**board** (spríngbóard) s. trampolín.

sprinkle (sprínkl) tr. rociar; salpicar.

sprint (sprínt) carrera, corrida; intr. correr.

sprout (spráut) s. vástago; retoño; intr. brotar. /**s** (spráuts) s. pl. brote, pimpollo. /**Brussels —s** coles de Bruselas.

spur (spö'r) s. espuela; espolón; tr. espolear.

spurious (spiúriös) adj. bastardo, espurio, falso.

spurt (spö'rt) chorro, esfuerzo supremo; intr. salir a chorros.

spy (spái) s. espía; tr. espiar; atisbar.

squad (skuód) s. pelotón. /**ron** (skuódrön) s. escuadrón, escuadrilla.

squal/id (skuólid) adj. escuálido, mugriento. / **or** (skuólör) s. suciedad.

squander (skuóndör) tr. intr. malgastar.

square (skúea) s. cuadrado, plaza; adj. cuadrado, completo, tr. cuadrar.

squash (skuósch) s. calabaza; pulpa, tr. aplastar, magullar.

squat (skuót) tr., intr. agacharse; sentarse en cuclillas. /**ter** (skuótör) s. advenedizo.

squeak (skuík) s. alarido; intr. rechinar, chillar.

squeamish (skúimisch) adjet. escrupuloso, difícil.

squeeze (skuís) s. estrujón; tr. estrujar.

squid (scuíd) s. calamar.

squint (scuínt) adj. bizco; s. estrabismo; tr., intr. mirar bizco.

squire (scuáia) s. escudero; hacendado.

squirm (scuö'rm) intr. retorcerse, serpear.

squirrel (scuírel) s. ardilla.

stab (stab) s. puñalada; golpe; tr. apuñalar.

stab/ility (stabíliti) s. estabilidad. /**ilize** (stábilais) tr. estabilizar. /**le** (stéibl) adj. estable; s. establo.

stack (stác) s. niara; montón; Mil. pabellón tr. amontonar.

staff (stáf) s. báculo, apoyo; vara; plantilla; Mil. estado mayor.

stag (stag) s. ciervo.

stage (stéidch) s. escenario, tablado, etapa; tr. escenificar /**-coach** s. diligencia (coche).

stagger (stágör) s. bamboleo; intr. tambalear, tr. alternar, escalonar.

stagna/nt (stágnant) adj. estancado. /**te** (stógnant) intr. estancarse. /**tion**

(stangnéischön) s. estancamiento.

stain *(stéin)* s. mancha; tr. manchar. /**less** *(stéinles)* adj. límpio; — **steel** s. acero inoxidable.

stair *(stéa)* s. escalón; grada. /**case** *(stéakeis)* s. escalera. /**s** *(stéas)* s. pl. escaleras.

stake *(stéik)* s. estaca; apuesta; tr. apostar.

stale *(stéil)* adj. rancio.

stalk *(stók)* s. tallo.

stall *(stól)* s. puesto, parada; butaca; establo; tr. meter en el establo; v. atascar(se).

stalwart *(stóluöt)* adj. robusto; fornido.

stamina *(stámina)* s. estambres; vigor; fuerza.

stammer *(stámör)* s. balbuceo; tartamudeo; intr. tartamudear, balbucir; /**er** *(stámörör)* s. tartamudo.

stamp *(stámp)* s. sello; marca; estampa; tr. sellar, intr. patear.

stampede *(stämpíd)* s. estampida, huída; tr. intr. ahuyentar, desbandarse.

stand *(stánd)* s. parada; puesto; plataforma; tribuna; tr. sostener, sufrir, intr. estar de pie. — **up** ponerse en pie; — **for** representar. /**ing** *(stánding)* s. reputación adj. estable, de pie. / **still** *(stándstil)* s. punto muerto.

standard *(stándard)* s. norma ; modelo, tipo; estandarte. adj. típico; normal. /**ize** *(stándarais)* tr. normalizar.

star *(stár)* s. estrella; asterisco; tr. marcar con asterisco; intr. representar el primer papel.

starboard *(stáabood)* s. *Mar.* estribor.

starch *(stárch)* s. almidón; tr. almidonar. /**ed**

(stárcht) adj. almidonado, grave, formal.

stare *(stéa)* s. mirada fija; tr. mirar fijamente.

stark *(stárk)* adj. rígido, muerto. fig. completo, puro; adv. del todo.

starr/ed *(stárd)* adj. /**y** *(stáari)* adj. estrellado.

start *(stárt)* s. comienzo, marcha, sobresalto, ímpetu, tr. poner en marcha, comenzar, intr. arrancar, sobresaltarse. /**le** *(stártl)* s. espanto; tr. asustar.

starv/ation *(starvéischön)* s. inanición; indigencia, hambre. /**e** *(starv)* intr. morir de hambre; tr. matar de hambre.

state *(stéit)* s. estado; tr. intr. establecer; manifestar. /**ly** *(stéitli)* adv. majestuoso. /**ment** *(stéitment)* s. declaración, estado de cuentas, memoria. /**sman** *(stéitsman)* s. estadista.

static *(státic)* adj. estático.

station *(stéischön)* s. estación; parada; tr. colocar. /**ary** *(stéischönari)* adj. estacionario.

stationery *(stéischöneri)* s. papelería; objetos de escritorio.

statistics *(statístics)* s. estadística.

statuary *(státiueri)* s. estatuaria; estatuario.

statue *(státiu)* s. estatua.

statute *(státiut)* s. estatuto.

stay *(stéi)* s. estancia, intr. quedarse, permanecer, hospedarse.

stead *(stéd)* s. lugar; sitio. /**fast** *(stédfast)* adj. fijo; estable. /**y** *(stédi)* adj. estable; fijo; tr. asegurar; intr. afirmarse.

steak *(stéic)* s. tajada, bistec.

steal (*stíl*) s. hurto, robo; tr. hurtar, robar, ocultar; i n t r. colarse. **/th** (*stélz*) s. robo; hurto; recato. **/thy** (*stélzi*) adj. furtivo

steam (*stíim*) s. vapor; vaho; intr. emitir vapor tr. tratar o cocer con vapor. **/er** (*stímör*) s. barco de vapor.

steel (*stíil*) s. acero; adj. de acero, tr. acerar. **/—works** s. fundición de acero, acería.

steep (*stíip*) s. precipicio, adj. escarpado; acantilado; tr. empapar.

steeple (*stípl*) s. espira. **/chase** (*stíplcheis*) s. carrera de obstáculos.

steer (*stía*) s. becerro; novillo; tr. guiar, gobernar **/ing wheel** s. *Autom.* volante de la dirección. **/age** (*stíridch*) s. gobierno.

stem (*stém*) s. tallo, tronco; pie de copa.

stench (*sténch*) s. hedor.

stencil (*sténsil*) tr. estarcir, copiar en ciclostilo; s. ciclostilo.

stenographer (*stinógraför*) s. taquígrafo.

step (*stép*) s. paso ;escalón; estribo; intr. dar pasos, apretar con el pie **-mother** s. madrastra. **-father** s. padrastro.

sterile (*stérail*) adj. estéril. **/ity** (*steríliti*) s. esterilidad. **/ize** (*stérilais*) tr. esterilizar.

sterling (*stö'rling*) adj. genuino; puro. **/pound** — s. libra esterlina.

stern (*stö'rn*) adj. duro; severo; inflexible; s. severidad *Mar.* popa.

stew (*stiú*) s. estofado, guisado; tr. estofar

steward (*stiúörd*) s. mayordomo; administrador, camarero de barco o

avión. **/ess** (*stiuördes*) s. camarera, azafata

stick (*stik*) s. palo; bastón, tr. pegar, juntar, intr. pegarse. **/y** (*stíki*) adj. pegajoso.

stiff (*stíf*) adj. tieso; rigido. **/— neck** s. torticolis. **/en** (*stífn*) tr. envarar. **/ness** (*stífnes*) s. tiesura.

stifle (*stáifl*) tr. sofocar.

stigma (*stígma*) s. estigma. **/tize** (*stígmatais*) tr. estigmatizar.

still (*stíl*) s. silencio, calma; a d j. silencioso, quieto; inmóvil; adv. todavía; aún; sin embargo; tr. calmar. **/— life** bodegón; naturaleza muerta. **/ness** (*stílnes*) s. silencio; sosiego.

stilt (*stílt*) s. zanco. **/ed** (*stíltit*) adj. pomposo.

stimul/ant (*stímiulant*) s. y adj. estimulante. **/ate** (*stímiuleit*) tr. estimular **ation** (*simiuléischön*) s. estímulo. **/ u s.** (*stímiulös*).

sting (*stíng*) s. aguijón, picada; tr. picar **/iness** (*stínddchines*) s. tacañería. **/y** (*stíndchi*) adj tacaño. ·

stink (*stink*) s. hedor; intr heder, apestar.

stipend (*stáipend*) s. estipendio; sueldo; salario

stipulat/e (*stípuleit*) intr estipular. **/ion** (*stipiuléischön*) s. estipulación.

stir (*stö'r*) s. movimiento; conmoción, agitación, tr., intr. agitarse.

stitch (*stich*) s. puntada; punto; tr. coser.

stock (*stök*) s .tronco, estirpe, linaje: *Com.* capital inicial, valores, acciones, fondo, existencias; tr. proveer, tener en existencia **/broker** (*stökbroukör*) s agente de bolsa. /— Exchange s. bolsa.

stocking (stóking) s. media; calceta.

stoical (stóical) adj. estoico.

stoke (stóuk) tr. alimentar el fuego, cargar.

stolid (stólid) adj. estólilido, impasible.

stomach (stö'mac) s. estómago; tr. digerir.

ston/e (stóun) s. piedra; pepita; hueso de una fruta; tr. apedrear; —**coal** s. antracita: —**pit** s. cantera, pedrera. /y (stóuni) adj. pedregoso.

stool (stúl) s. taburete, banquillo, retrete.

stoop (stúp) s. inclinación; abatimiento; intr. inclinarse.

stop (stóp) s. parada; pausa; alto; tr., intr. pararse. /**page** (stópidch) s. detención; interrupción. /**per** (stópör) s. tapón, tr. tapar.

stor/age (stóuridch) s. almacenaje. /**e** (stóa) s. almacén, tr. almacenar.

storm (stórm) s. tempestad; tormenta, tr. asaltar. /y (stórmi) adj. tempestuoso.

story (stóri) s. historia, cuento, historieta, anécdota; Arq. piso, planta.

stout (stáut) adj. fornido, s. cerveza fuerte.

stove (stóuv) s. estufa.

stowaway (stóueuei) s. polizón.

straggle (strágl) intr. extraviarse; desbandarse.

straight (stréit) adj. derecho, recto, directo, adv. directamente. /**en** (stréiten) tr. enderezar.

strain (stréin) s. tensión, esfuerzo; tr. forzar, estirar; colar. /**er** (stréinör) s. colador.

strait (stréit) s. estrecho; peligro; adj. estrecho,

angosto. /**en** (stréitn) tr. contraer.

strand (strand) s. playa; costa; tr. encallar.

strange (stréindch) adj. extraño. /**ness** (stréindchnes) s. extrañeza; rareza. /**r** (stréindchör) s. forastero; extraño.

strangle (strángl) tr. estrangular.

strap (stráp) s. correa; Mil. charretera; tr. zurrar, atar con correas.

strat/agem (strátadchem) s. estratagema. /**egic** (stratédchic) adj. estratégico.

strat/ify (strátifai) tr. estratificar. /**um** (stretöm) s. estrato; capa.

straw (stró) s. paja; fig. fruslería. /**berry** (stróri) s. Bot. fresa. /y (strói) adj. pajizo.

stray (stréi) s. descarrío; persona o animal perdido; adj. descarriado; intr. descarriarse.

streak (strík) s. raya, lista, tr. listar. /y (stríki) adj. listado.

stream (stríim) s. corriente; arroyo; intr. correr. /**line** (strímlaín) s. línea aerodinámica; tr. dar línea aerodinámica.

street (stríit) s. calle.

strength (stréngz) s. fuerza. /**en** (stréngzen) tr. fortalecer.

strenuous (stréniuðs) adj. enérgico, fuerte; tenaz.

stress (strés) s. fuerza, tensión, acento tónico.

stretch (stréch) s. extensión, trecho; tr., intr. extenderse.

strict (strict) adj. estricto. /**ness** (stríctnes) s. exactitud; severidad.

stride (stráid) s. paso largo, zancada; intr. andar a trancos.

strident (stráident) adj. estridente.

strife (*stráif*) s. contienda; disputa.

strik/e (*stráik*) s. golpe; huelga; fam. chiripa; tr. golpear, herir chocar con, encender un fósforo, intr. golpear. /er (*stráikör*) s. huelguista. /ing (*stráiking*) adj. sorprendente.

string (*stríng*) s. cordón; hilera; tr. encordar.

stringent (*stríndchent*) adjet. estricto, riguroso.

strip (*stríp*) s. tira; banda; v. desnudar(se).

stripe (*stráip*) s. raya; lista; galón; tr. rayar. /d (*stráipt*) adj. rayado.

strive (*stráiv*) intr. esforzarse; empeñarse.

stroke (*stróuk*) s. golpe; campanada; raya.

stroll (*stról*) s. excursión; paseo; intr. vagar.

strong (*stróng*) adj. fuerte. /hold (*stróngjould*) s. baluarte.

structure (*strö'kcha*) s. estructura.

struggle (*strö'gl*) s. esfuerzo; lucha, intr. bregar, contender.

stub (*stö'b*) s. zoquete; colilla (de cicigarrillo).

stubborn (*stö'born*) adj. terco, tozudo. /ness (*stö'bornes*) s. tozudez.

stud (*stö'd*) s. tachón; botón del cuello.

stud/ent (*stiúdent*) s. estudiante. /ious (*stiúdiös*) adj. estudioso. /y (*stö'di*) s. estudio; tr. estudiar.

stuff (*stö'f*) s. material, materia prima, chismes; tr. henchir, intr. atracarse. /ing (*stö'fing*) s. relleno. /y (*stö'fi*) adj. mal ventilado, cargado.

stumble (*stö'mbl*) s. tropiezo; intr. tropezar.

stun (*stö'n*) tr. atolondrar aturdir, pasmar.

stunt (*stö'nt*) tr. no dejar medrar, encanijar.

stupefy (*stiúpifai*) tr. causar estupor, atontar.

stupendous (*stiupéndös*) adj. estupendo.

stupid (*stiúpid*) adj. estúpido. /ity (*stiupíditi*) s. estupidez.

stupor (*stiúpör*) s. estupor.

sturgeon (*stö'rdchön*) s. esturión.

stutter (*stö'tör*) s. tartamudeo, intr. tartamudear; tr. balbucear.

style (*stáil*) s. estilo; título; género; gusto; tono.

suavity (*suáviti*) s. suavidad

subdue (*söbdiú*) tr. sojuzgar, someter.

subject (*sö'bdchect*) adj. sujeto. s. asunto, materia, tema, asignatura; súbdito; *Gram.* sujeto; tr. someter. /ion (*söbdchécschön*) s. sujeción. /ive (*söbdchéctiv*) adj. subjetivo.

subjugate (*sö'bdchiugueit*) tr. sojuzgar; someter.

sublet (*söblét*) tr. subarrendar.

sublime (*söbláim*) adj. sublime; excelso.

submarine (*sö'bmarín*) submarino.

submerge (*söbmö'rdch*) tr., intr. sumergir(se).

submi/ssion (*söbmíschön*) s. sumisión. /ssive (*söbmisiv*) adj. sumiso. /t (*söbmít*) tr. someter; presentar; intr. someterse.

subordinate (*söbórdineit*) adj. y s. subordinado; tr. subordinar.

subscri/be (*söbscráib*) tr. aprobar, suscribir; intr. suscribirse, abonarse. /ber (*söbscráibör*) s. subscriptor. /ption (*sö'bscrípschön*) s. subscripción.

subside (*sŏbsáid*) intr. calmarse, bajar, hundirse.
subsidiary (*sŏbsídieri*) adj. subsidiario.
subsist (*sŏbsíst*) intr. subsistir; sustentarse.
substan/ce (*sŏ'bstans*) s. substancia, /**tial** (*sŏbstánschal*) adj. substancial; considerable.
substitute (*sŏ'bstitiut*) s. substituto; tr. substituir.
subterfuge (*sŏ'btŏrfiudch*) s. subterfugio; pretexto.
subtil/e (*sŏ'btil*) adj. sutil. /**ty** (*sŏ'btilti*) s. sutileza.
subtle (*sŏ'tŏl*) adj. sutil; agudo. /**ness** (*sŏ'tŏlnes*) s. sutileza; astucia.
subtract (*s-btráct*) t r . substraer, restar. /**ion** (*sobtráccschŏn*) s. substracción; *Arit.* resta.
suburb (*sŏ'bŏr*) s. suburbio; arrabal.
subvention (*sŏbvénschŏn*) s. subvención; ayuda.
subver/sion (*sŏbvŏ'rschŏn*) s. subversión, trastorno. /**sive** (*sŏbvŏ'rsiv*) adj. subversivo.
subway (*sŏ'buey*) s. paso subterráneo; túnel.
succe/eed (*sŏcséd*) tr. suceder, seguir a; intr. vencer, triunfar, conseguir. /**ess** (*sŏcsés*) s. éxito; triunfo. /**essful** (*seksésful*) adj. próspero; afortunado. /**essive** (*sŏcsésiv*) adj. sucesivo. /**essor** (*sŏcsésŏr*) s. sucesor.
succint (*sŏcsíngt*) adj. sucinto, conciso.
succour (*sŏ'kŏr*) s. socorro; asistencia; *Mil.* refuerzo; tr. socorrer.
succulent (*sŏ'kiulent*) adj. suculento; jugoso.
succumb (*sŏkŏ'm*) intr. sucumbir; ceder.
such (*sŏ'ch*) adj. tal(es), semejante; pron. un tal, aquel que, etc.

suck (*sŏ'k*) tr. chupar; mamar; s. chupada, succión. /**le** (*sŏ'k l*) tr. amamantar.
sudden (*sŏ'dn*) adj. repentino; súbito. /**ness** (*sŏ'dŏnnes*) s. precipitación.
suède (*suéd*) s. anté, piel de Suecia.
sue (*siú*) tr. demandar.
suffer (*sŏ'fŏr*) tr. e intr. sufrir, aguantar, tolerar. /**ance** (*sŏ'fŏrans*) s. sufrimiento. /**ing** (*sŏ'fŏring*) s. sufrimiento.
suffic/e (*sŏfáis*) intr. bastar. /**ience** (*sŏfíschens*) s. suficiencia. /**ient** (*sŏfíschent*) adj. suficiente.
suffocat/e (*sŏ'fokeit*) tr. sofocar. /**ion** (*sŏfokéischŏn*) s. sofocación.
suffrage (*sŏ'fredch*) s. sufragio; voto.
sugar (*schúga*) s. azúcar; tr. azucarar, endulzar.
suggest (*sŏdchést*) tr. sugerir; insinuar. /**ion** (*sŏdcheschŏn*) s. sugestión, insinuación. /**ive** (*sŏdchéstiv*) adj. sugestivo.
suicide (*siúisaid*) s. suicidio; suicida.
suit (*sut*, *siut*) s. traje; petición; galanteo; *For.* litigio, colección, serie; tr., intr. cuadrar; convenir; ir bien. /**able** [*s(i)útabl*] adj. conforme. /**case** (*súkeis*) s. maleta. /**e** (*suĭt*) s. serie, séquito. /**or** (*súta*) s. pretendiente; *For.* demandante.
sulk (*sŏ'lk*) s. murria, intr. amurriarse. /**y** (*sŏ'lki*) adj. huraño.
sullen (*sŏ'ln*) adj. hosco.
sully (*sŏ'li*) s. mancha; tr. manchar, empañar.
sulphur (*sŏ'lfŏr*) s. azufre.
sultana (*sŏltánà*) s. sultana; pasa.
sum (*sŏ'm*) s. suma, total; tr. sumar; — **up**

resumir. /mary *(sö'mari)*
adj. s. sumario.

summer *(sö'mö)* s. vera-
no; adj. estival, veranie-
go; intr. veranear. /In-
dian — veranillo de San
Martín.

summ/erset *(sö'mörset)* s.
salto mortal. /it *(sö'mit)*
s. cima; altura.

summon *(sö'mön)* tr. ci-
tar; convocar, requerir.
/s *(sö'möns)* s. citación.

sumptuous, *(sö'mpschös)*
suntuoso.

sun *(sö'n)* s. sol. /beam
(sö'nbim) s. rayo de sol
/— dial s. reloj de sol.
/ny *(sö'ni)* adj. soleado.
/rise *(sö'nrais)* s. salida del sol. /set *(sö'nset)*
s. puesta del sol, cre-
púsculo. /stroke *(sö'ns-
trouk)* s. insolación.

Sunday *(sön'dei)* s. do-
mingo.

sund/er *(sö'dör)* tr. separación; tr. separar, dividir. /ries *(sö'ndris)* s.
pl. varios géneros. /ry
(sö'ndri) adj. diverso.

sunken *(sö'nkn)* adj. hun-
dido.

superannuat/e *(siupörán-
niuet)* tr. jubilar, inhabilitar. /ion *(siupöran-
niuéischön)* s. jubilación.

superb *(supö'b)* adj. soberbio; magnífico.

supercilious *(supörsíliös)*
adj. altivo; arrogante.

superficial *(supörfíschal)*
adj. superficial. /ity
(supörfischáliíi) s. su-
perficialidad.

superfluous *(supö'rfluös)*
adj. superfluo.

superhuman *(superjiú-
man)* adj. sobrehumano.

superintend *(supörinténd)*
tr. inspeccionar; vigilar.
/ent *(supörinténdent)* s.
superintendente.

superior *(supieriö)* adj.
y s. superior. /ity *(su-*

pieríóriti) s. superiori-
dad.

supernatural *(supönache-
ral)* adj. sobrenatural.

supernumerary *(supörni-
úmöreri)* s. supernume-
rario; suplementario.

supersede *(supörsid)* tr..
sobreseer; reemplazar.

superstiti/on *(supörstís-
chön)* s. superstición. /
ous *(supörstíschös)* adj.
supersticioso.

supervis/e *(supöváis)* tr.
vigilar. /or *(supörváisör)*
s. inspector.

supper *(sö'pör)* s. cena.

supplant *(söplánt)* tr. su-
plantar; desbancar.

supple *(sö'pl)* adj. flexible; dócil.

supplement *(sö'plement)*
s. suplemento.

supplication *(söplikéis-
chön)* s. súplica.

suppl/ier *(söpláiör)* s.
suministrador. /y *(söplái)*
s. abast(ecimient)o, su-
ministro; pl. s. víveres,
pertrechos; tr. abastecer,
suministrar.

support *(söpört)* s. sostén;
apoyo; tr. sostener.

suppos/e *(söpöus)* s. suposición; tr. (pre)supo-
ner. /ition *(söposíschön)*
s. suposición; hipótesis.

suppository *(söpósitori)* s.
supositorio.

suppress *(söprés)* tr. suprimir; sofocar, reprimir.
/ion *(söpréschön)* s. supresión.

suprem/acy *(siuprémasi)*
s. supremacía. /e *(siu-
prím)* adj. supremo.

sure *(schóa)* adj. seguro;
cierto; adv. indudable-
mente,) interj. ¡claro!
make — of asegurarse
de, /ness *(schóanes)* s.
seguridad. /ty *(schúóti)*
s. fianza; fiador.

surf *(sö'öf)* s. resaca;
rompiente, marejada.

surface *(sö'öfes)* s. superficie; tr. allanar.
surfeit *(sö'rfit)* s. empacho; tr., intr. hartar(se).
surge *(sö'rdch)* s. ola; oleada; intr. agitarse.
surge/on *(sö'rdchön)* s. cirujano. /ry *(sö'rdchöri)* s. cirugía, consultorio.
sumirse *(sörmáis)* s. conjetura; tr. suponer.
surmount *(sörmáunt)* tr. sobrepujar; vencer.
surname *(sö'rneim)* s. apellido.
surpass *(sörpás)* tr. exceder; aventajar.
surplus *(sö'rplös)* adj. y s. sobrante.
surprise *(sörpráis)* s. sorpresa; tr. sorprender.
surrender *(söréndör)* s. rendición; entrega; tr., intr. rendir(se).
surround *(söráund)* tr. circundar; rodear. /ings *(söráundings)* s. pl. alrededores.
surtax *(sö'rtacs)* s. recargo, sobretasa.
survey *(sö'rvei)* s. examen, inspección, deslinde; tr. inspeccionar. /or *sörvéia)* s. perito; inspector, agrimensor.
surviv/al *(sörváival)* s. supervivencia. /e *(sörváiv)* tr. sobrevivir.
susceptible *(söséptibl)* adj. susceptible.
suspect *(söspéct)* adj. sospechoso; tr. sospechar.
suspen/d *(söspénd)* tr. suspender. /ders *(söspéndörs)* s. pl. tirantes. /se *(söspéns)* s. suspensión; suspenso, intriga.
suspicio/n *(söspischön)* s. sospecha. /us *(söspischös)* adj. sospechoso.
suspire *(söspáir)* tr. suspirar.
sustain *(söstéin)* tr. sostener; sustentar.

swagger *(suágör)* intr. fanfarronear. /er *(suágöror)* s. fanfarrón.
swallow *(suólou)* s. *Orn.* golondrina; tr. tragar.
swamp *(suómp)* s. pantano; tr. encenagar.
swan *(suón)* s. cisne.
sward *(suörd)* s. césped.
swarm *(suörm)* s. enjambre; hormiguero; gentío; tr. enjambrar; pulular.
swarthy *(suórzi)* adj. moreno; tostado; atezado.
sway *(súei)* s. vaivén, dominio; tr. mover, inclinar, conducir; *Mar.* izar; intr. ladearse.
swear *(suéa)* tr., intr. jurar, blasfemar.
sweat *(suét)* s. sudor; tr. hacer sudar; intr. sudar. /er *(suétör)* s. suéter. /ing *(suéting)* s. sudor.
sweep *(suíp)* s. barredura; vuelo; alcance; tr. barrer, deshollinar; pasar rápidamente. /er *(suípör)* s. barrendero, deshollinador.
sweet *(suít)* adj. dulce; s. dulzura, dulce. /bread *suítbred)* s. lechecillas. /en *(suítn)* tr. endulzar. /heart *(suítjart)* s. novio, (a); amante. /meat *(suítmit)* s. dulce; confitura. /ness *(suítnes)* s. dulzura.
swell *(suél)* s. hinchazón, oleada; tr. hinchar. /ing *(suéling)* s. hinchazón; turgencia.
swelter *(suéltör)* intr. sofocarse, abrasarse.
swift *(suíft)* adj. veloz; ligero; pronto. /ness *(suíftnes)* s. velocidad.
swim *(sím)* nadar, flotar. /mer *(suímör)* s. nadador. /ming *(suíming)* s. natación, vertigo, vahido. /ming pool piscina.
swindle *(suíndl)* s. estafa; timo; tr. estafar, timar.

swine *(suáin)* s. cerdo.

swing *(suing)* s. oscilación; columpio; tr. agitar, balancear.

swirl *(suírl)* s. remolino.

switch *(suích)* s. interruptor; conmutador; tr. conmutar, desviar; — **on**, encender; — **off** apagar.

swollen *(suólen)* adj. hinchado, túmido.

swoon *(suún)* desmayo; intr. desmayarse.

swoop *(suúp)* tr. arrebatar; agarrar; coger.

swop *(suóp)* s. cambio, trueque; tr. cambiar.

sword *(sóod)* s. espada.

sybarite *(síbarait)* s. sibarita.

syllab/le *(sílabl)* s. sílaba. /**us** *(sílabös)* s. extracto; programa (de estudios).

symbol *(símböl)* s. símbolo. /**ical** *(simbótical)* adj. simbólico. /**ism** *(simbolism)* s. simbolismo. /**ize** *(símbolais)* tr., intr. simbolizar.

sympath/etic *(simpazétic)* adj. simpático, comprensivo /**y** *(simpazi)* s. simpatía, comprensión. /**ize** *(simpazais)* intr. simpatizar, compadecerse.

symphony *(simfoni)* s. sinfonía.

sympton *(símptöm)* s. Med. síntoma; señal.

synagogue *(sinagog)* s. sinagoga.

syndic *(síndic)* s. síndico. /**al** *(síndical)* adj. sindical. /**ate** *(síndikeit)* s. sindicato; v. sindicar(se).

synonym *(sinonim)* s. sinónimo. /**ous** *(sinónimös)* adj. sinónimo.

synopsis *(sinópsis)* s. sinopsis.

synthe/sis *(sínzesis)* s. síntesis. /**tic** *(sinzétic)* adj. sintético.

syphon *(sáifon)* s. sifón.

syringe *(sírindch)* s. jeringa; lavativa; tr. jeringar, dar una lavativa.

syrup *(siröp)* s. jarabe.

system *(sistem)* s. sistema. /**atic** *(sistemátic)* s. y adj. sistemático.

T

tab *(tab)* s. lengüeta.

tabernacle *(tábörnacl)* s. tabernáculo.

table *(téibl)* s. mesa, tabla; — **cloth** s. mantel.

tablet *(táblet)* s. tabl(et)a.

tacit *(tásit)* adj. tácito. /**urn** *(tásitön)* adj. taciturno.

tack *(tác)* s. tachuela.

tackle *(tákl)* s. aparejo, avíos, equipo; tr. agarrar, forcejear, emprender.

tact *(tact)* s tacto; tiento. /**ic** *(táctic)* adj. táctico. /**ics** *(táctics)* s. pl. táctica.

tag *(tág)* s. herrete; etiqueta, "muletilla".

tail *(téil)* s. cola; rabo.

tailor *(téila)* s. sastre.

taint *(téint)* s. mácula; mancha; tr. manchar.

tak/e *(téik)* tr. tomar; coger; asir; adquirir, llevar, aceptar; intr. pegar, arraigar; — **after** tr. salir al; — **away** tr. llevar(se); — **care of** tr. cuidar de; — **for granted** tr. dar por sentado; —

off tr. quitarse; despegar un avión; — **out** tr. sacar; — **over** tr. tomar posesión de, asumir. **/ing** (**téiking**) s. arresto; embargo; adj. agradable.

talcum (**tálcöm**) s. talco (de tocador).

tale (**téil**) s. cuento; historia; chisme.

talent (**tálent**) s. talento. **/ed** (**tálentit**) adj. capaz; talentoso, dotado.

talk (**tóc**) s. conversación; habla; intr. conversar. **/ative** (**tócativ**) adj. locuaz, hablador.

tall (**tól**) adj. alto; grande. **/ness** (**tólnes**) s. altura; estatura; talla.

tally (**táli**) s. ta(r)ja, cuenta; tr. tarjar, llevar la cuenta; intr. cuadrar.

tame (**téim**) adj. domado, manso, dócil; tr. dom(estic)ar, amansar.

tan (**tán**) s. casca; bronceado, tostadura del sol; tr. curtir, broncear ./ner (**tánör**) s. curtidor.

tang (**tang**) resabio.

tangle (**tángl**) s. enredo; tr., intr. enredar(se).

tank (**tánk**) s. tanque, depósito, cisterna.

tankard (**táncard**) s. jarro con tapa, cangilón.

tantalize (**tántalais**) atormentar, dar dentera.

tap (**tap**) s. palmada; espita; tr., intr. golpear ligeramente.

tape (**téip**) s. cinta; trencilla; -**measure** s. cinta métrica; -**recorder** s. magnetofón; **red** — papeleo.

tapestry (**tápestri**) s. tapicería; colgadura; tapiz

tar (**tár**) s. alquitrán; tr alquitranar, embrear.

tardy (**tárdi**) adj. tardío.

tare (**téa**) s. Com. tara.

target (**tárguet**) s. blanco.

tariff (**tárif**) s. tarifa.

tarnish (**tárnisch**) s. empañadura; deslustre; tr. intr. empañar(se).

tarry (**tári**) intr. tardar.

tart (**tárt**) adj. acre; ácido; s. tarta; torta.

task (**task**) s. tarea.

tassel (**tásel**) s. borla.

tast/e (**téist**) s. gusto; sabor; muestra; prueba; tr., intr. gustar, probar. **/eful** (**téistful**) adj. elegante, de buen gusto. **/eless** (**téistles**) adj. insípido; soso. **/y** (**téisti**) adj. sabroso.

tattle (**tátl**) s. charla; cháchara; tr. charlar.

tattoo (**tatú**) s. Mil. retreta; tatuaje. tr. tatuar.

taunt (**tónt**) s. mofa.

tax (**tács**) s. impuesto; contribución; tributo; tr. tasar, imponer tributos. **/ation** (**tacséischön**) s. tasa; contribución. **/free** exento de impuestos. / — **payer** contribuyente. /

taxi (**taksi**) s. taxi. **/cab** (**tácsicab**) s. coche taxi **/ — driver** s. taxista.

tea (**tíi**) s. té; **afternoon —** merienda. **/pot** (**típot**) s. tetera.

teach (**tich**) v. enseñar. **er** (**tichör**) s. profesor(a), maestro(a). **/ing** (**tí ching**) s. enseñanza.

team (**tím**) s. equipo, tiro yunta. **/work** (**tímuörk**) trabajo en equipo.

tear (**tér**) s. raja; desgarradura; tr. desgarrar, rasgar. **/ — off** arrancar; intr. rasgarse.

tear (**tía**) s. lágrima. **/ful** (**tíaful**) adj. lloroso.

tease (**tís**) tr. importunar.

teat (**tít**) s. ubre; teta.

techn/ical (**técnical**) adj. técnico. **/ician** (**tecnísian**) s. técnico. **/ique** (**tekník**) técnica.

tedi/ous (**tídiös**) adj. tedioso; aburrido. **/um** (**tídiöm**) s. tedio.

teem (*tím*) intr. pulular.

teenager (*tinéidcha*) s. adolescente (de 13 a 19 años).

tele/gram (*téligram*) s. telegrama. /**graph** (*télegraf*) s. telégrafo; tr. telegrafiar. /**phone** (*télifoun*) s. teléfono; tr. telefonear. /**scope** (*télescop*) s. telescopio. /**vision** (*telividchön*) s. televisión. /**visor** (*télivaísor*) s. televisor.

tell (*tel*) tr. decir; contar; distinguir. /**er** (*telör*) s. relator. /**tale** (*télteil*) s. chismoso.

temerity (*temériti*) s. temeridad.

temper (*témpör*) s. temple; temperamento; tr. templar. /**ament** (*témpöramen*) s. temperamento. /**ance** (*témpörans*) s. templanza. /**ate** (*témpörit*) adj. templado. /**ature** (*témpöracha*) s. temperatura. /**ed** (*témpörd*) adj. templado.

tempest (*témpest*) s. tempestad. /**uous** (*tempéstiuös*) adj. tempestuoso.

temple (*templ*) s. templo; *Anat.* sien.

tempor/al (*témporal*) adj. temporal, pasajero. /**ize** (*témporais*) intr. (con)temporizar.

tempt (*témt*) tr. tentar. /**ation** (*temtéischön*) s. tentación. /**ing** (*témting*) s. tentación; adj. tentador.

ten (*ten*) adj. y s. diez

tenaci/ous (*tenéischös*) adj. tenaz. /**ty** (*tenáciti*) s. tenacidad.

tenan/cy (*ténansi*) s. inquilinato. /**t** (*ténant*) s. arrendador; inquilino

tend (*ténd*) tr. guardar; cuidar, intr. tender a. /**ency** (*téndenci*) s. tendencia.

tender (*téndör*) adj. tierno, s. oferta, propuesta. *Mar.* falúa; tr. proponer. /**ness** (*téndörnes*) s. ternura.

tendon (*téndön*) s. tendón.

tenement (*ténement*) s. vivienda; alojamiento.

tenet (*ténet*) s. dogma.

tennis (*ténis*) s. juego de tenis. /**— court** s. pista, cancha de tenis.

tenor (*ténör*) s. tenor.

tens/e (*téns*) adj. tenso; s. *Gram.* tiempo. /**ion** (*ténschön*) s. tensión.

tent (*tent*) s. tienda de campaña, pabellón.

tenuous (*téniuös*) adj. tenue.

tepid (*tépid*) adj. tibio; templano.

term (*tö'rm*) s. término; condición, plazo, trimestre académico, tr. nombrar, llamar. /**come to —s** llegar a un acuerdo.

terminal (*tö'rminal*) adj. terminal; s. término.

termite (*tö'rmait*) s. termita, hormiga blanca.

terrace (*téròs*) s. terrado; terraza; tr. terraplenar.

terri/ble (*téribl*) adj. terrible. /**fic** (*teríic*) adj. espantoso. /**fy** (*térifai*) tr. horrorizar.

terrier (*tériör*) s. perro de busca, zorrero.

territor/ial (*teritórial*) adj territorial. /**y** (*téritöri*) s. territorio.

terror (*téra*) s. terror. /**ist** (*térrörist*) s. terrorista. /**ize** (*térroörais*) tr. aterr(oriz)ar.

test (*tést*) s. prueba; ensayo, examen, (piedra de) toque; tr. probar, experimentar.

testament (*téstament*) s. testamento

testicle (*tésticl*) s. testículo.

testi/fication (*testifikéis-chön*) s. testimonio. **/fy** (*téstifai*) tr. testificar. **/monial** (*testimóunial*) s. certificación; testimonio. **/mony** (*téstimoni*) s. testimonio.

tetanus (*tétanös*) s. tétano.

Teutonic (*tiutónic*) adj. teutónico; s. germánico.

text (*técst*) s. texto; tesis; tema. **/book** (*técstbuc*) s. libro de texto. **text/ile** (*técstail*) adj. textil; s. tejido. **/ure** (*técscha*) s. textura; tejido.

than (*dán*) conj. que (partícula comparativa).

thank (*zánk*) tr. agradecer; dar gracias. **/ful** (*zánkful*) adj. agradecido. **/less** (*zánkles*) adj. desagradecido. **/s** (*zanks*) s. pl. gracias.

that (*dat*) adj. ese, aquel; pron. ese, aquel, aquello, que, el cual; conj. que, para que, adv. *fam.* así de.

thaw (*zo*) s. deshielo; tr. intr. deshelar(se).

the (*di, de*) art. el; la, lo.

theatr/e (*ziatör*) s. teatro. **/ical** (*ziátrical*) adj. teatral.

theft (*zéft*) s. hurto; robo.

their (*déa*) pron. su; suyo de ellos, **/s** (*déas*) pron. el suyo.

theis/m (*ziism*) s. teísmo. **/t** (*ziist*) s. teísta.

them (*dém*) pron. los, les, ellos, a aquellos. **/selves** (*demsélvs*) pron. ellos mismos, sí mismos, se.

theme (*zím*) s. tema.

then (*dén*) adv. entonces; después; luego; conj. por tanto, pues. **/now** — ahora bien. **/ce** (*déns*) adv. de allí; de ahí; desde entonces.

theolog/ical (*ziolódchi-cöl*) adj. teológal, teo-

lógico. **/ist** (*ziólodchist*) s. teólogo. **/y** (*ziólodchi*) s. teología.

theor/ic (*zióric*) adj. teórico. **/y** (*ziéri*) adj. teoría.

there (*déa*) adv. allí; allá, ahí. **/— is,** are hay. **/about** (*dérabaut*) adv. por ahí. **/after** (*déraf-tör*) adv. según; después de eso. **/by** (*dea-bái*) adv. con eso; por medio de. **/fore** (*déafo*) adv. por lo tanto. **/in** (*derín*) adv. en esto; allí dentro. **/upon** (*derópön*) adv. después de lo cual. **/with** (*deauíz*) adv. con eso.

thermo/meter (*zörmóme-tör*) s. termómetro. **/s** flask s. termos.

these (*diis*) adj. y pron. estos, estas.

thesis (*zísis*) s. tesis.

they (*déi*) pron. ellos.

thick (*zic*) adj. espeso; compacto; macizo; s. espesor, grosor. **/en** (*zíkn*) tr. espesar; engrosar; intr. espesarse. **/et** (*zíket*) s. matorral. **/ness** (*zik-nes*) s. espesor.

thief (*zíf*) s. ladrón.

thigh (*zái*) s. muslo.

thimble (*zímbl*) s. dedal.

thin (*zin*) adj. delgado, tr. adelgazar. **/ness** (*zínnes*) s delgadez.

thing (*zíng*) s. cosa.

think (*zink*) tr. e intr. pensar; considerar; juzgar; reflexionar, meditar. **/er** (*zínkör*) s. pensador. **/ing** (*zínking*) s. pensamiento.

third (*zö'd*) adj. tercero; s. tercio.

thirst (*zö'rst*) s. sed; ansia; intr. tener sed, anhelar. **/y** (*zö'rsti*) adj. sediento.

thirt/een (*zörtin*) s. trece. **/y** (*zö'rti*) adj. treinta.

this (*dis*) adj. este esta pron. éste, ésta, esto.

thistle (*zísl*) s. *Bot.* cardo

thorn (*zórn*) s. *Bot.* espino, (a), pincho. **/y** (*zór-ni*) adj. espinoso.

thorough (*zö'rö*) adj. entero; perfecto; formal. **/fare** (*zö'rofea*) s. paso franco, vía pública. **/ly** (*zö'roli*) adv. enteramente, a fondo.

those (*dóus*) adj. y pron. esos, (as), aquellos, (as)

thou (*dáu*) pron. tú; tr. tutear.

though (*dóu*) conj. aunque, sin embargo.

thought (*zot*) s. pensamiento, idea. **/ful** (*zót-ful*) adj. pensativo. **/less** (*zótles*) adj. atolondrado.

thousand (*záusand*) s. y adj. mil.

thrash (*zrásch*) tr. trillar desgranar, fam. zurrar.

thread (*zréd*) s. hilo; hebra; tr. enhebrar. **/bare** (*zrédbea*) adj. raído.

threat (*zrét*) s. amenaza. **/en** (*zréten*) tr. amenazar, amagar.

three (*zrí*) adj. y s. tres.

threshold (*zréschould*) s. umbral; entrada; tranco.

thrift (*zríft*) s. ahorro.

thrill (*zril*) s. estremecimiento, tr. estremecer. **/er** (*zríler*) s. novela de intriga.

thrive (*zráiv*) intr. medrar; prosperar; florecer.

throat (*zróut*) s. garganta.

throb (*zrób*) s. latido, palpitación; intr. latir.

throng (*zróng*) s. multitud; tropel; turba, tr. atestar, intr. apiñarse.

throttle (*zrótl*) s. gaznate, válvula tr. ahogar.

through (*zrú*) prep. por, a través de, por medio de, adv. a través, enteramente; adj. continuo. **/out** (*zruáut*) prep. por

todo, adv. en todas partes,

throw (*zróu*) s. tiro; lanzamiento; tr. tirar, lanzar. **/- away** tr. arrojar.

thrust (*zrö'st*) s. empuje, embestida; tr. empujar.

thumb (*zö'm*) s. pulgar.

thunder (*zö'ndö*) s. trueno; estruendo; intr. tronar. **/bolt** (*zö'ndöboult*) s. rayo. **/clap** (*zö'ndörclap*) s. trueno.

Thursday (*zö'sdei*) s. jueves.

thus (*dö's*) adv. así.

thwart (*zuórt*) tr. impedir; desbaratar, frustrar.

tic (*tíc*) s. tic (nervioso).

tick (*tic*) s. golpe, tic-tac, contraseña; *fam.* fiado.

ticket (*tíket*) s. billete, entrada, boleto, lista.

tickl/e (*tícl*) tr. hacer cosquillas; s. cosquilleo, cosquillas. **/ish** (*tícli-sch*) adj. cosquilloso.

tid/al (*táidal*) adj. de la marea; periódico. **/e** (*táid*) s. marea. **high** o **full —** s. ple(n)amar. / **ebb** o **low —** s. bajamar.

tid/iness (*táidines*) s. aseo, pulcritud. **/y** (*táidi*) adj. aseado, pulcro.

tidings (*táidings*) s. pl. noticias; nuevas.

tie (*tái*) s. lazo; nudo; corbata; tr. atar.

tier (*tíör*) s. fila; hilera.

tiger (*táigö*) s. tigre.

tight (*táit*) adj. tirante; tieso. **/air —** adj. herméticamente cerrado. / **water —** adj. estanco. **/en** (*táitön*) tr., intr. apretar.

tile (*táil*) s. teja; baldosa; tr. tejar, losar.

till (*ríl*) s. caja, cajón. prep. hasta. conj. entretanto; tr. cultivar. **/age** (*tílidch*) s. cultivo.

tilt *(tílt)* s. toldo, torneo; justa, inclinación, declive; tr., intr. **inclinar(se).**

timber *(tímbör)* s. madera, viga(s). /— **yard** s. almacén de maderas.

time *(táim)* s. tiempo; vez; hora; plazo; período; *Mús.* compás; tr. concertar, sincronizar. / **-table** s. horario. /**ly** *(táimli)* adv oportuno.

timid *(tímid)* adj. tímido. /**ity** *(timíditi)* s. timidez.

tin *(tin)* s. estaño, hojalata, lata; tr. estañar, envasar en lata. / **—opener** s. abrelatas.

tinge *(tíndch)* s. tinte; matiz; tr. tinturar.

tinkle *(tíngköl)* intr. tintinear, tr. hacer sonar.

tint *(tínt)* s. tinte, tintura; tr. teñir, matizar.

tiny *(táini)* adj. menudo.

tip *(tip)* s. punta; palmada; sugerencia, propina; tr. ladear, inclinar; dar informes confidenciales, dar propina.

tipsy *(típsi)* s. borracho, ebrio, achispado.

tiptoe *(típtou)* s. punta del pie, intr. andar de puntillas.

tirade *(tairéid)* s. invectiva; andanada.

tire *(táia)* s. llanta, neumático, tr., intr. cansar(se), aburrir(se). /**d** *(táird)* adj. cansado. /**ness** *(táirdnes)* s. cansancio. /**some** *(táiasöm)* adj. pesado, tedioso.

tissue *(tíschu)* s. tejido.

titbit *(títbit)* s. trozo escogido, golosina.

tithe *(táid)* s. diezmo, minucia; tr. diezmar.

title *(táitl)* s. título, epígrafe, inscripción, derecho; tr. (in)titular.

to *(tú)* prep. a, hacia, para, por; **turn —!** ¡volveos!

toad /*tóud*) s. sapo. /**stool** *(tóudstul)* s. *Bot.* hongo o seta venenosa.

toast *(tóust)* s. tostada; tueste; brindis; tr. tostar brindar. /**er** *(tóustör)* s. tostador; brindador.

tobacco *(töbácou)* s. tabaco. /**nist** *(töbácönist)* s. estanquero.

toboggan *(tobógan)* s. asiento de tobogán / **— slide** s. tobogán.

today, to-day adv. hoy; s. el día de hoy.

toe *(tóu)* s. dedo del pie.

toddle *(tódl)* intr. titubear, - hacer pinitos; s. titubeo, pinitos. /**r** *(tódler)* s. niño pequeño.

together *(tuguedör)* adv. juntamente; a la vez.

toil *(tóil)* s. faena, trabajo; afán; labor; intr. trabajar, afanarse.

toilet *(tóilet)* s. tocador; tocado, retrete. /— **paper** s. papel higiénico.

token *(tóukön)* s. señal; muestra, prenda.

tolera/ble *(tólörabl)* adj. tolerable. /**nce** *(tólörans)* s. tolerancia. /**nt** *(tólörant)* adj. tolerante. /**te** *(tólöreit)* tr. tolerar.

toll *(tóul)* s. peaje; portazgo; teñido, doble; tr. intr. cobrar o pagar peaje; tañer doblar.

tomato *(tömátou)* s. tomate.

tomb *(túm)* s. tumba. - **stone** *(túmstoun)* s. lápida sepulcral, losa

tomboy *(tómboi)* s. piruja, moza retozona.

tome *(tóum)* s. tomo, volumen.

tomorrow, to-morrow *(tömórou)* adv. mañana; s. el día de mañana.

ton *(tön)* s. tonelada.

tone *(tóun)* s. tono, tr. entonar.

tongs *(tö'ngs)* s pl. tenazas; pinzas.

tongue (*tö'ng*) s. lengua; lenguaje; lengüeta.

tonic (*tónic*) adj. y s. tónico.

tonight, to-night (*tunáit*) adv. y s. esta noche.

tonnage (*tö'nidch*) s. tonelaje.

tonsil (*tónsil*) s. amígdala. **/(l)itis** [*tonsil(á)itis*] s. amigdalitis.

too (*tú*) adv. demasiado; también; además.

tool (*tú*) s. herramienta.

tooth (*túz*) s. diente, muela, púa, fig. gusto, paladar. **/ache** (*túzeik*) s. dolor de muelas. **/ pick** (*túzpic*) s. palillo, mondadientes.

top (*tóp*) s. cima; alto; cumbre; peonza; imperial, baca (de un vehículo); tr. cubrir, alcanzar la cima, aventajar, adj. superior, principal. **/— hat** s. chistera.

topic (*tópic*) s. asunto, tema, **/(al)** (*tópik(al)*) adj. tópico.

topograph/er (*topógraför*) s. topógrafo. **/ic** (*topográfic*) adj. topográfico. **/y** (*topógrafi*) s. topografía.

topple (*tópl*) tr. hacer caer, intr. volcarse.

torch (*tórch*) s. antorcha.

torment (*tormént*) s. tormento. ǁ (*tormént*) tr. atormentar.

tornado (*tóneidou*) s. tornado. huracán.

torpedo (*topídou*) s. torpedo; tr. torpedear.

torrent (*tórent*) s. torrente; raudal.

tortoise (*tótois*) s. tortuga.

tortuous (*tórtiuös*) adj. tortuoso; sinuoso.

torture (*tórche*) s. tortura; tr. torturar.

toss (*tós*) s. sacudida; meneo; tr. tirar, sacudir, intr. ajetrearse. **/— up**

jugar a cara o cruz.

total (*tóutal*) s. total; adj. entero; total. **/ity** (*totáliti*) s. totalidad.

totter (*tötör*) intr. bambolear; titubear. **/ing** (*tötöring*) adj. vacilante; s. tambaleo.

touch (*tö'ch*) s. tocamiento; pincelada, tr., intr. tocar, conmover, **/ing** (*tö'ching*) adj. conmovedor; prep. tocante a; s. toque. **/stone** (*tö'-chstoun*) s. piedra de toque. **/y** (*tö'chi*) adj. quisquilloso.

tough (*tö'f*) adj. duro rudo. **/—en** (*tö'fen*) tr., intr. endurecer(se).

tour (*túa*) s. viaje; vuelta, excursión, turno; tr., intr. viajar. **/ism** (*túrism*) s. turismo. **ist** (*túrist*) s. turista.

tournament (*tónament*) s. torneo; justa.

tow (*tóu*) s. estopa; *Mar.* remolque, tr. remolcar.

toward(s) [*töuood(s)*] prep. hacia; para.

towel (*táuel*) s. toalla.

tower (*táua*) s. torre; intr. levantarse. **/ing** (*táuöring*) adj. elevado.

town (*táun*) s. ciudad; villa; población. **/— hall** s. ayuntamiento.

toxic/(al) (*tócsic(al)*) adj. tóxico, s. tóxico.

toy (*tói*) s. juguete; chuchería; intr. jug(uete)ar. **/-shop** s. juguetería.

trac/e (*tréis*) s. rastro; huella; tr. trazar, rastrear. **/k** (*trác*) s. pista; huella; rastro; tr. rastrear.

tract (*tract*) s. trecho, región, curso, folleto. **/ traction** (*trácschön*) s. tracción; arrastre.

trad/e (*treid*) s. comercio, negocio, oficio, industria, gremio; tr., intr. comerciar, negociar, trading 182

(con)tratar. — mark s.
marca de fábrica; (s)
union s. sindicato, gre-
mio. /ing (tréiding) adj.
mercantil; s. comercio.
tradition (tradíschön) s.
tradición. /al (tradís-
chönal) adj. tradicional.
traduce (tradiús) tr. difamar; calumniar.
traffic (tráfic) s. tráfico,
intr., tr. negociar.
trag/edian (tradchídian)
adj. trágico. /edy (trád-
chedi) s. tragedia. /ic(al)
[trádchic(al)] adj. trágico.
trail (tréil) s. rastro; pista; huella; tr., rastrear,
intr. arrastrarse.
train (tréin) s. tren; convoy; séquito; tr., intr.
ad(i)estrar, entrenar /er
(tréinör) s. instructor;
entrenador. /ing (tréi-
ning) s. entrenamiento.
trait (tréit) s. rasgo.
trait/or (tréita) s. traidor. /orous (tréitöröss)
adj. traidor.
tram (trám) s. /way
(trámvei) s. tranvía.
tramp (tramp) s. marcha,
vagabundo, tr., intr. pa-
tullar, vagabundear. /
le (trámpl) tr. pisotear.
trance (tráns) s. trance,
tranquil (tráncuil) adj.
tranquilo. /lity (trancuí-
liti) s. tranquilidad.
transact (transáct) tr. tra-
mitar. /ion (transács-
chön) s. transacción.
transatlantic (transatlán-
tic) adj. transatlántico.
transcend (transénd) tr.
trascender. /ence (tran-
séndens) s. trascenden-
cia.
transcri/be (transcráib)
tr. transcribir. /ption
(transcrípschön) s. tran-
cripción.
transfer (transföá) tr.
transferir, transbordar,

s. transferencia, trasbor-
do.
transform (transfórm) tr.
transformar convertir, /
ation (transforméischön)
s. transformación.
transfusion (transfiúchön)
s. transfusión.
transgress (transgrés) tr.
intr. transgredir, traspasar, violar. /ion (trans-
gréschön) s. transgresión.
transient (tránschent) adj.
pasajero; transitorio
transit (tránsit) s. tránsito, paso. /ion (transís-
chön) s. transición. /ory
(tránsitori) adj. transitorio.
translat/e (transléit) intr.
traducir. /ion (translé-
ischön) s. traducción. /or
(transléitör) s. tra-
ductor.
transmi/ssion (transmís-
chön) s. transmisión. /t
(transmít) tr. transmitir.
/tter (transmitör) s.
Elec. transmisor.
transparen/cy (transpéren
si) s. transparencia. /t
(transpérent) adj. trans-
parente.
transpire (transpáia) v.
transpirar; sudar; intr.
divulgarse.
transport (tránsport) s.
transporte; (transpórt)
tr. transportar.
transvers/al (transvö'rsal)
adj. transversal. /e
(transvö'rs) adj. trans-
versal, transverso.
trap (tráp) s. trampa tr.
atrapar.
trapeze (trapís) s, trapecio de gimnasia.
trash (trásch) s. hojaras-
ca, desecho; tr. podar.
trauma (tróma) s. trauma,
traumatismo. /tic (tro-
mátic) adj. traumático.
travel (trávöl) s. viaje;
intr., tr. viajar. /ler
(trávelör) s. viajero.

traverse *(trávörs)* adj. transversal, s. travesaño, v. atravesar(se).

travesty *(trávesti)* adj. disfrazado; s. parodia.

tray *(tréi)* s. bandeja. **ash** — s. cenicero.

treacher/ous *(tréchörs)* adj. perfido; traidor. /y *(tréchöri)* s. traición.

tread *(tréd)* s. paso; pisada, v. pisar, hollar.

treason *(trísn)* s. traición.

treasur/e *(tréchör)* s. tesoro; tr. atesorar. /er *(tréchörer)* s. tesorero. /y *(tréchöri)* s. tesorería; erario; tesoro, Hacienda, fisco.

treat *(tríit)* s. trato; convite; obsequio; tr. tratar, convidar, obsequiar; intr. tratar, negociar. /ment *(trítment)* s. tratamien)to. /y *(tríti)* s. tratado.

treble *(trébl)* adj. y s. triple; v. triplicar(se).

tree *(trí)* s. árbol.

trembl/e *(trémbl)* intr. temblar. /ing *(trémbling)* adj. tembloroso.

tremendous *(treméndös)* adj. tremendo.

trem/or *(trémör)* s. temblor. /olous *(trémiulös)* adj. trémulo.

trench *(trénch)* s. foso. zanja; Mil trinchera; tr. cavar, atrincherar.

trend *(trénd)* s. tendencia.

trespass *(tréspas)* s. infracción; transgresión; tr. traspasar, violar.

tress *(trés)* s. trenza.

trial *(tráial)* s. ensayo; prueba; juicio, proceso.

triang/le *(tráiangl)* s. triángulo. /ular *(traiánguiular)* adj. triangular.

tribe *(tráib)* s. tribu.

tribulation *(tribiuléischön)* s. tribulación, congoja.

tribunal *(traibiúnal)* s. tribunal, juzgado, mesa.

tribut/ary *(tríbiuteri)* adj. y s. tributario. /e *(tríbiut)* s. tributo.

trick *(tríc)* s. treta; trampa; timo; chasco; tr. engañar, timar. /er *(trikör)* s. tramposo. /ery *(triköri)* s. fraude. /y *(tríki)* adj. tramposo.

trickle *(trícl)* s. reguero, tr.; chacer) gotear.

trifl/e *(tráifl)* s. bagatela; intr. tontear; — with jugar con. /ing *(tráifling)* adj. baladí.

trigger *(trigör)* s. disparador; gatillo.

trim *(trím)* s. adj. adornado, elegante, ajustado tr. aparejar, ajustar, podar, cortar (el pelo). /ming *(triming)* s. guarnición, arreglo.

trip *(tríp)* s. viaje, excursión, zancadilla, tr. echar la zancadilla, sorprender, intr. tropezar.

tripe *(tráip)* s. tripa; fam. disparate, Coc. callos.

tripl/e *(tripl)* adj. triple; tr. triplicar. /ets *(tríplets)* s. trillizos. /icate *(triplikeit)* adj. triplicado.

tripod *(tráipod)* s. trípode.

trite *(tráit)* adj. usado, gastado, trillado.

triumph *(tráiömf)* s. triunfo; intr. triunfar. /al *(traiö'mfal)* adj. triunfal. /ant *(traiö'mfant)* adj. triunfante; triunfal.

trivial *(trívial)* adj. trivial.

troop *(trup)* s. tropa; cuadrilla; intr. atroparse, ir en tropel.

trophy *(tróufi)* s. trofeo.

tropic *(trópic)* s. trópico. /al *(trópical)* adj. tropical.

trot *(trot)* s. trote; intr. trotar.

trouble *(tró'bl)* s. molestia; (per)turbación, apuro, problema, tr. molestar, trastornar; intr. **molestarse. /some** (*trö'bl-söm*) adj. molesto, fastidioso.

trough (*trö'f*) s. artesa; cubeta, tina. **/drinking** — s. abrevadero.

trousers (*tráusörs*) s. pl. pantalones, pantalón.

trout (*tráut*) s. trucha.

truce (*trús*) s. tregua.

truck (*trö'c*) s. carro, camión, tr. acarrear

truculent (*trúkiulent*) adj. truculento.

tru/e (*trú*) tdj. verdadero; cierto. **/ism** (*trúism*) s. perogrullada.

truffle (*trö'fl*) s. trufa.

trumpet (*trö'mpet*) **s.** trompeta; corneta.

truncheon (*trö'nchön*) s. (cachi)porra.

trunk (*trö'nk*) s. tronco; cofre; baúl; trompa del elefante. **/— call** s. conferencia telefónica.

truss (*trös*) s. Med. braguero; racimo, haz, tr. atirantar, trabar.

trust (*trö'st*) s. seguridad, confianza; crédito. For fideicomiso; tr., intr confiar(se), creer. **/ee** (*trösti*) s. apoderado. fideicomisario.

truth (*trúz*) s. verdad; **/ful** (*trúzful*) adj. veraz.

try (*trái*) s. prueba, tentativa; tr. intr. ensayar, probar; juzgar. **/ing** (*tráing*) adj. fatigoso.

tub (*tö'b*) s. cubo; tina.

tube (*tiúb*) s. tubo, caño; fam. metro(politano).

tuberc/le (*tiúbörköl*) s. Med. tubérculo. **/ulosis** (*tiubörkiulóusis*) s. tuberculosis. **/ulous, (***tiubö'rkiulös*) **/ulose** (*tiubö'rkiulous*) adj tuberculoso

Tuesday (*tiúsdei*) s. martes.

tuft (*tö'ft*) s. penacho.

tug (*tö'g*) s. (es)tirón; tr. tirar de; intr. esforzarse.

tuition (*tiuíschön*) s instrucción, enseñanza.

tulip (*tiúlip*) s. tulipán.

tumble (*tö'mbl*) s. caída; vuelco; tumbo. intr desplomarse caer, tr. volcar. **/r** (*tö'mblör*) s. cubilete; vaso.

tumo(u)r (*tiúma*) s tumor; hinchazón.

tumult (*tiúmölt*) s. tumulto. **/uous** (*tiumö'ltiuôs*) adj. tumultuoso.

tune (*tiún*) s. tono, tonada, tr. afinar, sintonizar intr. armonizar. **/r** (*tiúnör*) s afinador.

tunic (*tiúnic*) s. túnica

tunnel (*tö'nel*) s. túnel

tunny (*tö'ni*) s. Ict. atún

turbine (*tö'rbin, tö'rbain*) s. Elec. turbina.

turbot (*tö'rbot*) s. Ict. rodaballo.

turbulen/ce (*tö'rbiulens*) s. turbulencia. **/t** (*tö'rbiulent*) adj. turbulento.

turf (*tö'rf*) s. césped.

turkey (*tö'rki*) s. pavo.

turmoil (*tö'rmoil*) s. tumulto; intr. inquietarse.

turn (*tö'rn*) s. vuelta, giro; turno, mudanza. tr. volver, hacer girar, tornear; intr. volver, girar; **/ aside** desviar. **/— into** convertir. **/- off** apagar. **/— on** encender, abrir. **/— up** aparecer. **/er** (*tö'rnör*) s. tornero. **/ing** (*tö'rning*) s. vuelta; adj. giratorio. **/out** (*tö'rnaut*) s. concurrencia; huelga. **/over** (*tö'rnouva*) s. vuelco; Com. total de compras y ventas, movimiento, volúmen.

turnip (*tö'rnip*) s. Bot. nabo.

turpentine (*tö'rpentain*) s. trementina.

turpitude (*tö'rpitiud*) **s** torpeza; depravación.

turret *(tö'rret)* s. torreta.

tusk *(tö'sk)* s. colmillo.

tut/elage *(tiútelidch)* s. tutela, tutoría. /**elar** *(tiútelar)* adj. tutelar. /**or** *(tiúta)* s. tutor; preceptor; tr. enseñar.

twang *(tuáng)* tr. dejo.

tw/elve *(tuélv)* adj. doce. /**enty** *(tuénti)* adj. veinte. /**ice** *(tuáis)* adv. dos veces.

twig *(tuíg)* s. ramita.

twilight *(tuáilait)* s. crepúsculo; adj. obscuro.

twin *(tuín)* s. mellizo.

twinkle *(tuíncl)* s. titilación; intr. centellear.

twirl *(tuö'rl)* s. rotación; tr., intr. (hacer) girar.

twist *(tuíst)* s. torsión, peculiaridad; tr. (re)torcer, intr. enroscarse.

twitch *(tuích)* s. tirón; contracción nerviosa; tr., intr. crisparse.

twitter *(tuítör)* s. gorjeo; intr. gorjear.

two *(tú)* adj. dos. /**fold** *(túfould)* adj. doble.

tycoon *(taicún)* s. potentado, magnate.

type *(táip)* s. tipo, signo, carácter; tr. mecanografiar. /**write** *(táiprait)* tr., intr. mecanografiar. /**writer** *(táipraitör)* s. máquina de escribir.

typh/oid *(táifoid)* adj. tifóideo; s. tifus. /**us** *(táifös)* s. tifus.

typic(al) *(típic(al))* adj. típico.

typist *(táipist)* s. mecanógrafo(a).

typograph/er *(taipógraför)* s. tipógrafo. /**y** *(taipógrafi)* s. tipografía.

tyran/nical *[t(a)iránical]* adj. tiránico. /**nize** *(tíranais)* tr. tiranizar. /**ny** *(tírani)* s. tiranía. /**t** *(táirant)* s. tirano.

U

udder *(ö'dör)* s. ubre.

ugl/iness *(ö'glines)* s. fealdad; torpeza. /**y** *(ö'gli)* adj. feo; asqueroso.

ulcer *(ö'lsör)* s. úlcera.

ulterior *(öltírör)* adj. ulterior; posterior.

ultimat/e *(ö'ltimeit)* adj. último, final. /**um** *(ö'ltimeitöm)* s. ultimátum.

umbrella *(ömbréla)* s. paraguas; sombrilla.

un/abashed *(änabáscht)* adj. descarado. /**able** *(önéibl)* adj. inhábil, incapaz. /**acceptable** *(önacséptabl)* adj. inaceptable. /**accountable** *(önacáuntabl)* adj. inexplicable. /**accustomed** *(öna-*

kö'stömd) adj. desusado. /**aided** *(öneidid)* adj. sin ayuda. /**alterable** *(öndltörabl)* adj. inalterable.

unanim/ity *(iunanímiti)* s. unanimidad. /**ous** *(iunánimös)* adj. unánime.

un/approachable *(önapróchabl)* adj. inaccessible. /**apt** *(önápt)* adj. inepto. /**armed** *(önármd)* adj. inerme. /**ashamed** *(önaschéimt)* adj. impudente. /**attached** *(önatácht)* despegado. /**attainable** *(önatéinabl)* adj. inasequible. /**authorizea** *(önözöraisd)* adj. desautorizado. /**avoidable**

(ônavóidabl) adj. inevitable. /**aware** *(ônauéa)* adj. ignorante, adv. inopinadamente. /**bearable** *(ônbérabl)* adj. intolerable. /**becoming** *(ônbikö'ming)* adj. impropio. / **belief** *(ônbilíf)* s. incredulidad. /**believer** *(ônbilívör)* adj. incrédulo. / **b e n d i n g** *(ônbénding)* adj. inflexible. /**blassed** *(ônbíast)* adj. imparcial. /**bosom** *(ôn'busöm)* tr. confiar, desahogarse. /**bound** *(ônbáund)* adj. suelto. /**burden** *(ônbö'rdn)* tr. descargar; aliviar.

un/certain *(ônsö'rtön)* adj. incierto. /**certainty** *(ônsö'rtenti)* s. incertidumbre. /**charitable** *(ôncháritabl)* adj. despiadado. /**civil** *(ônsívil)* adj. grosero; descortés. /**civilised** *(ônsívilaisd)* adj. bárbaro; tosco.

uncle *(ônkl)* s. tío.

un/clean *(ônclín)* adj. sucio. /**clouded** *(ôncláuded)* adj. claro; despejado. /**coil** *(ô'ncoil)* tr. desenrollar. /**comfortable** *(ônkömfôrtabl)* adj. incómodo / **c o m m o n** *(ôncómön)* adj. raro; desusado. /**complete** *(ôncomplít)* adj. incompleto. /**concern** *(ôncosérn)* s. indiferencia. / **concerned** *(ônconsérnd)* adj. indiferente /**conditional** *(ôncondíschönal)* adj. incondicional. /**conquerable** *(ôncónkörabl)* adj. invencible. /**conscious** *(ôncónschös)* adj. inconsciente. /**consciousness** *(ôncónschösnes)* s. inconsciencia. /**constitutional** *(ônconstitiúschönal)* adj. inconstitucional. /**controllable** *(ôncontrólabl)* adj. ingobernable; irrefrenable. / **cork** *(ônkök)* tr. descor-

char. /**cover** *(ônkö'vör)* tr. descubrir, destapar.

unct/ion *(ô'nkschön)* s. unción. /**uous** *(ô'nkchiuös)* adj. untuoso

un/damaged *(ôndámeitchd)* adj. ileso; indemne. /**deceive** *(ôndisív)* tr. desengañar. /**delivered** *(ôndilívörd)* adj. no entregado, por entregar. /**deniable** *(ôndenáiabl)* adj. innegable.

under *(ô'ndör)* prep. debajo; bajo de ;menos que; adv. abajo; adj. inferior. /**clothing** *(ôndörclouding)* s. ropa interior. /**cut** *(ôndörcö't)* tr. socavar; s. socavación. /**go** *(ôndörgóu)* tr. sufrir; experimentar. /**graduate** *(ôndögrádiueit)* s. estudiante de carrera. /**ground** *(ôndörgraund)* adj. subterráneo; s. sótano; ferrocarril subterráneo, "metro". /**growth** *(ô'ndörgrouz)* s. maleza. /**hand** *(ôndörjánd)* adv. bajo mano; clandestinamente; adj. secreto. /**lay** *(ôndödléi)* tr. reforzar. /**line** *(ôndörláin)* tr. subrayar. /**mine** *(ôndörmáin)* tr. minar; socavar. /**most** *(ô'ndörmoust)* adj. ínfimo. /**neath** *(ôndörníz)* adv. debajo; prep. bajo. /**pay** *(ondörpei)* tr. pagar poco; s. retribución mezquina. /**rate** *(ôndöreit)* tr. menospreciar. /**sign** *(ôndörsáin)* tr. suscribir.

understand *(ôndörstánd)* tr. e intr. entender; comprender. /**ing** *(ôndörstánding)* s. entendimiento; conocimiento; adj. inteligente.

undertak/e *(ö'ndörteik)* tr. e intr. emprender. /**er** *(ôndörtéikör)* s. emprendedor; empresario; empresario de pompas fúnebres. /ing (öndörtéiking) s. empresa.

under/tenant (ö'ndörtenant) s. subinquilino. /value (öndörváliu) tr. menospreciar. /wear (öndöruéar) s. ropa interior /write (öndöráit) tr. subscribir; Com. asegurar.

un/deserved (öndesö'rvd) adj. inmerecido. /determined (öndítérmind) adj. indeciso. /distinguishable (öndistínguíschabl) adj. indistinguible. /disturbed (öndistö'bed) adj. tranquilo. /do (öndú) tr. deshacer; desatar. /doubted (öndáuit) adj. indubitable; /dress (öndrés) tr. desnudar; intr. desnudarse /due (öndiú) adj. indebido.

un/earth (ö'nörz) tr. desenterrar. /easiness (önísines) s. desazón. /easy (ösíni) adj. inquieto. /educated (önédiukeitit) adj. ineducado, ignorante. /employed (önemplóid) adj. desocupado, ocioso; parado. /employment (önemplóiment) s. desocupación, paro (forzoso). /ending (ön énding) adj. inacabable.

un/equal (önícual) adj. desigual. /erring (önerring) adj. infalible, seguro. /even (önívn) adj. desigual. /expected (önecspécted) adj. inesperado. /experienced (önecspíriensi) adj. inexperto. /explored (önecsplóret) adj. inexplorado. /fading (önféiding) adj. inmarcesible. /falling (önféiling) adj. infalible; indefectible. /fair (önféa) adj. injusto. /faithful (önféizful) adj. infiel. /fasten (önfásn) tr. desa

tar. **fathomable** (önfadömabl) adj. insondable. /favourable (önféivórabl) adj. desfavorable. /finished (önfínischt) adj. incompleto. /fit (önfit) adj. inepto. /fitness (önfítnes) s. ineptitud. /fold (önfóuld) tr. desplegar; desdoblar; desenvolver. /foreseen (önförsín) adj. imprevisto.

un/forgiving (önforguí ving) adj. implacable. /fortunate (önföchönet) adj. desdichado. /founded (öndundíd) adj. infundado. /friendly (önfréndli) adj. hostil. /furl (önfö'rl) tr. desplegar. /furnished (örfö'rnischt) adj. desamueblado. /gear (önguía) tr. Mec. desembragar. /godly (ösgóáli) adj. impío. /gracious (öngréischös) adj. desagradable. /grateful (öngréischös) adj. desagradecido. /guarded (öngárdit) adj. desguarnecido. /happy (önjápi) adj. infeliz. /harmed (önjármt) adj. ileso. /healthy (önjélzi) adj. malsano; insalubre. /heard (önjö'rd) adj. inaudito. /heeded önjíded) adj. inadvertido. /hinge (önjíndch) tr. desquiciar. /hook (önjúc) tr. desenganchar. /horse (önjörs) v. desmontar. /hurt (önjö'rt) adj. ileso.

unif/orm (iúniform) s. y adj. uniforme. /y (iúnifai) tr. unificar.

un/imaginable (önimádchinabl) adj. inimaginable. /impaired (önimpéd) adj. intacto. /important (önimpórtant) adj. insignificante. /Inhabited (öninjábited) adj. inhabitado. /injured (öninjchöd) adj. ileso. /intelligible (önin *télichibl*) adj. ininteligible. /**interesting** (*öninteresting*) adj. soso. /**interrupted** (*öninterrö'pted*) adj. ininterrumpido.

unt/on (*iúniön*) s. unión. /**que** (*iunís*) adj. solo; único. /**son** (*iúnisön*) s. unidad. /**t** (*iúnit*) s. unidad. /**te** (*iunáit*) v. unir(se), juntar(se). /**ty** (*iúniti*) s. unidad. /**versal** (*iunivör'sal*) adj. universal. /**verse** (*iúnivörs*) s. universo. /**versity** (*iunivör'siti*) s. universidad.

un/just (*öndchö'st*) adj. injusto. /**kind** (*öncáind*) adj. antipático, poco amable. /**known** (*önnóun*) adj. desconocido; /**lawful** (*önlóful*) adj. ilegal. /**learned** (*önlö'rnit*) adj. indocto.

unless (*önlés*) conj. a menos que, como no sea. **un/like** (*önláic*) adj. desemejante; diferente. /**likely** (*önláicli*) adj. inverosímil; improbable; adv improbablemente. /**limited** (*önlimitid*) adj. ilimitado. /**load** (*önlóud*) tr. descargar. /**lock** (*önlóc*) tr. abrir. /**lucky** (*önlö'ki*) adj. desgraciado. /**man** (*önmán*) tr. afeminar; castrar. *Mil.* (*önlö'ki*) adj. desgraciado. /**man** (*önmán*) tr. afeminar; castrar. *Mil.* (*önlö'ki*) adj. desgraciado desguarnecer. /**manageable** (*önmánnedchabl*) adj. inmanejable. /**mannerly** (*önmánörli*) adj. grosero. /**married** (*önmárid*) adj. soltero, (a). /**mask** (*önmásc*) tr. desenmascarar. /**merited** (*önméritit*) adj. inmerecido. /**mindful** (*önmándful*) adj olvidadizo. /**mistakable** (*önmistéikebl*) adj. inconfundible. /**mixed** (*önmícst*) adj. puro; sin mezcla. /**natural** (*önnáchoröl*) adj. antinatural, forzado. /**necessary** (*önnésesari*) adj. innecesario

/**nerve** (*önnév*) tr. enervar. /**noticed** (*önnóutisd*) adj. inadvertido. /**o b s e r v a n t** (*önobsö'rvant*) adj. inobservante. /**observed** (*önobsö'rvd*) adj. inadvertido. /**official** (*önofischal*) adj. no oficial.

un/pack (*önpác*) tr. desempaquetar. /**paid** (*önpeid*) adj. no pagado; /**paralelled** (*önpáralelt*) adj. incomparable. /**pardonable** (*önpárdönabl*) adj. imperdonable. /**perceived** (*önpersívd*) adj. inadvertido.

un/pleasant (*önplésant*) adj. desagradable. /**polished** (*önpólischd*) adj. tosco; basto. /**polite** (*önpoláit*) adj. grosero. /**popular** (*önpópiular*) adj. impopular. /**precedented** (*önpréssedented*) adj. sin precedente. /**prejudiced** (*önprédchudist*) adj. imparcial. /**prepared** (*önpripéat*) adj. desprevenido. /**principled** (*önprinsiplá*) adj. sin principios. /**productive** (*önprodö'ctiv*) adj. improductivo. /**profitable** (*önprótitabl*) adj. improductivo. /**promising** (*önprómising*) adj. que no promete. /**protected** (*önprotéctit*) adj. desvalido. **un / p u b l i s h e d** (*önpö'blischt*) adj. inédito. /**punished** (*önpö'nischt*) adj. impune. /**qualified** (*öncuólifaid*) adj. incapaz; no autorizado. /**q u e n c h a b l e** (*öncuénchabl*) adj. inextinguible. /**questionable** (*öncuéschönabl*) adj. indisputable. /**quiet** (*öncuáiet*) adj. inquieto. /**ravel** (*önrávl*) tr. desenredar. /**real** (*önrial*) adj. irreal, i l u s o r i o /**reasonable** (*önrisnabl*) adj. exorbitante. / **relenting** (*önrt* lénting) adj. implacable. /r e l i a b l e (önriláiabl) adj. indigno de confianza, informal.

un/repentant (önripéntant) adj. impenitente. /reserved (önrisérvd) adj. franco; libre. /rest (önrést) s. inquietud; /restrained (önrístreint) adj. desenfrenado. /ripe (önráip) adj. verde; inmaturo. /rivalled (önráivalt) adj. único; sin rival. /roll (önróul) tr. desenrollar, desarrollar, intr. desplegarse, abrirse /root (önrút) tr. desarraigar; /ruffled (önrö'föld) adj. calmado. /ruly (önrúli) adj. indómito. /safe (önséif), adj. inseguro. /said (önséd) adjet. no mencionado. /savoury (önsétvöri) adj. insípido; soso.

un/screw (önscrú) tr. des(a)tornillar. /seal (önsil) tr. desellar, abrir. /seasonable (önsísnabl) adj. inoportuno. /seasoned (önsísnd) adj. no sazonado. /seemly (önsímli) adj. indecoroso, impropio. /seen (önsín) adj. inadvertido. /selfish (önsélfisch) adj. desinteresado, altruista. /serviceable (önsérvisabl) adj. inservible. /settle (önséitl) tr. alterar. /shapely (önscréipli) adj. desproporcionado.

un/skilled (önskilt) adj. inexperto. /sociable (önsóuschiebl) adj. insociable. /sold (önsóuld) adj. no vendido, por vender. /solved (önsólvd) adj. sin resolver. /sought (önsót) adj. no buscado. /sound (önsaúnd) adj. defectuoso, enferm(iz)o. /sparing (önspéring) adj. lberal; pródigo. /speakable (önspícabl) adj. inefable. /specified (öns-

pésifaid) adj. no especificado. /spoiled (önspóild) adj. intacto; no mimado. /spotted (önspótit) adj. inmaculado.

un/stable (önstéibl) adj. inestable. /steady (önstédi) adj. voluble; in-c o n s t a n t e ; inestable. /substantial (önsöbstánschal) adj. insubstancial. /successful (önsócsésful) adj. sin efecto; desafortunado. /suitable (önsiútbl) adj. inapropiado. /sure (önschúa) adj. incierto. /tamed (öntéimt) adj. indómito. /tenable (önténabl) adj. insostenible. /thinkable (önzínkabl) adj. inimaginable. /thinking (önzinking) adj. descuidado. /tidy (öntáidi) adj. desaseado. /tie (öntái) tr. desatar.

until (öntil) prep. hasta; conj. hasta que.

un/timely (öntáimli) adj. intempestivo. /tiring (öntáiring) adj. incansable.

unto (ö'ntu) prep. a, para, en, dentro.

un/touched (öntö'cht) adj intacto. /trained (öntréind) adj. inexperto. /translatable (öntransleitabl) adj. intraducible. / troubled (öntrö'bld) adj. tranquilo. /true (öntrú) adj. falso. /used (önlúsd adj. inusitado. /usual (önlúdchual) adj. inusitado. /varnished (önvárnischt) adj. sencillo; sin barnizar. /veil (önvéil) intr. levantar el velo. /wariness (önuérines) s. imprevisión. /warranted (önuórranted) adj. injustificado. /wary (önuéri) adj. incauto. /welcome (önuélköm) adj. inoportuno, mal recibido. /well (önuel) adj. indispuesto. /wholesome (önjóulsöm) adj.

insalubre. /**wieldly** (ŏ-
nŭíldi) adj. pesado. /**willing** (ŏnúiling) adj
reacio. /**willingly** (ŏnúi-
lingli) adj. de mala ga-
na); a regañadientes.
un/wise (ŏnúáis) adj. imprudente. /**wittingly**
(ŏnúitingli) adv. incons-
cientemente. /**wonted**
(ŏnŏnted) adj. inusita-
do. /**worthiness** (ŏnúŏr-
dines) s. indignidad:
/**worthy** (ŏnúŏrdi) adj.
indigno. /**wounded** (ŏn-
úúnded) adj. ileso.
/**wrap** (ŏnráp) tr. desenvolver. /**written** (ŏnrítn)
adj. no escrito. /**yielding**
(ŏnyílding) adj. inflexi-
ble .
up (ŏ'p) adj. levantado,
derecho; adv. (hacia)
arriba, en lo alto, en
pie, hasta, completamen-
te; prep. hacia arriba, a
lo largo de, en lo alto
de; s. tierra elevada;
prosperidad; interj. ¡a-
rriba! ¡sus! /**-s and
downs** s. altibajos. /**—
to date** adj. moderno.
/**-stairs** adv. arriba, en
el (o el) piso de arriba.
/**what's** —? ¿qué pasa?.
upbraid (ŏpbréid) tr. reprochar, reprender.
upheaval (ŏpjíval) s. trastorno, intr. levantar(se).
uphill (ŏ'pjil) adj. penoso; adv cuesta arriba.
uphold (ŏpjóuld) tr. sostener; mantener, apoyar.
upholster (ŏpjólstör) tr.
(en)tapizar. /**er** (ŏpjólst-
töror) s. tapicero.
upland (ŏ'pland) s. meseta; altiplanicie.
uplift (ŏplíft) tr. levantar; s. levantamiento.
upmost (ŏpmóust) adj.
culminante, lo más alto.
upon (ŏpón) prep. sobre;
encima ;en; cerca de; a.
upper (ŏ'pör) adj. superior, más alto. /**—hand**

s. dominio. /**most** (ŏ'pŏ-
moust) adj. culminante.
upright (ŏ'prát) adj. derecho, de pie.
upris/e (ŏpráis) intr. levantarse. /**ing** (ŏprái-
sing) s. levantamiento.
uproar (ŏpróa) s. tumulto; confusión; alboroto.
uproot (ŏprút) tr. desarraigar; extirpar.
upset (ŏpsét) tr. trastornar; volcar. intr. derra-
marse; s. trastorno. adj.
trastornado.
upside (ŏ'psaid) s. lo de
arriba; parte superior.
— **down** adv., adj. boca
abajo, al revés.
upstart (ŏ'pstart) adj. y s.
repentino, advenedizo.
upward (ŏ'puŏrd) adj.
ascendente. /**(s)** (ŏ'pu-
ŏrds) adv. hacia arriba.
uranium (iuréiniöm) s.
uranio.
urchin (ŏ'rchin) s. pillo.
urge (ödch) s. impulso;
tr. incitar. /**ncy** (ŏ'rdchensi) s. urgencia. /**nt**
(ŏ'rdchent) adj. urgente.
uri/nal (iúrinal) s. orinal.
/**nate** (iúrineit) intr. ori-
nar. /**ne** (iúrin) s. orina.
urn (ŏ'rn) s. urna.
us (ŏ's) pron. nos; nosotros.
us/age (iúsidch) s. uso;
costumbre, /**e** (iús) s.
uso; tr., intr. usar,
acostumbrar. /**eful** (iús-
ful) adj. útil. /**eless**
(iúsles) adj. inútil.
usher (ŏ'schö) s. ujier,
portero; tr. introducir,
acomodar. /**ette** (ŏ'schö-
rét) s. acomodadora.
usual (iúchual) adj. usual.
usufruct (iúsiufrŏct) s.
usufructo.
usur/er (iúchörör) s. usu-
rero. /**y** (iúchöri) s. usu-
ra.
usurp (iusŏ'rp) adj. usurpar.

utensil (*iuténsil*) s. utensilio.

utili/tarian (*iutilitérian*) s. y adj. utilitario. /ty (*iutíliti*) s. utilidad. /ze (*iútilais*) tr. utilizar.

utmost (*ö'tmoust*) adj. extremo; sumo; último.

utopia (*iutóupia*) s. utopía. /n (*iutóupian*) adj. utópico, quimérico.

utter (*ö'tör*) adj. exterior, total; extremo; tr. exteriorizar, manifestar. /ance (*ö'törans*) s. expresión. /ly (*ö'törli*) adv. enteramente, del todo.

uvula (*iúviula*) s. úvula; campanilla.

uxorious (*öcsóriös*) adj. calzonazos, maridazo.

V

vaca/ncy (*véicansi*) s. vacante, hueco. /nt (*véicant*) adj. vacante; libre; ocioso. /te (*vakéit*) tr. desocupar, evacuar; intr. marcharse. /tion (*vakéischön*) s. vacación.

vaccin/ate (*vácsineit*) tr. vacunar. /ation (*vacsinéischön*) s. vacunación.

vacilla/te (*vásileit*) intr. vacilar. /tion (*vasiléischón*) s. vacilación.

vacu/ous (*vákiuös*) adj. vacío. /um (*vákiuöm*) s. vacío.

vagabond (*vágabond*) adj. y s. vagabundo.

vague (*véig*) adj. vago; indefinido. /ness (*véignes*) s. vaguedad.

vain (*véin*) adj. vano; presuntuoso. /glory (*veinglóri*) s. vanagloria.

vale (*véil*) s. valle.

valet (*válet*) s. lacayo; paje, criado.

valiant (*váliant*) adj. valiente; valeroso, bravo.

valid (*válid*) adj. válido. /ity (*validíti*) s. validez.

valise (*valís*) s. maleta.

valley (*váli*) s. valle.

valour (*vélö*) s. valor, valentía, ánimo.

valu/able (*váliuabl*) adj. precioso; valioso. /ables (*váliuabls*) s. objetos de valor. /ation (*valiuéischön*) s. valuación. /e (*váliu*) s. valor; precio; tr. (e)valuar. estimar.

valv/e (*válv*) s. válvula.

vampire (*vámpaia*) s. vampiro; vampiresa.

van (*ván*) s. furgoneta, *Mil.* vanguardia.

vane (*véin*) s. veleta.

vanguard (*vángard*) s. *Mil.* vanguardia.

vanilla (*vaníla*) s. vainilla.

vanish (*vánisch*) intr. desvanecerse; desaparecer.

vanity (*vániti*) s. vanidad.

vanquish (*váncuisch*) tr. vencer; sojuzgar.

vapid (*vápid*) adj. soso.

vapo/rize (*véipörais*) tr. vaporizar. /rous (*véipörös*) adj. vaporoso. /ur (*véipa*) s. vapor, vaho.

varia/ble (*vériabl*) adj. variable. /nce (*vérians*) s. discordia; variación. /tion (*veriéischön*) s. variación.

vari/ety (*varáieti*) s. variedad. /ous (*vériös*) adj. vario; diverso.

varix (véirics) s. Med. várice, variz.

varnish (várnisch) s. barniz; tr. barnizar.

vary (véri) v. variar.

vase (váas) s. jarrón.

vast (vást) adj. vasto.

vault (vólt) s. bóveda; cueva. /ed (vóltit) adj. abovedado.

vaunt (vónt) s. jactancia; intr. jactarse (de).

veal (víil) s. carne de ternera.

veer (vía) intr. virar.

vegeta/ble (védchetabl) s. vegetal; legumbre; verdura; adj. vegetal. /rian (vedchitéirian) s. vegetariano. /te (védchiteit) intr. vegetar. /tion (vedchitéischön) s. vegetación.

vehemen/ce (víjimens) s. vehemencia. /t (víjiment) adj. vehemente.

vehicle (víicl) s. vehiculo.

veil (véil) s. velo; tr. velar, cubrir.

vein (véin) s. vena, veta.

velocity (velósiti) s. velocidad.

velvet (vélvet) s. terciopelo; adj. aterciopelado.

venera/ble (vénörabl) adj. venerable. /te (vénöreit) tr. venerar. /tion (venöréischön) s. veneración.

venereal (venírial) adj. venéreo.

venge/ance (véndchens) s. venganza. /ful (véndchful) adj. vengativo.

venial (vínial) adj. venial.

venison (vénisön) s. carne de venado.

venom (vénöm) s. veneno, ponzoña. /ous (vénomös) adj. venenoso.

vent (vént) s. respiradero desahogo; tr. arrojar, desahogar. /ilate (véntileit) tr. ventilar; airear.

/ilation (ventiléischön) s. ventilación. /osity (ventósiti) s. ventosidad. /riloquist (ventrílocuist) s. ventrílocuo.

venture (véncha) s. riesgo; v. aventurar(se).

veracity (verásiti) s. veracidad.

veranda(h) (veránda) s. galería .terraza.

verb (vö'rb) s. Gram. verbo. /al (vö'rbal) adj. verbal. /ose (vörbóus) adj. verboso, locuaz.

verdict (vö'dict) s. veredicto, fallo.

verge (vö'rdch) s. borde.

verif/ication (verifikéischön) s. verificación. /y (vérifai) tr. verificar.

vermicelli (vörmichéli) s. fideos.

vermilion (vörmiliön) s. bermellón, cinabrio.

vermin (vö'rmin) s. bicho; sabandija.

vernacular (vörnákiular) adj. vernáculo, nativo.

versatil/e (vö'rsatail) adj. versátil. /ity (vörsatíliti) s. versatilidad.

vers/e (vö'rs) s. verso. /ed (vö'rst) adj. versado. /ification (vorsifikéischön) s. versificación. /ify (vö'rsifai) intr. versificar. /ion (vö'rschön) s. versión.

versus (vö'rsös) prep. contra.

vertebra (vö'rtibra) s. vértebra. /l (vö'rtebral) adj. vertebral.

vert/ex (vö'rtecs) s. vértice; cima; /ical (vö'rtical) adj. vertical.

vertig/inous (vörtidchinös) adj. vertiginoso. /o (vö'rtigo) s. vértigo.

very (véri) adj. verdadero; idéntico; mismo; adv muy; mucho.

vesper (véspör) s. tarde; víspera. /tine (véspörtin) adj. vespertino.

vessel (*vésel*) s. vasija; vaso; buque; nave.

vest (*vést*) s. chaleco; tr. vestir, investir. **/ment** (*véstment*) s. vestido; vestimenta; vestidura.

vestige (*véstidch*) s. vestigio.

veterinary (*vétörineri*) s. y adj. veterinario.

veto (*vítou*) s. veto; tr. vetar, poner el veto.

vex (*vécs*) tr. vejar; molestar; intr. enfadarse. **/ing** (*vécsing*) adj. vejatorio.

via (*váia*) s. vía; conducto; adv. por la vía de.

viand (*váiand*) s. vianda.

vibrat/e (*váibreit*) tr., intr. vibrar. **/ion** (*vaisbréischön*) s. vibración.

vicar (*víkör*) s. vicario. **/age** (*víköridch*) s. vicaría; vicariato.

vice (*váis*) s. vicio.

viceroy (*váisroi*) s. virrey.

vicinity (*visiniti*) s. vecindad; proximidad.

vicious (*víschös*) adj. vicioso; viciado.

victim (*víctim*) s. víctima. **/ize** (*víctimais*) tr. hacer víctima, estafar.

victor (*víctor*) s. vencedor. **/ious** (*víctóriös*) adj. victorioso. **/y** (*víctori*) s. victoria.

victual (*vítöl*) tr. abastecer; avituallar. **/s** (*vítls*) s. vitualla; víveres.

view (*viú*) s. vista; panorama, opinión, tr. mirar, ver, inspeccionar.

vigil (*vídchil*) s. vigilia, vela. **/ance** (*vídchilans*) s. vigilancia. **/ant** (*vídchilant*) adj. vigilante.

vigo/rous (*vígorös*) adj. vigoroso. **/ur** (*vígör*) s. vigor.

vil/e (*váil*) adj. vil. **/ eness** (*váilnes*) s. vileza. **/ify** (*vilifai*) tr. envilecer.

villa (*víla*) s. quinta; casa de campo. **/ge** (*víledch*) s. pueblo. **/ger** (*víledchör*) s. aldeano. **/ in** (*vílen*) s. villano. **/ nous** (*vílanös*) adj. villano, ruín, vil. **/ny** (*vílani*) s. villanía.

vindicat/e (*víndikeit*) tr. vindicar. **/ion** (*vindikéischön*) s. vindicación.

vin/e (*váin*) s. víd; parra. **/egar** (*vínega*) s. vinagre. **/eyard** (*vínyard*) s. viñedo; viña. **/ tage** (*víntedch*) s. vendemia

violat/e (*váioleit*) tr. violar. **/ion** (*vaioléischön*) s. violación.

violen/ce (*váiolens*) s. violencia. **/t** (*váiolent*) adj. violento.

violet (*váiolet*) s. Bot. violeta; adj. violado.

viol/in (*vaiolin*) s. violín. **/inist** (*vaiolinist*) s. violinista. **/oncello** (*violonchélo*) s. violoncelo.

vir/ago (*viréigou*) s. marimacho. **/gin** (*vö'rdchin*) s. virgen; adj. virgen, virginal. **/ginity** (*vö'rchíniti*) s. virginidad, doncellez. **/ile** (*víril*) adj. viril; varonil. **/ility** (*víriliti*) s. virilidad. **/ tual** (*vö'rchual*) adj. virtual. **/tue** (*vö'rtin*) s. virtud. **/tuous** (*vö'rtiuös*) adj. virtuoso.

virulen/ce (*víriulens*) s. virulencia. **/t** (*vírulent*) adj. virulento.

virus (*váirös*) s. virus.

visa (*vísa*) s. visado.

visage (*vísedch*) s. rostro.

visib/ility (*visibiliti*) s. visibilidad. **/le** (*visibl*) adj. visible; claro.

vision (*víchön*) s. visión. **/ary** (*víchöneri*) adj. visionario; quimérico.

visit (*vísit*) s. visita; tr., intr. visitar(se). **/or** (*vísita*) s. visitante, visita.

visor 194

visor *(váisör)* s. visera.

visual *(víchual)* adj. visual; óptico.

vital *(váital)* adj. vital. **/ity** *(vaitáliti)* s. vitalidad. **/ize** *(váitalais)* tr. vitalizar.

vitamin [v(á)itamin] s. vitamina.

vitiate *(víschieit)* tr. viciar.

vituperate *(vitiúpöreit)* tr. vituperar.

vivi/d *(vívid)* adj. vivo. **/fy** *(vívifai)* tr. vivificar.

voca/ble *(vócabl)* s. vocablo. **/bulary** *(vocábiuleri)* s. vocabulario **/l** *(vócal)* adj. vocal. **/ize** *(vócalais)* tr. vocalizar.

vocation *(voukéischön)* s. vocación; carrera.

voice *(vóis)* s. voz; tr. expresar. **/less** *(vóisles)* adj. mudo, sin voz.

void *(vóid)* adj. vacío, nulo, inválido; s. vacío; tr. vaciar, desocupar.

volcan/ic *(volcánic)* adj. volcánico. **/o** *(volkéinou)* s. volcán.

volitive *(vólitiv)* adj. volitivo.

volt *(vóult)* s. voltio. **/ age** *(vóultedch)* s. voltaje.

voluble *(vóliubl)* adj. voluble.

volum/e *(vólium)* s. volumen. **/inous** *(voliúminös)* adj. voluminoso.

volunt/ ary *(vólönteri)* adj. s. voluntario. **/eer** *(volöntír)* tr. s. voluntario; tr., intr. ofrecer(se), servir como voluntario.

voluptuous *(volö'ptiuös)* adj. voluptuoso.

vomit *(vómit)* s. vómito; vomitivo; v. vomitar.

voracious *(voréischös)* adj. voraz.

vortex *(vórtecs)* s. remolino; torbellino; vórtice.

vote *(vóut)* s. voto; tr., intr. votar. **/r** *(vóutör)* s. votante; elector.

vouch *(váuch)* s. tr. garanti(za)r. intr. salir fiador. **/er** *(váuchör)* s. fiador; resguardo, vale.

vow *(váu)* s. voto; juramento; tr., intr. dedicar, hacer voto.

vowel *(váuel)* s. vocal.

voyage *(vóiedch)* s. travesía; viaje; intr. navegar.

vulgar *(vö'lgar)* adj. vulgar. **/ity** *(völgáriti)* s. vulgaridad. **/ize** *(vö'lgarais)* tr. vulgarizar.

vulnerable *(vö'lnörabl)* adj. vulnerable.

vulture *(vö'lchor)* s. *Orn.* buitre.

W

wabble *(uóbl)* s. bamboboleo; intr. oscilar.

wad *(uód)* s. borra, guata; *Mil.* taco.

waddle *(uódl)* intr. balancearse; s. anadeo.

wade *(uéid)* intr. vadear.

wag *(uág)* s. colead(ur)a,

sacudida; tr. menear, mover; intr. oscilar.

wage *(uéidch)* s. paga; sueldo; tr. emprender. **/r** *(uéidchör)* s. apuesta; tr. apostar. **/s** *(uéidches)* s. pl. paga, sueldo.

waggon *(uágön)* s. carro; carreta, vagón.

waif (*uétf*) s. niño o animal abandonado.

wail (*uéil*) s. lamento, tr., intr. lamentar. /**ing** (*uéiling*) s. lamento.

wainscot (*uéinscot*) s. entablamento; artesonado; tr. entablar, artesonar.

waist (*uéist*) s. cintura. /**coat** (*uéistcot*) s. chaleco.

wait (*uéit*) s. espera, intr. esperar, aguardar. /**er** (*uéitör*) s. camerero. mozo. /**ress** (*uéitres*) s. camarera.

wake (*uéik*) s. vela(torio), vigilia; *Mar.* estela; tr. despertar, velar; intr. despertarse. /**ful** (*uéikful*) adj. desvelado. /**n** (*uéikn*) v. despertar(se).

walk (*uók*) s. paseo; paso, andar, alameda; intr. andar, pasear; tr. hacer andar, pasear; **go for a** — dar un paseo. /**ing stick** s. bastón. /**er** (*uókör*) s. paseante. caminante.

wall (*uóol*) s. pared; muro; muralla; tr. murar.

wallet (*uólet*) s. cartera.

wallow (*uólou*) intr. revolcarse; tr. revolcar.

walnut (*uélnöt*) s. *Bot.* nuez. /**(tree)** s. nogal.

wan (*uón*) adj. pálido.

wander (*uóndör*) intr. errar; vagar; delirar; tr. recorrer. /**er** (*uóndödör*) s. vagabundo; rondador. /**ing** (*uóndöring*) adj. errante; delirante; s. viajes; delirio; divagación.

wane (*uéin*) s. mengua, intr. menguar.

want (*uónt*) s. necesidad; miseria; tr. desear, querer, necesitar; intr. carecer /**ing** (*uónting*) adj. falto de, escaso.

wanton (*uóntön*) s. libertino; prostituta; adj. desenfrenado, lascivo.

war (*uóo*) s. guerra.

ward (*uórd*) s. guarda; tutela, pupilo, distrito, sala de hospital; intr. guardar. /**en** (*uórdn*) s. custodio; guardián. /**er** (*uórdör*) s. guardián. / **robe** (*uórdroub*) s. guardarropa; armario.

ware (*uéa*) s. mercancia. /**house** (*uéajaus*) s. almacén; depósito. tr. almacenar.

war/fare (*uóofea*) s. guerra. /**like** (*uóolaic*) adj. guerrero.

warm (*uórm*) adj. caliente, cálido, tr., intr. calentar(se). /**th** (*uórmz*) s. calor; ardor.

warn (*uórn*) tr. advertir; avisar. /**ing** (*uórning*) s. aviso; advertencia.

warp (*uórp*) s. urdimbre; v. torcer(se).

warrant (*uórent*) s. *For.* auto, decreto, garantía tr. autorizar. garantizar.

warrior (*nóriör*) s. guerrero; soldado.

wart (*uórt*) s. verruga.

wary (*uéri*) adj. cauto.

wash (*uásch*) s. lavado, colada, baño; tr., intr. lavar(se). /**-bowl** s. palangana. /**ing** (*uósching*) s. lavado.

waste (*uéist*) s. despilfarro; derroche; pérdida; adj. inutil, desechado, yermo; tr. (mal)gastar. — **paper-basket** s. papelera. /**ful** (*uéistful*) adj. malgastador.

watch (*nóch*) s. vigilancia, guardia, vela(da), reloj de bolsillo; intr., tr. velar, vigilar, observar, contemplar. /**er** (*uóchör*) s. vigilante; /**ful** (*uóchjul*) adj. vigilante. /**maker** (*uóchméikör*) s. relojero. /**man** (*uóchman*) s. guarda. / **word** (*uóchuórd*) s. *Mil* santo y seña; consigna.

water (*uóta*) s. agua; tr. regar, mojar; — closet (*uóta clóset*) s. retrete, excusado; — colour s. acuarela. /fall (*uótörfol*) s. cascada; catarata / ing (*uótöring*) s. riego; -can s. regadera. /y (*uótöri*) adj. acuoso.

wave (*uéiv*) s. cla; onda; tr.. intr. ondear, ondular. /r (*uéiva*) intr. fluctuar.

wax (*uács*) s. cera; tr. encerar; intr. aumentar. /en (*uácsn*) adj. de cera.

way (*uéi*) s. vía; ruta; camino; dirección; manera; modo, costumbre. /by the — adv. a propósito. /be in the — intr. estorbar. /— in s. entrada. /— out s. salida. /lay (*ueiléi*) tr. insidiar, acechar. /ward (*uéiuörd*) adj. testarudo.

we (*uá*) pron. nosotros.

weak (*uík*) adj. débil. /en (*uíkn*) tr. debilitar. /ness (*uíknes*) s. debilidad.

wealth (*uélz*) s. riqueza. /y (*uélzi*) adj. rico.

weapon (*uépön*) s. arma.

wear (*uéa*) s. uso, gasto, tr. usar, llevar, gastar. /er (*uérör*)s. el que lleva o usa algo.

wear/ied (*uierid*) adj. fatigado. /iness (*uirines*) s. cansancio. /isome (*uírisöm*) adj. fastidioso. /y (*uíri*) adj. cansado, hastiado; tr. cansar, abrumar; intr. fastidiarse.

weather (*uéda*) s. tiempo (atmosférico), intemperie; tr. aguantar, capear. /— forecast previsión del tiempo.

weav/e (*uiv*) tr, tejer; trenzar. /er (*uívör*) s. tejedor. /ing (*uíving*) s. tejido; textura.

web (*uéb*) s. tejido; tela.

wed (*uéd*) tr. casar; intr. casarse. /ding (*uéding*) s. boda; casamiento.

wedge (*uédch*) s. cuña, calce; tr. acuñar, calzar.

Wednesday (*uénsdei*) s. miércoles.

weed (*uíd*) s. hierbajo, tr. desyerbar.

week (*uík*) s. semana /day s. día laborable. /— end s. fin de semana. /ly (*uíkli*) adj. semanal; adv. semanalmente.

weep (*uíp*) tr. e intr. llorar. /ing (*uíping*) s. llanto; adj. plañidero.

weigh (*uéi*) tr., intr. pesar. /er (*uéiör*) s. pesador. /ing (*uéiing*) s. peso; pesada. /t (*uéit*) s. peso; importancia. /ly (*uéiti*) adj. pesado.

weir (*uía*) s. (re)presa.

welcome (*uélköm*) adj. bienvenido, s. bienvenida; interj. ¡bien venido! tr. dar la bienvenida.

welfare (*uélfea*) s. bienestar, prosperidad, salud.

well (*uél*) s. adv. bien, muy, mucho; s. pozo, manantial, interj. ¡bien! ¡vaya, ya! ¿qué? ¡bueno!; — to do adj. acomodado; as — as así como.

Welsh (*uélsch*) adj. galés; s. galés (idioma).

west (*uést*) s. oeste; occidente; poniente; adj. occidental; adv. a o hacia poniente. /ern (*uéstörn*) adj. occidental; s. película del oeste.

wet (*uét*) adj. húmedo, mojado; s. humedad, tr. mojar. /— nurse s. ama de cría. /ness (*uétnes*) s. humedad.

whack (*juák*) s. golpe.

whale (*juéil*) s. lct. ballena; cachalote. /r (*juéilör*) s. ballenero.

wharf (*juórf*) s. muelle; desembarcadero.

what (*uót*) pron. lo que; ¿qué?; cual; ¡qué!; adv. ¡cuan! /**ever** (*uotévör*) pron. cualquier cosa que, todo lo que.

wheat (*juít*) s. trigo.

wheedle (*juídl*) tr. e intr. halagar, sonsacar.

wheel (*júil*) s. rueda, tr. (hacer) rodar intr. rodar, girar; (**steering**) — s. volante. /**barrow** (*júilbarou*) s. carretilla.

wheeze (*juís*) intr. jadear.

when (*juén*) adv. cuando; luego que; entonces: así que. /**ce** (*juéns*) adv. de(sde) donde. /**ever** (*juenévör*) adv. siempre que.

where (*júea*) adv. (a)donde, en donde, de; en que. /**abouts** (*juérabants*) adv. ¿donde? s. paradero. /**as** (*juerás*) adv. por cuanto, mientras que. /**by** (*juerbái*) adv. por lo cual. /**in** (*juerín*) adv. en donde. /**ever** (*juerévör*) adv. (a o por) don-dequiera que.

whet (*juét*) tr. afilar.

which (*juich*) pron. que, el cual, quien, cual, cuyo. /**(so)ever** (*juich- (so)évör*) pron. quien(es) quiera.

whiff (*juíf*) s. fumada; bocanada; soplo.

whig (*juíg*) s. G. B. Pol. adj. y s. liberal.

whi/le (*juáil*) s. rato; vez; conj. mientras; entretanto; tr. pasar el tiempo s. rato. /**lst** (*juílst*) conj. mientras.

whim (*juím*) s. antojo; capricho. /**sical** (*juímsical*) adj. caprichoso.

whimper (*juímpör*) s. lloriqueo; intr. sollozar.

whip (*juíp*) s. látigo; fusta; tr. azotar, fustigar, batir

whirl (*juö'rl*) s. giro, vuelta, torbellino; tr., intr. girar, remolin(e)ar. /**pool** (*juö'rlpul*) s. remolino. /**wind** (*juö'rluind*) s. torbellino.

whisker (*juískör*) s. patilla; barba; bigotes del gato.

whisper (*juíspör*) s. susurro, cuchicheo, v. susurrar, sugerir.

whist (*juíst*) interj. ¡chitón!; ¡silencio!.

whistle (*juísl*) s. silbido, silbato, v. silbar.

whit (*juít*) s. pizca.

white (*juáit*) adj. blanco; puro; s. blanco; blancura. /— **coffee** s. café con leche. /— **hot** adj. al rojo vivo. /**n** (*juáitn*) tr. blanquear; intr. emblanquecerse. /**ness** (*juáitnes*) s. blancura. /**wash** (*juáituosch*) s. jalbegue; blanqueo; tr. blanquear.

whither (*juidör*) adv. adonde, hacia donde.

whitish (*juáitisch*) adj. blanquecino, blancuzco.

Whitsuntide (*juítsöntaid*) s. Pascua de Pentecostés.

whiz(z) (*juís*) s. silbido zumbido; intr. zumbar.

who (*jú*) pron. quien(es). /**ever** (*juévör*) pron. quienquiera que.

whole (*jóul*) adj. todo; completo; intacto, s. total. /**ness** (*jóulnes*) s. integridad. /**sale** (*jéulseil*) adj. y adv. al por mayor. s. venta al por mayor. /**some** (*jóulsöm*) adj. saludable.

whom (*júm*) pron. a quien(es), al que.

whoop (*júp*) s. alarido; intr. huchear. /**ing cough** s. tosferina.

whore (*jóa*) s. puta.

whose (*jús*) pron. cuyo.

why (*judi*) conj. por qué; ¿por qué? interj. ¡como!: s. el porqué.

wick (*uík*) s. mecha.
wicked (*uíked*) adj. malvado, perverso. /**ness** (*uíkednes*) s. maldad.
wide (*uáid*) adj. ancho, amplio, adv. lejos, v. ensanchar(se).
widow (*uídou*) s. viuda. /**er** (*uídoör*) s. viudo. /**hood** (*uídoujud*) s. viudez; viudedad.
width (*uidz*) s. anchura.
wield (*uíld*) tr. manejar; empuñar; gobernar.
wife (*uáif*) s. esposa.
wig (*uíg*) s. peluca.
wild (*uáild*) adj. salvaje, silvestre. — **boar** s. jabalí. /**erness** (*uíldörnes*) s. yermo, desierto. /**ness** (*uáidnes*) s. selvatiquez; rusticidad.
wile (*uáil*) s. fraude; ardid. tr. embaucar.
wilful (*uílful*) adj. porfiado; terco; premeditado.
will (*uíl*) s. voluntad; testamento; tr. querer, desear; (aux. futuro). /**ing** (*uíling*) adj. deseoso; gustoso. /**ingly** (*uílingli*) adv. de buena gana. /**ingness** (*uílingnes*) s. buena voluntad.
willow (*uíou*) s. *Bot.* sauce.
wilt (*uílt*) tr., intr. marchitar(se), secar(se).
win (*uín*) tr. e intr. ganar; vencer; conquistar.
wind (*uínd*) s. viento; aire, tr. ventilar, olfatear; tr., (*uáind*) tr. enrollar, dar cuerda a. intr. enrollarse, (re)torcerse; — **screen** s. parabrisas. /**fall** (*uíndfol*) s. fruta caída del árbol; ganga, chiripa. /**iness** (*uíndines*) s. flatulencia. /**ing** (*uáinding*) s. sinuosidad; (re)vuelta. /**ward** (*uínduörd*) adv. a barlovento; adj. de barlovento. /**y** (*uíndi*) adj. ventoso; vano, palabrero.

window (*uíndou*) s. ventana. /(**shop**) — s. escaparate.
wing (*uíng*) s. ala; vuelo; flanco, aspa.
wink (*uínk*) s. guiño; pestañeo; intr. guiñar.
winter (*uíntör*) s. invierno; adj. invernal; intr. invernar.
wipe (*uáip*) s. limpiadura, fam. manotada, tr. enjugar, secar, frotar.
wir/e (*uáia*) s. alambre, v. telegrafiar; — **netting**, s. tela metálica. /**eless** (*uáirles*) adj. inalámbrico; s. telegrafía, telegrama; — (**set**) s. (aparato de) radio; tr. telegrafiar, radiar. /**y** (*uáiri*) adj. de alambre nervudo.
wis/dom (*uísdöm*) s. sabiduría; juicio; sensatez. /**e** (*uáis*) adj. sabio; prudente; s. modo.
wish (*uísch*) s. deseo; tr. desear, anhelar.
wistful (*uístful*) adj. ansioso, anhelante.
wit (*uít*) s. ingenio; agudeza: talento. /**s** (*uíts*) s. pl. sentido, razón.
witch (*uích*) s. bruja; hechizar. /**craft** (*uíchcraft*) s. brujería.
with (*uíd*) prep. con; de, contra, en(tre), a.
withdraw (*uiddró*) tr. /**al** (*uiddróal*) s. retirada.
wither (*uídör*) intr. marchitar(se), ajar(se). /**ed** (*uídöred*) adj. marchito.
withhold (*uidjóuld*) tr. detener; retener.
with/in (*uídin*) prep. (a)dentro, dentro de, en; adv. dentro, en casa; s. el interior. /**out** (*uiddut*) prep. sin; (a)fuera; adv. afuera.
withstand (*uidstánd*) tr. resistir; oponerse a.

witness (*uítnes*) s. testimonio; testigo; tr. atestiguar, testimoniar.

witt/icism (*uíttisism*) s. agudeza, chiste. **/ness** (*uítnes*) s. ingenio; sal. **/ingly** (*uítingli*) adv. a sabiendas. **/y** (*uíti*) adj. ingenioso; chistoso.

wizard (*uísad*) s. brujo.

woe (*uóu*) s. pesar; dolor; inter; ¡mal haya! **/begone** (*uóubigon*) adj. abrumado; abatido.

wolf (*uúlf*) s. lobo.

woman (*uúman*) s. mujer. **/ish** (*uúmonisch*) adj. femenil, afeminado. **/ly** (*uúmanli*) adj. mujeriego; femenil, femenina.

womb (*uúm*) s. útero; matriz; entrañas, seno.

wond/er (*uö'ndör*) s. maravilla; intr. admirarse, tr. preguntarse. **/erful** (*uö'ndörful*) adj. maravilloso; admirable. **/rous** (*uö'ndrös*) adj. maravilloso.

wont (*uö'nt*) s. uso; habito; adj. acostumbrado. **/ed** (*uö'nted*) adj. acostumbrado; usual.

woo (*uú*) tr. cortejar.

wood (*uúd*) s. bosque; selva; madera; leña; **/bine** (*uúdbain*) s. Bot. madreselva. **/ed** (*uúded*) adj. de madera; estúpido. **/land** (*uúdland*) s. arbolado; bosque. **/man** (*uúdman*) s. leñador; guardabosque. **/work** (*uúduörk*) s. maderamen, carpintería. **/y** (*uúdi*) adj. leñoso; selvoso.

wool (*uúl*) s. lana. **/len** (*uúlön*) adi. de lana; s. paño; tela. **/ly** (*uúli*) adj lanudo; lanoso.

word (*uörd*) s. palabra; voz; pl. letra de canción, tr. expresar, redactar. **/ing** (*uörding*) s. expresión, fraseología.

/y (*uö'rdi*) adj. verboso; prolijo.

work (*uö'rk*) s. trabajo; obra, tarea, acción, Cost. labor, pl. fábrica, taller; tr. trabajar, labo(o)rar, Cost. bordar; manejar, producir; intr. trabajar, funcionar, **/able** (*uö'rkabl*) adj. factible. **/er** (*uö'rkör*) s. trabajador; operario. **/man** (*uörcman*) s. trabajador; obrero. **/manship** (*uö'rkmanschip*) s. pericia, hechura. **/shop** (*uö'rkschop*) s. taller.

world (*uö'rld*) s. mundo. **/-wide** adj. mundial. **/ly** (*uö'rldli*) adj. mundano.

worm (*uö'rm*) s. gusano; polilla; lombriz.

worry (*uö'ri*) s. cuidado, zozobra, preocupación, intr. preocuparse, apurarse; tr. preocupar.

worse (*uö'rs*) adj. peor; inferior; adv. peor

worship (*uö'rschip*) s. adoración; culto; tr. adorar, venerar.

worst (*uö'rst*) adj. pésimo; malísimo; adv. pesimamente; s. lo peor.

worsted (*uö'rsted*) s. estambre.

wort (*uö'rt*) s. hierba (en palabras compuestas).

worth (*uö'rz*) s. valor, mérito, valía, adj. equivalente a. /be — valer. merecer. **/ness** (*uö'rdines*) s. dignidad; valor. **/less** (*uö'rzles*) adj. vil, despreciable. **/y** (*uördi*) adj. digno, apreciable.

wound (*uúnd*) s. herida, llaga, ofensa; tr. herir.

wrangle (*rángl*) s. pendencia; riña; intr. reñir.

wrap (*ráp*) tr. envolver; s. pl. abrigo, manta. **/per** (*rápör*) s. envoltorio, cubierta.

wrath (*roz*) s. ira; furor.
wreath (*riid*) s. corona; guirnalda. /e (*riiz*) tr. entrelazar, enguirnaldar.
wreck (*rék*) s. naufragio; ruina; destrozo; i n t r. naufragar, tr. hacer naufragar, ˝irse a pique.
wre/nch (*rénch*) s. arranque; torcedura, llave inglesa; tr. arrancar, dislocar. /st (*rést*) s. violencia; tr. torcer. /stle (*résöl*) intr. combatir; luchar, forcejear. /stler (*réslör*) s. luchador, /stling (*résling*) s. lucha (libre).
wretch (*réch*) s. infeliz. /ed (*réched*) adj. infeliz, miserable; vil.

wring (*ríng*) tr. torcer; escurrir; exprimir.
wrinkle (*rínkl*) s. arruga, tr., intr. arrugar(se).
wrist (*ríst*) s. muñeca (de la mano). /— **watch** s. reloj de pulsera.
writ (*rit*) s. escrito, escritura, /e (*ráit*) tr. e intr. escribir; — d o w n tr. anotar; — out tr. redactar. /er (*ráitör*) s. escritor, /ing (*ráiting*) s. escritura; escrito.
wrong (*róng*) adj. falso, equivocado, erróneo, injusto, s. error, falsedad, injusticia, agravio, tr. perjudicar, ofender, adv. mal, al revés.
wroth (*röz*) adj. enojado.
wry (*rái*) adj. torcido.

X

x-ray (*écs rei*) tr. hacer una radiografía. /s (*écs reis*) s. rayos X.
xylography (*sailógrafi*) s. xilografía.

xylophone (*sáilifoun*) s. xilófono, marimba.
xist(us) [*síst(ös)*] s. galería; pórtico.

Y

yacht (*yot*) s. yate. /ing (*yóting*) s. navegación en yate.
yank (*yánk*) s. fam. (estirón; U. S. A. yanqui.
Yankee (*yángki*) s. yanqui.
yard (*yárd*) s. corral; patio; yarda, (0'914 metros) tr. acorralar.
yarn (*yárn*) s. hilaza; hi-

lo; fam. cuento; tr. devanar, contar un cuento.
yawn (*yón*) s. bostezo; intr. bostezar, /ing (*yóning*) adj. soñoliento; bostezante; s. bostezo.
ye (*yí*) pron. vos(otros).
yea (*yéi*) adv. sí; ciertamente
year (*yía*) s. año. /leap— s. año bisiesto. /ling

(yírling) s. primal, añal.
/ly (yírli) adj. anual;
adv. anualmente.
yearn (yö'rn) intr. anhe-
lar, suspirar por. /ing
(yö'rning) s. anhelo.
yeast (yíst) s. levadura.
yell (yél) s. alarido; aullido; intr. dar alaridos.
yellow (yélou) adj. ama-
rillo; s. amarillo; —
press s. prensa sensacio-
nalista. /ish (yélouisch)
adj. amarillento.
yeoman (yóuman) s. ha-
cendado.
yes (yés) adv. sí.
yesterday (yéstödei) adv.
ayer; s. el día de ayer.
yet (yét) conj. con todo;
sin embargo; adv. toda-
vía; además; aún; ya (en
preguntas).
yield (yíld) s. rendición,
rendimiento, producción;
tr. producir; rendir, intr.
ceder; someterse.

yoke (yóuk) s. yugo; yun-
ta; tr. un(c)ir, acoplar,
yolk (yóuk) s. yema.
yon(der) (yöndör) adv.
allá; adj. aquel.
yore (yóa) adv., s. otro
tiempo ,antaño.
you (yú) pron. tú, te, ti;
usted(es), Vd., Vds.; os,
vosotros(as).
young (yö'ng) adj. joven;
mozo; tierno; s. cría.
/ster (yö'ngstör) s. jo-
vencito, mozalbete.
your (yóa) adj. pos. tu,
su, (de usted), vuestro.
/s (yóas) pron. pos. (el)
tuyo, (el) suyo, (el) vuestro. /self (yursélf) pron.
tú mismo. /selves (yur-
sélvs) prón. vosotros
mismos, os.
youth (yúz) s. juventud;
joven; adj. /ful (yúzjul) adj.
juvenil.
yowl (yául) s. aullido; alarido; tr. aullar, ladrar.
yule (yúl) s. pascua de
Navidad.

Z

zeal (síl) s .celo; fervor;
ardor; furia. /ot (sélöt)
s. entusiasta; fanático. /
ous (sélös) adj. celoso,
entusiasta.
zebra (sébra) s. Zool. cebra.
zenith (séniz) s. cenit.
zero (síirou) s. cero.
zest (sést) s. deleite, gusto, sabor; fig. aliciente.

zigzag (sígsag) s. zigzag.
zodiac (sóudiac) s. zodia-
co.
zone (sóun) s. zona.
zoo (sú) s. parque, jar-
dín zoológico, zoo. /le-
gy (suólodchi) s. zoolo-
gía.
zoom (sum) s. ascenso
rápido; intr. subir rápi-
damente un avión.

A

a prep. to, in, at, on. by; — pie on foot.

abad m. abbot /esa f. abbess. /ía f. abbey.

abajo. adv. below, under-(neath), down(stairs); interj. down with!

abalanzar tr. to balance; to impel. /se r. to rush (up)on.

abander/ado m. ensign-bearer. /ar tr Naut to register.

abandon/ado adj. helpless, uncared for, forlorn, careless. /ar tr. to abandon. /o m. abandonment.

abanic/ar tr. to fan. /o m. fan.

abaratar tr. to cheapen; abarcar tr. to clasp; to embrace; to cover.

abarrotar tr. to bar, to overstock; to cram.

abastec/edor m. purveyor. /er tr. to supply. /imiento m. supply.

abasto m. supply.

abati/do adj. dejected. /miento m. depression. /r tr. to throw, pull, put, push, knock, bring, or take down.

abdica/ción f. abdication. /r tr. to abdicate.

abdomen m. abdomen.

abec/é m. the alphabet rudiments. /edario m. alphabet.

abedul m. Bot. birch-tree.

abeja f. bee.

aberración f. aberration.

abertura f. opening.

abeto m. Bot. silver-fir.

abierto adj. open.

abigarra/do adj. variegated; motley. /r tr. to variegate, to spot.

abism/al adj. abysmal. /ar tr. to depress, to destroy. /o m. abyss.

abjura/ción f. abjuration, /r tr. to abjure.

ablandar tr. to soften.

abnega/ción f. abnegation, self-denial.

abochornar tr. to overheat; fig. to shame.

abofetear tr. to slap; to box.

aboga/cía f. lawyership. /do m. lawyer; advocate; barrister.

abolengo m. ancestry.

aboli/ción f. abolition; /r tr. to abolish.

abolla/dura f. dent, bump /r tr. to dent.

abomina/ble adj. abominable. /ción s. abomination. /r tr. to detest.

abon/ado s. subscriber, season-ticket holder. /ar tr. to bail; to guarantee /o m. voucher, season-ticket, fertilizer, manure.

abordar tr. to board a ship.

aborígenes m. pl. aborigines.

aborrec/er tr. to abhor. /ible adj. hateful.

abort/ar intr. to miscarry, to abort. /ivo adj. abortive. /o m. miscarriage, abortion.

abotonar tr. to button.

abrasar tr. to burn; to fire; to parch.

abraz/ar tr. to embrace, to hug. /o m. embrace, hug.

abrevia/ción f. abbreviation. /r tr. to abridge, to abbreviate. /tura f. abbreviation.

abrig/ar tr. to shelter. /o m. shelter; (over)coat.

abril m. April.

abrillantar tr. to brighten'.

abrir intr. to open.

abrochar tr. to button on.

abrumar tr. to overwhelm, to crush.

ábside m. f. apse. apsis.

absol/ución f. absolution; acquittal. /utismo m. absolutism. /uto adj. absolute. /ver tr. to absolve; to acquit.

absor/ber tr. to absorb, to suck up. /ción f. absorption. /to adj. amazed.

abst/emio adj. abstemious. /ención f. abstention. /enerse r. to abstain. /inencia f. abstinence.

abstra/cción f. abstraction. /cto adj. abstract. /er tr. to abstract.

absuelto adj. acquitted.

absurdo adj. absurd, nonsensical; m. absurdity.

abuel/a f. grandmother /o m. grandfather.

abulta/do adj. bulky. /r tr. to enlarge.

abund/ancia f. abundance. /ante adj. abundant plentiful. /r intr. to abound.

aburri/do adj. bored, weary, tedious. /miento m. tediousness. /r tr. to bore, to weary.

abus/ar tr. to abuse. /ivo adj. abusive. /o m. abuse.

abyecto adj. abject.

acá adv. here; hither.

acaba/do adj. perfect; done (for). /miento m. end, finish. /r tr. and intr. to end (up), to finish.

acad/emia f. academy. /émico adj. academic(al), m. academician.

acaecer intr. to occur.

acalora/miento m. ardour, /r tr. to warm. /rse r. to grow excited.

acallar tr. to quiet.

acampar tr. to (en)camp.

acanala/do adj. channeled, grooved. /r tr. to channel.

acantilado adj. bold, steep, cliffy; m. cliff.

acapara/dor m. forestaller; hoarder, monopolizer. /miento m. monopolization, hoardening. /r tr. to monopolize.

acariciar tr. to fondle.

acarre/ar tr. to carry; to cart. /o m. carriying, carriage, portage.

acaso m. chance; casualty; adv. perhaps.

acatar tr. to respect.

acatarrarse r. to catch a cold.

acaudalado adj. wealthy.

acaudillar tr. to command (troops).

acceder intr. to agree; to consent; to accede.

acces/ible adj. accesible /o m. Med. access. /orio adj. accessory.

accident/ado adj. uneven. /al adj. accidental. /e m. accident.

acción f. action; feat; Com. share.

accionista s. Com. share holder, stockho!der.

acebo m. Bot. hollytree.

acech/ar tr. to waylay. /o m. waylaying.

aceit/ar tr. to oil. /e m. oil; (paint) medium. /.na f. olive.

acelera/ción f. acceleration. /dor m. accelerator. /r tr. to accelerate.

acent/o m. accent; inflection, stress. /uación f. accentuation. /uar tr. to accent(uate), to stress.

acepción. f. meaning.

acepillar tr. to brush.

acepta/ble adj. acceptable. /ción f. acceptation. /dor m. acceptor. /r tr. to accept.

acequia f. irrigation ditch.

acera f. (side)walk, pavement.

acerca prep. about; — de concerning, with regard to. /r tr. to approach. /rse r. to come near to.

acero h. steel, fig. sword; — fundido. cast steel.

acérrimo adj. strenuous.

acerta/do adv. proper; fit. /r tr. to hit (the mark). /ijo s. riddle.

aciago adj. unfortunate.

acicalar tr. to polish.

acid/ez f. acidity. /o adj. acid, sour; m. acid.

acierto m. good hit.

aclama/ción f. acclamation. /r tr. to applaud.

aclara/ción f. explanation. /r tr. to make clear; to explain.

aclimata/ción f. acclima-(tiza)tion. /r tr. to acclimatize.

acobardar tr. to intimidate; to daunt.

acog/edor adj. harbourer. /er tr. to receive, to accept, to welcome, to protect. /erse r. to take refuge. /ida f. reception.

acometer tr. to attack; to undertake.

acomod/ación f. accommodation. /ado adj. fit; well-off, snug. /ador m. usher /adora f. usherette. /ar tr. to accommodate. /arse r. to condes-

cend. /aticio adj. accommodating, compliant.

acompaña/miento m. attendance; retinue; Mus. accompaniment. /r tr. to accompany.

acondiciona/do adj. conditioned. /r tr. to dispose, to put up.

acongojar tr. to oppress.

aconseja/ble adj. advisable. /r tr. to counsel; to advise. /rse r. to take advice.

acontec/er intr. to happen; to occur. /imiento m. event.

acopla/do adj. fitted; adjusted. /r tr. to (ac)couple, to join, to adjust.

acorazado adj. ironclad, armoured; m. battleship.

acord/ar tr. to resolve. /arse de to recollect. /e m. accord; chord; adj. according. /eón m. accordion.

acordonar tr. to surround.

acorralar tr. to shut up cattle, to corral, to pen.

acortar tr. to shorten.

acosa/miento m. persecution. /r tr. to pursue closely.

acosta/do adj. laid down; stretched, abed. /r tr. to put to bed. /rse r. to go to bed.

acostumbrar tr. to accustom; to use ./se r. to get used to.

acotar tr. to mark off.

acre adj. sour; acrid;

acrecentar tr. to increase; to promote.

acredita/do adj. accredited. /r tr. to assure; to credit.

acreedor m. creditor; adj. meritorious, deserving.

acribillar tr. to pierce.

acritud f. sourness.

acróbata s. acrobat.

acrobacia f. acrobacy.

acta f. act; record.

actitud f. attitude.

activ/ar tr. to activate. **/idad** f. activity; liveliness. **/o** adj. active.
acto. m. act, action, deed. pl. doings. **/r** m. actor, player.
actriz f. actress.
actua/ción. f. actuation. **/l** adj. actual, present. **/lidad** f. actuality, actualness. **/r** intr. to act.
acuarela. f. water colour.
acuario m. aquarium.
acuático adj. aquatic.
acudir tr. to assist; to resort. to come up.
acueducto m. aqueduct.
acuerdo m. accord; resolution; agreement.
acullá adv. yonder; farther.
acumula/ción f. accumulation. **/dor** m. accumulator. **/r** tr. to accumulate. to hoard.
acuñar tr. to coin.
acuoso adj. aqueous.
acusa/ción f. accusation; charge. **/dor** m. accuser; prosecutor. **/r** tr. to accuse. to blame; Com. to acknowledge (receipt).
acústic/a f. acoustics. **/o** adj. acoustic.
acha/car. tr. to impute. **/coso** adj. unhealthy, weakly. **/que** m. sickliness.
achicharrar. tr. to burn.
adagio m. proverb; saying. Mús. adagio.
adapta/ción f. adaptation. **/r** tr. to adapt.
adecua/ción f. adequacy. **/do** adj. adequate. **/r** tr. to fit; to adjust.
adefesio m. absurdity; nonsense; scarecrow, guy.
adelant/ado, adj. anticipated, advanced. **/amiento** m. advance(ment). **/ar** tr. to advance. **/arse** r. to take the lead. **/e** adv. ahead, forward; i—! go

on! go ahead!, come in! **/o** m. advancement.
adelgazar tr. to slim.
ademán m. gesture, look.
además adv. moreover; further; besides.
adentro. adv. within, inside.
adepto m. adept.
aderez/ar tr. to dress; to season. **/o** m. dressing.
adeudar tr. owe; to bill
adhe/rencia f. adhehence. **/rir** intr. to adhere, to stick to. **/rirse** r. to cohere, to stick (fast). **/sión** f. adhesion.
adicto adj. adicted; attached. m. supporter.
adiestra/dor s. teacher, trainer. **/miento** m. teaching, training. **/r** tr. to train, to coach.
adinerado adj. wealthy.
adiós interj. m. good-bye, (-by), farewell; adieu.
adivin/a f. fortune-teller. **/anza** f. vulg. riddle; quiz. **/ar** tr. to foretell; to guess. **/o** m. fortuneteller; soothsayer.
adjetivo m. Gram. adjective.
adjudica/ción f. adjudication. **/r** tr. to adjudicate.
adjunto adj. annexed; m. adjunct.
administra/ción f. administration. **/dor** m. administrator, manager. **/r** tr. to (ad)minister; to manage. **/tivo** adj. administrative; m. clerk.
admira/ble adj. admirable. **/ción** f. admiration: wonder. **/r** tr. to admire. **/rse** r. to be surprised, to wonder.
admi/sible adj. admissible. **/sión** f. admission. **/tir** tr. to admit; to accept.
adob/ado, adj. pickled, curried, dressed. **/ar** tr

to pickle, to dress. /e m. adobe, sundried brick.

adocenado adj. common.

adoctrinar tr. to instruct.

adolecer intr. to suffer.

adolescen/cia f. adolescence, youth. /**te** adj. adolescent.

adonde adv. whither; where.

adop/ción f. adoption. /**tar** tr. to adopt. /**tivo** adj. adoptive.

adoquín m. paving stone.

adora/ble adj. adorable; worshipful. /**ción** f. adoration, worship. /**dor** m. adorer, worshipper. /**r** tr. to adore; to worship.

adorm/ecer tr. to drowse, to lull one asleep. /**ecerse** r. to drowse, to grow benumbed.

adorn/ar tr. to adorn. /**o** m. adornment, adorning.

adqui/rir tr. to acquire; to get; to obtain. /**sición** f. acquisition, getting.

adrede adv. purposely.

aduan/a m. customhouse. /**ero** m. customhouse officer.

aducir tr. to adduce.

adula/ción f. flattery; coaxing. /**r** tr. to flatter.

ad/última s. adulteress. /**ulteración** f. adulteration. /**ulterar** tr. to adulterate. /**ulterio** m. adultery. /**últero** adj. adulterous; m. adulterer.

adulto adj. m. adult, grown up.

adusto adj. adust, gloomy.

adven/edizo adj. y m. foreign, stranger, new(comer), squatter, parvenu. /**imiento** m. arrival.

adverbio m. *Gram.* adverb.

adver/sario m. adversary. /**sidad** f. adversity, misfortune. /**so** adj. adverse. /**tencia** f. advice,

warning. /**tir** tr. to observe; to warn.

adviento m. advent.

adyacente adj. adjacent.

aéreo adj. aerial; **correo — ** air mail.

aer/odinámico adj. aerodynamic, streamline. f. aerodynamics. /**ódromo** m. airport, airfield. /**onáutico** adj. aeronautic. /**onave** f. aircrft, airship. /**oplano** m. aeroplane.

afab/ilidad f. affability; /**le** adj. afable.

afamado adj. famous.

af/án m. anxiety; eagerness. /**anar** tr. and r. to toil. /**anarse** r. to busy oneself; **— por** to strive to. /**anoso** adj. eager, painstaking.

afear tr. to deform; to deface; to reproach.

afec/ción f. affection. /**tación** f. affectation. /**tado** adj. afeected; conceited. /**tar** tr. to affect; to feign. /**tivo** adj. affective; sensitive. /**to** m. affection; love; adj. affectionate; fond; inclined. /**tuoso** adj. affectionate, warm (-hearted).

afeit/ar tr. to shave. /**arse** tr. to shave oneself. /**e** m. paint; rouge.

afemina/do adj. effeminate. /**r** tr. to effeminate.

aferrar tr. to seize; to grasp; to grapple. /**se** r. to hold fast to; to cling

afianzar tr. to secure.

afici/ón f. affection; bent, fancy, liking. /**onado** m. amateur; lover; devotee, fan. /**arse** r. to grow, or become fond of.

afila/do adj. sharp; keen. /**r** tr. to whet; to point.

afín adj. related; similar, akin; s. cognate.

afinar. tr. to complete; to tune; to grind; r. to become polished.

afinidad 208

afinidad f. affinity.

afirma/ción f. affirmation. **/r** tr. to affirm. **/tivo** adj. affirmative.

afli/cción f. affliction; grief. **/gir** tr. to afflict; to grieve.

aflojar tr. to loosen.

aflu/encia f. affluence, influx. **/ente** adj. (af-) fluent; m. affluent, tributary, feeder, branch (river). **/ir** tr. to flow into; to congregate.

afonía f. *Med.* aphonia.

aforismo m. aphorism.

afortunado adj. lucky.

afrancesa/do adj. Frenchified, Frenchlike. **/r** to frenchify.

afrent/a f. affront; outrage. **/ar** tr. to affront; to offend.

afrontar tr. to confront; to face.

afuera adv. outside, outward, away; interj. clear the way!. **/s** pl. environs, suburbs, outskirts.

agachar tr. to lower; to bow down. **/se** r. to stoop; to crouch.

agalla f. *Bot.* gall-nut or nutgall. **/s** f. pl. *coll.* courage, sand, pluck.

agarra/dero m. hold, haft. **/do** adj. vulg. miserly, stingy, hard-fisted. **/r** tr. to grasp.

agarrotar tr. to choke; to strangle, to compress.

agasaj/ar tr. to entertain, to feast. **/o** s. entertainment, treat.

agen/cia f. agency. **/ciar** tr. to negociate. **/da** f. note book, memorandum book. **/te** m. agent.

ágil adj. agile, nimble.

agilidad f. agility.

agita/ción f. commotion, stir. **/dor** m. agitator, exciter. **/r** tr. to agitate; to stir; to shake (up).

agitanado adj. gipsyish.

aglomerar tr. to agglomerate; to accumulate.

aglutina/nte adj. agglutinating; m. agglutinant.

agn/osticismo m. agnosticism. **/óstico** adj. agnostic.

agobi/ar tr. to oppress. **/o** m. bending down, opression.

agolparse r. to crowd.

agon/ía f. agony, pangs of death. **/izante** adj. y m. agonizant, dying. **/izar** intr. to be in agony, to agonize.

agost/ar tr. to parch, to blast, to scorch. **/o** m. August; harvest-time.

agota/do adj. exhausted, tired (out), run down, out of print. **/miento** m. exhaustion. **/r** tr. to exhaust, to run out of.

agraciado adj. graceful.

agrada/ble adj. agreeable **/r** tr. to please; to like.

agradec/er tr. to acknowledge a favour. **/ido** adj. thankful; grateful. **/imiento** m. gratefulness; gratitude.

agrado m. pleasure; liking; affability.

agrandar tr. to increase.

agrario adj. agrarian.

agravar tr. to aggravate.

agravi/ar tr. to wrong. **/o** s. offence; grievance.

agredir tr. to aggress.

agrega/do/ adj. aggregated; s. aggregate; attaché; assemblage. **/r** tr. to aggregate; to join.

agresi/ón f. aggression. **/vidad** f. aggressivity.

agreste adj. rustic; wild.

agriar tr. to make sour.

agríc/ola adj. agricultural. **agricult/or** m. farmer; husbandman. **/ura** f. agriculture, farming.

agrieta/do adj. flawy; cracked. **/rse** r. to crack.

agrimensor m. land-surveyor.

agrio adj. sour; acrid. **/s** m. pl. sour fruits.

agronomía f. agronomy.

agrupa/ción f. group-(age), crowd, grouping. **/r** tr. to group.

agua s. water. — **potable** drinking water. **/cero** m. heavy shower, down-pour **/dor** m. water-carrier.

aguant/ar tr. to bear, to sustain, to hold, to endure. **/arse** r. to forbear. **/e** m. firmness, resistance .

aguar. tr. to (dilute with) water.

aguardar tr. to (a)wait.

aguardiente m. spirits, inferior brandy.

aguarrás m. spirits of turpentine; fam. turps.

aguazal m. marsh, fen.

agud/eza f. acuteness. **/o** adj. sharp; (a)cute.

agüero m. augury; omen.

aguij/adura f. spur, (ox-) goad, prod. **/ar** tr. to prik; to goad **/ón** m. sting; prick. **/onear** tr. to sting.

águila f. eagle.

aguil/eño adj. aquiline; hooked. **/ucho** m. eaglet.

aguinaldo m. New Year's gift, Christmas present.

aguj/a f. needle, hair-pin. **/erear** tr. to pierce. **/ero** m. hole. **/eta** f. string, latchet. **/etas** f. pl. pains from fatigue.

agur adv. fam. adieu.

aguzar tr. to whet.

ah interj. ah!

ahí adv. there; yonder.

ahija/da f. goddaughter, protégée. **/do** m. godchild, godson, protégé. **/r** tr. to adopt, to affiliate, to impute.

ahínco m. earnestness.

ahíto adj. gorged, satiate.

ahog/ado adj. suffocated, drowned. **/ar** tr. to

drown; to choke. **/arse** r. to be suffocated; to be drowned. **/o** m. oppression; anguish.

ahondar tr. to deepen.

ahora adv. now; at present.

ahorr/ar tr. to save, to spare. **/o** m. saving; economy. **/os** m. savings.

ahumar tr. to smoke.

ahuyentar tr. to drive away; to scare.

aira/rse r. to grow angry. **/do** adj. angry.

air/e m. air; wind; fig. garb; aspect; gait. **/oso** adj. airy.

aisla/do adj. isolated. **/r** tr. to isolate.

aj/ado adj. outworn; shabby. **/ar** tr. to spoil.

ajedre/cista m. chess player. **/z** m. chess. **/zado** adj. checkered.

ajeno adj. another's alien, strange, foreign.

ajetreo m. fatigue, fuss.

aj/iaceite m. garlic and oil sauce. **/o** m. *Bot.* garlic; **estar en el —o** to be in the know.

ajuar m. apparel; outfit, furniture.

ajust/ado adj. right, exact. **/ador** adjuster, adapter, fitter. **/ar** tr. to adjust, to fit. **/e** m. agreement; settlement. **/iciar** tr. to execute; to put to death.

al art. to the.

ala f. wing; aisle; file.

alaba/nza f. praise **/r** tr. to praise.

alabastro m. alabaster.

alacena f. cupboard.

alacrán m. scorpion.

alambi/cado adj. distilled, fine-spun. **/car** tr. to distil. **/que** m. still, distillatory.

alambre m. wire.

alameda f. grove (of poplar-trees), avenue, moll.

álamo m. *Bot.* poplar.

alarde m. ostentation; boast(ing). /ar tr. to boast.

alargar tr. to lengthen.

alarido m. shout; outcry.

alarma f. *Mil.* alarm. /r 'r. to alarm; to call to arms.

alba f. dawn; day break.

albacea m., f. testamentary executor or executrix.

albañ/al m. sewer, sink, drain. /il m. mason. /ilería f. masonry.

albaricoque m. *Bot.* apricot. /ro m. apricot tree.

albedrío m. free-will.

alberca f. pool, reservoir.

alberg/ar tr. to harbour. /ue m. lodging-place; shelter; hostel, refuge.

alb/ino adj. y m. albino. /o adj. very white.

albóndiga f. meat-ball.

albor m. whiteness; dawn. /ada f. dawn(ing).

albornoz m. burnoose.

alborot/ar tr. to disturb. /arse r. to get excited, to riot. /o m. tumult; riot.

alboroz/ar tr. to rejoice. /arse r. to jubilate. /o m. exhilaration.

albricias f. pl. gift; interj. joy!

álbum m. album.

albúmina *Chem.* f. albumen.

alcachof/a f. *Bot.* artichoke.

alcahuete, ta m. y f. bawdy, pimp, procurer, /ar tr. to bawd; to pimp. /ría f. bawdry.

alcaide m. warden.

alcald/e m. mayor. /esa f. mayoress. /ía f. mayoralty.

alcance m. reach, scope.

alcanfor m. camphor.

alcantarilla f. small bridge, drain, sewer. /do m. sew(cr)age.

alcanzar tr. to reach, to attain, to overtake.

alcázar s. castle; fortress.

alcoba s. bed-room.

alcoh/ol m. alcohol, spirit of wine. /ólico adj. alcoholic.

alcornoque m. *Bot.* corktree; fam. blockhead.

alcurnia f. ancestry, lineage, pedigree.

alcuza f. olive-oil can.

aldaba f. door knocker, *coll.* influence.

aldea f. village, hamlet. /na f. villager; country woman. /no m. villager; countryman.

aleccionar tr. to teach.

alega/ción f. allegation. /r tr. to allege. /to m. allegation.

aleg/oría f. allegory. /órico adj. allegoric(al).

alegr/ar tr. to make merry; to gladden. /arse r. to rejoice; to cheer. /e adj. glad(some), merry, joyful, gay. /ía f. merriment :mirth.

aleja/miento m. removal. /r tr. to remove far away; r. to move away.

aleluya f. (h)allelujah, jingle, merriment.

alem/án adj. y m. German. /ana adj. y f. German. /)

alentar intr. to breathe; tr. to encourage.

alero m. eaves, gable-end.

alerta f. *Mil.* watchword; adv. carefully; vigilantly.

aleta f. winglet, fin of fish.

aletarga/do adj. lethargic (al). /r tr. to lethargize. /rse r. to fall into lethargy

alete/ar intr. to flutter. /o m. fluttering.

alevo/sía f. perfidy. /so adj. perfidious.

alfabeto m. alphabet.

alfalfa f. *Bot.* lucern.

alfarer/ía f. pottery. /o m. potter.

alférez m. second lieutenant; ensign.

alfil, m. bishop (in the game of chess).

alfiler m. pin. /**azo** m. prick of a pin.

alfombra f. carpet.

alforja f. saddle-bag.

alga f. *Bot.* alg(a), seaweed.

algarada f. loud cry.

algarrob/a f. *Bot.* carob bean. /**o** m. carob-tree.

algaraza f. hubbub.

álgebra f. algebra.

algo pron. something; adv. somewhat.

algodón m. cotton; *Bot.* cotton plant.

alguacil m. constable.

alguien pron. somebody; someone; anybody.

algún, alguno adj. some, any.

alhaja f. jewel; ornament.

alia/do m. ally; adj. allied. /**nza** f. alliance. /**r se** r. to enter into an alliance, to join.

alias adv. otherwise called, alias.

alicates m. pl. pincers.

aliciente m. incentive; attraction, appeal, zest.

aliena/ción f. *Med., For.* alienation. /**r** tr. to alienate; to transfer.

aliento m. breath; respiration, courageousness.

aligerar tr. to lighten.

alij/ar tr. *Naut.* to lighten. /**o** m. *Mar.* lighterage; smuggled goods.

alimaña f. vermin.

aliment/ación f. alimentation, nourishment. /**ar** tr. to feed, to nourish. /**icio** adj. nutritious, nourishing. /**o** m. food, nutriment.

aliñ/ar tr. to dress, to season.

alinear tr. to align.

alisar tr. to smooth.

ꞏlista/miento m. enrolment; levy; conscription. /**r** tr. to enlist; lo enrol. /**rse** r. to join up.

alivi/ar tr. to lighten. /**o** m. alleviation; ease.

aljibe m. watertank.

alma f. soul.

almac/én m. store(house); warehouse; magazine. /**enar** tr. to store. /**enista** m. warehouseman, wholesaler.

almáciga f. mastic, paste.

almadraba f. tunny-fishery, tunny net.

almanaque m. almanac; calendar, annual.

almeja f. clam, quahog.

almendr/a f. almond, kernel. /**as garrapiñadas,** sugar almonds. /**o** m. *Bot.* almond-tree.

alm/íbar m. syrup.

almid/ón m. starch. /**onar** tr. to starch.

almirant/azgo m. admiralty. /**e** m. admiral.

almirez m. brass mortar.

almizcl/ar tr. to perfume with musk. /**e** m. musk. /**eño** adj. musky.

almohad/a f. pillow, cushion. /**illa** f. sewing cushion, padding, /**o** m. saddle-pad.

almorranas f. pl. *Med.* hemorrhoids; piles.

alm/orzar tr. to lunch. /**uerzo** m. lunch(eon).

alocado adj. foolish.

alocución f. allocution.

aloja/miento m. lodging. /**r** tr. to lodge.

alondra s. *Zool.* lark.

alpargata f. hempen sole sandal.

alpinis/mo m. alpinism. /**ta** m., f. alpinist.

alpiste m. canary-seed.

alquil/ar tr. to let; to hire; to rent. /**er** m. hire; rent(al). /**wages.

alquitr/án m. tar, liquid pitch. /**anar** tr. to tar.

alrededor adv. around. /**es** m. pl. environs.

altaner/ía f. pride; haughtiness. /**o** adj. proud.

alta f. certificate of discharge, acceptance as

member; **dar de —,** to discharge as cured.

altavoz m. loudspeaker.

altera/ción f. alteration /r tr. to alter.

alterca/do m. altercation, quarrel, strife.

altern/ar tr. to alternate. /ativa f. alternative; option; admission of a bullfighter as a matador. /o adj. alternate.

alt/eza m., f. highness, height. /**ísimo** adj. extremely lofty; m. the Most High, God. /**ivez** adj. haughty; lofty. /o adj. high. /**ura** f. height.

alubia f. French bean, haricot.

alucina/ción f. hallucination. /r tr. to deceive.

alud m. avalanche.

aludir intr. to allude; to refer to.

alumbra/do m. lighting, illumination. /**miento** m. (child)birth deliverance. /r tr. to light(en).

alumn/a f. pupil, student. /o m. pupil, student.

alusi/ón f. allusion, hint. /vo adj. allusive.

aluvión m. alluvion.

alveolo m. alveolus.

alza f. lift, advance, rise in price. /**da** f. height; appeal. /**miento** m. lift, raise, insurrection, (up)rising. /r tr. to raise; to (up)lift. /**rse** r. to rise in rebellion.

allá adv. there, in that place, thither. **el más —,** the beyond.

allana/miento m. levelling; breaking into a house. /r tr. to level.

allega/do adj. near; related, nigh, kin.

allí adv. there

ama f. mistress of the house; landlady, dame, hostess, owner, nanny.

amab/ilidad f. kind(id)-ness. /**le** adj. kind, nice.

amador m. lover; sweetheart.

amaestrar tr. to instruct; to break in; to train.

amag/ar tr. to threaten. /o m. threat; symptom

amainar tr. intr. to relax, to abate.

amalgama f. amalgam. /r tr. to amalgamate.

amamantar tr. to nurse. to give suck.

amancebarse r. to enter into concubinage.

amanecer intr. to dawn.

amanerado adj. manneristic(al).

amansar tr. to tame.

amante m. loving; lover; sweetheart.

amanuense m. amanuensis; clerk; scribe

amapola f. *Bot.* poppy.

amar tr. to love.

amarg/ado adj. embittered. /ar tr. to embitter. /o adj. bitter; acrid, harsh. /**ura** f. bitterness.

amarill/ear intr. to incline to yellow. /**ento** adj. yellowish. /o adj. yellow.

amarra f. cable; pl. moorings. /r tr. to tie.

amasar tr. to knead. /**ijo** f. dough.

ambages m. pl. fig. circumlocution. **sin —,** openly.

ámbar m. amber.

ambici/ón f. ambition. /**onar** tr. to aspire to. /**oso** adj. ambitious.

ambiente adj. ambient; m. atmosphere, air.

ambiguo adj. ambiguous, doubtful.

ámbito m. ambit.

ambos pron. both.

ambulan/cia f. ambulance. /**te** adj. ambulatory

amén m. amen.

amenaza f. threat; menace. /r tr. to threaten.

amen/idad f. amenity. /**izar** tr. to render agree-

able /o adj. pleasant;
varied.
ametralla/dora f. machi-
ne-gun. /r to machine-
gun.
american/a f. jacket; adj.
American. /izar tr. to
americanize. /o adj., s.
American.
amianto m. *Min.* amian-
thus.
amig/a f. female friend;
/able adj. friendly; sui-
table. /o m. friend
amilanar tr. to frighten.
aminorar tr. to reduce.
amistad f. friendship.
amnistía f. amnesty.
amo m. master; propie-
tor; owner, employer.
amodorrarse r. to drow-
se.
amohinar tr. to irritate.
amoldar tr. to mould. /se
r. to adapt oneself to.
amonesta/ción f. advice;
admonition; pl. marria-
ge bans. /r tr. to admo-
nish
amoniaco m. ammoniac.
amontonar tr. to heap.
amor m. love.
amoratado adj. livid.
amoroso adj. amorous.
amortajar tr. to (en)sh-
roud, to sheet.
amortiguar tr. to deaden.
amortiza/ción f. amortiza-
tion. /r tr. to amorti-
ze, to redeem.
amotinar tr. to excite rebellion. /se r. to riot.
ampar/ar tr. to protect.
/o m protection.
ampli/ación f. enlarge-
ment. /ar tr. /ficar tr.
to enlarge. /o adj. am-
ple; large. /tud f. am-
pitude
ampolla f. decanter, cru-
et; blister; bubble.
amputa/ción f. amputa-
tion /r intr. to ampu-
tate.
amueblar tr. to furnish.
amuleto m. amulet.

amunicionar tr. to supply
with ammunition.
amuralla/do adj. walled.
/r tr. to wall.
anacoreta m. anchorite.
anacronismo m. anachro-
nism.
anagrama m. anagram.
anales m. pl. annals.
analfabet/ismo m. illite-
racy. /o m. illiterate
person.
an/álisis m., f. analysis.
/alítico adj. analytical.
/alizar tr. to analize.
an/alogía f. analogy. /á-
logo adj. analogous.
anaquel m. shelf.
an/arquía f. anarchy. /ár-
quico adj. anarchic(al).
anatema m., f. anathema.
/tizar tr. to anathemati-
ze.
anat/omía f. anatomy.
/ómico adj. anatomical.
anca f. haunch. rump.
ancian/idad f. old age.
/o adj. old; m. old man.
ancla f. anchor.
ancho adj. broad; wide.
anchoa f. anchovy.
anchura f. width.
andamio m. scaffold(ing).
anda/nte adj. walking,
errant (knight). /nza f.
ocurrence, event; pl. do-
ings. /r intr. to walk.
andén m. platform (rail-
way).
andrajo m. rag. /so adj.
ragged.
anécdota f. anecdote.
ane/jo adj. annexed.
/xión f. annexion. /xo
adj. annexed; m. annex.
anfibio adj. amphibious.
anfiteatro m. amphithea-
tre.
ángel m. angel.
angelical adj. angelical.
angina f. angina, quinsy,
pharyngitis.
angl/icano adj. Anglican.
/ófilo, la adj. Anglo-
phil(e). /ófobo adj. An-
glophobe.

angost/o adj. narrow. **/ura** f. narrowness.

anguila f. *Ichth.* eel.

angular adj. angular.

ángulo m. angle, corner.

angustia f. anguish. **/r** tr. to cause anguish.

anhel/ar intr. to long. **/o** m. anxiousness.

anidar intr. to nestle.

anill/a f. (curtain) ring. **/o** m. (finger)ring.

ánima f. soul, ghost.

anima/ción f. animation **/l** m. animal. **/r** tr. to comfort. **/arse** r. to grow lively.

ánimo m. spirit, courage-(ousness).

animos/idad f. animosity. **/o** adj. courageous.

aniquila/ción f. annihilation. **/r** tr. to annihilate.

anís anisette.

aniversario m. anniversary.

ano m. anus; fam. arse.

anoche adv. last night. **/cer** intr. to grow dark; m. vesper, evening.

anodino adj. pointless.

an/omalía f. anomaly. **/ómalo** adj. anomalous.

anonadar tr. to stun.

anónimo adj. anonymous.

anota/ción f. annotation. **/r** tr. to write notes.

ansi/a f. anxiety; eagerness. **/ar** tr. to long for. **/edad** f. anxiety **/oso** adj. anxious.

antag/ónico adj. antagonistic. **/onista** m., f. antagonist.

antaño adv. last year, the days of old.

antártico adj. antarctic.

ante prep. before, above, m. elk, suede leather.

ante/anoche adv. the night before last. **/ayer** adv. the day before yesterday. **/brazo** m. forearm. **/cedente** m. antecedent. **/ceder** tr. to precede. **/la-**

ción f. priority; **con —** beforehand. **/mano** adv. beforehand.

antena f. (radio) aerial.

ante/ojo m. a spy-glass; pl. spectacles, glasses. **/pasados** m. pl. forefathers. **/poner** tr. to prefer. **/rior** adj. anterior. **/rioridad** f. anteriority. **/s** adv. before.

anticipa/ción f. anticipation. **r** tr. to anticipate.

anticua/do adj. antiquated, obsolete. **/rio** m. antiquarian, antiquary.

antídoto m. antidote.

antifaz m. mask, veil.

antig/ualla f. antique. **/üedad** f. antiquity; pl. antiques.

anti/natural adj. innatural. **/patía** f. antipathy. **/pático** adj. antipathetic.

antípodas m. pl. antipodes.

anti/semita adj. and. s. anti-Semite, Jew-hater.

ant/ítesis f. *Gram.* antithesis. **/itético** adj. antithetical.

antoj/adizo adj. capricious, fanciful. **/arse** r. to fancy. **/o** m. whim, fancy.

antol/ogía f. anthology. **/ógico** adj. anthologic(al).

antorcha f. torch; taper.

antro m. caver(n), den.

antrop/ófago adj. y s. cannibal, man-eater. **/ología** f. anthropology.

anual adj. annual, yearly. **/idad** f. annuity, yearly allowance.

anuario m. year-book, (trade) directory.

anudar tr. to knot.

anula/ción f. annulment. **/r** tr. to annul.

anunci/ación s. annunciation. **/ar** tr. to announce. **/o** m. advertisement (fam. ad)

anverso m. obverse.

anzuelo m. fish-hook.

añadi/dura f. addition. /r tr. to add.

añejo adj. old; stale.

año m. year; — **bisiesto**, leap-year.

añoranza f. homesickness.

aovar tr. to lay eggs.

apacentar tr. to graze.

apacible adj. affable; still.

apaciguar tr. to appease.

apadrinar tr. to support; to stand godfather for a child.

apaga/do adj. humble-minded; dull, out (fire). /r tr. to quench; to extinguish. /rse to go out (fire).

apalabrar tr. to agree verbally, to bespeak.

apalear tr. to beat.

apara/dor m. sideboard; dresser. /to m. apparatus, appliance, device, /toso adj. showy.

aparcero m. agricultural partner; share-cropper.

aparec/er tr. to appear. to come up, to turn up. /ido m. ghost, shadow.

apareja/dor m. master-builder. /ar tr. to prepare. /o m. apparel, tackle.

aparent/ar tr. to pretend. /e adj. apparent.

apari/ción f. apparition. /encia f. aspect.

apart/ado adj. separated; m. P. O. (letter-)box. /-amento m. flat, apartment. /amiento m. separation. /ar tr. to put aside. /arse r. tr. withdraw. /e adv. apart; separately.

apasionar tr. to impassionate. /se r. to become impassioned.

ap/atía f. apathy. /ático adj. apathetic.

apea/dero m. halt, stop. /r tr. to alight; to survey. /rse r. to alight.

apedrear tr. to stone.

apeg/arse r. to attach oneself, to adhere to. /o m. attachment.

apela/ción f. appeal. /r intr. to appeal.

apellid/ado adj. named. /ar tr. to call (one by his name.); to proclaim. /o m. surname.

apenar tr. to (cause) pain.

apenas adv. scarcely.

apéndice m. appendix.

apendicitis f. appondicitis.

apercibi/miento m. advice. /r tr. to warn.

aperitivo m. appetizer.

aperreado adj. harassed.

apertura f. opening.

apesadumbrar tr. to vex.

apestar tr. to pester, intr. to stink.

apete/cer tr. to desire. /cible adj. desirable. /n-cia f. appetite, desire.

apetito m. hunger; appetite. /so adj. appetitive.

apiadarse r. to pity.

ápice m. apex; bit.

apicultura f. apiculture.

apilar tr. to pile up.

apiñar tr. to cluster.

apio m. *Bot.* celery.

apisonar tr. to ram down.

aplacar tr. to appease

aplanar tr. to level.

aplastar tr. to crush.

aplau/dir tr. to applaud. /so m. applause.

aplaza/miento m. postponement. /r tr. to postpone.

aplica/ción f. application. /do adj. studious. /r tr. to apply. /rse r. to study assiduously.

aplom/ado adj. lead-coloured; leaden. /o m. tact; prudence.

apocado adj. pusillanimous.

apócrifo adj. apocryphal.

apodar tr. to nickname.

apodera/do adj. empowered; m. proxy, attorney. /rse de tr. to seize.

apodo m. nickname.

apogeo m. apogee, acme.

apolilla/do adj. moth-eaten. /rse r. to become moth-eaten.

apolog/ético adj. apologetic. /ía f. apology.

apoplegía f. apoplexy.

aporrear tr .to bear.

aportar tr. to adduce.

aposentar tr. to lodge /o m. room, apartment.

apósito m. Med. external application, dressing.

aposta adv. intentionally.

apostar tr. to bet; to hold a wager.

ap/ostasía f. apostasy. /óstata m., f. apostate, abjurer. /ostatar intr. to apostatize.

apostilla f. marginal note. /r tr. to margin.

ap/óstol m. apostle. /ostolado m. apostleship. /ostólico adj. apostolical.

apoteosis f. apotheosis.

apoy/ar tr. to back. /arse r. to lean upon. /o m. prop; stay; support.

apreci/able adj. respectable, worthy. /ación f. appreciation. /ar tr. to appreciate. /o m. esteem.

aprehen/der tr. to apprehend; to seize. /sión f. apprehension; fear.

apremi/ar tr. to urge. /o m. urgency.

aprend/er tr. to learn. /iz m. (ap)prentice. /izaje m. apprenticeship.

aprensi/ón f. apprehension, fear of disease. /vo adj. apprehensive.

apresar tr .to seize.

aprest/ar tr. to prepare. /o s. preparation.

apresura/miento m. eagerness, hastiness. /r tr. to hasten. /rse r. to make haste.

apret/ar tr. to tighten. /ón m. squeeze

aprieto m. jam crush.

aprisa adv. fast; quickly.

aprisionar tr. to confine.

aproba/ción f. approval. /do m. pass (in an examination). /r tr. to approve; to pass.

apropia/ción f. appropriation /do adj. appropriate. /rse r. to appropriate.

aprovecha/ble adj. profitable. /do adj. thrifty. /miento m. profit; utility. /r tr. to utilize. /rse r. to take advantage of.

aproxima/ción f. approximation. /r tr. to approach, to approximate.

apt/itud f. aptitude. /o adj. apt.

apuesta f. bet; wager.

apuesto adj. genteel.

apunt/ación f. annotation; note. /ador m. indicator; Theat. prompter. /alar tr. to (under)prop. /ar tr. to aim. /e m. annotation, note, sketch

apuñalar tr. to stab

apur/ado adj. destitute, hard up. /ar tr. to exhaust, to tease; to hurry. /arse r. to worry. /o m. strait(ness).

aquejar tr. to afflict.

aque/l pron. m. that one /lla pron. f. that (one).

aquí adv. here.

aquiescencia f. assent.

aquietar tr. to appease.

aquilatar tr. to assay.

ara f. altar.

arabesco m. arabesque.

arado m. plough.

arancel m. tariff (or scale) of duties, fees.

araña f. spider; chandelier. /r tr. to scratch. /zo m. scratch.

arar tr. to plough.

arbitr/aje m. arbitration. /ar tr. to arbitrate. /ariedad f. arbitrariness. /ario adj. arbitrary. /io m. free will.

árbitro m. arbitrator, referee, umpire.

árbol m. tree.

arbol/ado adj. wooded; m. trees (collectively).

arbusto m. shrub; bush.

arca f. chest; coffer, safe.

arcada f. *Arch.* arcade;

arcaico adj. archaic.

arcángel m. archangel.

arcediano m. archdeacon.

arcill/a f. clay. /oso adj. clayey, clayish.

arcipreste m. archpriest.

arco m. arc; arch; bow. — iris rainbow.

archipiélago m. archipelago.

archiv/ar tr. to file, to record. /ero m. archivist, recorder, registrar. /o m. archive(s); register, file, registry; pl. records, rolls.

arder intr. to burn.

ardid m. stratagem; trick.

ardiente adj. ardent.

ardilla f. squirrel.

ardor m. ardour; fervour.

arduo adj. arduous.

área f. area, are (100 square meters).

arena f. sand. /l m. sands, sandpit.

arenga s. harangue. /r intr. to harangue.

aren/isca f. sandstone. /oso adj. sandy.

arenque m. herring.

argamasa f. mortar.

argent/ado adj. silvery. /ino adj. Argentine; silver; m. Argentinian.

argolla f. iron ring.

argot m. cant; slang.

arg/ucia f. subtlety. /üir intr. to argue. /umentación f. argumentation. /umentar intr. to argue. /umento m. argument; plot.

aridez f. drought.

árido adj. arid; dry.

arisco adj. surly, sulky.

arista f. arista, chaff.

arist/ocracia f. aristocracy. /ócrata m. f. aristocrat. /ocrático adj. aristocratical.

aritmética f. arithmetic.

arma f. weapon, arm. /da f. fleet; navy. /do adj. weaponed; armed. /mento m. armament. /r tr. to arm; to mount.

armario m. cupboard; bookshelf; wardrobe.

armatoste m. hulk; cumbersome machine.

armazón m. frame(work).

armer/ía f. armory; arsenal. /o m. gunsmith.

armiño m. ermine, stoat.

armisticio m. armistice.

arm/onía f. harmony. /ónico adj. harmonical. /onizar tr. to harmonize.

arnés m. harness.

aro m. hoop, ring.

arom/a m. aroma, scent. /ático adj. aromatic. /atizar tr. to aromatize.

arpa f. harp.

arpía f. harpy.

arpillera f. sack-cloth.

arp/ón m. harpoon. /on(e)ar tr. to harpoon

arque/ología f. archaeology. /ólogo m. archaeologist.

arquero m. treasurer; archer, bower, bow-maker.

arquitect/o m. architect. /ónico adj. architectural. /ura f. architecture.

arrabal m. suburb.

arraig/ar intr. to (take) root. /arse r. to settle (down). /o m. radication, rootedness.

arran/car tr. to root out, to pluck (up); intr. to start (up). /que m. extirpation; fit of passion, (sudden) start.

arrasar tr. to level; to destroy, to raze.

arrastr/ar tr. to drag along, to haul. /arse to

creep. /e m. draw, dragging.

arrear tr. fam. to deal, to strike, to urge on.

arrebat/ar tr. to snatch. ./iña f. scramble. /o m. surprise; start.

arreciar tr. to increase.

arrecife m. reef.

arregl/ado adj. settled. /ar tr. to regulate; to arrange, to settle, to mend. /arse r. to manage, to turn out well. /o m. arrangement, repair.

arremangar tr. to tuck up (the sleeves).

arremeter tr. to assail, to attack.

arrenda/dor m. landlord; tenant, hirer. /miento m. rent(ing), letting, lease. /r tr. to rent; to lease; to let (out), to hire. /tario m. lessee; tenant.

arrepenti/do adj. repentant; /miento m. repentance. /rse r. to repent,

arrestar tr. to arrest. /o m. detention; Mil. prison; pl. spirit, mettle, fam. guts.

arriar tr. to lower.

arriba adv. (up) above, over, up, upstairs.

arrib/ar intr. to arrive. /o m. arrival.

arriendo m. lease, rental.

arriesga/do adj. perilous. /r tr. to risk; to hazard, /rse r. to dare.

arrimar tr. to approach.

arrinconar tr. to put in a corner; to lay aside.

arrobamiento m. ecstasy, entrancement.

arrocero m. rice grower.

arrodillarse r. to kneel down.

arrogan/cia f. arrogance. /te adj. arrogant.

arroja/dizo adj. missile, projectile. /do adj. forward; rash. /r tr. to dart, to fling, to hurl, to dash.

arrollar tr. to roll (up or round), to carry off.

arropar tr. to wrap.

arrostrar tr. to face (out).

arroyo m. rivulet; gutter.

arroz m. rice. /al m. rice field.

arruga f. wrinkle, crease. /r tr. to wrinkle, to crease.

arruinar tr. to ruin. /se r. to ruin, to wrack.

arrull/ar tr. lull. /o m. lullaby.

arsenal m. arsenal; shipyard, dockyard.

arte m. art; skill; craft; **bellas —s.** Fine arts.

artefacto m. artefact.

arteria f. Anat. artery.

artesano m. artisan, craftsman.

artesonado adj. panelled (ceiling).

ártico adj. arctic.

articula/ción f. articulation. /r tr. to articulate.

artículo m. article.

art/ífice artificer, artisan. /ificial adj. artificial. /ificio m. art(ifice), craft.

artiller/ía f. artillery. /o m. artilleryman.

artimaña f. trap; trick.

artista s. artist, artiste.

arzobisp/ado m. archbishopric. /o m. archbishop.

as m. ace.

asa f. handle; haft

asad/o adj. roast(ed), m. roast. /or m. roasting-jack.

asalt/ador m. assailant, highwayman. /ar tr. to assail, to assault. /o m. assault.

asamblea f. assembly; meeting; congress.

asar tr. to roast.

ascende/ncia f. ascendency. /nte adj. ascendant; ascending. /r tr., intr. to ascend, to rise.

ascendiente m. ancestor; influence; weight.

ascens/ión f. ascension. **/o** m. ascent, rise, raise.

asc/eta s. ascetic; hermit. **/ético** adj. ascetic. **/etismo** m. asceticism.

asco m. nausea; loathing. disgust; despicable thing. **tener —,** to sicken.

asear tr. to tidy up.

asechar tr. to way-lay, to ambush.

asedi/ar tr. to besiege. **/o** m. siege.

asegura/dor m. insurer; underwriter. **/r** tr. to secure; to insure. **/rse** r. to make sure.

asemejarse r. to resemble.

asenso m. consent.

asenta/do adj. seated, settled. **/r** tr. to seat.

asentir intr. to assent.

aseo s. tidiness.

aséptico adj. aseptical.

asequible adj. attainable.

aserra/do adj. serrate, jagged. **/r** tr. to saw.

asesin/ar tr. to assassinate, to murder. **/ato** m. assassination, murder. **/o** m. assassin; murderer.

asesor m. counsellor; adviser; assessor. **/ar** tr. to advise. **/arse** r. to take legal advice, to consult. **/ía** f. consulting office.

asevera/ción f. asseveration. **/r** tr. to asseverate.

asfalto m. asphalt.

asfixia f. Med. asphyxia. **/r** tr. to asphyxiate.

así adv. so; thus.

asiático adj. m. Asiatic, Asian.

asidu/idad s. assiduity. **/o** adj. assiduous.

asiento m. seat, entry.

asigna/ción f. assignment, allotment. **/r** tr. assign. **/tura** f. subject (of study).

asilo m. asylum; refuge.

asimila/ción f. assimilation.

asimismo adv. likewise.

asir tr. to grasp; to seize.

asist/encia f. actual presence; assistance, aid, help. **/ente** adj. assistant, helper; Mil. orderly. **/ir** intr. to be present; tr. to help.

asm/a f. asthma. **/ático** adj. asthmatic.

asno m. ass, donkey.

asocia/ción f. association. **/do** m. associate, partner. **/r** tr. to associate.

asolar tr. to destroy.

asomar intr. to appear. **/se** r. to lean over.

asombr/ar tr. to astonish. **./arse** r. to wonder. **/o** s. astonishment. **/oso** adj. amazing.

asomo m. sign, indication

aspa f. cross, reel.

aspaviento m. exaggerated gesture.

aspecto m. aspect, appearance, sight, looks.

aspereza f. asperity.

áspero adj. rough; harsh.

aspira/ción f. aspiration, desire. **/r** tr. to draw breath; to aspire.

aspirina f. aspirin.

asque/ar tr. to loathe; to nauseate. **/rosidad** f. nastiness. **/roso** adj. nasty.

asta f. (flag)-staff; antler.

asterisco m. asterisk.

astill/a f. splint(er), chip. **/ar** tr. to splinter, to chip. **/ero** m. shipyard.

astringente adj. astringent.

astr/o m. star. **/ología** f. astrology. **/ológico** adj. astrological. **/ólogo** m. astrologer. **/onomía** m. astronomy. **/nómico** adj. astronomical. **/ónomo** m. astronomer.

astu/cia f. cunning. **/to** adj. astute, cunning.

asueto s. short holiday.

asu/mir tr. to assume. **/nción** f. assumption. **/nto** m. matter; subject

asusta/dizo adj. timid. /r tr. to frighten. /rse r. to be frightened.

atacar tr. to attack.

atadura f. fastening.

atalaya f. watch-tower.

atañer intr. to belong.

ataque m. attack, onset.

atar tr. to tie; to bind.

atareado adj. busy.

atascar tr. to stall. /se r. to stick in the mire.

ataúd m. coffin; hearse.

atav/iado adj. ornamented. /iar tr. to adorn. /ío m. dress; gear.

atavismo m. atavism.

ateísmo m. atheism.

atemorizar tr. to frighten, to scare, to daunt.

atemperar tr. to (at)temper, to soften.

aten/ción f. attention; kindness. /der intr. to attend; to mind; to heed.

ateneo m. athenæum.

atenerse r. to stick to.

atentado m. attack.

atento adj. attentive, mindful, polite.

atenua/nte adj. attenuating. /r tr. to attenuate.

ateo m. atheist.

aterrar tr. to frighten.

aterriza/je m. landing. /r intr. to land.

aterrorizar tr. to terrify.

atesorar tr. to hoard up.

atesta/ción f. attestation. /do adj. attested; witnessed; m. testimonial. /r tr. to cram, to attest.

atestiguar tr. to depose; to give evidence.

atiborrar tr. to cram.

ático m. attic.

atinar intr. to guess.

atisbar tr. to pry.

atizar tr. to stir (the fire).

atl/ántico adj. Atlantic. /as m. atlas. /eta s. athlete. /ético adj. athletic. /etismo m. athletism.

atm/ósfera f. athmosphere. /osférico adj atmospherical.

atolla/dero m. deep miry place, obstacle, hole; mess. /rse r. to fall into the mire, to stall.

atolondra/do adj. harebrained, thoughtless. /-miento m. confusion. /r tr. to stun, to stupefy, to confound.

atómico adj. atomic.

átomo m. atom.

atónico adj. astonished.

atonta/do adj. mopish; foolish. /r tr. to stun.

atormentar tr. to torment.

atornillar tr. to screw.

atrac/ador m. highwayman, gangster. /ar tr. to assault, to hold-up; /arse r. to overeat. /o m. hold(ing) up.

atra/cción f. attraction. /ctivo adj. attractive; m. grace, charm, attraction. /er tr. to attract.

atragantarse r. to gulp up.

atrapar tr. to overtake; to catch.

atr/ás adv. backwards; behind, back. /asado adjet. backward, out of date, indebted. /asar tr. to delay; to retard. /aso m. backwardness; pl. arrears.

atravesar tr. to run through; to go acros. /se r. to interfere.

atrayente adj. attractive.

atrev/erse r. to dare. /ido adj. daring, bold. /imiento m. boldness.

atribu/ción f. attribution. /ir tr. to attribute. /irse r. to assume.

atribular tr. to vex.

atributo m. attribute.

atrinchera/miento m. entrenchment. /r tr. to entrench.

atrio m. porch, portico.

atrocidad f. atrocity.

atrofia f. atrophy. /rse r. to atrophy

atropell/adamente adv. confusedly /ar tr. to

run over, to knock down /arse r. to hurry. /o m. trampling.

atroz adj. atrocious.

atún m. tunny-fish, tuna.

aturdi/do ad. hare-brained, giddy. /r tr. to embarrass. /rse r. to be stunned, to be amazed.

auda/cia f. audacity. /a adj. bold; audacious.

audi/encia f. audience; hearing ;court of justice /tor m. auditor. /torio m. auditory; audience.

augurar tr. to augur.

aula f. classroom.

aull/ar intr. to howl. /ido m. howl.

aument/ar tr. to augment. /o m. augment.

aun, aún adv. yet; as yet; still; even; however.

aunar tr. to unite.

aunque adv. (al)though, notwithstanding.

aureo adj. golden. /la f. aureola; halo.

auricular adj. auricular; (telephone) receiver.

aurora f. dawn.

auscultar tr. to auscultate.

ausen/cia f. absence. /tarse r. to go away. /te adj. absent.

auste/ridad f. austerity. /ro adj. austere.

aut/enticar tr. to authenticate. /éntico adj. authentic.

auto m. judicial decree; writ, warrant.

auto m. fam. for automóvil automobile. car.

aut/obús m. bus. /ocar m. coach. /ógrafo m. autograph. /omático adj. automatic. /omóvil m. automobile, m. (motor-)car. /movilismo m. automobilism. /omovilista s. automobilist, motorcar-driver. /onomía f. autonomy. /opsia f. autopsy, post-mortem dissection.

autor m. author. /a f. authoress.

autori/dad f. authority. /zado adj. authorized. /zar tr. to authorize.

auxili/ar tr. to aid; adj. auxiliary; assistant. /o m. aid; help.

aval m. indorsement.

avan/ce m. Mil. advance; headway. /zada f. (out)post. /zar intr. to advance.

avar/icia f. avarice. /icioso adj avaricious. /iento adj. avaricious. /o adj. mean, stingy; m. miser.

avasallar tr. to subdue.

ave f. bird.

avecinarse tr. to approach.

avellan/a f. hazel-nut. /o m. hazel-nut tree.

avena f. oats.

avenida f. avenue, flood.

avenirse r. to agree to.

aventaja/do adj. advantageous. /r tr. to surpass.

aventur/a f. adventure. /ado adj. risky. /ar tr. to venture. /ero m. adventurer.

avergonzar tr. to shame. /se r. to be ashamed.

avería f. average; damage, breakdown.

averiarse r. to suffer damage.

averigua/ción f. investigation. /r tr. to inquire.

aversión f. aversion.

avia/ción f aviation. /dor aviator, airman, pilot.

avidez f. avidity.

ávido adj. eager.

avieso adj. crooked.

avinagra/do adj. sour, vinegarish. /r tr. to sour

avión m. aeroplane.

avis/ado adj. cautious. /ar tr. to advise. /o m. warning, annoucement

avisp/a f. wasp. /ado adj. brisk; lively.

avistar tr. to descry, to catch sight of.

avituallar tr. to victual.

avivar tr. to enliven.

axila f. armpit.

axioma m. axiom.

ay interj. alas!

aya f. tutoress, governess.

ayer adv. yesterday.

ayo m. tutor; governor.

ayuda f. help. aid. /nte s. assistant, aid; Mil. adjutant, aide-de-camp. /r tr. to aid; to help.

ayun/ar t. to fast. /o s. fast; abstinence.

ayuntamiento m. municipa government, city hall, town hall.

azad/a s. spade; hoe. /ón s. pickaxe; grub.

azafata f. air hostess.

azafrán s. saffron.

azahar s. orange or lemon blossom.

azar s. hazard, chance.

azora/miento m. confusion. /r tr. to bewilder.

azot/aina f. drubbing; fam. welt. /ar tr. to whip. /e m. whip; lash.

azotea m. flat roof.

az/úcar m. sugar. /ucarar tr. to sugar, to sweeten. /ucarero m. sugar bowl or basin.

azucena f. Bot. white lily.

azufre m. sulphur.

azul adj. blue. /ado adj. bluish. /lar tr. to blue. /ulejo m. glazed tile.

azuzar tr. to set on (dogs).

B

bab/a f. drivel; spittle. /ear intr. to drivel. /ero m. bib, chin-cloth.

Babia f. (estar en) to be wool-gathering.

babor m. Naut. larboard, port.

babucha f. baboosh.

bacalao m. cod(fish).

bacanal f. orgy.

bacilo m. bacillus.

bacteria f. bacterium.

báculo m. walking-stick; staff; bishop's crozier.

bache m. chuck-hole, pothole.

bachiller m. bachelor (first degree) fam. babbler. /ato m. baccalaureate, bachelorship.

badén m. rain-gutter, ditch.

bagaje m. baggage.

bagatela f. trifle.

bahía f. bay.

bail/ador m. dancer. /ar tr. to dance. /e m. ball, dance.

baja f. decrease, fall of price) vacancy.

baja/da f. descent; downhill. /r intr. to come, go, get or step down; tr. to lower.

baj/eza f. meanness. /o adj. low; abject; ordinary; vulgar; m. shoal, sand.

bala f. bullet, bale.

balada f. ballad.

baladí adj. triffling.

balanc/e m. balance (—sheet). /ear tr. to balance. /earse r. to swing to sway. /eo m. oscillation. /ín m. swing(-bar).

balanza f. scale(s).

balazo m. (gun)shot, bullet-wound.

balbuc/ear intr. to splutter. /iente adj. stammering. /ir intr. to splutter.

balcón m. balcony.

balde m. *Mar.* bucket; **de —,** adv. gratis, free (of charge or cost); **en —.** adv. in vain.

baldío adj. waste (land).

baldosa f. square tile.

balear adj. s. Balearic.

balneario m. spa.

balón m. (foot-)ball.

balsa f. pool; lake; *Naut.* raft, float.

b/alsámico adj. balsamic. **/álsamo** m. balsam; balm.

baluarte m. bulwark.

ballen/a f. whale. **/ero** m. whahler; whaling ship.

ballest/a f. cross-bow. **/ero** m. crossbowman.

bambolearse intr. to sway.

ban/ca f. bank, banking. **/carrota** s. bankruptcy. **/co** m. bench; bank.

banda f. sash; scarf; ribbon; band; gang; side.

bandeja f. tray, platter.

banderill/a small-headed dart. **/ear** tr. to affix **banderillas. /ero** m. affixer of **banderillas.**

bandido s. bandit; outlaw, highwayman.

bando m. proclamation; edict; party; faction.

bandolero s. robber; brigand, highwayman.

banque/ro m. banker. **/te** m. banquet.

banquillo m. f. little stool; small bench.

bañ/ador m. bathing-costume. **/ar** tr. to bathe; **/arse** intr. to take a bath. **/era** f. bathtub. **/o** m. bath, bathing place.

baptisterio s. baptistery.

bar s. bar; inn.

baraja f. pack of cards. **/r.** tr. to shuffle.

barand/a s. railing; cushion. **/illa.** f. rail.

barat/ija f. nick(-knack), trumpery; pl. trifles, trinkets. **/illo** m. frippery. **/o** adj. cheap. **/ura** f. cheapness.

barba f. beard; chin. **por —,** ahead, apiece.

barbari/dad s. barbarity, cruelty, rashness. **/e** f. barbarousness, incivility.

bárbaro adj. barbarous; m. barbarian.

barber/ía f. barber's shop. **/o** m. barber; shaver.

barbudo adj. (long)bearded.

barc/a f. boat; barge. **/aza** f. lighter. **/o** m. boat; ship, vessel.

barítono m. barytone.

barlovento m. windward.

barniz m. varnish. **/ar.** tr. to varnish; to gloss.

barómetro m. barometer.

bar/ón m. baron. **/onesa** f. baroness.

barquero m. bargeman; boatman; ferryman.

barquillo m. (thin rolled) wafer, waffle.

barra f. (metal) bar, ingot; lever; iron-crow.

barraca f. barrack; hut.

barranco m. ravine.

barredura f. sweeping; pl. sweepings, refuse, dust.

barrena f. (earth-) borer, drill. **/r.** tr. to bore, to drill.

barrendero m. sweeper; dustman.

barren/ero m. driller, blaster. **/o** m. large auger, blast(-hole), scuttle.

barreño m. basin, trough.

barrer tr. to sweep.

barrera f. barrier, barricade, parapet, fence.

barriada f. suburb.

barricada f. barricade.

barrig/a f. belly. **/udo** adj. (big-)bellied.

barril m. barrel.

barrio m. city district or ward, quarter; **el otro—,** fam. the other world.

barr/izal m. muddy place. **/o** m. clay; mud; earthenware.

barrote m. iron bar; rung.

barrunt/ar tr. to surmise. **/o** m. conjecture.

bártulos m. pl. household goods, belongings.

barullo m. confusion.

basa f. basis; pedestal.

basamento m. basement.

basar tr. to base, to fix.

basca f. nausea.

báscula f. weigh-bridge.

base f. base; basis.

basílica f. basilica.

basta interj. enough; stop, halt; adv. sufficiently, halt. **/nte** adj sufficient; quite, rather, fairly, **/r** intr. to be enough.

bastardilla f. italic(s) (print).

bastardo adj. bastard; spurious; m. bastard.

bastidor m. (embroidery) frame, stretcher.

basto adj. rough, coarse; pl. clubs (cards).

bast/ón m. (walking) cane, stick, staff. **/onazo** m. stroke with a stick.

basur/a f. sweepings, refuse, rubbish, dirt, dust. **/ero** m. dustman.

bata f. dressing gown.

batall/a f. battle. **/ar** intr. to battle. **/ón** m. battalion.

batería f. battery; — de **cocina**, kitchen utensils.

batid/a f. run, hunting. **/o** adj. beaten, trodden (as roads); m. batter, (milk-) shake. **/or** m. scout, ranger. **/ora** f. whisk, stirrer.

batir tr. to beat; to whip.

batuta f. conductor's wand, baton, stick.

baúl m. trunk, chest.

bauti/smo m. baptism. **/zar** tr. to baptize; to christen. **/zo** m. baptism.

bayeta f. baize.

bayo m. light brown.

bayoneta f. bayonet. **/zo** m. bayonet-thrust.

bazar m. bazaar.

bazo m. spleen.

beat/a f. devout woman, prude. **/ería** f. bigotry. **/ificar** tr. to beatify. **/i-tud** f. beatitude.

beato m. pious person; bigot; adj. happy.

beb/edor m. drinker. **/er** tr. to drink. **/ida** f. drink, beverage. **/ido** adj. drunk.

beca f. scholarship.

becerro m. (yearling) calf.

bedel m. warden; beadle.

befa f. jeer; scoff; mock. **/r** tr. to laugh at; to mock.

beldad f. beauty, a belle.

belga adj. s. Belgian.

bélico adj. warlike.

beli/coso adj. bellicose, warlike. **/gerante** adj. belligerent.

bell/eza f. beauty; handsomeness. **/o** adj. beautiful; handsome.

bellota f. acorn, gland.

bend/ecir tr. to bless. **/ción** f. blessing. **/ito** adj. blessed; fam. silly, m. simpleton.

benedictino adj. m. Benedictine.

benef/icencia f. beneficence; charity; benefaction. **/iciar** tr. to benefit. **/icio** m. benefit; profit. **/icioso** adj. beneficial.

benéfico adj. beneficent.

ben/emérito adj. meritorious; worthy. **/eplácito** m. approbation; consent. **/evolencia** f. benevolence. **/évolo** adj. benevolent. **/ignidad** f. benignity. **/igno** adj. benign; mild.

benzol m. benzol.

beodo adj. drunk(en).

berenjena f. Bot. egg-plant.

bermejo adj. bright red.

berr/ear intr. to (be)low. **/ido** m. low, squall. **/in-che** m. rage, paddy (whack).

berza f. Bot. cabbage.

bes/ar tr. to kiss; to touch closely. /o m. kiss.

bestia f. beast, brute, animal. /l adj. bestial; brutish. /lidad f. bestiality.

besuque/ar tr. to bekiss. /o m. repeated kissing.

betún m. bitumen; pitch, (shoe-)blacking, polish.

biberón m. sucking or feeding bottle.

Biblia f. Bible.

bíblico adj. biblical.

bibli/ófilo m. book-lover, bibliophile. /ográfico adj. bibliographical. /ógrafo m. bibliographer. /ómano m. bibliomaniac. /oteca f. library. /otecario m. librarian.

bicarbonato m. bicarbonate.

bicicleta f. (push-)bicycle. fam. bike, byke.

bicho m. grub; insect; fig. vermin.

bidón m. drum, beaker.

biela f. brace-strut, crank, connecting-rod.

bien m. good; benefit; pl. assets; adv. well; right.

bienal adj. biennial.

bien/andanza f. prosperity. /aventurado adj. blessed. /aventuranza f. bliss(fulness). /estar m. well being. /hechor m. benefactor.

bienio m. space of two years.

bienvenida f. wellcome.

biftec m. beefsteak.

bifurca/ción f. branch, (railway) junction. /r tr. /rse r. to branch off.

bigamía f bigamy.

bígamo m. bigamist.

bigote m. m(o)ustache.

bilingüe adj. bilingual.

bili/oso adj. bilious, spleeny /s bile, gall.

billar m. billiards.

billete m. ticket; note; — de banco, bank note; — de ida y vuelta, return ticket.

bi/ografía f. biography /ográfico adj. biographical. /ógrafo. m. biographer.

biombo m. folding screen.

bioquímica f. biochemisty.

bisabuel/a f. great grandmother. /o m. great grandfather.

bisagra. f. hinge

bis/emanal adj. twice weekly. /iesto adj. año —iesto leap year.

bisonte m. bison, buffalo.

bisoño adj. raw, green, m. learner, greenhorn.

bisturí m. lancet, bistoury.

bizarr/ear intr. to act gallantly. /ía f. gallantry. /o adj. gallant.

bizco adj. cross eyed.

bizcocho m. biscuit, sponge-cake.

bizniet/a m. greatgranddaughter. /o m. greatgrandson.

blanco adj. white; blank, m. target. /ura f. whiteness.

blandir tr. to brandish.

bland/o adj. soft. /ura f. softness, mildness.

blanque/ar tr. to whiten, to whitewash. /o m. whitening, whitewash.

blasfem/ar intr. to blaspheme, to curse. /ia f. blasphemy, curse.

blinda/do adj. armoured, /je m. blind(age), armour(-plate) /r tr. to protect with blindage.

bloque/ar tr. to blockade. /o m. blockade

blusa f. blouse.

boato m. pompous show.

bob/ada f. silliness. /alicón s. blockhead. /ear tr. to dally. /ería silliness

bobina f. spool, coil.

bobo m. fool; dunce; adj. simple; stupid.

boca f. mouth. /calle f. opening of a street. /–

dillo m. sandwich, snack
/do mouthful, bite. /na-
da f. whiff, puff of smo-
ke.

boceto m. draft, sketch.

bocina f. bugle-horn;trum-
pet, hooter.

bochorno m. sultry weather, blush, shame(ful-
ness). /so adj. shameful.

boda f. marriage; wedding.

bodega f. wine-vault; cellar. /ón m. chop-house;
tavern; still life (pain-
ting).

bofet/ada f. slap, box,
buffet. /ón m. cuff, slap.

bohemio m. bohemian.

boicot m. boycott. /tear
tr. to boycott.

bola f. ball; globe, pellet,
bolus; fam. lie, humbug.

bolchevique adj. s. Bol-
shevist, Bolshevik.

boletín m. bulletin.

bolo m. skittle-pin, a ni-
ne-pin.

bols/a f. purse ; pocket,
bag, pouch. /illo m.
pocket; purse. /ista m.
stock-broker. /o m. pur-
se of money.

bollo m. small loaf, roll,
bun, fam. imbroglio.

bomba f. pump, pum-
ping-engine, bomb(shell).
/rdear tr. to bomb, to
shell. /rdeo m. bom-
bardment, shelling.

bombero m. fireman.

bombilla f. bulb (electric
light).

bombo m. bass drum.

bombón m. bonbon,
weet, fam. pretty girl.

bonachón m. y adj. good-
natured (man).

bonanza f. fair weather.

bondad f. goodness. /oso
adj. kind, generous.

bonete m. bonnet.

bonito adj. pretty, nice;
m. striped tunny.

oono m. bond, certificate, due-bill.

boquea/da f. gasp; gape.
/r intr. to gape; to gasp.

boquete m. gap.

boquiabierto adj. gaping.

boquilla f. mouth piece,
cigarette-holder.

borbotar intr. to gush.

borda f. Naut. gunwale.

borda/do m. embroidery.
/dora f., adj. embroide-
ress. /r tr. to embroider.

borde m. border, edge,
bordo m. Naut bord; a
—, aboard, on board.

borla f. tuft; tassel.

borra f. fluff.

borrach/era f. drunkenness, intoxication, spree,
revelry. /o adj. drunk;
m. drunkard.

borra/dor m. day-book,
rough draft; eraser, dus-
ter. /r tr. to erase.

borrasc/a f. storm. /oso
adj. stormy.

borrego m. lamb.

borric/a f. she-ass. /o m.
ass; donkey.

borrón m. blot of ink.

borroso adj. blurred.

bosque m. wood(land).

bosquej/ar tr. to sketch.
/o m. (rough) sketch.

bostez/ar intr. to yawn;
to gape. /o m. yawn.

bota f. boot; leather bottle, wine-skin.

botadura f. (ship-)launch.

botánic/a f. botany. /o
adj. botanical.

botar tr. to cast, to launch (ship).

botarate m. fam. madcap.

bote m. thrust, jump; ga-
llipot, can; Naut. boat.

botella f. bottle; flask.

botica f. apothecary's
shop; (chemist's) shop.
/rio m. apothecary.

botij/a, o m. earthen pitcher.

botín m. booty.

botiquín m. medicine-
chest, dressing-case.

bot/ón m. button; bud.

/**ones** m. fam. buttons, bell-boy.

bóveda f. *Arch.* vault.

boxe/ador m. boxer, prize fighter. /**ar** tr. to box. /**o** m. boxing, prize-fight.

boya f. buoy; float.

brace/ar intr. to swing the arm. /**ro** m. (day-) labourer, navvy.

brag/a f. breeches, child's clout; pl. knickers. /**uero** m. truss, brace.

bram/ar intr. to roar. /**ido** m. roar; bellow.

bras/a f. live coal. /**ero** m. brasier; fire-pan.

brav/ata f. bravado, brag /**ío** adj. wild. /**o** adj. brave; wild, interj. bravo! /**ura** f. courage.

braz/a f. fathom; brace. /**ada** f. armful. /**al** m. arm band, irrigation ditch. /**alete** m. bracelet, armlet. /**o** m. arm.

brea f. pitch, tar(paulin).

brebaje m. beverage.

brecha f. breach; opening.

brega f. strife. /**r** intr. to struggle.

brev/e adj. brief, short, concise; m. apostolic brief. /**edad** f. brevity. /**iario** m. breviary.

brezal m. heath.

brib/ón m. y adj. knave; scoundrel /**onada** f. knavery. /**onear** intr. to loaf, to loiter about.

brida f. bridle (of a horse); string.

brigada f. brigade.

brill/ante adj. brilliant, bright m. brilliant, diamond. /**antina** f. brillantine. /**ar** intr. to shine. /**o** m. brilliancy.

brinc/ar intr. to leap. /**o** m. leap; jump; hop.

brind/ar intr. to toast. /**is** m. toast, health.

br/ío m. vigour, dash. /**ioso** adj. vigorous.

brisa f. breeze.

británico adj. British.

brizna f. blade of grass.

broca f. borer.

brocha f. painter's brush.

broche m. clasp; brooch.

brom/a f. gaiety, practical joke. /**ear** intr. to droll; to jest. /**ista** m. merry fellow.

bronca f. wrangle.

bronce m. bronze; brass. /**ado** m. brassiness; bronzing; adj. brazen, tanned. /**ar** tr. to bronze.

bronco adj. rough.

bronquitis f. bronchitis.

brot/ar intr. to bud; to gush. /**e** m. bud, shoot.

broza f. thicket.

bruj/a f. witch; hag, sorceress. /**ería** f. witchcraft, sorcery. /**o** m. sorcerer.

brújula f. *Naut.* (sea) compass.

bruma f. mist, fog, haze.

bruñ/ido m. polish; adj. burnished. /**r** tr. to burnish: to polish.

brusc/amente adv. abruptly. /**o** adj. rough, brusk.

brut/al adj. brutal. /**alidad** f. brutality. /**o** m. brute; beast; adj. rough. /**peso** m. gross weight.

buce/ar tr. to dive. /**o** m. diving.

bucle m. curl; lock.

bucólico adj. bucolic.

buche m. crop, maw.

buen adj. good. /**amente** adv. easily; freely. /**aventura** f. luck, fortune-telling. /**o** adj. good; healthy, fit.

buey m. ox; bullock.

bufete m. desk; lawyer's office.

bufanda f. scarf, muffler.

buf/o adj. comic; clownish; m. buffoon on the stage. /**ón** m. jester; buffoon. /**onada** f. buffoonery; jesting.

buhardilla f. small garret, attic, sky-light.

búho m. owl /nero. m. hawker.

buitre m. Orn. vulture.

bujía f. candle; candle stick, sparkplug.

bulbo m. bulb, globe.

bulto m. bulk, bale.

bull/a f. noise; clatter. /anguero adj. turbulent. /icio m. noise; bustle. /icioso adj. turbulent; noisy. /ir intr. to boil; to bubble (up).

buñuelo m. fritter; pancake, bun, doughnut.

buque m. vessel, boat, ship.

burbuj/a f. bubble. /ear intr. to bubble.

burdel m. brothel.

burdo adj.. coarse.

burl/o f. scoff; mockery.

/ador m. jester; mocker; libertine. /ar tr. to mock; to deceive; to abuse /arse r. to make game of. /esco adj. burlesque; comic. /ón m. scoffer; jester.

burocracia f. bureaucracy

burócrata m. f. bureaucrat.

burr/a f. she-ass. /da f. stupid action. /o m. ass.

busca f. search, pursuit, quest. /r tr. to seek; to search, to look for.

búsqueda f. search.

busto m. bust.

butaca f. arm-chair; stall.

butano m. butane.

butifarra f. sausage.

buzo m. diver.

buzón m. letter-box.

C

cabal adj. just; right.

cabalga/da f. cavalcade, foray, raid. /dura f. mount, riding beast. /r intr. to ride. /ta f. cavalcade, parade.

caball/eresco adj. knightly, chivalrous. /erete m. dandy. /ería f. mount, cavalry, horse-troops, chivalry. /ero m. gentleman; knight; horseman, cavalier. /erosidad f. chivalrousness. /eroso gentlemanly. /ete m. painter's easel. /o m. horse, knight (chess).

cabaña f. hut.

cabec/ear intr. to nod. /eo m. nodding. /era f. head of a table, or bed etc. /illa s. head(er).

cabell/era f. long hair. /o m. hair /udo adj. hairy.

caber intr. to be able to be contained, to fit.

cabestrill/o m. sling.

cabez/a f. head, top. /ada f. headshake, nod; nap(ping). /udo adj. pigheaded, self-willed.

cabida f. capacity.

cabina f. cabin — de avión, cockpit.

cabizbajo adj. crestfallen.

cable m. cable, wire. /grafiar intr. to cable. /grama m. cablegram.

cabo m. extremity; tip; cape; headland; rope Mil. corporal; llevar a —, to accomplish. /taje m. coasting trade.

cabr/a f. goat. /ero m. goat-herd. /ío adj. goatish; macho — buck, billygoat. /iola f. caper. /ito m. kid. /ón m. buck hegoat, billygoat; (low) cuckold. /**onada** f. infamous action.

caca f. fam. soll. feces.

caca/huete m. peanut, earth-nut. /**o** m. cocoa.

cacare/ar intr. to cackle, to boast. /**o** m. cackling.

cacería f. hunt(ing).

cacerola f. saucepan.

cacique m. cacique, political boss.

caco m. burglar.

cacto m. cactus.

cachalote m. cachalot.

cachar/ería f. crockerystore, earthenware. /**o** m. jug, coarse earthen pot.

cachaza f. tardiness.

cachear tr. to search for hidden weapons, to frisk.

cachete m. box, flap, lick.

cachiporra f. truncheon.

cachivache m. fam. pot, utensil, stuff.

cacho m. slice, piece.

cachond/earse r. (low) to jeer, to banter. /**eo** m. (low) bantering, jeer.

cachorro m. puppy; cub.

cadalso m. scaffold (for executions).

cad/áver m. corpse. /**avérico** adj. cadaverous.

cadena f. chain, bond. — **perpetua**, penal servitude for life.

cadencia f. cadence.

cadera f. hip.

cadete m. cadet; junior.

caduc/ar intr. to dote; to fall into disuse. /**idad** t. caducity. /**o** adj. worn out; senile.

caer intr. to fall ;to drop. — **bien**, to fit, to suit.

caf/é m. coffee; coffeehouse, café. /**etera** f. coffeepot.

cafre m. adj. kaf(f)ir.

caga/do adj. mean-spirited. /**r** tr. to (go to) stool, to shit, to soil.

caída f. fall; drop.

caimán m. cayman, alligator.

caj/a f. box; case, cash; — **de ahorros**, savings bank. /**era** f. female cashier. /**ero** m. cashier. /**ista** s. type compositor. /**ón** m. drawer.

cal f. lime.

cala f. small bay, creek

calabozo m. dungeon.

calado adj. soaked.

calamar m. (sea-)squid, sea-sleeve, calamary.

calambre m. cramp.

calami/dad f. misfortune. /**toso** adj. calamitous.

calar tr. to soak through; fig. to see through.

calavera f. skull; vulg: m. madcap, rake. /**da** f. wild oats, escapade.

calcar tr. to counter-draw.

calcáreo adj. calcareous.

calcet/a f. stocking, hose. /**ín** m. sock.

calcinar tr. to calcine.

calco m. counter-drawing.

calcul/ador m. computer; /**ar** tr. to compute.

cálculo f. calculation; Méd. calculus.

calda f. heat; warming, pl. hot springs, spa.

caldear tr. to heat.

calder/a f. ca(u)ldron, boiler, kettle. /**illa** f. coppers, brass or copper money. /**o** m. ca(u)ldron

caldo m. broth.

calefacción f. heating.

calendario m. calendar;

calent/ador m. warmer. /**ar** tr. to heat. /**ura** t. fever; warmth. /**uriento** adj. feverish.

caleta f. cove; creek; fleet.

calibrar tr. to calibrate. /**e** m. calibre, ga(u)ge.

calidad f. quality; kind.

cálido adj. hot; calid.

caliente adj. warm; hot.

califica/ción f. qualification. /**do** adj. qualified; competent. /**r** tr. to qualify, to mark (examination papers), to empower.

caligrafía f. caligraphy, penmanship.

cáliz m. chalice. *Bot.* calyx.

caliza f. lime(stone).

calm/a f. calm, quiet(ness). /ante adj. soothing; m. sedative. /ar tr. to (be)calm, to appease, to quench. /arse r. to calm, to subside. /oso adj. calm(y), tardy.

calor m. heat. /ía f. calory.

calumnia f. calumny; slander. /r tr. to calumniate.

caluros/amente adv. warmly. /o adj. warm.

calv/a f. bald head. /ario m. Calvary. /icie f. baldness. /o adj. bald.

calz/a f. trousers; breeches. /ada f. high road. /ado adj. shod m. footwear. /ador m. shoehorn. /ar tr. to put on shoes. /oncillos m. pl. (under-)drawers, pants.

calla/do silent, quiet. /r intr. to be silent.

calle s. street, lane. /ja f. narrow passage, off-street. /jear intr. to saunter. /jero m. street walker, rambler. /jón m. alley. /jón sin salida, blind alley. /juela f. lane, alley-way.

call/icida m. corn-plaster. /ista f. quiropodist. /o m. corn on the feet; pl. tripes.

cama f. bed; couch. **guardar** —, to stay in bed. /da f. brood; litter.

camaleón m. chameleon.

camamilla f. *Bot.* common chamomile.

cámara f. hall; chamber.

camarada s. comrade.

camarer/a f. waitress. /o m. waiter, steward.

camarilla f. camarilla, coterie, set (U. S. *Pol.*) lobby, machine.

camarín s. small chamber.

camarote m. berth, cabin.

camastro m. slovenly bed.

camb/alache m. barter, swap. /iar tr. to (ex)change. /io m. change.

camel/ar tr. to dally, to seduce. /o m. deceit; humbug.

camelia f. camellia.

camello m. camel.

camilla s. stretcher, litter, round table.

camin/ante m. walker. /ar intr. to march; to walk. /ata tr. walk, tramp, hike. /o m. way.

camis/a f. shirt; chemise. /ería f. shirt shop. /eta f. undershirt. /ón m. nightgown.

camorr/a f. quarrel. /ista m. brawler, bully.

campamento m. camp.

campan/a f. bell. /ada f. bellstroke. /ario m. belfry, steeple, bell-tower. /ero m. bellman. /illa f. hand-bell; *Anat.* uvula; *Bot.* bellflower. /illazo m. violent ringing.

campaña f. campaign.

campechano adj. frank, hearty, cheerful, genial.

campe/ón m. champion. /onato m. championship, tournament.

campesino adj. rural; m. peasant, countryman.

campiña f. champaign, field, land.

campo m. country (side); field; scope, range; camp. — **santo**, cemetery, grave-yard.

can m. dog.

cana f. white hair; **peinar** —s to be old.

canal m. channel; canal; waterway, *Anat.* duct. /izar tr. to canalize.

canalla f. mob; rabble; m. a scoundrel.

canana f. cartridge belt.

canapé m. couch; canapé.

canario m. canary bird. adj. of the Canary Islands; m. Canary Islander.

canast/a f. hamper; basket. /ero m. basket-maker. /illa f. baby basket. /os interj. great guns!

cancela f. iron-work gate. /ción f. cancellation. /r tr. to cancel, to annul.

cáncer m. cancer.

canciller m. chancellor.

canci/ón f. song; lyric, tune. /onero m. song-book.

candado m. padlock.

candela f. candle, taper.

candel/abro m. candelabrum. /aria f. Candlemas; Bot. mullein. /ero m. candlestick.

candente adj. red-hot.

candidat/o m. candidate, /ura f. candidacy.

candidez f. simplicity.

cándido adj. candid.

candil m. oil-lamp. /eja f. pl. Theat. footlights, forestage.

candor m. candour. /oso adj. candid.

canela f. Bot. cinnamon.

cangrejo m. crab-fish.

canguro m. kangaroo.

caníbal adj. cannibal, man-eater.

canícula f. dog days, midsummer.

canijo adj. weak(ly).

canino adj. canine.

canje m. exchange. /ar tr. to exchange.

cano adj. hoar(y).

canoa f. canoe.

can/on m. canon; rule. /ónico adj. canonic(al). /ónigo m. canon, prebendary. /onización f. canonization. /onizar tr. to canonize; to (be)saint. /onjía f. canonry.

canoso adj. hoary.

cansa/do adj. tired; weary. /ncio m. tiredness,

weariness, fatigue. /r tr. to tire, to weary.

canta/dor m. singer. /nte s. singer, songster.

cantar tr., intr. to sing, to chant; m. song.

cántaro m. pitcher; jug. llover a —s to rain cats and dogs.

canter/a f. stone-quarry. /o m. quarryman.

cántico m. canticle; song.

cantidad f. quantity; sum.

cantimplora f. liquor-case, water-bottle, canteen.

cantina f. cellar; canteen.

canto m. song; edge. /r m. singer. /ra f. singer.

cantón m. corner; region.

caña f. cane; reed; stem. /da f. glen; dale.

cañaveral m: cane field.

cañ/ería f. waterpipe, tube. /o m. tube; tubing. /ón m. cannon, barrel. /onazo m. discharge of a cannon. /onear tr. to cannonade.

caoba f. Bot. mahogany.

caos m. chaos.

capa f. cloak; cape, layer, cover, coat (of paint).

capacho m. hamper; frail.

capacidad f. capacity; capability; ability.

capar tr. to geld; to castrate; to cut off.

caparazón m. carcass of a fowl; caparison.

caparra s. sheep-louse.

capataz m. overseer; warden; foreman.

capaz adj. capable.

capcioso adj. captious.

capear tr. to fling a cloak at a bull, to weather.

capellán m. chaplain.

caperuza f. hood.

capilar adj. capillary.

capilla f. chapel, hood.

capirote s. hood, tonto de —, blockhead.

capital adj. capital; chief; m. money, fund, stock. /ismo m. capitalism. /

ista s. capitalist. /**izar** tr. to capitalize.

capit/án. m. captain; leader. /**anear** tr. to lead.

capitel m. capital (of a column).

capitula/ción f. capitulation. /**r** adj. capitulary; intr. to capitulate.

capítulo m. chapter.

capón m. capon; eunuch.

capot/a f. light bonnet. /**e** m. cover, coloured cloak used by bull-fighters.

capricho m. fancy; whim; caprice. /**so** adj. capricious, whimsical.

cápsula f. capsule.

capt/ar tr. to captivate. /**ura** f. capture. /**urar** tr. to apprehend.

capuch/a f. hood. /**ino** m. Capuchin monk.

capullo m. cocoon of a silkworm, bud, button.

caqui m. khaki, khakee.

cara f. face; visage, side; — o cruz, head or tail.

carabela f. caravel.

carabin/a f. carbine; rifle. /**ero** m. carabineer; customs soldier.

caracol m. snail. **escalera de —,** spiral staircase.

carácter m. character.

caracter/ístico adj. characteristic. /**izar** tr. to characterize.

caramba interj. zounds! ¡good gracious!

carambola f. cannon at billiards.

caram/elo m. caramel, sweet toffee; pl. lollypops.

carantoñas f. pl. caresses.

caravana f. caravan.

carbón m. coal; carbon /**ato** m. Chem. carbonate. /**cillo** m. carbon-pencil. /**ería** f. coal-yard. /**izar** tr. to carbonize. /**o** m. Chem. carbon.

curburador m. carburettor.

caracajada f. peal of laughter.

cárcel f. prison; jail, gaol.

carcelero m. jailer, warden.

carcom/a f. woodborer. /**ido** adj. worm-eaten.

carda f. teasel, card. /**r** tr. to card or comb wool.

cardenal m. cardinal. /**ato** m. cardinalate. /**icio** adj. cardinalitian.

cardíaco adj. cardiac.

cardinal adj. cardinal.

cardo m. Bot. thistle.

carear tr. to confront.

care/cer intr. to want; to lack. /**ncia** f. want.

careo m. confrontation.

carestía m. scarcity, want, dearness.

careta f. mask.

carga f. load; cargo; burden; freight. /**do** adj. full, loaded. /**dor** m. freighter, clip or magavine (of a pistol). /**mento** m. cargo. /**r** tr. to charge: to load; to debit; to bill.

cargo m. charge, post, employment; accusation.

cariar tr. to produce caries.

caricatur/a f. caricature. /**izar** tr. to caricaturize.

caricia f. caress, pat.

caridad f. charity; good will; alms.

caries f. caries.

cariño m. love; tenderness. /**so** adj. affectionate, fond, endearing.

caritativo adj. charitable.

cariz m. appearance, semblance, look.

carmelita s. Carmelite.

carm/esí adj., m. crimson. /**ín** m. carmine.

carnada f. bait.

carnal adj. carnal; fleshy; sensual; **primo —,** cousin-german.

carnaval m. carnival

carne f. flesh; meat. /**cería** f. see. **carnicería**. /**ro** m. sheep; mutton. /**stolendas** f. pl. carnival.
carnet m. identification card.
carn/icería f. butcher's shop, carnage, slaughter. /**icero** m. butcher, adj. carnivorous. /**ívoro** adj. carnivorous. /**oso** adj. carnous; fleshy.
caro adj. dear, high(-priced), costly, expensive.
carpa f. *Ichth.* carp.
carpeta f. table-cover, portfolio.
carpinter/ía f. carpentry; carpenter's shop, woodwork. /**o** m. carpenter.
carraca f. carrack; rattle.
carrera f. running, race, course; career.
carret/a f. wag(g)on. /**ada** f. car(t)ful, pl. oodles. /**e** m. reel, spool, (film) /**era** f. (high-)road, highway. /**ero** m. cartwright; waggoner. /**illa** f. wheelbarrow. /**ón** m. (go)-cart, draycart.
carril m. (cart-)rut, rail.
carrillo m. cheek, jowl.
carro m. cart; chariot; — **de combate**, *Mil.* tank. /**cería** f. carriage body, coachwork. /**mato** m. dray(-cart), van.
carroña f. carrion.
carr/oza f. large coach, carriage, chariot, hearse. /**uaje** m. carriage.
carta f. letter, map; playing card; bill of fare. — **certificada** registered letter.
cartearse r. to correspond by letter.
cartel m. poster, placard, show-bill; *Com.* cartel.
cartera f. portfolio, wallet.
cartero m. postman.
cartílago m. cartilage.
cartilla f. primer, spelling-book.

cartón m. cardboard, cartoon; — **piedra** tarred felt.
cartuch/era f. cartridge-box. /**o** m. cartouch(e), cartridge.
cartuj/a Carthusian order, charterhouse. /**o** m. Carthusian.
cartulina f. cardboard.
casa f. house; home; — **de empeños** pawnshop; — **de huéspedes** lodging (and boarding) house; **de maternidad** lying-in-hospital; — **de socorro** emergency hospital.
casa/mentero m. marriage-broker. /**miento** m. marriage. /**r** tr. to marry; to get married, to match. /**rse** r. to marry.
casca/bel m. hawk's bell; **serpiente de** — rattle-snake. /**da** f. cascade, waterfall. /**dura** f. breaking asunder. /**nueces** m nutcracker(s). /**r** tr. to crack.
cáscara f. peel; shell.
casco m. skull; helmet; hull; cask; **ligero de** —**s** featherbrained. /**te** m. fragment.
caser/a f. landlady. /**ío** m. group of houses. /**o** adj. homely, home-bred; m. landlord.
caseta f. hut.
casi adv. almost; nearly.
casilla f. (keeper's). lodge, hut, pigeon-hole, square (chessboard).
casino m. casino; club (-house).
caso m. case, event.
casorio m. fam. reckless-marriage.
caspa f. dandruff, scurf.
casquivano adj. inconsiderate, feather-brained.
casta f. breed; race.
castañ/a f. chestnut. /**ero** m. dealer in chestnuts. /**o** m *Bot.* chestnut-tree;

adj. hazelbrown /**uela**
f. castanet.

castellano adj. m. Castilian; m. Castellan.

castidad f. chastity.

castig/ador m. punisher; fam. ladykiller. /**ar** tr. to punish. /**o** m. punishment.

castillo m. castle.

castizo adj. pure, authentic, typical.

casto adj. chaste; pure.

castor m. beaver.

castra/ción f. castration. /**dor** m. gelder, castrator /**r** tr. to castrate.

castrense adj. military.

casual adj. accidental; casual. /**idad** f. chance, fate.

casucha f. fam. miserable hut, hovel.

cata f. sample; tasting.

cataclismo m. cataclysm.

catad/or m. taster. /**ura** f. gesture; tasting; face.

catalán adj., m. Catalan.

catalejo m. telescope. (spy-)glass.

cataplasma f. poultice; cataplasm.

catar tr. to taste.

catarata f. cataract, waterfall.

catarro m. catarrh, cold.

catastro m. census of real property.

catástrofe f. catastrophe.

catecismo m. catechism.

cátedra f. (university) chair, professorship.

catedral f., adj. cathedral.

catedrático m. (university) professor.

categ/oría f. category; /**órico** adj. categorical.

caterva f crowd; throng.

cateto m. fam. simpleton.

cat/olicismo m. catholicism. /**ólico** adj., m. (Roman) Catholic.

catorce adj. fourteen.

catre m. cot.

cauce m. riverbed.

caución f. caution.

caudal m. property; wealth. /**iso** adj. copious; wealthy.

caudillo m. head, chief(tain), leader.

causa f. cause; lawsuit, /**nte** s. occasioner. /**r** tr. to cause, to bring about.

cáustico adj. caustic(al).

cautel/a f. caution. /**oso** adj. cautious.

cautiv/ar tr. to captivate. /**erio** m. captivity. /**o** adj. y m. captive.

cauto adj. cautious.

cava f. wine cellar. /**dor** m. digger. /**dura** f. digging. /**r** tr. to dig.

cavern/a f. cavern, cave. /**oso** adj. cavernous.

cavidad f. cavity.

cavil/ación f. moodiness, pondering. /**ar** tr., intr. to muse, to brood over. /**oso** adj. moody.

cayo m. rock; islet.

caza f. chase; game hunt(ing); — mayor big game; (**avión de**) — fighter. /**dor** m. hunter. /**dora** f. huntress, (shooting-) jacket. /**r** tr. to chase; to hunt.

caz/o m. ladle. /**oleta** f. skillet. /**uela** f. (earthen) pan; saucepan.

cazurro adj. fam. taciturn, sulky, sullen.

ceba f. fattening (of animals). /**da** f. barley. /**r** tr. to fatten animals.

cebo m. bait, lure.

ceboll/a f. Bot. onion.

cebra f. zebra.

cece/ar tr. to lisp. /**o** m. lisp.

cedazo m. sieve; strainer.

ceder tr. to yield, to give up, to transfer, to cede.

cedro m. cedar (wood).

cédula f. shedule.

ceg/ar to blind. /**ato** adj. fam. short-sighted. /**uera** f. blindness.

ceja f. eye-brow.

cejar intr. to slack(en)

celada f. ambush, snare.

celador m. warden.

celar tr., intr. to superintend, to be careful.

celda f. cell.

celebra/ción f. celebration, praise. **/r** tr. to celebrate; to hold (a meeting), to minister.

célebre adj. celebrated, famous; fam. facetious.

celebridad f. celebrity.

celeridad f. celerity.

celest/e adj. celestial, sky-blue(colour). **/ial** adj. celestial; heavenly.

celibato m. celibacy.

célibe adj. unmarried, single; m. bachelor.

celo m. zeal; rut (of animals); pl. jealousy. **/so** adj. zealous; jealous.

c/elta adj., s. Celt; Celtic. **/éltico** adj. Celtic.

célula f. cell(ule).

celular adj. cellular.

cementerio m. cemetery; church-yard.

cemento m. cement.

cena f. dinner; supper. **/r** tr. to dine, to have supper.

cencerr/ada f. charivari, horning. **/o** cow-bell.

cenefa f. fringe, border.

cenicero m. ash-tray.

cenicient/a f. Cinderella. **/o** adj. ash-coloured.

ceniza f. ash(es).

cenobio m. cenoby.

cenotafio m. cenotaph.

censo m. census.

cens/or m. censor. **/ura** f. censure; blame. **/urable** adj. censurable, blameful. **/urar** tr. to censure; to blame.

centell/a f. flash, spark, **/ear** tr. to sparkle, to flash. **/eo** m. flashing.

centena m.; **/r** m. hundred. **/rio** adj. centenary; m. centennial.

centeno m. *Bot.* rye.

centésimo adj. centesimal.

centí/grado adj. centigrade. **/metro** m. centimetre.

céntimo m. centime.

centinela f. sentry.

central adj. central. **/ismo** m. centralism. **/ista** s. centralist.

céntrico adj. central.

centro m. centre, middle; **ceñi/do** adj. tight-fitting. **/r** tr. to (be)gird.

ceñ/o m. frown. **/udo** adj. frowning; grim.

cepill/ar tr. to brush. **/o** m. brush; charity box.

cepo m. stocks, pillory.

cera f. wax.

cerámic/a f. ceramics, pottery. **/o** adj. ceramic.

cerbatana f. blow-pipe.

cerca f. fence; adv. near. **/nía** f. proximity; pl. vicinity. **/no** adj. near. **/r** tr. to enclose.

cercenar tr. to pare.

cerciorarse r. to ascertain.

cerco m. ring; circle; frame; *Mil.* blockade.

cerd/a f. bristle; sow. **/o** m. hog; pig; swine.

cereal adj. cereal; m. pl. cereals.

cerebr/al adj. cerebral. **/o** m. cerebrum, brain

ceremoni/a f. ceremony. **/al** m. ceremonial, formalities. **/oso** adj. ceremonious.

cerería f. wax-chandler's shop.

cerez/a f. cherry. **/o** m. cherry-tree.

cerilla f. (wax) match.

cero m. zero; nought.

cerrad/o adj. closed, locked. **/ura** f. lock.

cerrajer/ía f. locksmith's trade or shop. **/o** m. locksmith.

cerrar tr. to shut; to close; to lock.

cerr/il adj. mountainous; wild; rough. **/o** m. hill.

cerrojo m. bolt.

certamen m. literary competition.

cert/ero adj. sure. /**eza** f. certainty; certitude. /**iﬁcado** m. certificate; adj. registered. /**iﬁcar** tr. to certificate.

cerve/cería f. brewery; ale house. /**za** f. beer; ale.

ces/ación f. cessation; ceasing. /**ante** adj. public officer out of office; dismmissed. /**ar** intr. to cease. /**e** m. dismissal. /**ión** f. cession; transfer.

césped m. lawn, turf, sod.

cest/a f. basket; pannier. /**ería** f. basket-shop. /**o** basket.

cetáceo adj. cetaceous.

cetro m. sceptre.

cicatriz f. cicatrix; scar. /**ar** tr. to cicatrize.

ciclis/mo adj. cyclism. /**ta** s. cyclist.

ciclo m. cycle.

ciclostilo m. cyclostyle.

cidra f. Bot. citron.

ciego adj. blind.

cielo m. heaven, sky.

cien adj. one hundred.

ciénega f. marsh; fen.

ciencia f. science.

cieno m. mud.

científico adj. scientific.

ciento adj. one hundred.

ciert/amente adv. certainly. /**o** adj. certain.

cierv/a f. hind. /**o** m. deer; hart; stag.

cifra f. cipher; number.

cigarra f. cicada, cicala.

cigar/illo m. cigarette. /**o** m. cigar.

cigüeña f. Orn. stork. /**l** s. swipe; Mech. crank-shaft.

cilíndrico adj. cylindric.

cilindro m. cylinder.

cima f. summit; top.

cimentar tr. to lay a foundation.

cimiento m. foundation.

cinc m. zinc.

cincel s. chisel. /**ar** tr. to chisel; to engrave.

cinco m. and adj. five.

cine m. fam. cinema. /**matógrafo** m. cinematograph.

cínico adj. cynical.

cint/a f. ribbon; braid; tape; strip, sash; — **magnetofónica** record tape. /**ura** f. waist. /**urón** m. belt.

ciprés m. Bot. cypress.

circ/o m. circus, amphitheatre. /**uito** m. circuit. /**ulación** f. circulation. /**ulante** adj. circulating. /**ular** adj. circular; intr to circulate.

círculo m. circle; circlet.

circun/cidar tr. to circumcise. /**cisión** f. circumcision. /**dar** tr. to surround. /**ferencia** f. circumference. /**spección** f. circumspection. /**specto** adj. cimumspect, cautious. /**stancia** f. circumstance.

cirio m. wax-candle.

ciruel/a f. plum. /**o** m. Bot. plum-tree.

ciruj/ía f. surgery. /**ano** m. surgeon.

cisco m. coald-dust; fam. noisy wrangle, hubbub; **hecho** — kaput.

cism/a m. schism, split. /**ático** adj. schismatic.

cisne m. swan.

cisterciense ad., m. Cistercian.

cisterna f. cistern.

cita f. appointment; summons; rendezvouz; quotation. /**r** tr. to convoke; to quote.

ciudad f. city; town. /**anía** f. citizenship. /**ano** f. citizen.

cívico adj. civic.

civil adj. civil; polite /**ización** f. civilization. /**izar** tr. to civilize.

civismo m. civics.

cizaña f. darnel; discord.
clam/ar tr. to cry out; to lament, to wail. /**or** m. clamour; outcry.
clandestino adj. clandestine, secret, stealthy.
claque f. *Theat.* claque.
clar/a f. white of an egg. /**aboya** f. skylight, bull's eye. /**ear** intr. to down, to grow light. /**ete** adj. m. claret (wine). /**idad** f. clarity; clearness. /**ín** m. clarion. /**inete** m. clarinet, clarinet-player. /**o** adj. clear; m. gap, blank, clearing; adv. clearly, manifestly; — **está!** indeed, rather. /**oscuro** m. chiaroscuro.
clase f. class; rank; kind.
clásico adj. classical.
clasifica/ción f.classification. /**r** tr. to classify.
claustr/al adj. claustral. /**o** m. cloister.
cláusula f. period; clause.
clausura f. inner recess of a convent; closure, retirement. /**r** to close.
clav/ar tr. to nail (down), fam. to overcharge.
clave f. key; *Mus.* clef.
clavel m. *Bot.* carnation, pink.
clavetear tr. to nail.
clavícula f. *Anat.* collarbone.
clavija f. pin; peg (of a stringed instrument).
clavo m. nail; clove.
clemen/cia f. clemency, mercy. /**te** adj. clement.
cl/erecía f. clergy. /**erical** adj. clerical. /**érigo** m. clergyman.
cliente m. client, customer, patron. /**la** f. clientele, patronage
clima m. clime; climate.
clínic/a f. clinic, private hospital, nursing home. /**o** adj. clinical.
clisé f. plate, cliché.
cloaca f. sewer; drain.

cloro m. chlorin(e). /**fila** f. chlorophyl. /**formo** m. chloroform.
club m. club; association.
coac/ción f. coaction /**tivo** adj. coactive.
coadyuv/ante adj. adjuvant, helper. /**ar** tr. to help; to assist.
coagula/ción f. coagulation. /**r** tr. to coagulate. /**rse** r. to curdle.
coágulo m. coagulum.
coalición f. coalition.
coarta/da f. alibi. /**r** tr. to coact, to restrict.
cobalto m. cobalt.
cobard/e adj., m. coward. /**ía** f. cowardice.
cobert/izo m. shed. /**or** m. coverlet; counterpane; quilt. /**ura** f. cover.
cobijar tr to shelter. /**se** r. to take shelter.
cobijar tr. to cover; to shelter. /**se** r. to take shelter.
cobra/dor m. collector; (bus) conductor. /**nza** f. receipt or collection of money. /**r** tr. to collect, to take (in).
cobr/e m. copper.
cobro m. *See* **cobranza.**
cocaína f. cocaine.
cocción f. coction.
cocear tr. to kick.
coc/er tr. to boil; to bake. /**ido** m. stew.
cocin/a f. kitchen. /**ar** tr. to do the cooking. /**era** f. cook-maid. /**ero** m. cook.
coco m. *Bot.* coconut.
cocodrilo m. crocodile.
cocotero m. *Bot.* coconuttree.
coche m. coach, car; **co-che-cama,** sleeping car. /**ra** f. coach-house. /**ro** m. coachman.
cochín/a f. sow. /**o** adj. dirty; m. pig.
cod/azo m. blow with an elbow. /**ear** tr. to elbow; intr. to nudge.

códice m. codex.

codici/a f. covetousness; cupidity. /oso adj. greedy.

código m. code.

codo m. elbow; cubit.

codorniz f. quail.

coeficiente adj. coefficient.

coercitivo adj. coercive.

coexist/encia s. coexistence. /ir intr. to coexist.

cofia f. headdress.

cofrad/e m. fellow-member. /ía f. sodality.

cofre m. trunk, coffer.

cog/er tr. to catch. /ida f. yield, catch, goring (in bullfight).

cognoscitivo adj. cognitive.

cohabitar intr. to cohabit; to live together.

coherente adj. coherent.

cohesión f. cohesion.

cohete m. rocket.

cohibir tr. to restrain.

coinci/dencia f. coincidence. /dir intr. to coincide.

coito m. coition.

coje/or intr. to limp. /ra f. lameness; limping.

cojín m. cushion.

cojinete m. small cushion, pad; Mech. bearing.

cojo adj. m. lame.

cojón m. testicle.

col m. cabbage.

cola f. tail; train of a dress, queue; glue.

colabora/dor m. collaborator. /r tr. to collaborate.

cola/da f. bleaching, leach. /dera f. strainer. /dor** strainer. /dura** straining; fam. blunder. /r tr. to strain, to pass through /rse r. to strain, to slip or steal into.

colch/a m. coverlet, quilt. /ón** m. mattress.

colec/ción f. collection. /cionar** tr. to collect. /tivo** adj. collective.

colega f. colleague.

colegi/al adj. collegial;

m. collegian, schoolboy. /ala** m. school-girl. /o** m. school.

cólera f. anger, choler.

colérico adj. angry, choleric.

coleta f. pigtail.

colga/dero hanger, hook, peg. /dura** f. tapestry, hanging. /nte** adj. hanging. /r** tr. to hang; to suspend.

cólico m. colic.

coliflor f. cauliflower.

colilla f. cigarette end or stub, cigar stub.

colina f. hill(ock).

coliseo m. coliseum.

colisión s. collision; clash.

colma/do adj. filled; heaped; m. grocery. /r** tr. to heap up, to fill up.

colmena f. bee-hive.

colmillo m. eye-tooth, tusk (elephant).

colmo m. satiety, limit.

coloca/ción f. employment; post, job. /r** tr. to arrange; to place.

colon/ia f. colony; agua de — eau de Cologne. /ial** adj. colonial. /ización** f. colonisation. /zar** tr. to colonize. /o** m. colonist, settler .

coloquio m. colloquy.

color m. colour; rouge. /ado** adj. ruddy; red. /ete** m. rouge. /rido** m. colour(ing).

coloso m colossus.

columna f. column. /ta** f. colonnade.

columpi/ar tr. to swing. /o** m. swing; seesaw.

collado m. height.

collar m. necklace.

coma f. comma; Med. lethargy.

comadr/e f. midwife. /eja** f. weasel.

comanda/ncia f. commandership; commandery /nte** m. major.

comandita f. Com. silent partnership.

comando m. *Mil.* command; commando.

comarca f. region.

combat/e m. fight; combat. /**iente.** s. fighter, combatant. /**ir** tr. and intr. to combat; to fight.

combina/ción f. combination; slip (underwear). /**do** adj. combined. /**r** intr. to combine. ‖

combusti/ble adj. combustible; m. fuel. /**ón** s. combustion; burning.

comedia f. comedy. /**nte** s. comedian; actor.

comedido adj. prudent.

comedor m. dining-room.

comensal s. fellow diner.

comenta/dor m. commentator. /**r** tr. to comment **rio** m. commentary.

comenzar tr. to begin.

comer tr. to eat, to dine.

comerci/al adj. commercial. /**ante** s. merchant, trader. /**ar** tr. to trade, /**o** m. trade, commerce.

comestible adj. edible, m. food.

cometa f. *Astr.* comet; kite.

comet/er tr. to commit; /**ido** m. task.

comezón s. itching.

cómico adj. comic; comical; s. comedian; actor.

comida f. eating; food, dinner; fare.

comienzo m. beginning.

comilón m. glutton.

comisar/ía f. commissariat, police- station. /**io** m. commissary; deputy.

comisión f. commission; mandate; committee.

comitiva f. suite; retinue.

como adv. how; like; as.

cómoda f. chest of drawers; commode; bureau.

comod/idad f. comfort.

compacto adj. compact.

compadecer tr. to pity. /**se r.** to pity.

compadre m. godfather (father's term) fam. pal.

compaginar tr. to page.

compañ/erismo m. companionship. /**ero** s. comrade; companion. /**ía** f. company.

compara/ción f. comparison. /**r** tr. to compare.

comparecer intr. to appear (before a court).

comparsa f. masquerade.

comparti/miento m. compartment. /**r** intr. to share.

compás m. pair of compasses; rhythm.

compasi/ón f. pity. /**vo** adj. compassionate.

compatib/ilidad f. compatibility. /**le** adj. compatible.

compatriota m. countryman, compatriot.

compeler tr. to compel.

compendi/ar tr. to epitomize; to extract. /**o** m. digest, summary.

compensa/ción f. compensation. /**r** tr. and intr. to compensate.

compet/encia f. competition; competence. /**ente** adv. competent; qualified. /**idor** m. competitor; rival. /**idora** f. competitress. /**ir** intr. to contend, to compete.

compila/ción f. compilation. /**r** tr. to compile.

complac/encia f. pleasure. /**er** tr. to content; to please. /**iente** adj. kind.

complejo m. adj. complex.

complement/ar tr. to complement. /**o** m. complement; completion.

complet/ar tr. to complete. /**o** adj. complete.

complica/ción f. complication. /**do** adj. complicate. /**r** tr. to complicate.

cómplice m. accomplice.

complicidad f. complicity.

complot m. (com)plot, intrigue, conspiracy.

compone/nte adj. component. **/r** tr. to compose; to mend.

comporta/miento m. behaviour. **/rse** r. to behave.

composi/ción f. composition. **/tor** m. composer.

compota f. preserve of fruit, stewed fruit.

compra f. purchase. **/dor** s. purchaser; buyer. **/r** tr to purchase; to buy.

compren/der tr. to include; to contain; to understand. **/sión** f. comprehension, understanding. **/sivo** adj. comprehensive; comprising.

compres/a f. compress. **/ión** f. compression. **/or** m. compressor.

comprimir tr. to compress; to squeeze.

comproba/ción f. approbation, proof. **/ar** tr. to check, to verify.

comprom/eter tr. to compromise; to engage. **/iso** m. compromise; engagement. **/eterse** r. to engage oneself; — a to promise to.

compuerta f. sluice.

compuesto adj. compound, made up, mended.

compungido adj. grieved.

computar tr. to compute.

cómputo m. computation.

comulgar tr. to communicate, to recive Holy Comunion.

común adj. common.

comunal adj. common, comunal.

comunica/ción f. communication. **/do** m. *Mil.* communiqué. **/r** tr. to communicate; to make known, to inform

comunidad f. community.

comunión f. communion.

comunis/mo m. communism. **/ta** m. communist.

con prep. with; by; in.

conato m. attempt.

cóncavo adj. concave.

concebir tr. and intr. to conceive; to imagine; to become pregnant.

conceder tr. to grant.

concej/al m. member of a council. **/o** m. (municipal) council, moot.

concentra/ción f. concentration. **/r** tr. to concentrate.

concep/ción f. conception. **/to** m. concept.

concernir intr. to concern.

concesión f. concession.

concien/cia adj. conscience. **/zudo** adj. conscientious, thorough.

concierto m. concert, arrangement, agreement

concili/ar tr. to conciliate; to reconcile; adj. conciliar(y). **/o** m. council.

concis/ión m. conciseness. **/o** adj. concise.

conclu/ir tr. to conclude. **/sión** f. conclusion.

concorda/ncia f. concordance. **/r** tr. to accord. **/to** m. concordat.

concordia f. concord.

concret/ar tr. to concrete. **/o** adj. concrete.

concubina f. concubine. **/to** m. concubinage.

concupiscencia f. concupiscence.

concurr/encia f. concurrence. **/ido** adj. well-attended, frequented. **/ir** intr. to concur; to coincide, to be present.

concurso m. assembly, contest, show.

concha f. shell.

cond/ado m. county; earldom. **/e** m. count; earl.

condecora/ción f. decoration. **/r** tr. to honour.

condena f. sentence, term of imprisonment. **/ble** adj. blamable. **/ción** f. condemnation. **/do** adj.

sentenced. /r tr. to condemn, to disapprove.

condensa/ción f. condensation. /do adj condensed. /dor m. condenser. /r r. to condense.

condescend/er tr. to condescend. /iente adj. acquiescent.

condici/ón f. condition. /onal adj. conditional. /onar tr. to condition, to adjust.

condiment/ar tr. to season. /o m. condiment.

condiscípulo m. fellow-scholar.

condolerse r. to condole.

cóndor m. *Orn.* condor.

conduc/ir tr. to conduct, to lead, to drive. /irse r. to behave: /ta f. conduct; behaviour. /to m. conduit. /tor driver.

conejo m. rabbit.

conex/ión f. connection. /o adj. connected.

confabula/ción f. confabulation. /rse r. to agree together.

confección f. confection; ready-made article.

confedera/ción f. confederation. /do adj. confederate. /r tr. to confederate

conferencia f. lecture, conference, trunk call. /r tr. to parley, to talk over

conferir tr. to bestow.

confes/ar tr. to confess. /ión f. confession. /onario m. confessional. /sor m. confessor.

confia/do adj. confident, /nza f. confidence; trust, reliance. /r tr. and intr. to trust.

confidencia f. confidence. /l adj confidential.

configura/ción f. configuration. /r tr. to shape, to configure.

confín m. boundary.

confinar tr. to confine; intr. to border.

corfirma/ción f. confirmation; proof. /r tr. to confirm; to corroborate.

confisca/do adj. confiscated. /r tr. to confiscate.

confite m. comfit, candy. /ría f. confectioner's shop. /ro m. confectioner.

confitura f. confiture, jam.

conflicto f. conflict.

conflu/encia f. confluence. /ir intr. to flow together.

conformar tr. to conform. /se r. to resign oneself.

conform/e adj. alike, in conformity with, ready to. /idad f. conformity.

confortable adj. snug, comfortable.

confortar tr. to comfort.

confraternidad f. confraternity.

confronta/ción f. confrontation. /r tr. to confront.

confundir tr. to confound; to humble; /se r. to be mistaken.

confus/ión f. confusion; /o adj. confused.

congelarse r. to freeze.

congeniar intr. to be congenial; to sympathize.

congénito adj. congenital.

conglomerado adj. conglomerate.

congoja f. anguish; pain.

congraciarse r. to ingratiate.

congratulación f. congratulation .

congre/gación f. congregation; assembly. /garse tr. to assemble. /so m. congress.

congruente adj. congruent, appropiate.

cónico adj. conical.

conjetura f. conjecture. /r tr. to conjecture.

conjuga/ción f. conjugation. /r. tr. to conjugate.

conjun/ción f. conjunction. /**to** m. whole, ensemble, adj. conjoint.

conjura/ción f. conjuration; conspiracy. /**do** m. conspirator. /**r** intr. to conjure; to conspire.

conjuro m. exorcism.

conmemora/ción f. commemoration. /**r** tr. to commemorate.

conmigo pron. with me.

conmiseración s. commiseration; pity;

conmo/ción f. commotion, tumult. /**vedor** tr. moving. /**ver** tr. to move; to disturb; to affect.

conmuta/dor m. switch, commuter. /**r** tr. to commute; to barter

cono m. cone.

conoc/edor m. connoisseur; judge. /**er** tr. to know. /**ido** adj. well known, m. acquaintance. /**imiento** m. knowledge.

conquista f. conquest; acquisition. /**dor** m. conqueror. /**r** tr. to conquer, to win over.

consabido adj. above mentioned; already known.

consagra/ción f. consecration /**do** adj. consecrated. /**r** tr. to consecrate; to dedicate.

consanguíneo adj. consanguineous.

consciente adj. conscious.

consecu/ción f. attainment. /**tivo** adj. consecutive. /**encia** f. consecuence. /**ente** f. consequent.

conseguir tr. to attain; to get; to achieve.

consej/ero m. adviser; counsellor. /**o** m. counsel; advice; council.

consenti/do adj. spoiled (of a child) /**miento** m. consent. /**r** tr. to consent; to agree; to allow.

conserje m. doorman, con

cierge, janitor. /**ría** f. porter's lodge.

conserva f. preserve; pickle, canned food. /**r** tr. to preserve. /**torio** s. conservatory.

considera/ble adj. considerable. /**ción** s. consideration. /**do** adj. considerate. /**r** tr. to consider.

consigna f. *Mil.* password; cloak-room. /**ción** f. consignation. /**r** tr. to consign; to deposit. /**tario** m. consignee.

consigo pron. with him, with her, with them.

consiguiente m. consequent; **por-** therefore.

consisten/cia f. stability. /**te** adj. consistent.

consistir intr. to consist.

consistor/ial adj. consistorial. /**io** m. consistory.

consola/ción f. consolation; comfort. /**dor** m. consolator; adj. consolatory. /**r** tr. to console.

consolida/ción f. consolidation. /**r** tr. to consolidate.

consonan/cia f. consonance. /**te** f. consonant.

consor/cio m. partnership. /**te** s. consort.

conspira/ción f. conspiracy; complot. /**dor** m. conspirator; (com)plotter. /**r** intr. to conspire.

constan/cia f. constancy. /**te** s. and adj. constant.

constar intr. to consist, to be recorded or registered.

consterna/ción f. consternation. /**r** tr. to confund, to terrify.

constipa/ción f. cold. /**do** m. cold; headache. /**r** tr. to chill. /**rse** to catch cold.

constitu/ción f. constitution. /**cional** adj. constitutional. /**ir** tr. to constitude /**tivo** adj. constitutive.

constru/cción f. construction. **/ctor** adj. constructive. **/ir** tr. to build.
consuelo m. consolation.
cónsul m. consul.
consulado m. consulate.
consult/a f. consultation. **/ar** tr. to consult. **/ivo** adj. advising.
consum/ido adj. lean, exhausted, spent. **/idor** m. consumer. **/ir** tr. to consume. **/o** m. consumption of merchandise.
contab/ilidad f. bookkeeping; accounts. **/le** m. accountant.
contacto m. contact.
contad/o adj. scarce; rare; al — cash. **/or** m. (gas, electricity) meter.
contag/iar tr. to infect. **/io** m. contagion. **/ioso** adj. infectious.
contamina/do adj. contaminated. **/r** tr. to contaminate fig. to profane.
contar tr. to count.
contempla/ción s. contemplation. **/r** tr. to contemplate; to flatter.
contemporáneo adj. contemporary; coeval.
contemporiza/dor adj. complier. **/r** intr. to temporize.
conten/ción f. contention. **/der** intr. to contend. **/diente** adj. disputant.
conten/er tr. to comprise. **/erse** r. to restrain oneself. **/ido** adj. prudent; moderate; m. content(s).
content/ar tr. to content, to please. **/arse** r. to be satisfied; to be pleased. **/o** adj. glad; pleased; m. contentment.
contesta/ble adj. contestable. **/ción** f. answer. **/r** tr. to answer.
contexto m. context. **/ura** f. frame(work).
contienda f. contest.
contigo pron. with you.
contiguo adj. contiguous.

continencia f. continence.
continent/al adj. continental. **/e** adj. continent, m. continent.
contingen/cia f. contingency. **/te** adj. contingent; m. alloted portion.
continu/ación f. continuation, sequel. **/ar** tr. and intr. to continue, to go on. **/idad** f. continuity. **/o** adj. continuous.
contorno m. outline.
contorsión f. contortion.
contra prep. against; opposite to, f. opposition. **/bandista** s. smuggler. **/bando** m. smuggling.
contracción f. contraction.
contrad/ecir tr. to contradict, to gainsay. **/icción** f. contradiction. **/ictorio** adj. contradictory.
contraer tr. and intr. to contract. **/se** r. to contract, to be restricted.
contrafuerte m. counterfort, reinforcement.
contrah/acer tr. to counterfeit. **/echo** adj. deformed; crooked in body.
contramaestre m. Naut. boatswain; overseer.
contraorden f. countermand.
contrapo/ner tr. to oppose. **/sición** f. contrast.
contrari/ar tr. to contradict; to oppose, to vex. **/edad** f. contrariety. **/o** adj. contrary, adverse; m. opponent, antagonist.
contrarrestar tr. to withstand, to check.
contrasentido m. contradiction in terms.
contraseña f. Mil. watchword, countersign.
contrast/ar tr. to contrast. **/e** m. contrast.
contrat/a f. contract. **/ación** f. trade; commerce. **/ante** s. contractor. **/ar** tr. to contract. **/ista** s. contractor. **/o** m. contract.

contratiempo m. contretemps, mishap.
contraveneno m. antidote.
contravenir intr. to contravene; to violate.
contribu/ción f. contribution; tax. /r tr. to contribute.
contricción f. contrition.
contrincante s. competitor; opponent; rival.
contri/star tr. to afflict; to sadden. /to adj. contrite; repentant.
control m. control. /ar tr. to control.
controver/sia f. controversy, dispute. /tir tr. to controvert; to dispute.
contubernio m. cohabitation; concubinage.
contundente adj. forceful.
conturbar tr. to perturbate; to disquiet.
contu/sión f. contusion, bruise. /o adj. bruised.
convalece/ncia f. convalescence. /r tr. to convalesce.
convenc/er tr. to convince, /erse r. to make certain, to be assured. /imiento m. conviction.
convenci/ón f. convention. /onal adj. conventional.
convenien/cia f. convenience. /te adj. useful.
conveni/o m. convention; agreement; pact. /r intr. to agree; to suit.
convent/o m. convent; /ual adj. conventual.
converge/ncia f. convergence.
conversa/ción f. conversation; chat. /r intr. to converse; to talk.
conver/sión f. conversion. /so m. convert. /tible adj. convertible. /tir tr. to convert. /tirse r. to be converted.
convex/idad f. convexity. /o adj. convex.
convic/ción f. conviction. /to adj. convicted.

convida/do adj. invited; m. (invited) guest. /r tr. to invite.
convincente adj. convincing; satisfying.
convite m. invitation; feast, treat.
convoca/ción f. convocation. /r tr. to convoke; to summon, /toria f. summons.
convoy m. convoy; conduct. /ar tr. to convoy.
convulsión f. convulsion.
conyugal adj. conjugal.
cónyuge s. consort, husband, wife.
coñac m. cognac, brandy.
coopera/ción f. co-operation. /dor m. co-operator. /r tr. to co-operate.
coordina/ción f. co-ordination. /r tr. to coordinate, to connect.
copa f. wine-glass, cup.
copa/do adj. cornered. /r tr. Mil. to corner.
copartícipe s. co-partner.
copi/a f. copy. /ar tr to copy. /oso adj. copious. /ista s. copyst.
copla f. couplet, folk-song.
copo m. (snow-)flake. Mil. cornering.
copudo adj. tufted, bushy.
cópula f. copulation.
coque m. coke.
coquet/a f. coquette; flirt. /ear tr. to coquet, to flirt. /ería f. coquetry.
corage m. courage.
coral m. coral.
coraz/a f. cuirass, armour(-plating). /ón m. heart; corre. /onada f. foreboding.
corbata f. (neck-)tie, cravat.
corbeta f. corvette.
corcov/a f. hump. /ado adj. hump-backed.
corchete m. clasp, hook, bracket; bailiff.
corcho m. cork.

cordel m. cord, string

cordero m. lamb.

cordial adj. m. cordial. /**idad** f. cordiality.

cordillera f. mountain range.

cordob/án m. cordovan leather. /**és** adj. s. Cordovan.

cordón m. cord; string.

cordura f. wisdom.

core/ografía f. choreography. /**ógrafo** m. choreograph.

corista s. chorister; f. chorus girl.

corna/da f. horn-thrust, goring. /**menta** f. horns.

corneja f. crow.

córneo adj. horny; corny.

corneta f. bugle, horn, cornet.

cornisa f. cornice.

cornucopia f. cornucopia, horn of plenty.

cornudo adj. horned; m. fig. cuckold.

coro m. choir; chorus.

coron/a f. crown, halo, wreath. /**ación** f. coronation. /**ar** tr. to crown. /**el** m. colonel.

corp/achón m. very big body. /**iño** m. waist, bodice. /**oración** f. corporation. /**oral** adj. corporeal. /**óreo** adj. corporeal, bodily. /**ulencia** f. corpulence. /**ulento** adj. corpulent.

corral m. corral, (farm)yard, sheepfold.

correa f. leather strap, belt, leash. /**je** m. leather belting. Mil. accoutrements.

correc/ción f. correction; amendment. /**cional** adj. correctional. /**tivo** adj. and m. corrective. /**to** adj. correct, right. /**tor** m.‖ corrector; amender, (printing) revisor, proofreader.

corred/izo adj. running,

sliding. /**or** m. runner; corridor, lobby; Com. broker.

corregi/ble adj. corrigible. /**dor** m. corregidor; corrector. /**r** tr. to correct.

correlación f. correlation.

correo m. post; mail, courier; **oficina de -s**, post office.

correoso adj. leathery, tough.

correr tr. and intr. to run, to race. /**ía** f. incursion.

correspon/dencia f. correspondence. /**der** tr. to correspond. /**diente** adj. corresponding. /**sal** s. correspondent.

corretaje m. brokerage.

corretear tr. to wander (about), to ramble.

corrid/a f. course; race; — **de toros**, bullfight. /**o** adj. abashed, fluent.

corriente adj. current, instant, average; f. stream, Elec. current.

corro m. group, circle.

corrob/oración f. corroboration. /**ar** tr. to corroborate; to confirm.

corroer tr. to corrode.

corromp/er tr. to corrupt. /**erse** tr. to rot, to putrefy. /**ido** adj. corrupt.

corros/ión f. corrosion. /**ivo** adj. corrosive.

corrup/ción f. corruption. /**tela** f. corruption; Jur. bad practice. /**tor** m. corrupter.

corsario m. corsair.

corsé m. corset, stays.

cort/ado adj. cut, fit; spechless. /**apisa** f. obstacle. /**aplumas** m. penknife. /**ar** tr. to cut, (up, off, out). /**e** m. cut, slice, slot; f. court; f. pl. Parliament.

cortej/ar tr. to woo, to court. /**o** m. court(ship), (love) suit; suite.

cortés adj. courteous.

cortes/ana f. courtesan.
/**ano** adj. court-like;
courteous; m. courtier.
/**ía** f. courtesy.
corteza f. bark; peel.
cortijo m. farm-house.
cortina f. curtain. /**je** m.
set of curtains.
corto adj. short; timid.
cosa f. thing; substance;
— **de**, about.
cosech/a f. harvest; crop.
/**ar** tr. to harvest, to
reap. /**ero** m. harvester.
coser tr. to sew.
cosm/ético m. cosmetic.
/**ología** f. cosmology.
/**opolita** s. cosmopolite.
coso m. bull-ring.
cosquill/as f. pl. tickling,
hacer —, to tickle.
cost/a f. cost; coast. /**ado**
m. side; mil. flank. /**ar**
intr. to cost. /**e** m. cost.
/**ear** tr. to pay the cost
of, to sail along the co-
ast. /**illa** f. rib, chop,
fam. wife. /**o** m. cost.
/**oso** adj. costly; dear.
costr/a f. crust, scab.
costumbr/e f. custom.
costur/a f. seam; sewing.
/**era** f. seamstress.
cotej/ar tr. to compare.
/**o** m. comparison.
cotidiano adj daily.
cotill/a f. corset, stays
/**ear** tr. to gossip.
cotización f. quotation,
price-current.
coto m. preserve, enclo-
sure, estate, landmark.
cotorra f. parrot.
coyuntura f. hinge-point,
occasion, situation.
coz f. kick.
cráneo m. skull.
crápula f. debauchery;
coll. dissolute man.
cráter m. crater.
crea/ción f. creation. /
dor m. creator. /**r** tr. to
create.
crec/er intr. to grow. /**i-
da** f. swell, rise, flood.
/**iente** f. swell; leaven.

crescent (moon). /**imiento** m. growth.
credencial adj. credential;
f. credential.
credibilidad f. credibility.
crédito m. credit.
credo m. creed, credo.
credulidad f. credulity.
crédulo adj. credulous.
cree/ncia f. credence; belief. /**r** tr. to believe,
to think, to trust.
creíble adj. credible.
crema f. cream; custard.
/**torio** adj. crematory.
cremallera f. rack(-rail)
toothed bar; zip-fastener.
crep/uscular adj. crepus-
cular. /**úsculo** m. twilight; crepuscule.
cresp/o adj. crisp.
crest/a f. (cock's-) comb,
tuft, crest, top. summit.
cretino adj. cretin.
creyente s. believer.
cría f. breeding; brood.
cria/da f. maid(servant)
/**dero** m. plantation of
young trees, nursery. /**do**
m. servant; groom. /**dor**
m. creator. /**nza** f. breeding. /**r** tr. to create; to
breed; to nurse. /**tura** f.
creature.
criba f. sieve. /**r** tr. to
sift.
crim/en m. crime, offense. /**inal** adj. criminal.
crin f. mane.
crío m. nursing baby.
criollo m. creole.
cripta f. crypt.
crisis f. crisis.
crisol m. crucible.
cristal m. crystal(-glass),
window square, pane. /-
ino adj. crystalline. /**i-
zar** tr. to crystallize.
cristian/ar tr. to baptize; to christen. /**dad** f.
Christianity. /**ismo** m.
Christendom, Christia-
nity. /**izar** tr. to chris-
tianize. /**o** adj. and s.
Christian.
Cristo m. Christ.

criterio m. criterion.

crític/a f. criticism, critique, review(al). /o m. critic; adj. critical.

criticar tr. to criticise, to review.

cromo m. picture.

crónic/a f. chronicle. /o adj. chronic.

croni/cón m. brief chronicle. /sta s. chronicler.

cronol/ogía f. chronology. /ógico adj. chronological.

cronómetro m. chronometer.

croqueta f. croquette.

cruc/e m. crossing, crossroad. /ificar tr. to crucify. /ifijo m. crucifix. /ifixión f. crucifixión.

crud/eza f. crudeness, rawness. /o adj. raw; crude; inmature; cruel.

cruel adj. cruel, ruthless /dad f. cruelty.

cruento adj. bloody.

cruji/do m. crack; creak. /r tr. to crackle.

crustáceo adj. crustaceous, shelly, m. shellfish.

cruz f. cross; cara o —, heads or tails. /ada f. crusade. /ar tr. to cross.

cuaderno m. writing book, exercise book.

cuadra f. stable, ward; *Amér.* block of houses, /do adj. square; quadrate; m. square. /nte m. quadrant. /r tr. and intr. to square.

cuadri/cular tr. to square. /látero adj. quadrilateral; m. quadrangle. /lla f. gang.

cuadro m. square; picture.

cuaj/ar tr. to coagulate, to curdle; intr. *coll.* to succeed, to materialize. /arse r. to coagulate. /o m. rennet, clabber.

cual adj. which; like; such; adv. as; how.

cualidad f. quality.

cualquiera pron. any one

cuan adv. how; as.

cuando adv. when; if.

cuant/ia f. amount, quantity. /ioso adj. numerous, substantial.

cuanto adj. how much; how great; as much as; all, whatever.

cuarent/a adj. forty. /ena f. forty items; forty days; quarantine.

cuaresma f. lent.

cuartear tr. to quarter.

cuartill/a f. sheet of paper. /o m. pint.

cuarto m. room; appartment quarter.

cuarzo m. quartz.

cuatrero m. cattle-stealer.

cuatro adj. four.

cuba f. cask; tub, barrel, bucket, fig. drunkard.

cúbico adj. cubic(al).

cubiert/a f. cover. /o m. cover; table d'hote.

cubilete m. tumbler.

cubo m. cube; pail.

cubrir tr. to cover; to copulate. /se r. to put on one's hat; to protect oneself.

cucaña f. greased pole.

cucaracha f. cockroach, black-beetle.

cuclillas adv. squat.

cuclillo m. cuckoo; vulg. cuckold.

cuco m. cuckoo,

cucurucho m. cornet.

cuchara f. spoon. /da f. spoonful. /illa f. teaspoon; /ón m. ladle.

cuchiche/ar intr. to whisper. /o m. whispering.

cuchill/a f. kitchen-knife. /ada f. gash. /o m. knife.

cuchitril m. a very small room, kennel, sty, hut.

cuchufleta f. joke; jest.

cuello m. neck; collar.

cuenc/a f. wooden bowl; socket of the eye, river bed. /o m. earthen bowl.

cuent/a f. count, account, bill, care, duty, bead, reason. /**agotas** m. dropper. /**ista** m. tale-bearer. /**o** m. tale.
cuerda f. cord; rope.
cuerdo adj. judicious.
cuerno m. horn.
cuero m. hide; leather.
cuerpo m. body; corps.
cuerv/a f. *Orn.* crow. /**o** m. *Orn.* raven.
cuesta f. hill; sloping ground.
cuesti/ón f. question. /**onable** adj. questionable. /**onario** m. questionnaire.
cueva f. cave; cellar.
cuida/do m. care; solicitude. /**doso** adj. careful. /**r** tr. to look after.
cuita f. affliction; grief.
culata f. breech of a gun. /**zo** m. recoil of a gun.
culebra f. snake; trick.
culmina/ción f. *Astr.* culmination. /**r** intr. to culminate.
culo m. bottom, buttocks.
culpa f. fault; transgression, blame, guilt. /**bilidad** f. culpability. /**ble** adj. guilty. /**r** tr. to accuse; to blame.
cultiv/ador m. cultivator. /**ar** tr. to cultivate; to till, to farm. /**o** m. cultivation, farming.
cult/o adj. polished; civilized; m. cult; worship. /**ura** f. culture.
cumbre f. top; summit.
cumpl/eaños m. birh-day. /**ido** adj. large; polished; m. compliment. /**imentar** m. compliment; observance. /**ir** tr. to fulfil; to perform, /**irse** r. to be realized.
cúmulo m. heap; pile.
cuna f. cradle; fig. origin.

cundir intr. to spread, to propagate.
cuneta f. gutter, ditch, road drain.
cuña f. wedge.
cuñad/a f. sister-in-law. /**o** m. brother-in-law.
cuño m. coin, stamp, die.
cuota f. quota, share.
cupl/é m. couplet. /**etista** s. couplet-singer.
cupo m. quota, share.
cupón m. coupon, detachable ticket.
cúpula f. cupola; dome.
cura m. parson; clergyman; f. cure; healing. /**ble** adj. curable. /**ción** f. cure. /**do** adj. cured salted, hardened. /**ndero** m. quack doctor; medicaster. /**r** tr. to cure; to heal; to dress (wounds), to smoke-(-dry).
curia f. eclesiastical court.
curios/idad f. curiosity. /**o** adj. curious; neat.
cursar tr. to frequent, to transmit, to expedite.
cursi adj. shabby-genteel, smarty, tawdry. /**lería** f. tawdriness.
cursillo m. short course.
cursivo adj. *Print.* cursive, italic.
curso m. course; progression, run(ning), way.
curti/do adj. tanned, weather-beaten; m. leather tanning. /**dor** m. tanner /**r** tr. to tan; to curry.
curv/a f. bend. /**atura** f. curvature. /**o** adj. curved, bent.
cúspide f. summit, top.
custod/ia f. custody, ward *Eccl.* monstrance, custodia. /**iar** tr. to keep, to watch.
cutáneo adj. cutaneous.
cutis m. cutis. skin.
cuyo pron. whose.

CH

chabacan/ada f. muddle, scurrility. **/o** adj. coarse; scurrilous.

chacal m. jackal.

chacot/a f. noisy mirth, fun, skylarking. **/ear** intr. to scoff.

cháchara f. chit-chat.

chaflán m. bevel; *Arch.* bay, quoin.

chal m. shawl.

chaleco m. waistcoat, vest.

chalet m. chalet, villa.

chalupa f. *Naut.* sloop.

chamus/cado adj. scorched. **/car** tr. to scorch. **/quina** f. scorching.

chancear intr. to joke. **/se** r. to fool; to jest.

chanclo m. galosh, rubber shoe, clog.

chanchullo m. low trick, sharp practice.

chantaj/e m. blackmail. **/ista** s. blackmailer.

chanza f. joke; fun.

chapa f. plate, veneer. **/r** r. to plate.

chaparrón m. heavy shower, downpour.

chapuce/ría f. bungle, botch, patchwork. **/ro** m. bungler.

chapurr/ado m. jargon. **/ear** tr. to speak gibberish.

chaqueta f. jacket.

charco m. pool, plash, fam. the briny.

charla f. chat, gossip. **/duría** f. garrulity. **/r** intr. to gabble. **/tán** m. charlatan; talker.

charol m. patent leather.

chascarillo m. spicy anecdote.

chasco m. practical joke trick, sham, frustation.

chasis m. frame.

chasqu/ear intr. to crack, to lash; to fool, intr. to crack(le).

chato adj. flat (nosed).

chaval adj. and m. lad. **/a** adj. and f. lass.

chelín m. shilling.

cheque m. check.

chico adj. little; small wee, tiny; m. youngster, child.

chich/ón m. swelling. **/onera** f. tumbling-hat.

chifladura f. whims(e)y.

chill/ar intr. to scream, to shrill. **/ido** m. squeak. **/ón** m. bawler; tack.

chimenea f. chimney.

china f. pebble; China.

chinche f. bed-bug; bug.

chino adj. and m. Chinese.

chiquero m. (bull) pen.

chiquill/ada f. childish speech or action. **/o** m. small child, lad, brat.

chiripa f. fluke, sheer luck, windfall.

chirivía f. *Bot.* parsnip.

chirri/ar intr. to screech. **/do** m. chirp, creak.

chism/e/a m. gossip, gadget. **/oso** adj. talebearing. m. gossip-monger.

chisp/a f. spark(le), bit; wit. **/azo** m. scintillation, spark. **/ear** intr. to sparkle, to glitter.

chist/ar tr. to mutter; to mumble. **/e** m. joke.

chistera f. top hat.

chistoso adj. cheerful; gay; humorous.

chito, chitón interj. hush! whist!

chivo m. kid, he-goat.

choca/nte adj. shocking. **/r** intr. to shock.

chocolate m. chocolate. **/ra** f. chocolate pot.

choch/ear intr. to dote. **/era** f. dotage. **/o** f. doting.

chofer m. chauffeur, driver.

chopo m. black poplar-tree.

choque m. shock.

chorizo m. pork-sausage

chorr/ear intr. to spout. **/o** m. jet, spout, gush.

choza f. hut, hovel, cot.

chubasco m. shower.

chuchería f. trinket, gewgaw, knick-knack.

chucho m. *Coll.* dog(gie).

chufa f. earth-almond.

chul/ería f. drollery. **/o** m. knave, pimp, adj. pretty; flashy.

chung/a f. joke; jest. **/uearse** r. to chaff.

chup/ado adj. emaciated; lean. **/ar** tr. to suck. **/ete, /ón** m. sucker.

churr/ería f. shop where **churros** are sold. **/o** m. sort of fritter.

chusco adj. droll; m. a small loaf of bread.

chusma f. rabble; mob.

dable adj. possible.

dactilógrafo m. typist.

dádiva f. gift; present.

dadivoso adj. generous.

dado m. die; block.

dador m. giver; bearer.

daga f. dagger.

daltoni/ano adj. colourblind. **/smo** m. colourblindness, daltonism.

dam/a f. lady; dame, mistress; pl. draughts. **/isela** f. damsel.

damnificar tr. to damage.

danés adj. Danish; m. Dane.

danz/a f. dance. **/nte** s. dancer. **/r** intr. to dance. **/rina** f. (good) dancer.

dañ/ar tr. to hurt. **/ino** adj. noxious; harmful. **/o** m. damage, harm. **/oso** adj. noxious.

dar tr. to give; to hand; **dardo** m. dart.

dársena f. dry-dock.

data f. date; item. **/r** tr. and intr. to date.

dátil m. date (fruit).

dato m. datum; fact, pl. data.

de prep. of, 's, from.

deán m. dean.

debajo adv. under; below, beneath.

debat/e m. debate; discusión. **/ir** tr. to debate.

deber m. duty, debt; tr. to owe, must, ought.

debid/amente adv. duly, justly. **/o** adj. due, just.

débil adj. feeble; weak.

debili/dad f. weakness **/tar** tr. to weaken.

débito debt; debit.

deca/dencia f. decadence. **/er** intr. to decay.

decaimiento m. decay.

decálogo m. decalogue.

decan/ato m. deanship, deanery. **/o** m. dean.

decantar tr. to decant.

decapitar tr. to behead.

decena f. half a score.

decen/cia f. decency. **/te** adj. decent honest.

decepci/ón f. deception **/onar** tr. to delude.

decidi/do adj. professed; decided. **/r** tr. to decide.

décima f. tenth (part)

decimal adj. decimal.

décimo adj. tenth.

decir tr. to say; to tell.

decisi/ón f. decision; issue. **/vo** adj. decisive.

declama/ción f. declamation. **/r** intr. to declaim.

declara/ción f. declaration. **/r** tr. to declare.

declina/ción f. declination, *Gram.* declension. **/r** intr. to decline.

declive m. declivity, slope, slant.

decora/ción f. decoration. **/dor** m. decorator. **/r** tr. to decorate; to adorn.

decoro m. honour; circumspection; honesty. **/so** adj. decorous.

decrecer intr. to decrease, to diminish.

decrépito adj. decrepit.

decrepitud f. decrepitude.

decret/ar tr. to decree. **/o** m. decree.

dedal m. thimble.

dedica/ción f. dedication; consecration. **/r** tr. to dedicate; to consecrate. **/toria** f. dedication.

dedo m. finger; — **(del pie)** toe.

deduc/ción f. deduction **/ir** t. to deduce.

defección f. defection.

defect/o m. defect; fault. **/uoso** adj. defective.

defen/der tr. to defend; to protect. **/sa** f. defence. **/siva** f. defensive. **/sor** m. defensor.

deferen/cia f. deference. **/te** adj. deferent(ial).

deferir intr. to defer.

deficien/cia f. deficiency. **/te** adj. defective; deficient.

defini/ción f. definition. **/do** adj. definite. **/r** tr. to define; to decide.

deforma/ción f. deformation. **/r** tr. to deform.

deform/e adj. deformed, hideous. **/idad** f. deformity; hideousness.

defraudar tr. to defraud.

defunción f. death; decease; demise.

degenera/ción f. degeneration. **/r** intr. to degenerate.

degolla/ción f. throat-cutting, massacre. **/r** tr. to behead; to decapitate.

degrada/ción f. degradation. **/r** tr. to degrade; to debase.

degüello m. slaughtering.

degustación f. tasting.

dehesa f. pasture-ground.

dei/dad f. deity. **/ficación** f. deification. **/ficar** tr. to deify. **/smo** m. deism. **/sta** s. deist.

deja/ción f. abandonment. **/dez** f. negligence; lasitude. **/do** adj. slovenly; idle, dejected.

dejar tr. to leave; to let; to quit. **/se** r. to abandon oneself.

dejo m. tang; tinge.

delación f. delation.

delantal m. apron.

delante adv. before. **/ra** f. fore front, fore skirt, lead. **/ro** adj. fore(most), forward.

delat/ar tr. to denounce; to impeach. **/or** m. delator.

delega/ción f. delegation. **/do** m. delegate; deputy. **/r** tr. to delegate.

deleit/ación f. delectation. **/ar** tr. to delight. **/e** m. delight. **/oso** adj. delightful.

deletre/ar tr. to spell. **/o** m. spelling.

delfín m. dolphin.

delgad/ez f. thinness. **/o** adj. thin, lean, slim.

deliberación f. deliberation. **/r** intr. to deliberate; to consider.

delicad/eza f. delicacy, nicety. **/o** adj. delicate; weak; gentle.

delici/a f. delight; comfort; pleasure. **/oso** adj. delightful, delicious.

delincuen/cia f. delinquency. **/te** adj. delinquent.

delinea/ción f. delineation, sketch. **/r** tr. to delineate, to sketch.

delinquir intr. to transgress the law.

delir/ar intr. to be or become delirious. **/io** m. delirium; raving.

delito m. delict, fault.

demagogo m. demagogue.

demanda f. demand; claim. **/r** tr. to demand.

demarca/ción f. demarcation. **/r** tr. to survey.

demás adv. besides; pron. the others, the rest.

demas/ía f. excess. **/iado** adj. excessive.

demen/cia f. madness; insanity. **/te** adj. and s. demented, mad(man).

democracia f. democracy.

demócrata s. democrat.

democrático adj. democratic(al).

demol/er tr. to demolish. **/ición** f. demolition.

demonio m. devil, demon.

demora f. delay. **/r** tr. to delay, to retard.

demostra/ción f. demonstration. **/r** tr. to demonstrate.

denega/ción f. denial; refusal. **/r** tr. to deny.

denigra/ción f. denigration. **/r** tr. to denigrate.

denomina/ción f. denomination. **/r** tr. to denominate; to name.

denostar tr. to revile.

denotar tr. to denote.

dens/idad f. density. **/o** adj. dense; thick.

dent/ado adj. dentated; toothed. **/adura** s. set of teeth. **/al** m. adj. dental. **/ar** tr. and intr. to tooth; to teeth. **/ición** f. dentition. **/ista** m.

dentist. **/ífrico** m. and adj. tooth-paste.

dentro adv. within; inside.

denuesto m. insult.

denuncia f. denunciation. **/r** tr. to denounce.

deparar tr. to offer.

departamento m. department.

departir intr. to converse.

depauperado adj. weakened.

depend/encia f. dependence. **/er** intr. to depend. **/iente** m. shop-assistant.

depilatorio m. depilatory.

deplor/able adj. deplorable. **/ar** tr. to deplore.

deponer tr. to depose; to declare; to lay down.

deportar tr. to exile.

deport/e m. sport. **/ista** f. sportsman. **/ivo** adj. sporting.

deposi/ción f. law. statement. **/tar** tr. to deposit. **/tario** m. depositary.

depósito m. deposit.

deprava/ción f. depravation. **/do** adj. bad; corrupted. **/r** tr. to deprave; to vitiate.

depredar tr. to depredate.

depr/esión f. depression. **/imir** tr. to depress.

depuesto adj. deprived.

depura/ción f. depuration. **/do** adj. depurate; cleansed. **/r** tr. to depurate; to cleanse.

derech/a f. right; right hand; right side. **/o** adj. right; straight; just; m. right; justice; fee.

deriva s. drift. **/ción** f. derivation. **/r** tr. to derive; to deduce. **/rse** r. to come from.

dérmico adj. dermic.

derog/ación f. derogation. **/ado** adj. derogate. **/ar** tr. to derogate.

derram/amiento m. effusion. **/ar** tr. to shed blood, to spill. **/arse** r. to overflow. **/e** m. overflow.

derredor m. circuit. **en —,** around.

derretir tr. to melt.

derrib/ar tr. to demolish. **/o** m. demolition.

derrocar tr. to demolish.

derroch/ador m. prodigal. **/ar** tr. to dissipate. **/e** m. squandering.

derrot/a f. defeat, *Naut.* ship's course. **/ar** tr. to defeat, to rout; to wear.

derruir tr. to demolish.

derrumba/miento m. precipitation. **/r** tr. to throw down. **/rse** r. to fall down, to colapse.

desabotonar tr. to unbutton. **/se** r. to unbotton

desabrido adj. tasteless; insipid; peevish.

desabriga/do adj. uncovered; shelterless. **/r** tr. to uncover, to bare.

desabrochar tr. to unclasp; to unbutton.

desacat/ar tr. to treat disrespectfully. **/o** s. disrespect; disregard.

desacerta/do adj. wrong, mistaken. **/r** tr. to err

desacierto m. mistake.

desacorde adj. discordant, incongruous.

desacostumbra/do adj. unusual. **/r** tr. to disuse.

desacreditar tr. to discredit, to bring discredition.

desacuerdo m. discordance; disagreement.

desafecto adj. disaffected; adverse; m. disaffection.

desafiar tr. to challenge; to defy, to dare.

desafinar tr. and intr. to be ouf of tune.

desafío m. challenge; duel.

desafortunado adj. unfortunate; unlucky.

desagrada/ble adj. disagreeable; unpleasant. **/r** tr. to displease.

desagradecido adj. ungrateful.

desagrado m. discontent.

desagravi/ar tr. to make amends; to relieve. **/o** m. relief, redress.

desagu/adero m. drain, sink. **/ar** tr. to drain; to draw off water.

desagüe m. drain(age).

desahog/ado adj. imprudent; well-off **/ar** tr. to relieve. **/arse** r. to unbosom oneself. **/o** m. ease, unburdening.

desahuci/ado adj. hopeless; evicted (of tenant). **/ar** tr. to despair; to dispossess (a tenant) **/o** m. dispossession (of tenant), eviction.

desair/ado adj. slighted. **/ar** tr. to slight. **/e** m. slight.

desajust/ar tr. to mismatch; to unfit. **/e** m. disarrangement.

desalentar tr. to dishearten. **/rse** r. to jade.

desaliento m. dismay.

desaliñ/ar tr. to discompose; to disarrange. **/o** s. slovenliness.

desalmado adj. heartless; cruel, soulless, impious.

desaloja/miento m. dislodging. **/r** tr. to dislodge; to evict, to eject.

desamortiza/ción f. redemption (of property) from mortmain, disentail. **/r** tr. to free, to redeem, to disentail.

desamparo m. abandonment; dereliction.

desamuebla/do adj. unfurnished. **/r** tr. to unfurnish; to dismantle.

desanim/ar tr. to discourage. **/arse** r. to faint. **/o** m. discouragement.

desanudar tr. to untie.

desapacible adj. disagreeable, unpleasant.

desaparecer intr. to disappear, to vanish.

desaparición f. disappearance.

desapasionado adj. dispassionate; indifferent.

desapego m. coolness, lack of affection.

desapercibido adj. unprepared, unaware(s).

desaplicado adj. neglectfull, careless.

desaprobar tr. to disapprove.

desaprovecha/do adj. unprofitable; useless. /r tr. to waste; to misuse.

desarm/ado adj. unarmed. /r tr. to disarm. /e m. disarmament.

desarraig/ar tr. to eradicate. /o m. eradication.

desarrapado adj. ragged.

desarregl/ado adj. immoderate. /ar tr. to disorder. /o m. disorder.

desarrollar tr. to develop, to expand.

desarrugar tr. to remove wrinkles

desase/ado adj. dirty; untidy. /ar intr. to make dirty; to discompose. /o m. disorder; dirtiness.

desasir tr. to loosen.

desasosiego m. restlessness.

desastr/ado adj. ragged. /e m. disaster, misfortune. /oso adj. disastrous.

desatar tr. to untie.

desaten/ción f. inattention; discourtesy. /der tr. to disregard. /to adj. inattentive; rude.

desatin/ado adj. foolish. /ar tr. and intr. to confuse. to talk nonsense. /o m. madness; reeling.

desaven/encia f. discord. /ido adj. discordant.

desayun/ar intr., /arse r. to breakfast. /o m. breakfast.

desaz/ón f. disgust, annoyance.

desbanda/da f. disbandment. /rse r. to disband;

desbarajuste m. disorder.

desbarata/do adj. debauched; ill-conditioned. /r tr. to defeat, to spoil.

desbarrar intr. to unbar; fig. to talk toolishly.

desbastar tr. to smoothen.

desboca/do adj. run away (horse)

desborda/miento f. flooding. /r tr. to overflow. /rse r. to flood.

descabalgar intr., tr. to dismount.

descabella/do adj. disorderly; absurd. /r tr. to dishevel.

decalabr/ar tr. to wound the head; to injure. /o m. loss; misfortune.

descalz/ar tr. to pull off the shoes or stockings. /o adj. barefoot.

descamisado adj. shirtless.

descampado adj. open; clear; free.

descansa/do adj. rested. /ar intr. to rest. /o m. rest; break; stillness.

descara/do adj. impudent; cheeky. /rse r. to be brazen or saucy.

descarg/a f. unloading; discharge; Com. clearance of a ship. /ar tr. to unload; to discharge; to acquit. /o m. unloading. /ue m. unloading.

descarna/do adj. fleshless, scragged. /r tr. to disflesh.

descaro m. impudence.

descarr/iar tr. to lead astray; to misguide. /iarse r. to go astray. /io m. deviation, going astray.

descartar tr. to reject.

descend/encia f. descent; offspring. /er intr. to descent. /iente adj. descending. m. descendent. /imiento** descent.

descenso m. descent.

desceñir tr. to ungird.

descifrar tr. to decipher.

desclavar tr. to unnail.

descoc/ado adj. coll. impudent, unabashed. /**arse** r. to be impudent. /**o** m. sauciness.

descolgar tr. to unhang; to take down. /**se** r. coll. to turn up.

descollar intr. to excel.

descolor/ar tr. to discolour; to fade. /**ido** adj. discoloured; colourless. /**ir** tr. to discolour.

descompo/ner tr. to discompose to disarrange. /**nerse** r. to decompose, to get out of order, to lose one's temper. / **sición** f. decomposition. /**stura** f. disorder.

descomunal adj. uncommon; colossal.

desconc/ertado adj. confused, baffled. /**ertar** tr. to disconcert, to confuse. /**ierto** m. confusion.

desconectar tr. to disconnect.

desconfia/do adj. diffident. /**nza** f. diffidence. /**r** intr. to distrust;

desconform/e adj. discordant, disagreeing. /**idad** f. disagreement.

desconoc/er tr. to disown; to ignore. /**ido** adj. unknown; nameless.

descons/olado adj. disconsolate; comfortless. /**olar** tr. to afflict. /**uelo** m. affliction, grief.

descontar tr. to deduct.

descontent/ar tr. to displease. /**o** m. discontent adj. displeased.

descontinuo adj. discontinuous, disjoined.

descorchar tr. to uncork.

descorrer intr. to draw (a curtain).

descort/és adj. impolite; uncivil; coarse. /**esía** f. incivility; impoliteness.

descos/er tr. to rip up, to unstitch. /**ido** adj. unseamed, unstitched.

descrédito m. discredit.

descreído adj. and m. unbeliever, incredulous.

descri/bir tr. to describe. /**pción** f. sketch. /**ptivo** adj. descriptive.

descuartizar tr. to quarter; to carve, to disjoint.

descub/ierto adj. discovered, bareheaded. /**rimiento** m. discovery. / **rir** tr. to discover.

descuento f. discount, deduction.

descui/dado adj. careless; negligent. /**dar** tr., intr. to neglect, to disregard, /**darse** r. to slumber. /**do** m. carelessness, omission, oversight, slip.

desde prep. from, since, after.

desdecir intr. to fall from its kind. /**se** r. to gainsay.

desd/én m. disdain, slight. /**eñar** tr. to disdain, /**eñoso** adj. disdainful.

desdicha f. misfortune, ill-luck. /**do** adj. unfortunate; unlucky.

desdoblar tr. to unfold.

desear tr. to desire, to wish, to long for.

desecar tr. to dry.

desech/ar tr. to exclude, to cast aside. /**o** m. refuse, offal, pl. leavings.

desembaraz/ar tr. to disembarras; to disengage. /**o** s. ease.

desembarc/adero m. landing place, quay. /**ar** tr. intr. to land. /**o** m. landing.

desembarque m. landing.

desemboca/dura f. outlet, mouth (of a river). /**r** intr. to disembogue.

desembols/ar tr. to disburse. /**o** m. disbursement.

desembragar tr. to ungear, to declutch.

desempaquetar tr. to unpack.

desempeñ/ar tr. to redeem, to perform a duty, to carry out. /o m. redemption of a pledge, function.

desencadenar tr. to unchain. /se r. to break loose.

desencajar tr. to disjoint.

desencallar tr. Naut. to set afloat.

desencaminar tr. to mislead; to lead astray.

desencant/ar tr. to disenchant, to disillusion. /o m. disappointment.

desenfad/ado adj. unembarrassed. /ar to appease. /o m. ease; nonchalance.

desenfren/ado adj. unrestrained. /ar tr. to unbridle. /o m. licentiousness, wantonness.

desenfundar tr. to uncase.

desenganchar tr. to unhook; to unfasten.

desengañ/ar tr. to undeceive. /o m. disillusion.

desengrasar tr. to clean (from grease), to scour.

desenlace m. catastrophe; unravelling (of a plot).

desenredar tr. to disentangle; to put in order.

desenrollar. tr. to unroll.

desenroscar tr. to unscrew.

desentenderse r. to put off, to ignore.

desenterrar tr. to disinter, to unbury, to dig up.

desentonar tr. to humble; intr. to be out of tune.

desentrañar tr. to eviscerate, to solve.

desenv/oltura f. assurance. /olver tr. to unfold. /uelto adj. forward.

deseo m. wish, desire. /so adj. desirous, eager.

deser/ción f. desertion. /tar tr. to desert. /tor m. desert; forsaker.

desespera/ción f. despair. /do adj. desperate, hopeless. /r intr. to despair. /rse r. to despond.

desestimar tr. to disregard; to reject.

desfalc/ar tr. to desfalcate to embezzle. /o s. embezzlement.

desfallec/er tr. to pine. /imiento m. swoon.

desfavorable adj. unfavourable.

desfigurar tr. to desfigure.

desfila/dero m. defile, narrow pass. /r intr. to march off by files.

desflorar tr. to deflower.

desgajar tr. to tear off.

desgana f. disgust; lack of appetite.

desgarr/ar tr. to rend. /o m. laceration, rip, brag.

desgast/ar tr. to wear away, to consume. /arse r. to wear off. /e m. waste.

desgracia f. misfortune. /do adj. unfortunate, wretched. /r tr. to maim, to spoil.

desguarnecer tr. to dismantle, to unharness.

deshabita/do adj. uninhabitated; deserted. /r tr. to quit a dwelling.

deshacer tr. to undo, to destroy, to untie, to dissolve. /se de, to get rid of.

desharrapado adj. ragged.

deshecho adj. undone; destroyed; melted.

deshelar tr. to thaw.

desheredar tr. to disinherit.

deshielo m. thaw.

deshinchar tr. to deflate.

deshollina/dor m. chimneysweeper. /r tr. to sweep (chimneys).

deshonest/idad f. immodesty. /o adj. lewd.

deshon/or m. dishonour. /ra f. dishonour. /rar tr. to affront, to deflower. /roso adj. indecent, dishonourable.

deshora f. after-hours; a —, unseasonably.

desidia f. laziness. /oso adj. lazy.

design/ación f. designation. /ar tr. to appoint. /io m. intent(ion).

desierto adj. deserted; m. desert.

desigual adj. unequal; uneven. /dad f. inequality; unevenness, odds.

desinter/és m. disinterestedness. /esado adj. disinterested, unselfish.

desistir intr. to desist; to cease, to give up.

desleal adj. disloyal. /tad f. dioloyalty.

desleir tr. to dilute.

deslenguado adj. foulmouthed, saucy.

desliz m .slip, false step. /ar. intr. to slip, to slide. /arse r. to glide.

desluci/do adj. dull. /r tr. to tarnish to dull.

deslumbrar tr. to dazzle.

deslustr/ar tr. to tarnish. /e m. tarnish, stain.

desm/án m. misbehaviour, excess. /andarse r. to go to excess, to transgress.

desmantelar tr. to dismantle fig. to abandon.

desmañado adj. unhandy.

desmay/ado adj. pale; dismayed, faint. /ar tr. to dishearten; intr. to lose heart; r. to faint. /o m. faint(ing), swoon.

desmedido adj. excessive.

desmejorar tr. to deteriorate. /se r. to decline.

desmemoriado adj. forgetful, oblivious.

desmentir tr. to give the lie to, to contradict.

desmenuzar tr. to crumble, to mince.

desmerec/er tr. to demerit; intr. to lose merit. /imiento m. demerit.

desmesurado adj. excessive, whacking.

desmontar tr. to take apart (as a machine), to dismount; intr. to dismount, to alight.

desmoralizar tr. to demoralize.

desmoronar tr. to disintegrate. /se r. to moulder, to crumble.

desnatar tr. to skim milk.

desnivel m. unevenness, slope. /ar tr. to unlevel.

desnud/ar tr. to strip, to undress. /arse r. to undress, to strip, to take off one's clothes. /ez f. nudity. /o adj. naked; bare; m. nude (figure).

desobed/ecer tr. to disobey. /iencia f. disobedience.

desocupa/do adj. disengaged, unemployed, vacant. /r tr. to empty; to evacuate; intr. to quit.

desola/ción f. desolation. /do adj. desolate, waste.

desolla/r tr. to skin.

desorden m. confusion; disorder. /ado adj. undity, disordered, wild.

desorganiza/ción f. disorganization. /r tr. to disorganize.

desorienta/do adj. disorientated. /r tr. to disorientate, to mislead.

desovar intr. to spawn.

despabila/do adj. lively. /r tr. to enliven, to sharpen the wits. /rse r. to wake up.

despach/ar tr. to despatch, to expide; to sell. /o m. despatch, office, desk, official letter.

despacio adv. slowly.

desparpajo m. vulg. pertness of speech or action.

desparramado

desparrama/do adj. spread. **/r** tr. to to scatter.

despavorido adj. terrified.

despetivo adj. contemptuous, scornful.

despech/ar tr. to enrage. **/o** m. rancour.

despedazar tr. to tear into pieces.

despedi/da f. leave taking, farewell; dismission. **/r** tr. to discharge; fig. to dismiss. **/rse** r. to take leave.

despeg/ado adj. rough. **/r** tr. to detach, to take off. **/o** m. indifference.

despeinar tr. to disarrange the hair.

despej/ado adj. vivacious; disengaged. **/ar** tr. to clear away obstructions. **/o** m. vivacity; sprightliness.

despensa f. pantry; larder.

despeña/dero m. precipice. **/r** tr. to precipitate. **/rse** r. to throw oneself headlong.

desperdiciar tr. to squander. **/o** m. waste, remains.

desperdiga/do adj. separated. **/r** tr. to scatter.

desperezarse r. to stretch oneself.

desperfecto m. damage.

desperta/dor m. alarmclock. **/r** tr. to awake. **/rse** r. to wake up.

despiadado adj. merciless.

despido m. leave taking.

despilfarr/ador m. squanderer. **/ar** tr. to waste, to scatter. **/o** m. waste.

despistar tr. to side-track, to put off.

desplante m. effrontery.

desplaza/miento m. displacement. **/r** tr. to displace.

desplegar tr. to unfold.

desplomarse r. to collapse.

despobla/do m. desert. **/r** tr. to depopulate.

despoj/ar tr. to (de)spoil, to deprive of. **/arse** r. to undress. **/** m. spoliation; plunder; pl. remains, offal.

déspota s. despot.

despótico adj. despotic.

despotismo m. despotism.

despotricar intr. to rail at or against.

despreci/able adj. contemptible. **/ar** tr. to despise. **/o** m. disregard, scorn(fulness).

desprend/er tr. to unfasten. **/erse** r. to get rid of, to issue from. **/imiento** m. desinterestedness, (land) slide.

despreocupa/do adj. unprejudiced. **/rse** r. to put aside preoccupations.

desprestigi/ar tr. to remove prestige. **/arse** r. to lose prestige. **/o** m. loss of prestige.

desprevenido adj. unprovided; unprepared.

desproporción f. disproportion.

desprovisto adj. unprovided (with).

después adv. after(wards); **— de**, prep. after.

despuntar intr. to excel, to stand out.

desquicia/miento m unhinging. **/r** tr. to unhinge, to disorder.

desquit/arse r. to take revenge. **/e** m. recovery of a loss, revenge.

destaca/mento m. Mil. datachment, post. **/r** tr. Mil. to detach. **/rse** r. to stand out.

destajo m. piece-work.

destapar tr. to uncover.

destartalado adj. huddled, ramshackle.

destello m. sparkle, flash.

destempla/do adj. intemperate. **/nza** f. intemperateness. **/r** tr. to distemper. /rse r. to be ruffled, to lose temper.

desteñir tr. to discolour.

desterra/do adj. banished. /r tr. to banish.

detest/ar tr. to wean /e m. weaning.

destiempo (a) adv. untimely.

destierro m. banishment.

destil/ación f. distillation. /ar tr. to distil. /ería f. distillery.

destin/ar tr. to destine; to appoint. /atario m. consignee. /o m. destiny; destination, appointment, post.

destitu/ción f. destitution. /ir tr. to deprive.

destornilla/dor m. screwdriver. /r tr. to unscrew.

destreza f. dexterity, skill.

destronar tr. to depose.

destroz/ar tr. to destroy. /o m. destruction.

destru/cción f. destruction. /tor m. destructor, destroyer /ir tr. to destroy.

desuni/ón f. discord. /r tr. to separate.

desvalido adj. destitute.

desvalija/miento m. robbing. /r tr. to rob.

desván m. garret; loft.

desvanecer tr. to cause to evanesce. /se r. to vanish; to faint.

desvar/iar intr. to rave. /ío m. caprice, raving.

desvel/ar tr. to keep awake. /arse r. to be vigilant. /o m. wakefulness.

desventaj/a f. disadvantage. /oso adj. disadvantageous.

desventura f. misfortune. /do adj. unfortunate.

desverg/onzado adj. impudent. /onzarse r. to be insolent. /üenza f. impudence.

desv/iación f. deviation. /iar tr. to divert. /ío m. deviation, diversion.

desvivirse r. to show a great interest.

detall/ar tr. to detail. /e m. detail. /ista s. retailer.

detect/ive m. detective. /or m. detector.

detener tr. to stop; to detain. /se r. to halt, to hold on.

detergente m. detergent.

deterior/ar tr. to spoil. /o m. deterioration.

determina/ción f. determination; resolution. /r tr. to determine. /rse r. to resolve.

detesta/ble adj. detestable. /r tr. to detest.

detonar tr. to detonate.

detrás adv. behind, after.

detrimento m. detriment.

deud/a f. debt, fault. /o m. debtor.

devan/ar tr. to spool. / eo m. idle pursuit, lighlove.

devasta/ción f. devastation. /r tr. to desolate.

devoci/ón f. devotion. / onario m. prayerbook.

devol/ución f. restitution. /ver tr. to restore; to refund.

devorar tr. to devour; to swallow up.

devoto adj. devout .

día m. day, daylight; — festivo, holiday; — laborable, working day.

diabetes, tis. f. diabetes.

diabl/o m. devil, demon. /ura f. mischief.

diabólico adj. diabolical; devilish.

diácono m. deacon.

diáfono adj. transparent.

diafragma m. diaphragm.

diagn/osticar tr. to diagnose. /óstico adj. diagnostic, m. diagnosis.

diagonal adj. s. diagonal.

dialéctica f. dialectics.

dialecto m. dialect.

diálogo m. dialogue.

diamante m. diamond.

diámetro m. diameter.
diana f. *Mil.* reveille.
diario adj. daily; m. (daily) newspaper, journal.
diarrea f. diarrhœa, looseness.
dibuj/ante s. designer, draughtsman. /**ar** tr. to draw; to sketch. /**o** m. drawing; draught.
dicción f. diction.
diccionario m. dictionary, lexicon.
diciembre m. December.
dicta/dor m. dictator. /**dura** f. dictatorship. /**men** m. report. /**r.** tr. to dictate.
didáctic/a f. didactics. /**o** adj. didactic(al).
dich/a f. happiness. /**o** adj. (above) said; m. saying. /**oso** adj. happy, lucky.
diente m. tooth; fang.
diéresis f. diæresis.
diestr/a f. right hand. /**o** adj. right, skilful.
dieta f. diet; salary.
diez adj. ten. /**mar** tr. to tithe. /**mo** m. tithe.
difama/ción f. defamation. /**r** tr. to defame. to discredit, to libel.
diferen/cia f. difference. /**ciar** tr. to differentiate. /**ciarse** r. to differ. /**te** adj. different.
diferir tr. to defer.
difícil adj. difficult, hard.
dificult/ad f. difficulty. /**ar** tr. to obstruct. /**oso** adj. difficult.
difundir tr. to spread.
difunto adj. dead; deceased, late; m. corpse.
difusión f. diffusion.
digeri/ble adj. digestible. /**r** tr. to digest.
digesti/ón f. digestion. /**vo** m. and adj. digestive.
dign/arse r. to condescend; to deign. /**idad** f. dignity. /**ificar** tr. to dignify. /**o** adj. worthy.

dilapidar tr. to waste.
dilatar tr. dilate. /**se** r. to widen.
dilema m. dilemma.
diligen/cia f. diligence; promptitude; stage-coach. /**te** adj. diligent.
dilucidar tr. to elucidate.
diluir tr. to dilute.
diluvio m. deluge; flood.
dimanar intr. to spring from; to emanate.
dimensión f. dimension. extent; capacity; bulk.
diminuto adj. minute.
dimi/sión f. renunciation; resignation. /**tir** to resign, to relinquish.
dinámic/a f. dinamics. /**o** adj. dynamic.
dinam/ita f. dynamite. /**itero** m. dynamiter. /**o** f. dynamo, generatrix.
dinastía f. dynasty.
diner/al m. large sum of money. /**o** money, currency, funds, *coll.* cash.
diócesis f. diocese.
dioptría f. dioptry.
dios m. god. /**a** f. goddess.
diplom/a m. diploma. /**acia** f. diplomacy. /**ático** adj. diplomatic(al); m. diplomat(ist).
diptongo m. diphthong.
diputa/ción f. deputation. /**do** m. deputy, congressman.
dique m. dike, (dry) dock.
direc/ción f. direction. management; address. /**tivo** adj. directive. /**to** adj. direct; straight. /**tor** m. director, manager. *Mús.* conductor. /**tora** f. directress; governess.
dirigir tr. to direct; to conduct. /**se** r. to address, to resort to.
discern/imiento m. discernment. /**ir** tr. to discern; to distinguish.
disciplina f. discipline. /**r** tr. to discipline.

discípulo m. disciple; pupil.

disco m. disc; (phonograph) record.

díscolo adj. wayward.

discord/ancia f. discord. /ar intr. to disagree. /ia f. discord.

discreci/ón f. discretion /onal adj. discretional. /parada — request stop.

discrepan/cia f. discrepancy. /r intr. to differ.

discreto adj. discreet.

disculpa f. apology; plea. /r tr. to excuse. /rse r. to apologize.

discu/rrir intr. to roam; to reflect; tr. to plan, to contrive. /rso m. discourse, speech. /sión f. discussion. /tir tr. to discuss.

diseminar tr. to scatter.

disentir intr. to dissent.

diseñ/ar tr. to design. /o m. design; project.

disertar tr. to discourse.

disforme adj. deformed.

disfraz m. mask; disguise. /ar tr. to disguise.

disfrut/ar tr. to enjoy. / e m. enjoyment.

disgregar tr. to disjoin.

disgust/ar tr. to disgust. /arse r. to be displeased. /o m. disgust.

disidente adj. dissident; s. dissenter.

disimul/ación f. dissimulation, feint. /ar tr. to dissimulate, to feign. /o s. dissimulation.

disipa/ción f. dissipation; licentiousness. /r tr. to dissipate; to scatter.

dislocar tr. to dislocate.

disminuir tr. to diminish.

disol/ución f. dissolution; lewdness. /uto adj. dissolute; libertine. /vente adj. and m. (dis)solvent, dissolver. /ver tr. to dissolve; to melt.

disonancia f. dissonance.

dispar adj. unequal, unlike, odd.

dispar/ador m. shooter; trigger. /ar tr. to shoot; to fire; to let off. /atado adj. absurd. /atar intr. to act absurdly. /ate m. nonsense, craze. /o m. discharge shot.

dispendio m. squandering.

dispensa f. dispensation. /r tr. to dispense.

dispers/ar tr. to disperse. /ión f. dispersion.

dispo/ner tr. to arrange; to dispose of. /nible adj. disposable, spare, available. /sición f. disposition.

dispuesto adj. fit; ready.

disputa f. dispute. /r tr. and intr. to dispute.

dista/ncia f. distance. /nciar tr. to (put at a) distance. /nte adj. distant.

distin/ción f. distinction. /guido adj. distinguished. /guir tr. to distinguish. /guirse r. to excel. /tivo adj. distinctive; m. distinctive mark. /to adj. distinct.

distra/cción f. distraction. /er tr. to distract; to amuse. /ído adj. absent (minded), inattentive.

distribuir tr. to distribute, to deal out, to sort.

distrito m. district.

disturbio m. disturbance.

disua/dir tr. to dissuade. /sión f. dissuasion.

diurno adj. diurnal.

divagar intr. to wander, to digress.

diván m. divan.

diver/gencia f. divergence. /gir tr. to diverge.

diver/sidad f. diversity. /sificar tr. to diversify. /sión f. diversion; amusement. /so adj. diverse. /tido adj. amusing. /timiento m. amusement. /

divertir 262

tir to divert, to amuse. **/tirse** r. to enjoy or amuse oneself.

divid/endo m. dividend. **/ir** tr. to divide.

divin/izar tr. to deify. **/o** adj. divine; godlike.

divisa f. decive; ensign, motto, pl. (ofreign) currency. **/r** tr. to perceive.

división division.

divorci/ar tr. to divorce. **/arse** r. to be divorced. **/o** m. divorce.

divulgar tr. to publish, to divulg(at)e, to reveal.

dobl/ar tr. and intr. to double; to fold, to bend; intr. to toll. **/arse** r. to stoop, to bend. **/e** adj. double, twofold. tr. to bend. **/egarse** r. to bend to yield. **/ez** f. crease; duplicity.

doce adj. twelve. **/na** f. dozen.

dócil adj. docile.

docilidad f. docility.

doct/o adj. learned. **/or** m. doctor; physician. **/ora** f. (lady) doctor, doctoress. **/orado** m. doctorate, doctorship. **/orar** tr. to doctorate. **/rina** f. doctrine.

documento m. document.

dogma m. dogma. **/tizar** tr. to dogmatize.

dol/encia f. disease; affliction. **/er** intr. to feel pain, to ache, to hurt. **/iente** adj. suffering.

dolor m. pain; ache, sorrow, grief. **/ido** adj. / **oso** adj. painful.

doma/dor m. tamer. **/r** tr. to tame.

domesticar tr. to domesticate, to tame.

doméstico adj. domestic.

domicilio m. domicile.

domina/ción f. domination, command, sway. **/r** tr. to domineer.

domingo m. Sunday.

dominio m. dominion.

dómino m. game of dominoes.

don m. title of don, gift. **/ación** f. donation; gift. **/aire** m. grace(fulness). **/ante** s. donor; giver. / **ar** tr. to give, to bestow. **/ativo** m. donation.

donce/l m. king's page. **/lla** f. maiden, virgin, girl. **/llez** f. maidenhood, virginity.

donde adv. where.

doña f. lady; mistress (title of address).

dora/do adj. gilt, gilded. **/r** tr. to (en)gild.

dormi/lón adj. and m. sleepy head. **/r** intr. to sleep. **/rse** r. to fall asleep. **tar** intr. to doze, to nap. **/torio** m. dormitory, bed-room.

dors/al adj. dorsal. **/o** m. back; reverse side.

dos adj. two; second.

dosi/ficar tr. to dose. **/s** f. dose.

dot/ar tr. to endow. **/e** f. dower, dowry. pl. gifts, talents.

draga f. dredge(r), drag.

dragón m. dragon. *Mil.* dragoon.

dram/a m. drama, play. **/ático** adj. dramatical. **/aturgo** m. dramatist, playwright

drog/a f. drug. **/ueria** f. drug-store grocery, chemist's

druida m. druid.

dual adj. dual.

dúctil adj. ductile.

ductilidad f. ductility.

ducha f. douche, shower-bath.

ducho adj. skilled.

dud/a f. doubt. **/ar.** intr. **/oso** adj. doubtful.

duelo m. duel; grief; affliction; mourning.

duende m. elf; (hob)goblin; ghost.

dueñ/a f. proprietress, landlady, mistress. **/o** m. owner; proprietor, (land)lord, master.
dulc/e adj. sweet; m. sweet(meat), confection(ery) **/ificar** tr. to sweeten.
dulzura f. sweetness.
duna f. dune, downs.
dúo m. *Mús.* duo, duet.
dupl/icar tr. to double.
to duplicate; to repeat. **/o** adj. double; twofold.
duque m. duke. **/sa** f. duchess.
dura/ción f. duration. **/dero** adj. lasting. **/nte** prep. during. **/r** intr. to last, to wear, to endure.
dureza f. hardness.
durmiente adj. sleeping.
duro adj. hard; solid; m. five-pesetas piece.

E

e conj. adv. and.
ebanist/a m. cabinet-maker. **/ería** f. cabinet-work; cabinet-maker's.
ébano m. *Bot.* ebony.
ebrio adj. drunken.
ebullición f. ebullition.
ecléctico adj. eclectic.
eclesiástico adj. ecclesiastical; m. clergyman.
eclips/ar tr. to eclipse. **/ m.** *Astr.* eclipse.
econ/omato m. cooperative store. **/omía** f. economy, **/omía política** economics. **/ómico** adj. economical. **/omista** m. economist. **/omizar** tr. to economize; to save.
ecuación f. equation.
Ecua/dor m. Equator. **/torial** adj. equatorial.
ecuanimidad f. equanimity.
ecuestre adj. equestrian.
ecuménico adj. ecumenical.
echa/da f. cast; throw; **/r** tr. to cast; to throw; **— a perder**, to ruin. **— de menos**, to miss.
edad f. age, epoch.
edema m. edema.
edición f. edition, issue.
edific/ación f. construction; edification. **/ar** tr.
to build; to construct. **/io** m. building.
edit/ar tr. to publish. **/orial** f. publishing house; m. leading article. **/or** m. editor; publisher.
educa/ción f. education, manners. **/dor** m. teacher, tutor. **/r** tr. to educate, to train, to rear.
efect/ivamente adv. effectually; certainly. **/ivo** adj. effective; m. cash. **/o** m. effect. **/uar** tr. to effect.
efervescen/cia s. effervescence, ardour. **/te** adj. effervescent.
efica/cia f. efficacy. **/z** adj. efficacious.
eficien/cia f. efficiency. **/te** adj. efficient.
egoís/mo m. egoism. **/ta** egoist; selfish.
eje m. axle; axis.
ejecu/ción s. execution; performance. **/tar** tr. to put to death judicially, to execute. **/tivo** adj. executive. **/tor** m. executor.
ejempl/ar m. exemplar, copy, adj. exemplary. **/o** m. example, instance.
ejerc/er tr. to exercise. **/icio** m. exercise.

ejército m. army.

el art. m. the; **él** pron. he.

elabora/ción s. elaboration. /**do** adj. elaborate. /**r** tr. to elaborate.

elasticidad f. elasticity.

elec/ción f. election, choice. /**tivo** adj. elective. /**to** adj. elect. /**tor** m. elector, voter. /**toral** adj. electoral.

el/ectricidad f. electricity. /**éctrico** adj. electric(al).

electr/ificar tr. to electrify. /**izar** tr. to electrify. /**ocutar** tr. to electrocute. /**ón** m. electron. /**otécnica** f. electrotechnics.

elefante m. elephant.

elegan/cia f. elegance. /**te** adj. elegant; fine.

elegi/ble adj. eligible. /**r** tr. to choose, to elect.

element/al adj. elemental, elementary. /**o** m. element.

eleva/ción f. elevation. /**r** tr. to raise. /**rse** r. to (a)rise, to ascend.

eliminar tr. to eliminate.

elocuen/cia f. eloquence. /**te** adj. eloquent.

elogi/ar tr. to praise; to eulogise. /**o** m. eulogy, praise. /**oso** laudatory.

eludir tr. to avoid.

emana/ción f. emanation. /**r** intr. to emanate.

emancipa/ción s. emancipation. /**r** tr. to emancipate.

embajad/a f. embassy. /**or** m. ambassador.

embala/r tr. to bale; to pack. /**je** m. packing; crate.

embalsamar tr. to embalm.

embaraz/ada f., adj. pregnant. /**ado** adj. embarrassed. /**ar** tr. to embarrass. **coll.** to impregnate. /**o** m. embarrass-

ment; pregnancy. /**oso** embarrassing, awkward.

embarc/ación f. vessel ship. /**adero** m. quay. /**ar** tr. embark. /**o** s. embarkation.

embarg/ar tr. to embargo. /**o** m. embargo; attachment; **sin —** nevertheless.

embarnizar tr. to varnish.

embarque s. shipment.

embastar tr. to baste.

embauca/dor m. sharper. /**r** tr. to deceive; to humbug.

embeles/ar tr. to amaze to charm. /**o** m. charm.

embesti/da f. assault; attack; onrush. /**r** tr. to assail; to attack.

emblanquecer tr. to bleach, to white(n).

emblema m. badge.

embolia f. Med. embolism, embolus.

émbolo m. embolus.

embolsar tr. to purse.

emborrachar tr. to inebriate. /**se** r. to become drunk, to overdrink.

embosca/da f. ambuscade; Mil. ambush. /**r** tr. Mil. to (place in) ambush.

embota/do adj. blunt; dull. /**miento** s. blunting /**r** tr. to blunt. /**rse** tr. to become dull.

embotellar tr. to bottle.

emboz/ado adj. covered; involved. /**ar** tr. to muffle; to wrap up. /**o** m. muffler.

embrag/ar tr. to connect. / **ue** m. tr. Mech. clutch.

embrear tr. to pitch.

embriag/ado adj. intoxicated; drunk. /**ar** tr. to inebriate; to intoxicate. /**uez** f. intoxication; drunkenness.

embri/ón m. embryo. /**onario** adj. embryonic.

embroll/ar tr. to (en)tangle. /**o** m. tangle.

embromar tr. to cajole.

embrujar tr. to bewitch.

embrutecer m. to brutify. /**se** r. to grow stupid.

embudo m. funnel, filler.

embuste m. lie, humbug. /**ro** m. liar.

embuti/do m. inlay, mosaic, sausage. /**r** tr. to inlay; to stuff.

emergencia f. emergency. /**r** tr. to emerge.

emigra/ción f. emigration. /**do** adj. y s. emigrated, immigrated. /**r** intr. to emigrate.

eminen/cia f. eminence; height. /**te** adj. eminent.

emisario m. emissary.

emi/sión m. emission. / **sor** adj. emitting; m. emitter. /**sora** f. broadcasting station. /**tir** tr. to emit; to send forth.

emoci/ón f. emotion. /**onal** adj. emotional. / **nante** adj. impressive. / **onar** tr. to move.

emotivo adj. emotional.

empach/ado adj. surfeited. /**ar** tr. to cram, to surfeit. /**o** m. surfeit; indigestion.

empalag/amiento m. surfeit; cloying. /**ar** tr. to cloy. /**o** m. cloying. /**o- so** adj. cloying.

empalizada f. palisade.

empalm/adura f. dovetailing, joint. /**ar** tr. to dovetail, to joint. /**e** m. dovetailing, joint.

empana/da m. meat-pie. /**dilla** f. small pie.

empantanar tr. to swamp.

empapar tr. to soak. /**se** r. to imbibe.

empapela/dor m. paperhanger. /**r** tr. to wrap in paper; to paper walls.

empaque m. packing; air, mien, look(s). /**tador** m. packer /**tar** tr. to pack.

emparedado m. sandwich.

emparejar tr. and **intr.** to level; to match.

emparenta/do adj. related. /**r** intr. to relate.

empast/ar tr. to paste to fill (a tooth). /**e** m. **F. a.** impastation, (tooth) filling.

empat/ar tr. to equal, to (be a) tie, to draw, to be quits. /**e** m. tie, draw

empederni/do adj. callous /**rse** r. to harden.

empedra/do m. pavement /**r** tr. to pave; to cobble.

empeñar tr. to (im)pawn, to (put in) pledge. /**arse** r. to engage, to bind oneself, to persist. /**o** m. pledge, pawn, binding, engagement.

empeora/miento m. deterioration. /**r** intr. to grow worse.

empera/dor m. emperor. /**triz** f. empress.

emperifollar tr. to prank.

empero conx. yet; but.

emperrarse r. **coll.** to stiffen, to persist.

empezar tr. to begin.

empina/do adj. steep. /**r** tr. to raise. — (**el codo**), **coll.** to tip one's elbow.

emp/frico adj. empiric(al). /**irismo** m. empiricism.

emplast/ar tr. to plaster. /**o** m. plaster, poultice.

emplaza/miento m. location, summons. /**r** tr. to summon.

emple/ado m. employee, clerk. /**ar** tr. to employ; to use. /**o** m. employ(ment) post, use.

empobre/cer tr. to impoverish. /**cerse** r. to grow or become poor. /**cimiento** m. impoverishment.

empollar tr. to brood; to sap (as books).

empolvar tr. to powder.

emporcar tr. to dirty.

emporio m. emporium.

empotrar tr. to imbed (in wall), to scarf.

emprende/dor adj. enterprising. **/r** tr. to undertake;

empresa f. enterprise, concern. **/rio** m. enterpriser, contractor, impresario.

empréstito m. loan.

empuj/ar tr. to push. **/e** m. impulse; push. **/ón** m. push, jog.

empuña/dura f. handle, grip. **/r** tr. to grasp, to wield.

emui/ación f. emulation. **/ar** tr. to emulate.

en prep. in, at, into, on.

enaguas f. pl. underskirt.

enajena/ción f. alienation, (law) estrangement, (of property). **/r** tr. to alienate; to enrapture.

enamora/dizo adj. inclined to love. **/do** adj. in love, love-sick, fond. **/ miento** m. lovesuit, love-sickness. **/r** tr. to excite love; to court. **/rse** r. to fall in love.

enano adj. dwarfish; small; m. dwarf.

enardecer tr. to kindle. **/se** r. to be inflamed.

encabestrar tr. to halter.

encabeza/miento m. headline. **/r** tr. to put a heading, to lead.

encabritarse r. to rise on the hind feet.

encadenar tr. to chain.

encaj/ar tr. to join, to insert. **/e** m. lace; inlaid work.

encajonar tr. to box up.

encalar tr. to whitewash.

encallar intr. *Naut.* to run aground, to strand.

encaminar tr. to guide, to put on the rigth road. **/se** r. to make for.

encandilar tr. to dazzle, to bewilder. **/se** r. to be dazzled.

encanecer intr. to grow gray haired.

encanija/miento m. weakness. **/rse** r. to pine.

encanta/ción f. incantation, charm. **/do** adj. haunted, charmed; absent-minded. **/dor** adj. captivating; s. enchanter. **/dora** f. sorceress. **/miento** m. enchantment **/r** tr. to enchant, to bewitch.

encanto m. enchantment; charm, spell, glamour.

encañona/do adj. passing trough a narrow place **/r** r. and intr. to put into tubes; to fold.

encaperuzarse r. to hood.

encapotar tr. to cloak. **/ se** r. to become cloudy.

encapricharse r. to indulge in whims, to become obstinate, to take a fancy to.

encapucha/do adj. cowled. **/r** tr. to hood.

encarado adj. faced.

encaramarse r. to climb.

encara/miento m. the act of facing, aiming. **/r** tr. to point, to stand up to.

encarcela/do adj. imprisoned. **/r** tr. to imprison.

encarec/er tr. **/erse** intr. to raise the price of. **/ imiento** m. augmentation of value, recomendation.

encarg/ado m. agent, foreman; adj. comissioned. **/ar** tr. to recommend, to order. **/o** m. charge, command.

encariñarse r. to become fond of; to cotton to.

encarna/ción f. incarnation. **/do** adj. incarnate; carneous; red, blushful. **/r** v. to incarnate; to embody. **/rse** r. to incorporate.

encarniza/do adj. bloodshot, hard fought. /**miento** s. cruelty. /**rse** r. to glut with flesh;.

encarril(l)ar tr. to direct, to put upon rails.

encasilla/do m. set of pigeon-holes. /**r** to pigeon-hole, to classify.

encasquetar tr. to force an opinion. /**se** r. to be headstrong.

encastilla/do adj. castled, haughty. /**rse** r. fig. to be headstrong.

encelarse r. to rut.

encenaga/do adj. mixed with mud. /**miento** m. wallowing in dirt, mire or vice. /**r** tr .to mud. /**rse** r. to wallow in dirt.

encend/edor m. lighter. /**er** tr. to kindle; to light. /**erse** r. to fire, to take fire. /**ido** adj. inflamed.

encera/do m. oilcloth, blackboard;. adj. cerated. /**r** tr. to wax.

encerrar tr. to lock up; to confine. /**arse** r. to live in seclusion, to be locked up. /**ona** s. voluntary retreat.

encestar tr. to put in a basket; to hamper.

encía f. gum.

encíclica f. encyclic(al).

enciclop/edia f. encyclopædia. /**édico** adj. encyclopedic.

encierro m. confinement; locking, folding.

encima adv. above; over; at the top; besides; on.

encina f. evergreen oak.

encinta adj. pregnant.

enclaustrado adj. cloistered.

enclavar tr. to embed.

enclenque s. and adj. weak(ly), sickly, feeble.

encog/er tr. to contract; to shrink. /**erse** r. to be low spirited, to shrink.

/**ido** adj. bashful, pok(e)y.

encolar tr. to glue.

encolerizar tr. to anger. /**se** r. to rage, to fume.

encomendar tr. to (re)commend, to entrust. /**se** r. to commit oneself.

encomi/asta s. encomiast. /**ástico** adj. encomiastic(al), eulogistic. /**enda** f. commission. /**o** m. praise; encomium.

encon/amiento m. inflammation; anger. /**ar** tr. to inflame; to provoke. /**arse** r. to rankle. /**o** to inflame; to provoke. m. malevolence; rancour.

encontr/ado adj. opposite; in front. /**ar** tr. and intr. to meet, to encounter, to find. /**arse** r. to meet; to clash. /**ón** m. /**onazo** m. collision, shock.

encopetado adj. topping.

encord/ar tr. to string (instruments), to rope.

encortinar tr. to provide with curtains.

encorva/dura f. curvature. /**r** tr. to bend. /**rse** r. to bend, to warp.

encrespa/dura f. /**miento** m. crispation; curliness. /**r** tr. to curl; to frizzle. /**rse** r. to become rough (the sea), the bristle up.

encrucijada f. crossroads.

encuaderna/ción f. (book) binding. /**dor** m. (book)-binder. /**r** tr. to bind (books).

encub/ierta s. fraud; deceit. /**ierto** adj. hidden; concealed. /**ridor** m. concealer; hider. /**rimiento** m. concealment; hiding. /**rir** tr. to conceal, to hide.

encuentro m. meeting, encounter, find(ing); collision, shock, clash.

encuesta f. inquiry.

encumbra/miento m. raising, elevating. /r tr. to raise. /rse r. to rise, to rate himself high.

encurti/dos m. pl. (mixed) pickles, piccalilli. /r tr. to pickle.

encharca/da f. pool, puddle. /r tr. to swamp. /rse r. to form puddles.

enchuf/ar tr. to plug. /e m. socket, plug, coll. sinecure.

endeble adj. feeble, weak.

endémico adj. endemic.

endemoniado adj. devilish.

enderezar tr. to straighten. /se r, to rise upright

endeudarse r. to contract debts.

endiablado adj. devilish.

endiosa/miento m. loftiness. /r tr. to deify. /-rse r. to swell with pride.

endos/ar tr. to indorse (a draft). /o m. indorsement.

endulzar tr. to sweeten.

endurec/er tr. to harden. /erse r. to grow stiff or tough. /ido adj. hard; indurated. /imiento m. hardening.

enemi/ga f. enmity; hatred. /go adj. hostile; m. enemy; foe. /stad f. enmity. /star tr. to make an enemy. /starse r. to become an enemy.

energía f. energy; power.

enérgico adj. energetic.

enero m. January.

enervar tr. to enervate.

enfad/ar tr. to vex; to annoy. /arse r. to become angry. /o m. annoyance, anger. /oso adj. troublesome.

enfangar tr. to mud. /se r. to bemire, to mix in dirty business.

enfardar tr. to pack.

énfasis m. emphasis.

enfático adj. emphatical.

enferm/ar tr. to fall ill or sick, to be taken ill. /edad f. infirmity, illness, disease. /ería f. infirmary. /era f. nurse. /ero m. nurse. /izo adj. sickly. /o m. invalid, patient.

enfervorizar tr. to inflame.

enflaquec/er tr. to (get) thin. /erse r. to grow thin. /imiento m. debilitation.

enfocar tr. to focus.

enfrascar tr. to bottle (liquids). /se r. to be engrossed (in).

enfrent/ar tr. to face. /e adv. opposite; in front. /rse r. to cool; to refrigerate. /rse r. to cool off or down.

enfriar/miento m. cooling, chill. /r tr. to cool; to refrigerate. /rse r. to cool off or down.

enfundar tr. to (put into a) case, to sheathe.

enfurecer tr. to enrage. /se r. to rage.

enfurruñarse r. fam. to grow angry, to pout.

engalanar tr. to adorn.

engach/amiento m. hooking, link(ing). /ar tr. to hook, to catch; to levy. /arse r. to engage, to get hooked; to enlist. /e m. hooking, levy.

engañ/ar tr. to deceive, to cheat, to fool. /arse r. to mistake. /ifa f. fam. deceit; trick. /o m. deceit, cheat(ing), lure. /oso adj. deceiful.

engar/ce s. catenation, setting. /zar tr. to link, to set (in).

engast/ar tr. to enchase, to set (in). /e m. setting.

engat/ar tr. fam. /usar tr. fam. to inveigle.

engendr/amiento s. begetting. /ar tr. to engender; to beget. /o m. abortive, shapeless embryo.

engomar tr. to gum.
engordar tr. to fat(ten),
intr. to grow fat. /**se** r.
to grow fat.
engorro m. fam. nuisance, bother. /**so** adj.
cumbersome.
engrandec/er tr. to augment. /**imiento** m. increase.
engranaje m. gear(ing).
engrasar tr. to grease; to
oil; to lubricate.
engre/ído adj. conceited.
/**imiento** m. conceit. /**ir**
tr. to swell. /**irse** r. to
puff (up).
engrosar tr. to swell.
engrud/ar tr. to paste. /**o**
m. paste.
enguanta/do adj. gloved.
/**r** tr. to glove.
engullir tr. to glut, to
swallow, to gulp.
enharinar tr. to cover or
besprinkle with flour.
enhebrar tr. to thread.
enh/estar tr. to erect. /**iesto** adj. erect.
enhorabuena f. congratulation(s); adv. luckily.
enigm/a m. enigma riddle. /**ático** adj. enigmatic(al).
enjabonar tr. to soap.
enjabelga/dura f. whitewashing. /**r** tr. to whitewash.
enjambre m. swarm of
bees, cluster.
enjaular tr. to cage.
enjoyar tr. to (be)jewel.
enjuag/ar tr. to rinse, to
swill. /**ue** m. rinsing.
enjugar tr. to dry.
enjuiciar tr. to pass judgment.
enjundia f. substance.
enjut/ez f. leanness. /**o**
adj. dry, meager.
enlace m. link.
enladrilla/do adj. brick
paved. m. brick pavement. /**r** tr. to pave.

enlaza/miento m. connection; binding. /**r** tr. to
bind; to link.
enlodar tr. to (be)mire.
enloquec/er tr. to madden, to craze; intr. to go
mad. /**erse** r. to go mad.
enlosa/do adj. flagstoned;
m. flag pavement. /**r** tr.
to lay a floor with flags.
enlucir tr. to whitewash.
enlutar tr. to put in mourning; to veil; to darken.
enmarañar tr. to (en)tangle, to enmesh.
enmascarar tr. to mask;
/**se** r. to masquerade.
enmendar tr. to correct.
/**se** r. to mend.
enmienda f. emendation.
enmohec/erse r. to grow
mouldy, to rust, to must.
/**ido** adj. musty.
enmudecer tr. to hush, to
impose silence; intr. to
be silent, to be still.
enegrecer tr. to make
black; fig. to darken.
ennoblecer tr. to ennoble; to embellish.
enoj/adizo adj. fretful;
peevish. /**ado** adj. angry;
peevish. /**ar** tr. to vex;
to anger. /**arse** r. to
grow angry. /**o** m. anger; annoyance. /**oso**
adj. vexatious.
enorgullecer tr. to make
proud. /**se** r. to be
proud.
enorm/e adj. enormous.
/**idad** f. enormity.
enranciarse r. to grow
rancid.
enrarecer r. to rarefy.
/**se** r. to grow scarce.
enred/adera f. Bot. twining plant, creeper. /**ado**
adj. entangled. /**ador**
m. entangler; tattler;
/**ar** tr. to entangle. /**arse** r. to be entangled.
/**o** m. entanglement;
puzzle, plot of a play.

enreja/do m. grating, trellis; lattice. /r tr. to make a trellis.

enrevesado adj. difficult.

enriquecer tr. to enrich. /se r. to grow rich.

enrojecer tr. to make red. /se r. to blush.

enrollar tr. to roll up; to coil, to wrap, to wind.

enronquecer tr. to make hoarse.

enroscar tr. to twist. /se r. to twist itself.

enrudecer tr. to make dull. /se r. to grow coarse or dull.

ensacar tr. to sack up.

ensalad/a s. salad; hodgepodge. /era s. salad-dish.

ensalm/ar tr. to bewitch. /o s. spell, charm.

ensalzar tr. to extol.

ensambla/dura f. joinery, scarfing. /r tr. to join.

ensanch/amiento s. widening. /ar tr. to widen. /arse r. to expand. /e m. dilatation; widening

ensangrentar tr. to stain with blood.

ensañarse r. to exult in cruelty.

ensartar tr. to string

ensay/ar tr. to try out; to test, to rehearse. /o m. assay; trial, rehearsal.

ensenada f. cove, inlet.

enseña f. standard.

enseña/nza f. teaching, instruction. /r tr. to teach, to instruct; to show

enseñorear tr. to lord; to domineer. /se r. to possess oneself of a thing.

enseres m. pl. chattels, implements, household goods.

ensimismarse r. to be absorbed in thought.

ensoberbecer tr. to make proud. /se r. to become proud, to swell.

ensordec/er tr. to deafen. /imiento s. deafness.

ensortijar tr. to curl ,to (en)ring. /se r. to wind.

ensuciar tr. to stain; to soil. /se r. to soil one's clothes, to foul.

ensueño m. (day)dream, revery.

entabl/ado m. boarded floor. /ar tr. to floor, to board (up); to start, to bring (a suit). /illar tr. Surg. to splint(er).

entarima/do m. boarded floor, parquet flooring. /r tr. to board. to floor.

ente m. entity, being.

entend/ederas f. pl. fam. understanding. /er tr. and intr. to understand. /erse r. to agree, to understand each other. /ido adj. wise; learned; knowing. /imiento m. understanding.

entenebrecer tr. to obscure; to darken.

enterar tr. to inform. /se r. to learn.

entereza f. integrity.

enternec/er r. to soften, to move. /imiento m. compassion; pity.

entero adj. entire; whole.

enterra/dor m. grave-digger; burier. /miento m. burial. /r tr. to bury.

entibiar tr to make lukewarm. /se r. to slacken).

entidad f. entity.

entierro m. burial.

entolda/do adj. covered with tents or awnings; m. large tent, awning. /r tr. to cover with an awning.

entona/ción f. intonation. /r tr. to tune; to modulate. /rse r. to grow haughty.

entonces adv. then.

entontec/er tr. to dull. /erse r. to grow foolish, to mope. /imiento m. besottedness, silliness.

entornar tr. to half close, to leave (a door) ajar.

entorpec/er tr. to (be)numb. **/imiento** m. torpor, torpidity, numbness.

entrada f. entrance, door(way), way in, (admission) ticket; *Com.* entry; income.

entrampar tr. to (en)trap.

entrante adj. entering, (in)coming, next.

entraña f. entrail; bowels. **/ble** adj. intimate. **/r** tr. to involve.

entrar tr. and intr. to enter; to go in or into; to come in, to get into.

entre prep. between, among(st), amid(st).

entreabrir tr. to half open a door.

entrecejo m. brow.

entredicho m. interdict(ion), ban.

entrega f. delivery; instalment, fascicle. **/r** tr. to deliver, to hand (over), to give (in, over or up), to surrender. **/ rse** r. to surrender.

entrelazar tr. to interlace.

entrem/és m. interlude; pl. hors d'oeuvre(s). **/eter** tr. to insert. **/eterse** r. to intrude. **/etido** adj. meddlesome; m. meddler.

entremezclar tr. to intermingle.

entrena/dor m. trainer. **/miento** m. training. **/r** tr. to train, to coach.

entreoir tr. to hear indistinctly.

entresacar tr. to select.

entresuelo m. entresol, mezzanine.

entreten/er tr. to entertain, to keep (as in hope). **/ida** m. mistress, kept woman. **/ido** adj. entertaining; amusing. **/imiento** m. entertainment, maintenance.

entretiempo m. Spring or Autumn.

entrever tr. to half-see.

entrevista f. interview; **entristec/er** tr. to sadden. **/erse** r. to grieve. **/imiento** m. sadness.

entronizar tr .to (en)throne; to exalt.

entuerto m. wrong, grievance, injustice.

entumec/er tr. to (be)numb. **/imiento** m. swelling; torpor.

enturbiar tr. to make turbid.

entusiasm/ado adj. enthusiastic(al). **/ar** tr. to enrapture. **/arse** tr. to become enthusiastic. **/o** m. enthusiasm.

enumera/ción f. enumeration. **/r** tr. to enumerate.

enuncia/ción f. enuntiation. **/r** tr. to state.

envainar tr. to sheathe.

envalentonar tr. to encourage; to inspirit. **/se** r. to become courageous.

envanec/er tr. to make vain. **/erse** r. to puff, to swell (with pride). **/imiento** m. conceit.

envara/miento m. stiffness. **/r** tr. to stiffen.

envas/ador m filler, packer. **/ar** tr. to tun; to barrel; to cask. **/e** m. filling, cask, packing.

envejecer tr. to make old; intr. to grow old.

envenena/miento m. poisoning. **/r** tr. to poison.

envés m. wrong side.

envesti/dura f. investiture. **/r** tr. to invest.

envia/do m. envoy; messenger. **/r** tr. to send.

enviciar tr. to vitiate.

envidi/a f. envy. **/able** adj. enviable. **/ar** intr. to envy; to (be)grudge. **/oso** adj. envious.

envilec/er tr. to vilify; to debase. **/erse** r. to

degrade oneself. /**imiento** m. abasement.

envío m. remittance; consignement, shipment.

envite m. invitation.

enviudar intr. to become a widow(er).

envol/torio m. bundle. /**ver** tr. to en(wrap).

envuelto adj. wrapped.

enyesar tr. to plaster.

enzarzar tr. to sow discord. /**se** r. fig. to be involved in difficulties; to squabble.

épic/a f. epic poetry. /**o** adj. epic(al).

epicúreo adj. epicurean.

epid/emia f. epidemic. /**émico** adj. epidemical.

epidermis f. epidermis.

epifanía f. Epiphany.

epígrafe m. epigraph.

epigram/a m. epigram /**á-tico** adj. epigrammatic.

epil/epsia f. epilepsy. /**éptico** adj. epileptic.

epílogo m. epilogue.

episcopa/do m. episcopacy; episcopate; bishopric. /**l** adj. episcopal.

episodio m. episode.

epístola f. epistle.

epistolar adj. epistolary.

epitafio m. epitaph.

epíteto m. epithet.

época f. epoch.

epopeya f. epopee, epic.

equidad f. equity; right.

equidistar intr. to be equidistant.

equilibr/ar tr. to poise, to equilibrate. /**io** m. equilibrium.

equinoccio m. equinox.

equipa/je m. luggage, baggage. /**r** tr. to fit out; to supply; to equip.

equiparar tr. to equate.

equitación f. horsemanship, riding, equitation.

equitativo adj. equitable, fair, right(eous).

equivale/ncia f. equivalence. /**nte** adj. equiva-

lent. /**r** intr. to be equivalant.

equivoca/ción f. mistake, slip, blunder. /**do** adj. mistaken. /**r** tr. to mistake. /**rse** r. to make a mistake, to err.

equívoco adj. equivocal; m. equivocation.

era f. era; age; threshing-floor.

erario m. exchequer.

erección f. erection.

erem/ita m. hermit. /**ítico** adj. hermitic(al).

erial adj. unplowed, barren; m. moorland.

erigir tr. to erect. /**se** r. to draw oneself up.

erisipela f. erysipelas.

eriz/ar tr. to bristle. /**arse** r. to stand on end. /**o** m. hedgehog.

ermita f. hermitage. /**ño** m. hermit.

erosi/ón f. erosion. /**vo** adj. erosive.

erótico adj. erotical.

erotismo m. erotism.

errabundo adj. wandering.

erra/dizo adj. wandering. /**do** adj. mistaken. /**nte** adj. errant, roving; erring. /**r** tr. to err, to wander (about), to roam. /**ta** f. erratum, misprint. **fe de —s** errata.

err/óneo adj. erroneous; wrong. /**or** m. error, mistake, wrongness.

eruct/ación f. eructation. /**ar** intr. to eructate. /**o** m. belch(ing).

erudi/ción f. erudition. /**to** adj. erudite, booklearned, scholar.

erup/ción f. eruption; outbreak. /**tivo** adj. eruptive.

esa adj., pron. f. that (one)

esbelt/ez f. slenderness. /**o** adj. slender.

esbirro m. bailiff; apparitor, myrmidon.

esbozo m. sketch; outline.

escabech/ar tr. to souse; to pickle; *coll.* to kill. **/e m** souse, pickle.

escabro m. sheep-scab, itch. **/sidad** f. scabrousness, unevenness. **/so** adj. uneven; cragged.

escabulli/miento m. evasion, slipping off. **/rse** r. to escape; to slip (off), to evade

escala f. ladder; scale, *Naut.* port of call; **hacer —**, to call **/da** f escalade. **/dor** m. climber, scaler. **/r** tr. to scale; to climb

escalda/da f. prostitute. **/r** tr. to scald, to chafe.

escalera f. staircase, stairs, ladder; **— de caracol**, spiral stairs.

escalfar tr. to warm

escalofrio m. shiver(ing).

escal/ón m. step of a stair. **/onar** tr. to stagger, to step.

escama f. (fish-)scale; *coll.* suspicion, distrust. **/r** tr. to (un)scale fish, *coll.* to cause mistrust.

escamot/e(ar) tr. to palm.

escampa/da f. clearing of the sky. **/r** intr. to cease raining; tr. to clear out a place.

escanciar tr. to pour.

escandalizar tr. to scandalize. **/se** r. to be scandalized; to be irritated.

escándalo m. scandal.

escandaloso adj. scandalous; shameful.

escandinavo adj. Scandinavian.

escapa/da f. escape; flight, **/rse** r. to escape; to fly, to run away. **/rate** m shop-window. **/toria** f. escape; excuse.

escape m. escape, flight.

escaramuza f. skirmish.

escarabajo m. scarab, bug, beetle.

escaramuza f. skirmish. **/r** intr. to skirmish.

escarapela f. cockade.

escarbar tr. to scrape, to dig; to poke the fire.

escarceo m. ruffle, ripple.

escarcha f. white frost. **/do** adj. frosted, frosty

escarlat/a f. scarlet, crimson or deep red. **/ina** f. scarlet fever.

escarm/entar intr. to inflict an exemplary punishment. **/lento** m. warning, chastisement.

escarn/ecer tr. to mock; to scorn. **/lo** m. scoff; gibe.

escarola f. *Bot.* endive.

escarpa f. declivity, slope. **/do** adj. sloped.

escas/ear intr. to be scarce. **/ez** f. scarceness; want, shortage. **/o** adj scarce, scanty

escatimar tr. to curtail.

escayola s. scagliola.

esc/ena f. the stage; scene. **/énico** adj. scenic **/enografía** f. scenography.

escepticismo m. skepticism.

escéptico adj. skeptic(al).

esci/ndir tr. to split. **/sión** f. schism, split.

esclarec/er tr. to lighten; fig. to illustrate. **/ido** adj. illustrious. **/imiento** m enlightment.

esclav/itud f. slavery; servitude. **/izar** tr. to enslave. **/o** m. slave.

esclero/is f. sclerosis

esclusa f. lock; sluice.

escob/a f. broom. **/ar** tr. to sweep, to broom. **/illa** f. brush.

escocer intr. to smart.

escocés adj. and m: Scotch, Scot(tisch).

escoger tr. to choose.

escol/ar m. scholar; student, learner; adj. scholastic-like. **/ástico** adj scholastic(al).

escoll/era f. Naut. break-water, cliff. /o m. reef, ridge, difficulty.

escolta f. escort; convoy (safe)guard. /r tr. to escort; to convoy.

escombro m. rubbish débris, riprap; pl. detritus.

escond/er tr. to hide. /erse r. to hide; to be concealed. /ido adj. hidden; concealed. /ite m. lurking or hiding-place, hideout. /rijo m. hiding-place, den.

escopeta f. (shot)gun.

escorbuto m. scurvy.

escoria f. dross; slags. /l m. dump, slagheap.

escorpión m. scorpion.

escot/ado adj. bare-necked, décolleté. /e m. low neck, décolleta-ge; share, score, quota. /illa f. Naut. hatchway.

escozor m. smarting.

escrib/a s. scribe. /ano m. actuary, registrar, public clerk. /iente m. amanuensis, clerk. /ir tr. to write, to pen, to indite. /irse r. to correspond (with).

escrito m. writing; writ. /or m. writer. /orio m. escritoire, study. /ura f. (hand)writing, pen(man-ship), contract. script.

escr/ófula f. scrofula. king's evil. /ofulismo m. scrofulism. /ofuloso adj. scrofulous.

escr/úpulo m. scruple; conscientiousness. /upuloso adj. scrupulous, conscientious.

escrut/ador m. scrutineer. /ar tr. to scrutinize. /inio m. scrutiny.

escuadr/a f. carpenter's square; Mil. squad,. Naut. squadron. /illa f. Mil. squadron, escadri-lle. /ón m. Mil. squadron

escucha f. Mil scout, sentinel. /r to listen.

escud/ar tr. to shield. /arse r. to take shelter. /ero m. squire; shield-bearer. /o m. shield; scutcheon, coat-of-arms.

escudriñar tr. to search, to scrutinize, to pry into.

escuela f. school.

escueto adj. clear-cut.

escul/pir tr. to sculpture /tor m. sculptor; carver. /tora f. sculptress. /tó-rico adj. sculptural. /tura f. sculpture, carving. /tural adj. sculptural.

escupi/dera f. spitoon. /r tr. to spit.

escurr/eplatos m. dish-rack. /idero m. drainer, grating. /idizo adj. slippery. /ir tr. to drain, to drip off. /irse r. to sneak off, to leak.

ese adj. and pron. that (one).

esencia f. essence, quinta — quintessence. /l adj. essential.

esf/era f. sphere; dial; range. /érico adj spherical.

esforza/do adj. strenuous gritty. /rse r. to strain, to strive.

esfuerzo m. endeavour, push, stress.

esfumar tr. F. a. to stump, to tone down. / se r. to fade out.

esgrim/a f. fencing. /ir tr. to fence, to wield.

esguince m. strain, wrick.

eslabón m. link.

eslavo adj. Slav(onian).

esmalt/ar tr. to enamel. /e m. enamel.

esmerado adj. careful.

esmeralda f. emerald.

esmerar tr. to polish. /se r. to do one's best.

esmero m. care; attention; correctness; accuracy.

eso pron. neut. that; — **es** that is it.

esófago m. esophagus.

espabilar tr. to snuff (a candle).

espaci/ar tr. to (inter) space. /**o** m. space. /**oso** adj. spacious, roomy.

espada f. sword.

espald/a f. back; shoulder, rear; pl. back (part) /**arazo** m. accolade. /**illa** f. shoulderblade, scapula.

espant/adizo adj. easily scared. /**ajo** m. scarecrow /**amoscas** m. fly-flap. /**ar** tr. to scare (away). /**o** m. fright, scare. /**oso** adj. frightful; dreadful.

español adj. Spanish; m. Spaniard, Spanish (language). /**ada** f. would be Spanish play. /**izar** tr. to render Spanish, to Spaniolize. /**izarse** r. to become Spanish.

esparadrapo m. sticking-plaster.

esparci/miento m. scatering; amusement. /**r** tr. to scatter. /**rse** r. to amuse oneself.

espárrago m. asparagus.

espartano adj. and m. Spartan.

esparto m. esparto-grass.

espasm/o m. spasm, fit. /**ódico** adj. spasmodic.

especia f. spice.

especial adj. special. /**idad** f. speciality.

espec/ie f. species; kind. /**ificación** f. specification. /**ificar** tr. to especify. /**ífico** adj. specific-(al).

espect/áculo m. spectacle, show, sight. /**ador** m. spectator.

espectro m. spectre.

especula/ción f. speculation. /**dor** m. speculator. /**r** tr. to speculate. /**tivo** adj speculative.

espej/ismo m. mirage. /**o** m. looking-glass; mirror

espeluznante adj. lurid, thrilling.

espera f. expectation wait(ing). /**ntista** s. Esperantist. /**nto** m. Esperanto. /**nza** f. hope; expectancy. /**nzar** tr. to give hope. /**r** tr. to hope; to expect, to wait for. /**rse** r. to wait.

esperez/arse r. to stretch oneself.

esperm/a f. sperm. /**atorrea** f. spermatorrhea.

esperpento m. fam. fright

espes/ar tr. to thicken. /**o** adj. thick. /**or** m. /**ura** f. thickness; shrubbiness.

espet/ar tr. to spit; to skewer. /**ón** m. spit.

esp/ía s. spy. /**iar** tr. to spy; to lurk.

espig/a f. spike or ear of corn. /**ado** adj. tall; grown. /**ador(a)** adj. s. gleaner. /**ar** intr., tr to glean; intr. to ear. /**ón** m. breakwater.

espín m porcupine.

espina f. thorn, fish-bone.

espinaca f. spinach.

espin/al adj. spinal, dorsal. /**azo** m. back(-bone) /**illa** f. shin(-bone). /**o** artificial barbed wire. /**oso** adj. spiny; thorny.

espionaje m. espionage, spying.

espira f. spiral, spire.

espiración f. expiration.

espiral adj. spiral; winding; f. spiral line.

espirar intr. to expire.

espirit/ismo m. spirit(ual)ism. /**ista** adj. and s. spirit(ual)ist. /**oso** adj. spiritous; spirited.

espíritu m. spirit, soul; — **Santo** Holy Ghost.

espiritu/al adj. spiritual. /**alidad** f spirituality /**alizar** tr. to spiritualize /oso adj. spirituous; ardent.

espita f. faucet (stop).

espl/endidez f. splendour. /éndido adj splendid. /endor m. splendour.

espliego m. *Bot.* lavender.

esplín s. fam. spleen; melancholy.

espol/eadura f. spurgall. /ear tr. to spur /eta f. fuse, fusee (of a bomb).

espolvorear tr. to powder; to dust

esponj/a f. sponge; fig. sponger /ado adj. spongy. /ar tr. to sponge /arse r. to swell, to puff /oso adj. spongy, fluffy

esposales m. pl. espousal, betrothal.

espont/aneidad f. spontaneity. /áneo adj. spontaneous; voluntary.

espos/a f. wife, spouse, pl. manacles; handcuffs, /ado adj. betrothed. /o m. husband, consort.

espuela f. spur.

espum/a f. froth; foam; scum. /adera f. skimmer. /ar tr. to skim, to foam. /oso adj. frothy, sparkling (of wine).

espurio adj. spurious.

esputo m. spittle, sputum.

esquela f. billet, note; memorial notice.

esqueleto m. skeleton.

esqu/í m. ski. /iador m. ski-man. /iar intr. to ski.

esquife m. skiff.

esquil/a f. cattle-bell. /ar tr. to shear /mar tr. to cheat.

esquimal m. Eskimo.

esquina f. corner.

esquirol m. coll. blackleg, rat.

esquiv/ar tr. to evade /ez f. disdain. /o adj evasive.

estab/ilidad f. stability. /ilizar tr. to stabilize

/le adj. stable. /lecer tr. to esbablish. /lecerse to settle down. /lecimiento m. establishment /lo m. stable.

estaca f. a stake; stick. /da f. fence. /r tr. to tie to a stake.

estaci/ón f. season, railway station, situation. /onario adj. stationary.

estadio m. stadium.

estad/ista m. statesman /ística f statistics. /ístico adj. statistical. /o m. state.

estafa f. trick, swindle. /dor m. swindler. /r tt. to deceive; to swindle.

estafeta f. courier.

estall/ar intr. to explode; to burst. /ido m. bang.

estambre m. worsted.

estamp/a f. print, stamp. /ado m print. /ar tr. to (im)print, to stamp. /ida f. stampede /ido m. gun report. /illa f. rubber stamp. *Amér.* postage stamp.

estanc/ar tr. to stanch. /arse r. to stagnate. /ia f. stay; farm. /iero m. *Amér.* farmer. /o adj. (water-)tight, m. shop where monopolized goods are sold, tobacconist's.

estandarte m. standard, banner, oriflamme.

estanque m. reservoir.

estante m. (book-)shelf. /ría f. shelving.

estañ/ar tr. to tin, to solder. /o m. tin.

estar intr. to be (in a place, state or condition). /se r. to stay.

estátic/a f. statics. /o adj. static(al).

estatu/a f. statue. /ir tr. to establish. /ra f. stature, tallness. /to m statute; law.

este adj this; m. east.

éste pron. this one.

estepa f. steppe.

277   estropajoso

estera f. mat.
estercol/ar tr. to (be-)dung. **/ero** m. dunghill.
estereofónico adj. stereophonic.
estereotip/ar tr. to stereotype. **/ia** f. stereotype.
estéril adj. sterile, barren.
esterili/dad f. sterility. **/zar** tr. to sterilize.
esterlina adj. sterling. **libra — pound sterling**.
esternón m. Anat. sternum, breast-bone.
estertor m. rattle, stertor.
estiércol m. manure.
estil/ar tr. and intr. to use. **/o** m. style. **/ográfica (pluma)** f. fountain pen.
estima f. esteem. **/ción** f. estimation **/r** tr. to estimate; to value.
estimular tr. to stimulate.
estímulo m. stimulus.
estío m. summer.
estipendio m. stipend.
estipular tr. to stipulate.
estir/ado adj. extended; fig. stiff. **/amiento** m. stretching. **/ar** tr. to dilate; to pull. **/arse** r. to strech oneself. **/ón** m. strong pull.
estirpe f. race; stock.
estival adj. estival.
esto pron. neut. this.
estocada f. stab, thrust.
estoic/ismo m. stoicism. **/o** adj. stoic.
estolidez f. stolidity.
estólido adj. stolid.
estomacal adj. stomachal.
estómago m. stomach.
estoque m. rapier.
estorb/ar tr. to hinder. **/o** m. hindrance.
estornud/ar intr. to sneeze. **/o** m. sneeze.
estrabismo m. Med. strabismus, squint.
estrado m. platform.
estrafalario coll. slovenly, extravagant.

estrag/amiento m. ravage; fig corruption. **/ar** tr. to deprave. **/o** m. ravage; wickedness.
estrambótico adj. strange odd, queer, quizzical.
estrangula/ción f. strangling, choking. **/r** tr to strangle, to choke
estraperl/ista adj. and s. black-marketeer. **/o** m. black market.
estrat/agema f. stratagem. **/egia** f. Mil. strategy. **/égico** adj. strategic.
estrat/ificar tr. to stratify. **/o** m. stratum, layer
estrech/amiento m. narrowing. **/ar** tr. to tighten. **/ez** f. straitness; narrowness; fig. poverty. **/o** adj. narrow; m. strait, channel. **/ura** f. narrowness
estregar tr. to rub.
estrella f. star; fate. **/do** adj. starry, starlike, fried (eggs). **/r** tr. to shatter; to fry eggs. **/rse** r. to crash (aircraft).
estremec/er tr. to shake. **/erse** r. to tremble. **/imiento** m. shiver(ing), trembling, quake.
estren/ar tr. to handsel; to begin; Theat. to make one's debut. **/o** m. commencement, handsel; Theat. debut, première.
estreñi/miento m. constipation. **/r** tr. to restrain; to constipate.
estrépito m. noise, din.
estrepitoso adj. noisy.
estrib/aciones f. pl. foothills. **/ar** intr. to rest (upon). **/illo** m. Mús. refrain. **/o** s. stirrup, step.
estribor s. starboard.
estricto adj. strict; exact.
estriden/cia f. shrillness. **/te** adj. shrill.
estrofa s. strophe, stanza.
estropajo m. mop, dishcloth. **/so** adj. ragged.

estrop/ear tr. to abuse, to maim; to break. **/icio** m. coll. breakage.

estructura f. structure.

estruendo m. clangour. **/so** adj. clangorous.

estrujar tr. to squeeze.

estuario m. estuary.

estuche m. case, sheath.

estudi/ante m. student. **/antil** adj. fam. scholastic. **/antina** f. student wake or band. **/ar** tr. to study. **/o** m. study, learning; reading-room, studio. **/oso** adj. studious, careful.

estufa f. stove, heater.

estulticia f. silliness.

estupefac/ción f. stupefaction; numbness. **/to** adj. fam. stupefied.

estupendo adj. stupendous; wonderful.

estupidez f. stupidity.

estúpido adj. stupid; dull.

estupor m. stupor.

estupr/ar tr. to ravish. **/o** m. rape, violation.

esturión m. sturgeon.

etapa f. stage, stop, relay.

etcétera adv. et caetera, etc., and so on.

etern/al adj. eternal. **/dad** f. eternity. **/izar** tr. to eternize. **/o** adj. eternal; endless; everlasting.

étic/a f. ethics; morals. **/o** adj. ethic(al), moral.

etimología f. etymology.

etiquet/a f. etiquette; ceremony; label.

étnico adj. ethnic.

eucar/istía f. eucharist. **/ístico** adj. eucharistic(al).

eufemismo m. euphemism.

euforia f. euphoria.

eunuco m. eunuch.

europeo adj. European.

evacua/ción f. evacuation. **/r** tr. to evacuate, to quit.

evadir tr. to evade. **/se** r. to slip away.

evang/élico adj. evangelic(al). **/elio** m. gospel **/elista** s. evangelist. **/elizar** tr. to evangelize.

evapora/ción f. evaporation. **/r** intr. to evaporate.

evasi/ón f. evasion, escape. **/vo** adj. evasive.

event/o m. event, issue **/ual** adj. eventual.

eviden/cia f. evidence, proof. **/ciar** tr. to prove. **/te** adj. evident.

evitar tr. to avoid.

evocar tr. to recall.

evoluci/ón f. evolution. **/onismo** m. evolutionism.

exact/itud f. exactness; accuracy. **/o** adj. exact, accurate.

exagera/ción f. exaggeration. **/r** tr. to exaggerate.

exaltar tr. to exalt.

exam/en m. exam(ination), test, survey. **/inar** tr. to examine; to survey. **/inarse** r. to pass one's examination.

exánime adj. spiritless.

exaspera/ción f. exasperation. **/do** adj. exasperate. **/r** tr. to exasperate.

excavar tr. to excavate, to dig.

exceder tr. to exceed; to surpass. **/se** r. to pass, to overstep.

excelen/cia f. excellence; Excellency (title). **/te** adj. excellent.

excelso adj. elevated.

excentricidad f. eccentricity.

excéntrico adj. eccentric(al).

excep/ción f. exception. **/to** adv. except. **/tuar** tr. to except.

exces/ivo adj. excessive. **/o** m. excess.

excita/ble adj. excitable. **/ción** f. excitation. **/r** tr. to excite.

exclama/ción f. exclamation. /r tr. to exclaim.
exclu/ir tr. to exclude. /sión f. exclusion. /siva f. exclusive right. /sivo adj. exclusive.
excomu/lgar tr. to excommunicate. /nión f. excommunication.
excremento m. excrement, dirt; pl. feces.
excursi/ón f. excursion; trip, outing, tour. /onista s. excursionist.
excusa f. excuse, plea. /do adj. exempt; m. privy, (water-)closet. /r tr. to excuse; to apologize.
exen/ción f. exemption. /tar tr. to exempt. /to adj. exempt; free(d).
exequias f. pl. exequies, funeral rites.
exhala/ción f. exhalation. /r tr. to exhale.‖
exhausto adj. exhausted.
exhibi/ción f. exhibition. /r tr. to exhibit.
exhorta/ción f. exhortation. /r tr. to exhort.
exhuma/ción f. exhumation. /r tr. to disinter.
exig/encia f. exigence. /ir tr. to exact; to demand; to require.
exiguo adj. exiguous.
eximio adj. eximious.
eximir tr. to exempt.
exist/encia f. existence. /ente adj. existent. /ir intr. to exist; to be.
éxito m. success.
éxodo m. exodus.
exorbitante adj. exorbitant; excessive.
exorcis/mo m. exorcism. /ar tr. to exorcise.
exótico adj. exotic(al).
expansi/ón f. expansion; spread. /vo adj. expansive.
expatria/ción f. expatriation. /r tr. to expatriate /rse r. to emigrate.

expecta/ción f. /tiva f. expectation.
expedi/ción f. expedition. /cionario adj. and s. expeditionary; sender. /ente m. for. proceedings, record. /r tr. to dispatch, to forward. /tivo adv. expeditive; quick.
expeler tr. to expel.
expen/dedor adj. spender; m. dealer, seller. /der tr. to expend. /sas f. pl. expenses.
experi/encia f. experience;. /mentar tr. to experience, to experiment. /mento m. experiment.
experto adj. expert.
expia/ción f. expiation, /r tr. to expiate.
explica/ción f. explanation. /r tr. to explain. /rse r. to explain or speak one's mind.
explícito adj. explicit.
explora/ción f. exploration. /dor adj. explorator. /r tr. to explore.
explosi/ón f. explosion, outburst, blast. /vo adj. and m. explosive.
explota/ción f. exploitation, development. /r tr. to exploit, to run.
expolia/ción f. spoliation. /r tr. to plunder.
exponer tr. to expose; to exhibit, to show. /se r. to run a risk.
exporta/ción f. export(ation). /r tr. to export.
exposición f. exposition; exhibition.
expósito adj. foundling.
expres/ar tr. to express. /ión f. expression. /ivo adj. expressive. /o adj. expressed; s express.
exprimir tr. to squeeze or press out.
expuesto adj. exposed; liable, risky.

expuls/ar tr. to expel; to eject. **/ión** f. expulsion **/o** adj. ejected.

exquisito adj. exquisite.

éxtasis m. ecstasy.

exten/der tr. **/derse** r. to extend; to stretch out. **/sión** f. extension; extent. **/so** adj. extensive.

exterior adj. exterior. **/izar** tr. to externalize.

extermin/ar tr. to exterminate. **/io** m. extermination.

externo adj. external.

extin/ción f. extinction. **/guir** tr. to extinguish. **/to** adj. extinct.

extirpa/ción f. extirpation. **/r** tr. to extirpate.

extorsión f. extortion.

extrac/ción f. extraction. **/tar** tr. to extract. **to** m. abstract. **/tor** m. extractor.

extraer tr. to extract.

extranjero adj. foreign, m. foreigner; stranger; **en el** or **al —,** abroad.

extrañ/ar tr. to alienate; to miss. **/arse** r. to wonder (at) **/eza** f. oddity, wonderment. **/o** adj. strange, odd, queer, s. stranger, foreign.

extraordinario adj. extraordinary; uncommon.

extravagan/cia f. extravagance. **/te** adj. extravagant, eccentric.

extrav/iar tr. to mislead, to misplace. **/iarse** r. to go astray. **/ío** m. deviation, misleading, loss.

extrem/ado adj. extreme. **/ar** tr. to carry to an extreme **/aunción** f. extreme unction. **/idad** f. extremity. **/o** adj. and. m. extreme.

exuberan/cia f. exuberance. **/te** adj. exuberant.

fábrica f. factory,, works, mill; fabrication, make.

fabri/cación f. fabrication, manufacture. **/cante** s. manufacturer. **/car** tr. to build; to manufacture. **/l** adj. manufacturing.

fábula f. fable, legend

fabul/ista s. fabler. **/oso** adj. fabulous.

facci/ón f. faction, side, pl. face, features. **/oso** adj. factious, m. rebel.

faceta f. facet.

fácil adj. easy, light.

facili/dad f. facility; easiness. **/tar** tr. to facilitate; to make easy.

facineroso adj. wicked.

factible adj. feasible.

fact/or m. factor, agent. **/oría** f. factory. **/ura** f. invoice, bill. **/urar** tr. to bill, to invoice, to register luggage.

faculta/d f. faculty; power. **/r** tr. to empower. **/tivo** adj. facultative, optional; m. doctor, physician.

facha f. fam. aspect, look mien, appearance.

fachada f. façade; face.

faena f. work; labour, pl. household duties.

faisán m. pheasant.

faj/a f. band(age). sash; girdle. **/ar** tr. to swathe; to girdle. **/o** m. bundle.

falacia f. fallacy, deceit.

falaz adj. deceitful,

fald/a f. skirt; lap, foothill. **/ero** adj. of the lap; m. lap-dog.

falib/ilidad f. fallibility. **/le** adj. fallible.

fálico adj. phallic.

falo m. phalus.

fals/ario adj. and. s. forger. **/tar** tr. to falsify. **/edad** f. falsehood. **/ificación** f. falsification; counterfeit. **/ificador** m. falsifier. **/ificar** tr. to falsify. **/o** adj. false.

falt/a f. fault; defect; want. **/ar** intr. to be deficient, to miss, to be absent or missing.

falto (de) adj. wanting.

falla f. defect; flaw. **/r** intr. to fail, to miss (as an engine); tr. to judge.

fallec/er intr. to die. **/imiento** m. decease.

fallido adj. frustate.

fallo m. judgment, failure, breakdown.

famélico adj. hungry.

fama f. fame.

familia f. family; household. **/r** adj. familiar; m. relative. **/ridad** f. familiarity, acquaintance. **/rizar** tr. to familiarize, to acquaint.

famoso adj. famous.

fanal m. lantern.

fanático adj. and m. fanatic(al); bigot(ed).

fanatismo m. fanaticism.

fanfarr/ón adj. fam. bouncing, m. bully. **/onada** f. fanfaronade; brag. **/onear** intr. to fanfaronade, to brag.

fang/al m. slough. **/o** m. mud. **/oso** adj. muddy.

fantas/ear intr. to fancy. **/ía** f. fancy; imagination. **/ma** m. phantom.

fantástico adj. fantastic(al), fanciful.

farándula f. farcicalness, strolling troup.

fardo m. bundle.

faring/e f. *Anat.* pharynx. **/itis** f. pharyngitis.

faris/aico adj. pharisaical. **/eismo** m. Pharisaism, hipocrisy. **/eo** m. Pharisee; hypocrite.

farmac/éutico adj. pharmaceutic(al); m. chemist. **/ia** f. pharmacy; chemis't (shop), drugstore.

faro m. light-house.

farol m. lantern, street lamp. **/a** f. big lantern.

farsa f. farce, humbug. **/nte** s. deceiver, farse player.

fascículo m. fascicle.

fascina/ción f. fascination. **/r** tr. to fascinate; to bewitch.

fascis/mo m. Fascism. **/ta** m. Fascist.

fase f. phase, stage.

fastidi/ar tr. to disgust, to irk. **/arse** r. to weary. **/o** m. disgust, weariness. **/oso** adj. annoying.

fastuoso adj. proud, ostentatious, flaming.

fatal adj. fatal; disastrous. **/idad** f. fatality ill-luck. **/ismo** m. fatalism. **/ista** s. fatalist.

fatídico adj. fatidical.

fatig/a f. toil; fatigue; tiredness. **/ar** tr. to fatigue; to tire. **/arse** r. to tire. **/oso** adj. tiresome.

fatuo adj. fatuous.

fausto m. pomp.

favor m. favour, support; **por —**, please. **/able** adj. favourable. **/ecer** tr. to favour. **/ito** adj. favorite.

faz f. face, visage.

fe f. faith(fulness).

fealdad f. ugliness.

febrero m. February.

febril adj. feverish.

fécula f. fecula, starch.

fecund/ación f. fecundation. **/ar** tr to fertilize.

/idad f. fertility. /o adj. fertile.

fecha f. date. /r tr. to date.

fechoría f. misdeed.

federa/ción f. federation; /l adj. federal, federate; m. federalist.

felici/dad f. happiness, felicity. /tación f. congratulation. /tar tr. to congratulate.

feligr/és m. parishioner. /esía f. a parish district.

feliz adj happy; lucky.

fem/enino adj. femenine. /inismo m. feminism. /inista s. feminist.

fenecer intr. to die.

fenómeno m. phenomenon, freak.

feo adj. ugly; hideous.

feraz adj. feracious.

féretro m. coffin, hearse.

feria f. fair, market. /l adj. ferial; m. fair.

ferment/ar intr. to ferment. /o m. ferment.

fero/cidad f. ferocity. /z adj. ferocious; cruel.

férreo adj. ferreous, iron.

ferr/etería f. hardware store. /ocarril m. railway. /oviario adj. railway; m. railwayman.

fértil adj. fertile.

fertili/dad f. fertility. /zar tr. to fertilize.

férula f. ferula.

ferv/iente adj. fervent. /or m. fervour.

festej/ar tr. to entertain; to woo. /o m. feast, courstship.

festín m. feast; treat.

festiv/idad f. festivity holyday. /o adj. festive.

fetiche m. fetish.

fétido adj. fetid.

feto m. fœtus.

feud/al adj. feudal; feodal /alismo m. feudalism. /o m. fief, feud.

fiado adj. confident; trustworthy; comprar al

go ⟶, to buy on credit. /r m. guarantor, grip.

fiambre m. cold meat. /ra f. lunch-basket.

fianza f. security, bail.

fiar tr. to guarantee, to bail. /se r. to trust.

fibr/a f. fibre. /oso adj. fibrous.

ficción f. fiction.

fich/a f. chip, (index-)card. /ero m. card index.

ficticio adj. fictitious.

fidedigno adj. trustworthy.

fideicomiso m. trust.

fidelidad f. fidelity.

fideos m. pl. vermicelli.

fiebre f. fever.

fiel adj. faithful.

fieltro m. felt .

fier/a f. wild beast. /eza f. fierceness. /o adj. wild, ferocious.

fiesta f. feast; festivity, holiday, caress.

figur/a f. figure; shape. /ar tr. to figure. /arse r. to imagine. /ativo adj. figurative. /ín m. model, fashion plate.

fij/ador m. affixer. /ar tr. to fix; to fasten. /arse r. to fix, to notice. /eza f. firmness. /o adj. fixed, firm.

fila f. tier, row, line.

fil/antropía f. philanthropy. /ántropo m. philanthropist.

filarmónico adj. philarmonic.

filatelia f. philately, stamp-collecting.

filete m. fillet, list(el).

fili/ción f. filiation, personal description. /l adj. filial.

filipino adj. Philippine.

filo m. cutting, edge.

filol/ogía f. philology. /ógico adj. philological.

filón m. vein (of mine).

filos/ofar tr. to philosophize. /ofía f. philosophy. /ófico adj. philosophic(al).

filósofo m. philosopher.

filtr/ar tr. to filter. /o m. filter.

fin m. end(ing), aim. /ado adj. deceased. /al adj. final; m. end. /alizar tr. to finish.

financiero adj. financial, m. financier.

finca f. real estate, farm.

fineza f. fineness; purity.

fingi/do adj. feigned. /r tr. to feign, to fake.

fino adj. fine, polite.

finura f. fineness; nicety.

firm/a f. signature, Com. firm, concern. /amento m. firmament, sky. /ar tr. to sign. /e adj. firm.

firmeza f. firmness.

fisc/al f. attorney-general; adj. fiscal. /alía f. attorney-generalship. /alizar tr. to control. /o m. fisc, exchequer.

fisg/ar tr. /onear tr. to pry, to eavesdrop.

físic/a f. physics. /o adj. physical; m. physicist, bodily aspect.

fisiología f. physiology.

fisioterapia f. physiotherapy.

flaco adj. lean; meagre.

flam/a f. flame. /ante adj. brand-new. /ear intr. to flame, to flutter.

flamenco adj. buxom (woman), gipsy, adj. Flemish; gay, m. Fleming: Orn. flamingo.

flan m. custard (pie).

flan/co m. Fort. flank. /quear tr. to (out)-flank.

flaque/ar intr. to slacken. /za f. weakness.

flato m. flatus.

flaut/a f. flute. /ista s. flute-player, flautist.

flecha f. arrow. /r tr. to inspire sudden love. /zo m. blow with an arrow; love-shaft.

flem/a f. phlegm. /ático adj. phlegmatic. /ón m. phlegmon.

flet/ar tr. Naut. to charter. /e m. freight(age).

flexi/bilidad f. flexibility. /ble adj. flexible, pliable. /ón f. flexion.

floj/ear intr. to slacken. /o adj. weak, feeble.

flor f. flower; blossom. /a f. Bot. flora. /ecer intr. to flourish. /eciente adj. flourishing. /ero flower-pot. /ido adj. florid. /ista s. florist, flower seller; f. flower-girl.

flot/a f. Naut. fleet, armada. /ante adj. floating. /ar intr. to float. /e m. floating. /illa f. flotilla.

fluctuar intr. to flicker.

fluidez f. fluency.

fluido adj. fluid; s. fluid.

fluir intr. to flow.

flujo m. (in)flux, (in)flow.

fluvial adj. fluvial.

foca f. seal, sea-lion.

foco m. focus, core, source; Theat. spotlight.

fog/ata f. bonfire, blaze. /ón m. kitchen-range. /osidad f. heat of temper. /oso adj. ardent (in love), hot.

folkl/ore m. folklore. /órico adj. folkloric.

follet/ín m. feuilleton, serial story. /o m. pamphlet, booklet.

foment/ar tr. to foment. /o m. fomentation.

fond/a f. inn; tavern. /ista s. inn-keeper.

fonde/adero m. Naut. anchor(ing-) ground. /ar tr. Naut. to cast anchor.

fondo m. bottom, background, fund, nature.

fonética f. phonetics.

fonógrafo m. phonograph.

fontaner/ía f. plumbing. /o m. plumber.

forajido m. outlaw.

foral adj. for. statutory.

forastero m. stranger, visitor, alien; adj. strange
forense adj. forensic.
forja f. forge. /r tr. to forge; to counterfeit
forma f. form, shape. /ción f. formation /l adj. formal, proper. /lidad f. formality. /lizar tr. to formalize. /r tr. to form /tivo adj formative.
formidable adj. formidable.
fórmula f. formula.
formulario m. form
fornica/ción f. fornication. /r tr. to fornicate.
fornido adj robust, stout
forr/ar tr. to line. /o m lining, doubling.
fortale/cer tr. to fortify /za f. vigour; fortress
fortificar tr. to strengthen, to fortify.
fortuito adj. fortuitous.
fortuna f. fortune; chance; (good) luck; success.
forz/ar tr. to force /oso adj. indispensable /udo adj. vigorous.
fosa f. pit; grave, fossa.
foso m. pit, moat, ditch.
fotogra/bado m. photogravure. /fía f. photograph, photography.
fotógrafo m. photographer.
frac m. evening dress
fracas/ar intr. to fail. /o m. ruin; failure.
fracción f. fraction.
fractura f. fracture. /r tr. to fracture; to break.
fragan/cia f. fragance. te adj fragrant.
fragata f. frigate.
frágil adj fragile; frail
fragilidad f. fragility.
fragmento m. fragment.
fraile m. friar, monk.
frambuesa f. raspberry.
francachela f. carousal, spree, revel(ry)

francés adj. French; m Frenchman.
francmasón m Freemason.
franco adj frank, free
franela s. flannel.
franja f. fringe, band
franque/ar tr. to exempt; to prepay (as letters). /o m postage. /za f. frankness, sincerity
franquicia f. exemption
frasco m. flask. bottle.
frase f. phrase, sentence
fratern/al adj. fraternal, brotherly. /idad f. brotherhood /o adj fraternal.
fratricid/a s. fratricide. /io m. fraticide (crime).
fraude m. fraud; deceit.
fray m Friar, Brother.
frecuen/cia f. frequency. /tar tr. to frequent; to haunt. /te adj. frequent.
freg/adero m. scullery, sink /ar tr. to rub, to scrub
freir tr. to fry.
frenar tr. to brake
frenesi m. frenzy
frenético adj. frantic.
freno m. brake ,check.
frente f. forehead, m front; adv. in front
fresa f. strawberry
fresc/achón adj. good looking. /achona adj f. buxom (woman) /o adj fresh; cool; m. cool air or m freshness /ura f. freshness
fresno m. Bot. ash-tree
frialdad f. coldness
fricción f. friction
frigorífico adj. frigorific
frío adj. cold, dull; m cold; hace — it is cold.
frit/ada f. fry. /o adj. fried.
frivolidad f. frivolity.
frívolo adj. frivolous.
frondos/idad f. foliage, frondage. /o adj. leafy.
front/al adj front(al). /era f. frontier. /eriz

adj. bordering. /ón m. hand-ball court.

frota/ción f. friction. /r tr. to rub, to wipe.

fruct/ífero adj. fruitful. /**ificar** tr. to fructify.

frugal adj. frugal; sparring. /**idad** f. frugality.

frustrar tr. to frustrate. /**se** r. to miscarry.

frut/a f. fruit. /**al** adj. fruitful; m. fruit-tree. /**ería** f. fruitery, fruit-store. /**ero** m. fruitbasket. /**o** m. fruit.

fuego m. fire (place).

fuente f. spring, source, font, fountain; dish.

fuera adv. away, out, off, interj. away, begone.

fuero m. statute law.

fuer/te adj. strong, hard; m. fort(ress) /**za** f. force; strength, power, pl. soldiers, forces.

fug/a f. flight; escape. /**acidad** f. fugacity. /**arse** r. to escape. /**az** adj. fleeting. /**itivo** adj. fugitive, runaway.

fulana f. such a one; mistress, lover.

fulano m. such a one Mr. So and So.

fulgor m. fulgency, glow.

fulmina/nte adj. thundering, m. percussion

cap. /r tr. to fulminate, to storm at

fuma/dor m. smoker. /r tr. to smoke.

función f. function, operation, play, show.

funcionar intr. to work. /**io** m. functionary, (public) officer.

funda f. case; sheath.

funda/ción f. foundation, institution. /**mento** m. foundation, ground. /r tr. to found; to establish.

fundi/ción f. fusion; foundry. /r tr. to fuse, to melt, to cast.

fúnebre adj. funeral.

funera/l adj. y m. funeral. /**rio** adj. funeral.

funicular adj. funicular; m. cableway, ropeway.

furi/a f. fury; rage. /**bundo** adj. /**oso** adj. furious.

furor m. fury; rage.

furtivo adj. furtive.

furúnculo m. furuncle.

fusible adj. fusible; m. Elec. fuse, cut-out.

fusil m. rifle, gun, musket. /**ar** tr. to execute by shooting.

fusión f. fusion.

fútil adj. futile.

futuro adj. and m. future.

G

---

gabacho adj. and m. coll. French(man).

gabán m. overcoat.

gabardina f. gabardine.

gábarra f. Naut. lighter.

gabinete m. cabinet, study, parlour, ministry.

gacet/a f. gazette, newspaper. /**illa** f. gossip

column, news in brief. /**illero** m. newswriter.

gacho adj. drooping.

gafa f. grapple, hook; pl. spectacles, glasses.

gait/a f. bagpipe, flageolet. /**ero** m. piper.

gaje m. wages, pay; pl. fees, perquisites.

gala f. gala; full dress.

galán m. lover, courtier.

galante adj. gallant, cavalier. /**ador** m. wooer. /**ar** tr. to court; to woo. /**o** m. wooing. /**ría** f. politeness.

galard/ón m. reward. /**onar** tr. to reward.

galeón m. *Naut.* galleon.

galería f. gallery; corridor, lobby.

galerna f. and f. stormy wind.

galés (a) m. (f.) Welshman (-woman); adj. Welsh.

galgo m. greyhound.

galicismo s. gallicism.

galimatías m. gibberish.

galón m. (measure) gallon; *Mil.* braid, stripe.

galop/ada f. gallop. /**ar** intr. to gallop. /**e** m. gallop. **a —**, in haste.

gallard/ear intr. to behave gracefully. /**ete** m. pennant. /**ía** f. genteelness; gallantry. /**o** adj. gay; graceful.

galleta f. biscuit.

gallego m. y adj. Galician.

gall/ina f. hen. /**inero** m. poultry-yard. /**o** m. cock, rooster.

gamberro adj. and s. rowdy (type), hooligan.

gamo m. fallow deer.

gamuza f. chamois.

gana f. desire appetite, **de buena —**, willingly.

ganad/ería f. breeding stock of cattle. /**ero** m. owner of cattle; dealer in cattle. /**o** m. cattle, live stock.

gana/dor m. winner. /**ncia** f. profit. /**r** tr. to gain; to win; to earn.

gancho m. hook.

gandul m. idler, loafer.

ganga f. bargain, windfall; *Min.* gangue.

gangrena s. gangrene. /**rse** r. to become gangrenous.

gans/ada f. stupidity. /**o** m. goose.

ganzúa f. picklock.

garabat/ear tr. to hook. /**o** m. hook, scrawl.

garaj/e m. garage. /**ista** m. garage-keeper.

garant/ía f. warrant(y); guarantee. /**izar** tr. to guarantee.

garapiña/do adj.; **almendras —s** f. pl. sugared almonds. /**r** tr. to ice.

garbanzo m. chick-pea.

garbo m. gracefulness. /**so** adj. graceful.

garfio m. iron hook.

gargant/a f. throat; gullet, ravine, gorge.

gárgara f. gargle; **hacer -s**, to gargle.

garita f. sentry-box, hut.

garito m. gaming-house.

garlito m. snare, trap.

garra f. claw, clutch.

garrafa f. carafe.

garrapat/a f. dog-tick. /**ear** intr. to scribble.

garrot/azo m. blow with a cudgel. /**e** m. cudgel; a capital punishment used in Spain.

gárrulo adj. chirping; garrulous.

garza f. *Orn.* heron.

gas m. gas, fume.

gasa f. gauze, chiffon.

gaseos/o adj. gaseous. /**a** f. soda water.

gasolina f. gasoline, petrol.

gárrulo adj. chirping.

gast/ado adj. out-worn. /**ar** tr. to spend, to waste, to use. /**arse** r. to grow old. /**o** m. expenditure.

gástrico adj. gastric.

gastronomía f. gastronomy.

gat/a f. she-cat; **a -s**, on all fours. /**illo** m. trigger, catch /**o** m. cat tom cat; *Mech.* jack /- **uno** adj. cat-like.

gavela f. drawer, till.

gavilán m. *Orn.* sparrow-hawk.

gavilla f. sheaf of corn.

gaviota f. *Orn.* seagull.

gayo adj. gay, showy.

gazapo s. cony, young rabbit; slip, misprint.

gazmoño s. prude.

gaznate m. throttle.

gazpacho m. Andalusian cold soup made of raw **vegetables**.

gazuza f. fam. violent hunger.

gemelo m. twin; pl. binoculars, cuff-links.

gemi/do m. groan; howl /r intr. to groan.

gendarme m. gendarme.

genealogía f. genealogy, lineage, pedigree.

generación f. generation.

general adj. and m. general. /**idad** f. generality. /**izar** tr. to generalize.

generar tr. to generate.

genérico adj. generic.

género m. genus; gender; pl. (dry) goods, merchandise, wares.

generos/idad f. generosity. /o adj. generous.

geni/al adj. inspired, joyful. /**alidad** f. geniality. /o m. genius, creative intellect, nature, mood.

genital adj. genital; m. testicle.

gent/e f. people; folk. /**il** adj. genteel. /**ileza** f. gentility, courtesy. / **ío** m. crowd.

genuino adj. genuine.

geogr/afía f. geography. /**áfico** adj. geographical.

geógrafo m. geographer.

geología f. geology.

geometría f. geometry.

geranio m. cranesbill, geranium.

geren/cia f. management. /**te** m. manager.

german/ia f. jargon. /**ófilo**

adj. s. Germanophile. /**ófobo** adj. s. Germanophobe.

germen m. germ; sprout.

germinar intr. to germinate.

gesticular tr. to gesticulate; to make grimaces.

gestión f. conduct; exertion, management, step.

gesto m. gesture, motion.

gestor m. negotiator.

gigante m. giant; adj. gigantic.

gimnas/ia f. gymnastics. /**io** m. gymnasium. /**ta** s. gymnast.

gimot/ear intr. to blubber. /**eo** m. blubber.

ginebra f. gin.

ginecología f. ginecology.

gir/ar intr. to spin, to turn. /**asol** m. *Bot.* sunflower. /**atorio** adj. revolving. /o m. turn; course; twist, idiom. *Com.* draft.

gitan/ada f. trick. /o m. gypsy; adj. gipsy(like).

glacial adj. glacial, icy.

glándula f. gland.

glob/o m. globe; sphere; /**uloso** adj. globulous.

glori/a f. glory, honour. /**arse** r. to boast in. /**eta** f. summer-house, arbour. /**ficar** tr. to glorify. /**oso** adj. glorious.

glosa gloss. /r tr. to gloss. /**rio** m. glossary.

glot/ón m. glutton; adj. gluttonous. /**onería** f. gluttony.

goberna/ción f. government, Home Office. /**dor** m. governor; ruler. /**nte** adj. governing; m. administrator, ruler. /r tr. to govern.

gobierno m. government, cabinet, rule, steering.

goce m. enjoyment.

golfo m. gulf; ragamuffin.

golondrina f swallow.

golos/ina f. dainty, delicacy; pl. **niceties, sweets.** /**o** adj. sweet-toothed.
golpe m. blow; stroke; **— de estado** coup d'état /**ar** tr. to beat; to strike
goma f. gum, rubber
góndola f. gondola.
gondolero m. gondolier.
gord/i(n)flón adj. and m. *Coll.* fatty. /**o** adj. fat; /**ura** f. fat(ness).
gorje/ar intr. to warble; to chirp. /**o** m. warble.
gorr/a f. cap; bonnet; *coll.* sponging. /**ero** m. cap-maker; sponger
gorrión m. sparrow
gorro m. cap, forage cap
gorrón m. sponger.
got/a f. drop; *Med.* gout /**ear** intr. to drop, to drip. /**era** f. leak(age)
gozar tr. to enjoy
gozne m. hinge.
gozo m. joy; pleasure. /**so** adj. joyful; cheerful.
graba/do m. engraving, illustration, picture, print. /**dor** m. engraver
grac/ejo m. grace, wit, /**ia** f. grace; gracefulness; pl. thanks. /**ioso** adj. amusing, pleasing, facetious.
grad/a f. (step) of staircase. /**ación** f. gradation. /**ería** f. steps. /**o** m. degree, grade. /**uación** f. grad(u)ation. / **uado** adj. graduated; graduate. / **ual** adj. gradual. /**uar** tr. to gauge. to graduate.
gráfico adj. graphic, pictorial.
grajea f. minute bonbon.
gramátic/a f. grammar, **— parda** horse sense. /**o** m. grammarian.
gramo m. gram(me)
gramófono m. gramophone
gran adj. great; grand
grana f. scarlet

granad/a f. pomegranate; *Mil.* handgrenade /**ero** m. *Mil.* grenadier
granar intr. to (run to) seed, to kern
granate m. garnet
grand/e adj. great, large, m. grandee. /**eza** f. greatness. /**ilocuencia** f. grandiloquence. / **ioso** adj. grand; superb /**or** m. greatness
grane/ar tr. to granulate. /**l** adv. ahead, in bulk. /**ro** m. granary
grani/lloso adj. granulous. /**to** m. granite, small pimple. /**zada** f. hailstorm. /**zado** m. water-ice. /**zar** intr. to hail. /**zo** m. hail.
granj/a f. farm(-house). dairy. /**ero** m. farmer
granjear tr. and r. to gain, to get, to earn.
grano m. grain, cereal, pimple, **ir al —** to get to the point.
granuja rogue, scoundrel
grapa f. cramp-iron
gras/a f. grease, fat. /**iento** adj. greasy. /**o** adj. /**oso** adj. greasy
gratifica/ción f. gratification; gratuity, tip. /**r.** tr. to gratify; to tip.
gratis adv. gratis, free
gratitud f. gratitude.
grato adj. pleasing.
gratuito adj. gratuitous, free (of charge).
grava f. gravel, rubble
grava/men m. charge /**r** tr. to charge.
grave adj. grave, serious /**dad** f. gravity
gravita/ción f. gravitation. /**r** tr. to gravitate.
gravoso adj. grievous.
gremi/al adj. trade-unionistic. /**o** m. trade-union, guild.
gresca f. carousal; reveling; wrangle.
grieta f. crevice; crack; **grifo** m. tap, faucet

grillarse r. to shoot, to sprout, fig. to go mad.

grilletes m. pl. shackles.

grillo m. cricket.

gripe f. influenza; grippe.

gris adj. gray, grizzled.

grisú m. marsh gas.

grit/ar intr. to cry out, to scream. /**ería** f. clamour. /**o** m. cry; scream.

grosella f. red currant.

groser/ía f. grossness. /**o** adj. gross; coarse.

grosor m. thickness.

grotesco adj. grotesque.

grúa f. crane, derrick.

grueso adj. bulky. m. thick(ness). bulk.

gruñi/do m. grunt; growl. /**r** intr. to grunt.

grupa f. croup, rump.

grupo m. group; assemblage, clump, set.

gruta f. cavern; grotto.

guadaña f. scythe.

guante m. glove.

guap/o adj. handsome, beautiful, fine; daring; m. beau, bully.

guarda m. guard; keeper; (railway) signalman; f. custody. /**bosque** m. forester, gamekeeper. /**costas** m. cruiser; revenue cutter. /**polvo** m. dustguard. /**r** tr. o keep, to to (safe)guard, to take care of /**rse** f. to beware. /**rropa** f. wardrobe; cloakroom.

guardería f. guard; infantil day nursery.

guardi/a f. guard; watch, m. guardsman, policeman. /**án** m. keeper; guardian.

guarecer tr. to shelter.

guarida f. den, cave.

guarn/ecer tr. to garnish. /**ición** f. trimming, *Mil:* garrison, pl. harness.

guarro m. hog; pig.

guas/a f. *coll.* jest, fun. /**ón** adj. witty, facetious; m. wag, joker.

gubernativo adj. administrative, governmental

guerr/a f. war(fare) /**ear** intr. to war /**ero** adj. warlike; m. warrior. /**illa** f. guerrilla /**illero** m. partisan, guerrilla

guía s. guide, cicerone, f. guide, guide-book, permit. /**r** tr. to guide.

guijarro m. boulder.

guillotina f. guillotine. /**r** tr. to guillotine.

guind/a f. mazard berry /**illa** f. red pepper.

Guinea f. Guinea, guinea (English coin).

guiñapo m. tatter; rag

guiñar tr. to wink.

guión m. hyphen, script (film, lecture), standart.

guirnalda f. garland.

guis/ado m. stew. /**ante** m. green-pea. /**ar** tr. to cook. /**o** m. cooked dish, stew.

guitarr/a f. guitar /**ista** m. guitar player

gula f. gluttony.

gusano m. worm, cater pillar

gust/ar tr. to taste; to try /**azo** m a great pleasure /**o** m. taste; pleasure. /**oso** adj. tasty willing, with pleasure

haba f. broad bean

habano adj. Havana cigar.

haber tr. to have, to pos-

sess; *impersonal verb* there is, there are, m credit; /**de** to have to; **—que** it is neccessary.

habichuela f. *Bot.* French bean.

hábil adj. clever; skilful.

habili/dad f. ability; cleverness. **/tación** f. qualification. **/tado** adj. habilitate; m. paymaster. **/tar** tr. to qualify; to equip.

habita/ble adj. habitable. **/ción** f. room. **/nte** m. inhabitant; dweller. **/r** tr to inhabit; to live.

hábito s. dress; habit.

habitu/al adj. habitual, customary. **/ar** tr. to accustom; to habituate. **/arse** r. to get used or accustomed. **/d** f. habitude.

habl/a f. language, speech. **/ador** m. prattler; adj. talkative. **/aduría** f. gossip. **/ar** tr. to speak; to talk.

hacedero adj. feasible.

hacend/ado adj. landed, m. landowner. **/oso** adj. diligent.

hacer tr., intr. to make, to do, **— calor**, to be hot. **/se** r. to become.

hacia adv. toward, about.

hacienda f. landed property; estate; treasury.

hacina/miento. m. heaping together. **/r** tr. to stack or pile up (sheaves).

hach/a f. hack, axe. **/azo** m. stroke with an axe.

had/a f. fairy. **/o** m. fate, destiny, fatality.

halag/ar tr. to flatter. **/o** m. cajolery; flattery. **güeño** adj. promising.

halcón m. falcon, hawk.

hálito m. halitus, breath.

halo m. halo, aureole.

halla/do adj. found **/r** tr. to find; to hit on. **/rse.** r. to find oneself (in a place). **/zgo** m. discovery, find.

hamaca f. hammock.

hambr/e s. hunger; famine. **/lento** adj. hungry.

hamo m. fish-hook.

hampa f. vagrancy, truantship, rowdyism.

hangar m. (air-)shed.

harag/án m. and adj. idler, lounger. **/anear** intr. to idle, to loaf. **/anería** s. idleness.

harap/iento — oso adj. ragged. **/o s.** rag.

harem m. harem.

harin/a f. flour, meal. **/oso** adj. mealy, floury.

hart/ar tr. to glut. to cloy, to overeat. **/azgo** m. satiety, glut. **/o** adv. enough; adj. satiated. **/ura** f. satiety.

hasta adv. till, until, as far as; **— luego**, see you later; conj. also. even.

hast/iar tr. to weary. **/io** m. loathing.

hat/illo m. a small bundle. **/o** m. heap; cluster; pack.

haya f. *Bot.* beech-tree.

haz m. fagot, bundle.

hazaña. f. prowess, achievement; exploit.

hazmerreir m. ridiculous person; laughing-stock.

¡hel interj. ho!; hark! hear! **he aquí** here is, behold.

hebilla f. buckle.

hebra f. thread. fibre.

hebr/aico adj. Hebrew. **/ea** s. Jewess. **/o** adj. and. s. Hebrew, Jew.

hect/área s. hectare. **/olitro** s. hectolitre. **/ógramo** s. hectogramme. **/ómetro.** s. hectometre.

hechi/cera f. witch, sorceress. **/cería** s. witchcraft. **/cero** s. wizard, witch; adj. charming, **/zar** tr. to bewitch; to charm. **/zo** m. spell.

hecho adj. made; done; accustomed; m. fact, act, **de —** actually.

hechura f. making, make.
heder intr. to stink.
hediond/ez f. fetidness.
/o adj. fetid; stinking.
hedor m. stench; fetor.
hela/da f. frost. /do adj.
gelid; frozen; m. icecream. /r tr. and intr. to
ice; fig. to amaze. /rse
r. to freeze.
hélice f. spiral, (screw-)
propeller, helix.
helicóptero m. helicopter.
hematoma m. blood-blister.
hembra f. female; nut of
a screw.
hemiplegia f. *Med.* hemiplegy.
hemorr/agia f. hemorrhage, flux of blood. /oide
m. *Med.* hemorrhoids;
pl. piles.
henchir tr. to fill up, to
blow, to stuff, to fill.
hend/edura f. fissure;
crack. /er tr. to cleave.
heno m. hay; moss.
hepático adj. hepatic(aD.
herál/dica f. heraldry.
/ico adj. heraldic, armorial.
heraldo m. herald.
herbáceo adj. herby; herbaceous, grassy.
hierb/aje m. herbage. -
/ívoro adj. herbivorous.
/olario m. herbist, herbman.
hered/ad f. estate, farm.
/ar tr. to inherit. /era
f. heiress. /ero m. heir.
/itario adj. hereditary;
herej/e m. heretic. /ía f.
heresy; misbelief, error.
herencia f. inheritance;
heirship; heredity.
herético adj. heretical.
heri/da f. wound. /do
adj. wounded, hurt. /r
tr. to wound; to hurt.
herman/a f. sister. — **política,** sister-in-law. /ar
tr. to harmonize. /astra
m. step-brother. /astra

step-sister. /dad f. brotherhood. /o adj. matched; m. brother; — **político** brother-in-law.
hermos/ear tr. to beautify. /o adj. beautiful,
handsome. /ura f. beauty.
hernia f. hernia; rupture.
héroe m. hero.
hero/ico adj. heroic(al).
/ína f. heroine. /ísmo
m. heroism.
herr/amienta f. implement, tool. /ar tr. to
brand cattle. /ería f.
smith's shop. /ero m.
(iron)smith, blacksmith.
/ín m. iron rust. /umbre
f. rust (iness). /**umbroso**
adj. rusty.
herv/idero m. multitude.
/ir intr. to boil; to seethe
heterodox/ia f. heterodoxy. /o adj. heterodox.
hez f. lees, dregs.
híbrido adj. hybrid(ous).
hidalg/o adj. noble; illustrious; s. hidalgo, nobleman. /uía f. nobility.
hidrata/ción f. hydra(ta)-
tion. /r tr. to hydrate.
hidráulic/a f. hydraulics.
/o adj. hydraulic.
hidr/oavión m. hydroplane. /ofobia f. hydrophobia, rabies. /**ógeno** m.
hydrogen
hiedra f. ivy.
hiel f. gall; bile.
hielo m. ice, frost.
hiena f. hy(a)ena.
hierba f. grass, herb,
weed.
hierro m. iron.
hígado m. liver.
higiene f. hygiene.
hig/o m. fig. — **chumbo**
prickly pear. /**uera** f.
fig-tree.
hij/a f. daughter, — **política** daughter-in-law.
/astra f. step-daughter.
/astro m. step-son. /o
m. son, child, — **político**
son-in-law

hil/a f. row, line. /**ado** m. spinning, thread. /**ador** m. spinner. /**andera** f. spinner. /**andería** f. spinnery, (spinning-) mill. /**ar** tr. to spin. /**era** f. row, line. /**o** m. thread; cutting, edge.

himno m. hymn; anthem.

hincha f. rancour, spite. /**do** adj. swollen. /**r** tr. to inflate, to blow up. /**rse** to swell. /**zón** f. swelling.

hinojo/o m. Bot. fennel; knee.

hipar intr. to hiccup.

hípico adj. equine, hors(e)y.

hipn/osis f. hypnosis. /**ótico** adj. hypnotic. /**otismo** m. hypnotism. /**otizar** tr. to hypnotize.

hipo m. hiccup.

hipocondría f. hypochondria; melancholy. /**co** adj. hypochondriac.

hipocresía f. hypocrisy.

hipócrita adj. hypocrite.

hipódromo m. hippodrome, racecourse, the turf.

hipopótamo m. hippopotamus.

hipoteca f. mortgage. /**ble** adj. mortgageable. /**r** tr. to mortgage. /**rio** adj. hypothecary.

hipótesis f. hypothesis.

hipotético adj. hypothetic.

hirviente adj. boiling.

hisp/ánico adj. Hispanic. /**anista** s. Hispanophile. /**anizar** tr. to hispan(ic)ize. /**ano** adj. Spanish. /**anoamericano** m. Hispano-American. /**anófilo** adj. Hispanophile.

hist/érico adj. hysteric(al). /**erismo** m. hysteria.

historia f. history, story. /**do** adj. storied; elaborate. /**dor** m. historian.

histórico adj. historic(al).

histori/eta f. short story, "comic strip".

histrión m. actor. /**ico** adj. histrionic(al).

hit/a f. landmark. /**o** adj. fixed; m. landmark.

hocic/o m. snout.

hogaño adv. fam. this present year.

hogar m. hearth, home.

hogaza f. cob-loaf.

hoguera f. bonfire; blaze.

hoja f. leaf, sheet; blade. /**lata** f. tinplate. /**ldrado** adj. laminated. /**ldre** m. puff-paste. /**rasca** f. fallen leaves.

hojear tr. to scan, to skim over (a book).

¡**hola**! interj. hallo!, hello!, ho, ho!

holandés adj. Dutch, Hollandish; m. Hollander, Dutchman.

holg/ado adj. roomy, wide. /**anza** f. leisure. /**ar** intr. to idle. /**azán** m. idler; adj. idle; lazy. /**azanear** intr. to lounge. /**azanería** f. laziness. /**ura** f. width; ease.

holocausto m. holocaust.

hollar tr. to tread upon.

hollín m. soot.

hombr/ada f. manly action. /**e** m. man; husband.

hombrera f. epaulette, shoulder-pad.

hombro m. shoulder.

hombruno adj. manlike.

homenaje m. homage.

homicid/a adj. homicidal, m. murderer. /**io** s. murder; homicide.

homog/eneidad s. homogeneity /**éneo** adj. homogeneous..

homosexual s. homosexual. /**idad** s. homosexuality.

hond/a s. sling. /**ero** s. slinger. /**o** adj. deep, profound, s. bottom. /**onada** s. dale, ravine. /**ura** s. depth.

honest/idad f. honesty. / o adj. honest, decent.

hongo m. mushroom, fungus; sombrero —, bowler hat.

honor m. honour, fame, chastity (in women). / able adj. honourable. / ario adj. honorary; m. salary, fees, pl. honoraries, terms. /ifico adj. honorary.

honr/a f. honour, respect, chastity (in women). / adez f. honesty. /ado adj. honest, righteous, just. /ar tr. to honour, to revere. /illa f. punctiliousness. /oso adj. honourable.

hora f. hour, time.

horadar tr. to bore.

horario adj. horary; m. hour-hand; — (de trenes), time-table.

horca f. gallows; gibbet.

horchat/a f. orgeat — de chufas, water-ice made of earth-almonds. /ería f. horchata parlo(u)r. / ero m. orgeat maker or seller.

horizont/al adj. horizontal, /e m. horizon.

horma f. mould, last.

hormig/a f. ant. /ón m. concrete. /uear intr. to teem. /ueo m. itching /uero m. anthill.

horn/acina f. vaulted niche. /ero m. baker. /illo m. portable stove, range. /o m. oven, furnace.

horóscopo m. horoscope.

horquilla f. hair pin.

horrendo adj. awful.

horr/ible adj. horrible. /ipilante adj. horrifying. /or m. horror; fright, abhorrence. /orizar tr. to horrify. /oroso adj. dreadful.

hort/aliza f. garden stuff; pl. vegetables, greens.

/elano m. horticulturist. /icultor m. horticulturist.

hosco adj. sullen.

hosp/edage m. lodging. /edar tr. to lodge, to board. /edarse tr. to put up /edería f. hostel(ry), inn. /edero m. host innkeeper. /iciano m. hospital-(l)er. /icio m. hospitium orphanage.

hospital m. hospital, infirmary, polyclinic. /ario adj. hospitable. /idad f. hospitality. /izar tr. to hospitalize.

hoste/lero m. inn-keeper /ria f. inn; tavern; hostel(ry).

hostia f. host.

hosti/gamiento m. harassment. /gar tr. to scourge. /l adj. hostile. /lidad f. hostility.

hoy adv. to-day; — (en) día, nowadays.

hoy/a f. /o m. hole; excavation, pit.

hoz f. sickle.

hucha f. money box, toy bank, savings.

hueco adj. hollow, concave, vain, m. hollowness, gap, vacuity.

huelg/a f. strike, turnout, declararse en — to strike, to down tools.

huella f. track, (foot) step, (foot) print. —s dactilares, fingerprints.

huérfano m. adj. orphan.

huert/a f. vegetable, market or kitchen garden. /o m. orchard.

hueso m. bone. (fruit) stone, coll, drudge(ry), rotter. /so adj. bony.

huésped m. guest; lodger, boarder, inmate, host.

hueste f. host, army.

huesudo adj. bony.

huev/a f. spawn of fishes, roe. /era f. eggcup. /o m. egg —estrellado, fried egg; —pasado por agua, soft boiled egg

—revuelto, scrambled egg.

hui/da f. flight; escape; /dizo adj. fugitive, fleeing. /r intr. to flee.

hule m. oil-cloth.

hulla f. pit-coal.

human/idad f. humanity; mankind; pl. humanities. /ismo m. humanism. /ista s. humanist. /o adj. human; humane.

hum/areda m. smother, smoke. /ear intr. to smoke; to emit fumes.

humed/ad f. humidity. /ecer tr. to moisten.

húmedo adj. humid; wet.

humild/ad f. humility. /e adj. humble; modest.

humilla/ción f. humiliation. /r tr. to humble, to humiliate. /rse r. to stoop, to febase oneself.

humo m. smoke; fume.

humor m. humour, mood /ada f. joke, sally. /ismo m. humorism, humour. /ista s. humorist. / ístico adj. humorous.

hundi/miento m. sinking, collapse. /r tr. to sink; to ruin. /rse r. to sink; to collapse.

húngaro adj. and. m. Hungarian.

huracán m. hurricane.

huraño adj. haggard.

hurgar tr. to poke.

hurón m. ferret, hob.

huronear tr. to ferret, coll. to pry.

hurt/ar tr. to steal. /o m. steal(ing), theft.

husmear tr. to scent.

uso n. spindle.

I

ib/érico adj. and m. Iberian.

Ictericia f. jaundice.

ida f. departure, going, sally; billete de — y vuelta, return ticket.

idea f. idea, plan. /l adj. ideal, mental; m. ideal. /lismo m. idealism. /lizar tr. to idealize. /r tr. to ideate, to devise.

idem pron. idem, the same, id, ditto.

idéntico adj. identic(al).

Identi/dad f. identity. / ficar tr. to identify.

idilio m. idyl.

idioma m. language.

idiosincrasia f. idiosyncrasy.

idiot/a adj. idiotic(al), s. idiot. /ez f. idiocy.

idólatra adj. idolatrous; s idolater.

idolatr/ar tr. to idolize. /ia f. idolatry.

ídolo m. idol.

idóneo adj. fit, able, apt.

iglesia f. church.

ignomini/a f. ignominy. / oso adj. ignominious.

ignora/do adj. unknown, /ncia f. ignorance, /nte adj., s ignorant. /r tr. to be ignorant of.

ignoto adj. unknown.

igual adj. equal; (a)like, same; even. /ar tr. to equal(ize), to match, to even. /dad f. equality.

ilación f. sequence.

ilegal adj. ilegal ;unlawful. /idad f illegality.

ilegitimidad f. illegitimacy, spuriousness.

ilegítimo adj. illegitimate, spurious.

ileso adj. unhurt.

ilícito adj. illicit.

ilimit/able adj. illimitable. **/ado** adj. unlimited, boundless.

iliterato adj. illiterate.

ilógico adj. illogical.

ilumina/ción f. illumination, lighting. **/do** adj. illuminate. **/r** tr. to illumin(at)e, to light(en)..

ilus/ión f. illusion. **/ionista** s. juggler, conjurer. **/o** deceived, deluded. **/orio** adj. illusory.

ilustr/ación f. illustration; explanation. **/ado** adj. illustrated. **/ar** tr. to illustrate; to explain. **/e** adj. illustrious. **/ísimo** adj. very illustrious.

imagen f. image, figure;

imagina/ción f. imagination; fancy. **/r** tr. **/rse** r. to fancy, to imagine. **/tivo** adj. imaginative.

imaginería f. imagery.

imán m. magnet.

iman(t)ar tr. to magnetize.

imb/écil adj. imbecile. **/ecilidad** f. imbecility.

imberbe adj. beardless.

imbuir tr. to imbue.

imita/ción f. imitation, counterfeit. **/r** tr. to imitate; to counterfeit.

impacien/cia f. impatience; restlessness. **/tar** tr. to vex. **/tarse** r. to become impatient. **/te** adj. impatient.

impacto adj. impact.

impar adj. unequal; odd.

imparcial adj. impartial. **/idad** f. impartiality.

impartir tr. to impart.

impasib/ilidad adj. impassibility. **/le** adj. impassible, unfeeling.

impecable adj. faultless.

impedi/do adj. invalid, cripple(d). **/mento** m. impediment, hinderance. **/r** tr. to impede.

impeler tr. to impel.

impenetrable adj. impenetrable, impervious.

impenitente adj. impenitent, obdurate.

impensado adj. unexpected; unthought of.

impera/r intr. to rule. **/tivo** adj. imperative.

imperceptible adj. imperceptible.

imperdible adj. fam. unlosable; m. safety pin.

imperdonable adj. unpardonable.

imperfec/ción f. imperfection. **/to** adj. imperfect.

imperial adj. imperial, f. coach top.

impericia f. unskilfulness.

imperio- m. empire.

impermeab/ilizar tr. to (water)proof. **/le** adj. impermeable.

impersonal adj. impersonal.

impertinen/cia f. impertinence; irrelevancy. **/te** adj. impertinent, intrusive, meddling.

imperturbable adj. imperturbable.

impetrar tr. to entreat.

ímpetu m. impetus; impetuosity. **/osidad** f. impetuosity. **/oso** adj. impetuous.

impiedad f. impiety.

impío adj. impious.

implacable adj. implacable, relentless.

implicar intr. to imply.

implícito adj. implicit.

implorar tr. to implore, to beg, to pray.

imponer tr. to impose; to levy (taxes), to invest (money). **/se** r. to put oneself over, to assume.

impopular adj. unpopular.

importa/ción f. importation. **/ncia** f. importance **/nte** adj. important. **/r** tr. to matter; tr. *Com* to import, to amount to.

importe m. amount.
importun/ar tr. to importune, to tease. /**idad** f. importunity. /**o** adj. importun(at)e.
imposib/ilidad f. impossibility. /**ilitado** adj. helpless, disabled. /**ilitar** tr. to disable. /**le** adj. impossible.
imposición f. imposition.
impost/or m. impostor. /**ura** f. imposture.
impoten/cia f. impotence; frigidity. /**te** adj. impoten; prowerless, frigid.
impracticable adj. impracticable; impassable.
impreca/ción f. imprecation. /**r** tr. to imprecate; to curse.
impregnar tr. to impregnate, to pervade.
imprenta f. printing. printing office, press.
imprescindible adj. indispensable.
impres/ión f. impress(ion), stamp(ing). /**ionar** tr. to impress. /**o** m. pamphlet, printed matter, print. /**or** m. printer.
imprevisto adj. unforeseen; unexpected.
imprimir tr. to (put in) print, to stamp.
improbable adj. improbable; unlikely.
ímprobo adj. laborious.
improcedente adj. unrighteous, contrary to law.
improductivo adj. unproductive, unfruitful.
improperio m. insult.
impropio adj. improper.
improvis/ación f. improvisation. /**ar** tr. to improvise. /**o** adj. unexpected.
impruden/cia f. imprudence. /**te** adj. imprudent.
impudicia f. lewdness.
impúdico adj. unchaste.

impuesto m. tax, duty; adj. imposed.
impugnar tr. to impugn.
impuls/ar tr. to impel, to push, to drive. /**o** m. (im)pulsion, impulse.
impune adj unpunished. ge, pressure.
/**idad** f. impunity.
impur/eza f. impurity; filth /**o** adj. impure.
imputa/ble adj. imputable. /**ción** f. imputation. /**r** tr. to impute.
inacabable adj. unending.
inaccesible adj. inaccessible, unapproachable.
inaceptable adj. unacceptable.
inactividad f. inactivity.
inadecuado adj. inadequate, unsuitable.
inadmisible adj. inadmissible.
inadvert/encia f. inadvertence; carelessness. /**ido** adj. unnoticed.
inaguantable adj. insupportable, unbearable.
inalienable adj. inalienable, untransferable.
inalterable adj. inalterable, stable, fast.
inanición f. inanition.
inanimado adj. inanimate; lifeless.
inapelable adj. unappealable.
inapetencia f. inappetence.
inaplicable adj. inapplicable.
inapreciable adj unvaluable, priceless.
inasequible adj. unattainable.
inaudi/ble adj. inaudible. /**to** adj. unheard-of.
inaugura/ción f. inauguration. /**r** tr. to inaugurate.
incalculable adj. incalculable; untold.
incansable adj. tireless.
incapa/cidad f. incapacity. /**citar** tr to inca-

pacite, to disable. /2 adj. incapable, unable.

incauta/ción f. appropiation. /rse r. to appropiate, to attach property.

incauto adj. incautious.

incendi/ar tr. to set on fire. /ario s. incendiary; firebrand. /o m. fire; blaze.

incensar tr. to incense.

incentivo m incentive.

incertidumbre f. incertitude; hesitancy.

incest/o m. incest. /uoso adj. incestuous.

incid/encia f. incidence. /ente adj. incident; casual; m. incident. /ir intr. to fall in(to).

incienso m. incense.

incierto adj. uncertain.

incinera/ción f. incineration. /r tr. f. to cremate, to incinerate.

incis/ión f. incision, cut-(ting). /ivo adj. incisive. /o adj. incissed; m. pause.

incita/ción f. incitement. /r tr. to incite; to spur

incivil adj. uncivil.

inclemen/cia f. inclemency. /te adj. inclement.

inclina/ción f. inclination, bend. /r tr. to incline; to bend. /rse r. to lean; to bend.

inclu/ir tr. to include. / sión f. inclusion. /so adj. inclosed; adv. even, too

incógnito adj. unknown. de —, incognito.

incoherente adj. incoherent.

incoloro adj. colourless.

incombustible adj. incombustible, fire-proof.

incomod/ar tr. to incommode, to annoy. /idad f. inconvenience

incómodo adj. incommodious, cumbersome.

incomparable adj. matchless. incomparable

incompatible adj. incompatible.

incompeten/cia f. incompetency. /te adj. incompetent, unqualified.

incompleto adj. incomplete; unfinished.

incomprensible adj. incomprehensible.

incondicional adj. unconditional, unrestricted.

inconexo adj. unconnected, incoherent.

incongru/ente adj. incongruous, irrelevant. /o adj. incongruous.

inconquistable adj. unconquerable.

inconsciente adj. unconscious, unaware.

inconsecuente adj. inconsecutive, incoherent.

inconsiderado adj. inconsiderate; thoughtless.

inconsistente adj. inconsistent, unstable.

inconsolable adj. inconsolable, comfortless.

inconstante adj. inconstant, unsteady

inconstitucional adj. inconstitutional.

incontable adj. innumerable.

incontinen/cia f. incontinence. /te adj. incontinent.

incontrovertible. adj. incontrovertible.

inconvenien/cia f. inconvenience. /te adj. inconvenient; m. difficulty.

incorpora/ción f. incorporation. /do adj. incorporate; sitting up. /r tr. to incorporate. /rse r. to incorporate. Mil to join.

incorrec/ción f. incorrectness. /to adj. incorrect

incorregible adj. incorregible.

incorruptible adj. incorruptible.

incredulidad f. incredulity

incrédulo adj. incredulous; s. unbeliever.

increíble adj. incredible.

increment/ar tr. to augment. /o m. increment.

incruento adj. bloodless.

incrusta/ción f. incrustation. /r tr. to incrust.

incuba/ción f. incubation /r tr. to incubate, to brood, to hatch.

incult/ivable adj. untillable. /o adj. uncultivated, untilled, uncultured /ura f. inculture.

incumb/encia f. incumbency. /ir intr. to concern, to be incumbent.

incurable adj. incurable.

incurrir intr. to incur.

incuria f. negligence.

incursión s. raid, incursion, inroad.

indaga/ción f. investigation, inquiry. /r tr. to investigate, to inquire.

indebido adj. undue.

indecen/cia f. indecency. /te adj. indecent, foul.

indecis/ión f. irresolution indecision. /o adj. irresolute; indecisive.

indecoroso adj. indecorous; unbecoming.

indefens/able adj. indefensible. /o adj. defenseless.

indefinido adj. indefinite.

indemn/e adj. undamaged. /ización f. indemnification, damages. /izar tr. to indemnify.

independ/encia f. independence. /iente adj. independent.

indescifrable adj. indecipherable.

indestructible adj. indestructible.

indeterminado adj. indeterminate; irresolute.

indiana f. print(ed calico)..

indica/ción s. indication, hint. /r tr. to indicate.

índice m. index, sign; forefinger.

indicio m. indication; mark; sign, trace.

índico adj. East Indian.

indiferen/cia f. indifference. /te adj. indifferent.

indígena adj. indigenous, native; s. native.

indigen/cia adj. indigence. /te adj. indigent.

indigest/ión f. indigestion. /o adj. indigest.

indigna/ción f. indignation, anger. /do adj. indignant; angry. /r tr. to irritate; to anger. / rse r. to become indignant.

indignidad f. indignity.

indigno adj. unworthy.

indirect/a f. innuendo, hint. /o adj. indirect.

indisciplina f. insubordination, indiscipline

indiscre/ción f. indiscretion. /to adj. indiscreet.

indispensable adj. indispensable, essential.

indisp/oner tr. to indispose. /onerse r. to become indisposed; to fall out (with). /osición f. indisposition.

indisputable adj. indisputable; incontrovertible.

indistinguible adj. indistinguishable.

indistinto adj. indistinct.

individu/al adj. individual. /alizar tr. to individualize. /o adj. individual; s. a person; m. individual.

indivis/ible adj. indivisible. /o adj. undivided.

indócil adj. indocile.

indocto adj. ignorant.

índole f. character.

indolen/cia f. indolence. /te adj. indolent.

indomable adj. indomitable, untamable.

indómito adj. untamed.

induc/ir tr. to induce. / **tivo** adj. inductive.

indulgen/cia f. indulgence. /**te** adj. indulgent.

indult/ar tr. to pardon, to free. /o m. pardon;

industri/a f. industry. /**al** adj. industrial. /**alismo** m. industrialism. /**oso** adj. industrious.

inédito adj. unpublished.

inefica/cia f. inefficacy, inefficiency. /**z** adj. inefficacious; ineffectual.

ineludible adj. inevitable.

inept/itud f. ineptitude; unfitness. /o adj. inept.

inequívoco adj. inequivocal, unmistakable.

iner/cia f. inertia. /**te** adj. inert; inactive.

inesperado adj. unexpected; unforeseen.

inestimable adj. inestimable; invaluable.

inevitable adj. inevitable, unavoidable, fatal.

inexacto adj. inexact; inaccurate.

inexcusable adj. inexcusable, indispensable.

inexistente adj. inexistent, non existent.

inexper/iencia f. inexperience. /**to** adj. inexperienced.

inexplicable adj. inexplicable.

inextinguible adj. inextinguishable, quenchless.

infalib/ilidad f. infallibility. /**le** adj. infalible.

infam/ar tr. to defame. /**atorio** adj. defamatory. /e adj. infamous. /**ia** f. infamy.

infan/cia f. infancy, childhood. /**te** m. infant, babe, baby; *Mil.* infantryman. /**tería** f. infantry. /**ticida** s. infanticide. /**ticidio** m. infanticide (crime). /**til** adj. infantile, childlike.

infatigable adj. indefatigable, tireless.

infec/ción f. infection. /**cioso** adj. infectious. /**tar** tr. to infect. /**tarse** r. to catch infection. / **to** adj. infected.

infecund/idad f. infecundity. /o adj. infecund.

infeli/cidad f. unhappiness. /**z** adj. unhappy, m. *coll.* poor devil.

inferior adj. inferior, lower. /**idad** f. inferiority.

inferir tr. to infer.

infernal adj. infernal.

infestar tr. to infest.

infidelidad f. infidelity.

infiel adj. unfaithful; infidel; s. infidel.

infiern/illo m. spirit lamp. /o m. hell.

infiltra/ción f. infiltration. /**rse** r. to infiltrate, to percolate.

ínfimo adj. lowest.

infini/dad f. infinity. /**to** adj. infinite.

inflación f. inflation.

inflama/ble adj. inflammable. /**ción** f. inflammation. /**r** tr. to inflame, to set on fire.

inflar tr. to inflate, to blow up. /**se** r. to swell, to puff.

inflexible adj. inflexible.

influ/encia f. influence, *coll.* pull. /**ir** tr. to influence. /**jo** m. influx. / **yente** adj. influencial.

información f. information; account, report.

informal adj. informal; unreliable. /**idad** f. informality.

inform/ar tr. to inform; to report. /**arse** r. to inquire. /**ativo** adj. informative. /e m. information, report, adj. shapeless.

infortunio m. misfortune.

infrac/ción f. infraction. /**tor** m. infractor.

infrascri(p)to adj. underwritten, undersigned.

infringir tr. to infringe.

infructuoso adj. fruitless.

ínfulas f. pl. conceit.

infundado adj. groundless.

infu/ndir tr. to infuse. / **sión** f. infusion.

ingeni/ar tr. to conceive. /**arse** r. to to contrive /**ería** f. engineering. /**ero** m. engineer. /**o** m. wit, cleverness. /**oso** adj. ingenious; witty.

ingente adv. huge.

ingenu/idad f. ingenuousness. /**o** adj. ingenuous.

ingle f. groin.

inglés adj. and s. English.

ingrat/itud f. ingratitude. /**o** adj. ungrateful;

ingrediente m. ingredient.

ingres/ar tr. to enter, *Com.* to incase. /**o** m. ingress; entrance; *Com.* entry.

inhábil adj. unskilled.

inhabilidad f. inability.

inhabilitar tr. to disqualify, to disable.

inhalar tr. to inhale.

inhabitable adj. uninhabitable.

inherente adj. inherent.

inhibi/ción f. inhibition. /**r** tr. to inhibit.

inhuman/idad f. inhumanity. /**o** adj. inhuman.

inicia/ción f. initiation. /**l** adj. initial. /**r** tr. to initiate; to commence.

inimaginable adj. unimaginable.

inimitable adj. inimitable.

ininteligible adj. unintelligible.

iniquidad f. iniquity.

injert/ar tr. to (in)graft. /**o** m. graft(ing), stock.

injuri/a f. injury. /**ar** tr. to injure; to insult. /**oso** adj. injurious, outrageous.

injust/icia f. injustice, iniquity. /**o** adj. unjust.

inmaculado adj. immaculate, pure, sinless.

inmaduro adj. immature.

inmedia/ción f. contiguity, immediacy; pl. outskirts. /**to** adj. immediate.

inmejorable adj. unsurpassable, unimprovable.

inmemorial adj. immemorial.

inmens/idad f. immensity. /**o** adj. immense.

inmerecido adj. undeserved.

inmersión f. immersion.

inmigración f. immigration.

inminente adj. imminent.

inmiscuir tr. to mix. /**se** r. to interfere in.

inmodest/ia f. immodesty. /**o** adj. immodest.

inmolar tr. to immolate.

inmoral adj. immoral.

inmortal adj. immortal. /**idad** f. immortality. / **izar** tr. to immortalize.

inmóvil adj. immobile.

inmueble adj. (law) immovable. /**s** m. pl. real estate.

inmund/icia f. dirt, filth(iness). /**o** adj. dirty.

inmune adj. free, exempt.

inmuni/dad f. immunity. /**zar** tr. to immunize.

inmutable adj. immutable. /**rse** r. to change.

innato adj. innate, inborn.

innavegable adj. innavigable, unseaworthy.

innecesario adj. unnecessary.

innegable adj. undeniable.

innoble adj. ignoble.

innocuo adj. innocuous.

innominado adj. nameless, innominate.

innova/ción f. innovation. /**r** tr. to innovate.

innumerable adj. innumerable; numberless.

inocen/cia f. innocence /**tada** f. fam. a simple or silly speech or action practical joke. /te adj. innocent.

inofensivo adj. inoffensive, innocuous, harmless.

inolvidable adj. unforgetable.

inocular tr. to inoculate.

inopinado adj. unxpec.-ted, unforeseen.

inoportuno adj. inopportune, mistimed.

inorgánico adj. inorganic(al).

inquiet/ante adj. disquieting. /ar tr. to disquiet. /arse r. to become uneasy, to worry. /o adj. restless. /ud f. restlessness.

inquilin/ato m. lease-(hold), tenancy. /o m. tenant, lodger, renter.

inqui/rir tr. to inquire. / sición f. Inquisition.

insaciable adj. insatiable.

insalubre adj tr. insalubrious, unhealthy.

insano adj. insane; mad.

inscri/bir tr. to inscribe. /pción f. incription.

insecto m. insect.

insegur/idad f. insecurity, uncertainty. /o adj. insecure, uncertain.

insensat/ez f. insensateness, folly. /o adj. insensate, foolish, blind.

insensib/ilidad f. insensibility. /le adj. insensible, callous.

inseparable adj. inseparable.

inser/ción f. insertion. /tar tr. to insert.

inservible adj. useless.

insigne adj. illustrious.

insignifican/cia f. insignificance, slightness. /te adj. insignificant.

insinua/ción f. insinuation, intimation, hint, /r tr to insinuate, to hint, to suggest.

insipidez f. insipidity.

insípido adj insipid, tasteless, dull.

insistir intr. to insist.

insociable adj. unsociable.

insolación f. insolation; sun-stroke.

insolen/cia f. insolence. /tarse r. to become insolent. /te adj. insolent.

insólito adj. unusual.

insoluble adj. indissoluble; insolvable.

insolven/cia f. insolvency. /te adj. insolvent.

insomnio f. insomnia, sleeplessness.

insoportable adj. insupportable, unbearable.

insostenible adj. indefensible, untenable.

inspec/ción f. inspection; survey. /cionar tr. to inspect, to survey. /tor m. inspector.

inspira/ción f. inspiration. /r tr. to inspire.

instala/ción f. installation, fitting. /r tr. to place, to set (up).

instancia f. instance, plea, request, suit, petition.

instant/ánea f. Phot. snapshot. /áneo adj. instantaneous. /e m. instant; moment.

instar tr. to press.

instigar tr. to instigate.

instinto m. instinct

institu/ción f. institution. /ir tr. to institute. /to m. institute, lyceum.

instru/cción f. instruction, teaching, Mil. drilling. /ctivo adj. instructive. /ído adj. skilled. / ir tr. to instruct.

instrument/al adj. instrumental. /o m. instrument, tool, implement.

insubordina/ción f. insubordination. /r tr. to incite to. /rse r. to rebel.

insuficiente adj. insuficient.

insufrible adj. intolerable; unbearable.

ínsula f. isle, island.

insular adj. insular.

insuls/ez f. insipidity, flatness. /o flat, dull.

insult/ar tr. to insult. /o m. insult, affront.

insuperable adj. insuperable; insurmountable.

insurgente s. insurgent.

insurrección f. insurrection, (up)rising.

intacto adj. intact.

integr/al adj. integral. / **idad** f. integrity.

íntegro adj. integral; honest, incorruptible.

intelect/o m. intellect. / **ual** adj. intellectual.

inteligen/cia f. intelligence; understanding. /**te** adj. intelligent, clever.

inteligible adj. intelligible, comprehensible.

intemperie f. inclemency, rough weather.

intempestivo adj. unseasonable, ill-timed.

intenci/ón f. intent(ion). /**onado** adj. intentioned, disposed, wilful. /**onal** adj. intentional .

intendencia f. intendance, intendancy.

intens/idad f. intensity. /o adj. intense.

intent/ar tr. to try, to attempt. /o m. intent; attempt. /**ona** f. coll. chimerical attempt.

intercalar tr. to intercalate, to insert.

intercambi/ar tr. to interchange. /o m. 'interchange, intercourse.

interceder intr. to intercede, to plead.

interceptar tr. to intercept, to cut off.

intercesión f. intercession; mediation.

intercontinental adj. intercontinental.

interés m. interest. Com. interest, premium; pl. interest.

interesa/do adj. interested, concerned; selfish;

m. concerned person. /**nte** adj. interesting. /r tr. to interest. /**rse** r. to be interested in.

interin m. interim. /**idad** f. temporariness. /o adj. provisional; m. substitute.

interior adj. interior, inner; m. the interior.

interjección f. interjection.

interlocu/ción f. interlocution, dialogue. /**tor** m. interlocutor.

intermedio m. interval; adj. intermediate.

interminable adj. interminable, endless.

internacional aj. international. /**izar** tr. to internationalize.

intermitente adj. intermittent.

interna/do m. boarding school. /r tr. to intern. /**rse** r. to penetrate inland.

interno adj. internal; m. boarding-pupil.

interpo/ner tr. to interpose. /**nerse** to go or come between. /**sición** f. interposition.

interpreta/ción f. interpretation. /r tr. to interpret; Mús.¹ to render; Theat. to impersonate.

intérprete s. interpreter; Theat. performer.

interroga/ción f. interrogation. /**torio** m. interrogatory. /r tr. to interrogate.

interru/mpir tr. to interrupt. /**pción** f. interruption.

intervalo m. interval.

interven/ción f. intervention. /**ir** intr. to intervene.

interviev f. interview. /**ar** tr. to interwiew.

intestino adj. intestine; domestic; m. intestine.

intim/ar tr. to intimate. /**idación** f. intimidatioc

/idad f. intimacy. /idar tr. to intimidate, to daunt.

íntimo adj. intimate.

intolera/ble adj. intolerable. /ncia f. intolerance.

intranquilo adj. restless.

intransferible adj. not transferable.

intransigente adj. intransigent.

intransitable adj. impassable, pathless.

intratable adj. intractable, unsociable, unkind.

intrepidez f. intrepidity

intrépido adj. intrepid.

intriga f. intrigue, plot (of a play). /nte s. intriguer, intrigant. /r intr. to intrigue, to plot.

intrincado adj. intricate.

introduc/ción f. introduction, preface. /ir tr. to introduce.

introversión f. introversion.

intruso adj. intrusive; m. intruder, outsider.

intui/ción f. intuition. /r tr. to intuit. /tivo adj. intuitive.

inunda/ción f. inundation; flood. /r tr. to inundate; to flood.

inusitado adj. unusual.

inútil adj. useless.

inutili/dad f. inutility, uselessness. /zar tr. to render useless.

invalid/ar tr. to invalidate. /ez f. invalidity.

inválido adj. m. invalid.

invariable adj. invariable.

invas/ión f. invasion. /or m. invader.

invencible adj. invincible.

invención f. finding.

inventar tr. to invent; to discover; to find out.

inventari/ar tr. to inventory. /o m. inventory.

invent/iva f. ingenuity. /o m. invention; device. /or m. inventor.

inverna/dero m. greenhouse. /l adj. hibernal, wint(e)ry. /r intr. to winter, to hibernate.

inver/sión f. inversion. Com. investment. /so adj. inverse. /tir tr. to invert. Com. to invest.

investiga/ción f. investigation; research, inquiry. /r tr. to investigate, to (re)search.

invierno m. winter.

inviola/ble adj. inviolable. /do adj. inviolate(d)

invisi/bilidad f. invisibility. /le adj. invisible.

invitar tr. to invite.

invoca/ción f. invocation. /r tr. to invoke.

involuntario adj. involuntary.

inyec/ción f. injection. /tar tr. to inject.

ir intr. to go; to fit, to work (well or bad).

ira f. wrath, anger. /cundo adj. iracund, angry. /scible adj. irritable.

iris m. iris, arco — rainbow. /ar tr. to iridesce.

irónico adj. ironic(al).

ironizar tr. to ironize.

ironía f. irony.

irracional adj. irrational.

irradia/ción f. (ir)radiation. /r tr. to (ir)radiate.

irreconciliable adj. irreconcilable.

irrecuperable adj. irrecoverable.

irreflexi/ón f. rashness. /vo adj. thoughtless.

irregular adj. irregular, uneven. /idad f. irregularity; unevenness.

irreligi/ón f. irreligion. /oso adj. irreligious.

irremediable adj. irremediable; helpless.

irreparable adj. irreparable.

irreprochable adj. irre-
proachable.
irresistible adj. irresistible, overpowering.
irresolu/ble adj. irresolu-
ble. **/to** adj. irresolute.
irreveren/cia f. irreveren-
ce. **/te** adj. irreverent.
irrevocable adj. irrevocable.
irrigar tr. to irrigate.
irrisión f. irrision.

irrita/ble adj. irritable.
/r tr. to irritate.
irrupción f. irruption; inroad, raid, foray.
isl/a f. isle; island. **/eño**
adj. insular; m. islander.
/ote m. islet, holm, key.
israelita s. and adj Is-
raelite; Jew(ish).
istmo m. isthmus.
itinerario m. itinerary.
izquierd/a f. left-hand.
/o adj. left(handed).

J

jaba/lí m. wild boar. **/li-
na** f. wild sow; javelin.
jabón m. soap.
jabon/adura f. washing;
pl. (soap)suds. **/ar** tr. to
soap; fam. to reprimand.
/era f. soapdish.
jaca f. jennet, hobby,
cob.
jacinto m. Bot hyacinth.
jaco m. nag, hack(ney).
jacta/ncia f. boasting.
/ncioso adj. boastful.
/rse r. to boast.
jade/ar intr. to pant. **/o**
m. pant(ing).
jalbeg/ar tr. to white(n).
/ue m. whitewash.
jalea f. jelly.
jale/ar tr. to cheer. **/o**
m. noise, scuffle, quar-
rel.
jamás adv never.
jamón m. ham.
japonés adj and s.Japa-
nese.
jaque m. check (in chess).
— **mate** checkmate.
jaqueca f. headache
jarabe m. syrup.
jarana f. revel(ry)
jard/ín m. (flower-) garden. **/inería** f. garde-
ning. **/inero** m. garde-
ner

jarra f. earthen jar.
jarretera f. garter, Order
of the Garter.
jarro m. jug, pitcher.
jarrón m. (flower-)vase.
jaula f. (bird-)cage.
jauría f pack of hounds
jazmín m. jessamine.
jef/atura f. chieftancy,
headquarters **/e** m.
chief, leader, master;
coll. boss.
Jerarquía f. hierarchy.
jerez m. (vino de —)she-
rry.
jerg/a f. jargon; cant.
/ón m. straw bed.
jeringa f. syringe. **/r** tr.
to syringe, to inject.
jeroglífico m. hieroglyph
jersey m. jersey.
jesu/ita m. Jesuit. **/ítico**
adj. Jesuitic(al).
jinete m. rider, trooper,
horseman. pl. cavalry
jingoísmo m. jingoism
jira f picnic, outing
jirafa f. giraffe.
jirón m. rag, shred.
jocos/idad f jocularity,
waggery **/o** adj. jocose,
waggish. facetious.
jofaina f wash-basin
jornada f. one-day march
stage, journey

jornal m. day-work; day wages. **/ero** m. day-labourer, journeyman.

loroba f. hump(back). **/do** adj. humpbacked.

jota f. name of the letter **j**; iota. bit; a Spanish dance and its tune.

joven adj. young; juvenile, **m.** joung man, youth lad; f. lass, girl.

jovial adj. jovial; gay. **/idad** f. joviality; gayety.

joy/a f. jewel, gem. pl. jewels. **/ería** f. jeweller's shop. **/ero** m. jeweller.

jubila/ción f. retirement. **/r** tr. to pension off, to retire.

jubileo m. jubilee.

júbilo m. joy; merriment.

juda/ico adj. Judaical; Jewish. **/ismo** m. Judaism. **/izante** adj. Judaizing. **/izar** tr. to Judaize.

judería f. Jewry.

judía f. Jewess; *Bot.* French bean.

judicial adj. judicial.

judío adj. Judaical; Jewish; m. Jew.

juego m. play; game, gambling, set; motion, work(ing).

jueves m. Thursday.

juez m. judge; expert.

juga/da f. play; move (in a game). **/dor** m. player; gambler. **/r** tr. and intr. to play; to game;

to gamble. **/rreta** f. prank.

jugo m. sap, juice. **/so** adj. sappy; juicy.

juguet/e m. toy, plaything. **/ear** intr. to trifle. **/ón** adj. playful

juicio m. judgment, wisdom, trial. **/so** adj. judicious, wise, sensible.

julio m. July.

junco m. *Bot.* rush; junk.

junio m. June.

junta f. junta, assembly, board, joint. **/r** tr. to join. **/rse** r. to meet; to gather.

junto adj. united; adv. near; close to.

jura f. oath, promise.

jurado m. jury; juror.

jurament/ar tr. to swear (in). **/arse** r. to be sworn in **/o** m. oath, curse.

jurar tr. to swear.

jurídico adj. juridic(al).

juris/dicción f. jurisdiction. **/ta** s. jurist; lawyer.

justici/a f. justice, rightfulness. **/ero** adj. just.

justifica/ción f. justification. **/nte** m. warrant, adj. justifying. **/r** tr. to justify.

justo adj. just; right(ful), tight; m. just and pious man, adv. tightly.

juven/il adj. juvenile; youthful. **/tud** f. youth, young people.

juzga/do m. court of justice, tribunal. **/r** tr. and intr. to judge.

kaki m. kakhı.

kepis m. shako, kepi.

kermese f. fancy-fair.

kilogramo s kilogram(me).

kilométrico adj. kilome-

tric(al); m. long-distance railway ticket (in Spain).

kilómetro s. kilometre.

kilovatio m. kilowatt.

kiosco s. kiosk

L

la art. f. the; pron. her.
laberinto m. labyrinth.
labi/a f. fam. verbosity.
/al adj. labial. /o m.
lip.
labor f. labour; work,
needle-work. /able adj.
working (day), tillable.
/atorio m. laboratory.
/iosidad f. laboriousness. /ioso adj. laborious; toilsome. /ista adj.
Labour s. Laborite.
labra/dor m. plowman,
farmer. /ntio adj. tillable. /nza f. ploughing;
farming. /r tr. to work,
to plough.
labriego m. peasant.
laca f. (gum-)lac, lacquer.
lacayo m. lackey.
lacio adj. faded; flaccid.
lacónico adj. laconic.
lacr/a f. mark left by some wound. /ar tr. to
seal with sealing wax.
/e m. sealingwax.
lacrim/ógena, (bomba) f.
tear-shell. /oso adj.
tearful, lachrymose.
lactan/cia f. lactation,
suckling. /te s. sucker.
lácte/o adj. lacteous; milky, vía —a milky way.
lade/ar tr. to tilt, to tip.
/arse r. to lean. /o m.
inclination. /ra f. hillside.
ladino adj. sagacious.
lado m. side; party, protection.
ladr/ar intr. to bark.
/ido m. barking.
ladrillo m. brick.
ladrón m. thief; robber.
lagart/era f. lizard-hole.
/ija f. eft. /o m. lizard.
lago m. lake.
lágrima f. tear, drop.

laguna f. lagoon; gap.
laic/ísmo m. laicity. /o
adj. laic(al); m. layman.
lament/able adj. lamentable. /ación f. lamentation. /ar tr. to lament
/arse r. to complain. /o
m. lament(ation).
lamer tr. to lick; to lap.
lámina f. plate, sheet (of
metal), engraving, print.
lamina/do adj. laminate(d), m. sheeting. /r tr.
to laminate, to roll.
lámpara f. lamp.
lamparilla f. small lamp.
lana f. wool; fleece. /r
adj. woolly, ovine.
lance m. cast; affair,
quarrel. /ar to lance.
/ro m. pikeman. /ta m.
lancet.
lancha f. Náut. rowboat,
lighter, launch.
langost/a f. Ento. locust;
Ichth. lobster. /ín m.
craw-fish.
languide/cer intr. to languish. /z f. languor.
lánguido adj. languid.
lanilla f. dawn, fluff.
lanudo adj. woolly.
lanza f. lance; spear. /da
f. lance blow. /dera f.
shuttle. /miento m. launching. /r tr. to lance; to
throw /rse r. to rush
or dart upon.
lapa f. scum, slime.
lápida f. tablet, memorial
stone, tomb-stone.
lápiz m. pencil.
lapso m. lapse or course
of time, span, spell.
larg/ar tr. to give (as a
slap). /arse r. coll. to
go off. /o adj. long,
shrewd, pl. many; m.
length; long; adv. large-

ly; interj. away! /uero m. jambpost. /ueza f. length; liberality. /ura f. length.

laring/e f. larynx. /itis f. laryngitis.

larva f. mask; larva.

lasciv/ia f. lasciviousness. /o adj. lascivious.

lasitud f. lassitude.

lástima f. compassion, pity, grief.

lastim/ar tr. to hurt. /oso adj. doleful; sad.

lastr/ar tr. Naut. to ballast a ship. /e m. ballast(ing), weight, slat.

lata f. tin(-plate), (tin)-can; coll. annoyance, nuisance, bother.

latente adj. latent.

lateral adj. lateral, side.

látex m. latex.

latido m. palpitation.

latifundio m. latifundium.

latigazo m. lash, whip.

látigo m. whip.

latiguillo m. a small whip, Theat. clap-trap.

latín m. Latin.

latín/ajo m. fam. Latin jargon. /ismo m. Latinism. /izar v. to Latinize. /o adj. Latin.

latir intr. to palpitate.

latitud f. latitude, width.

latón m. brass.

laudable adj. laudable.

lauda/r tr. to praise. /torio adj. laudatory.

laure/ado adj. laureate, honoured. /ar tr. to laureate. /l m. Bot. laurel(-tree), bayberry; pl fig. honours.

laureola f. laurel (wreath), diadem.

lauro m. laurel, honour.

lava f. lava.

lava/dero m. washing-place, laundry /do m. washing. /dora m. washing machine.

lavander/a f. laundress, washerwoman.

lavar tr. to wash; (away, off or out, to clean(se). lavativa f. clyster, enema.

lax/ante adj. loosening; adj. and m. laxative. /ar tr. to loosen. /itud f. laxness. /o adj. lax.

lazada f. bow-knot, tie.

lazar/eto m. lazaretto; pest-house. /illo m. blind person's guide.

lazo m. bow, knot, lasso.

le pron. him or her; to him.

leal adj. faithful, loyal, true. /tad f. loyalty.

lebrel m. greyhound.

lec/ción f. lesson. /tivo adj. lecture (day). /tor m. reader, lecturer. /tura f. reading.

lech/al adj. sucking. /e f. milk, latex. /ecillas f. pl. Icht. milt; sweetbread. /era f. milkmaid, milk-can. /ería f. dairy /ero adj. m. milkman

lecho m. bed, couch.

lechón m. sucking pig.

lechoso adj. milky.

lechug/a f. lettuce. /uino m. coll. dandy, dude.

lechuza f. (barn-)owl.

leer tr. to read.

lega/ción f. legation. /do m. legate; legacy. /l adj. legal /lidad f. legality /lizar tr. to legalize. /r tr. to will, to bequeath

legañ/a f. blear(i)ness. /oso adj. blear-eyed.

legendario adj. and m. legendary.

legible adj. legible.

legi/ón f. legion. /onario adj. and m. legionary.

legisla/ción f. legislation. /dor m. legislator. /r tr. to legislate. /tivo adj. legislative. /tura f. legislature

legitimar tr. to legitimate

legítimo adj. legitimate.

lego adj. laic(al), uninformed; m. layman.

legumbre f. pulse; legumbre(n); pl. vegetables

leí/ble adj. readable. /o adj. well-read.

lejan/ía f. distance. /o adj. distant; far.

lejía f. lye, lixivium.

lejos adv. far (away).

lelo adj. stupid.

lema m. motto.

lencer/ía f. linen goods, linen draper's shop.

lengua f. tongue, language /**do** m. *Ichth.* sole. /**je** m. language.

lengüeta f. small tongue, languet.

lente f. lens; m. pl. (eye-)glasses. /**ja** f. lentil /**juela** f. spangle.

lentitud f. slowness.

lento adj. slow; sluggish.

leñ/a f. fire-wood, *coll.* drubbing. /**ador** m. woodman. /**era** f. wood-shed. /**o** m log. /**oso** adj. woody

león m. lion.

leon/a f. lioness

leopardo m. leopard.

lepr/a f. leprosy. /**osería** f. leprosery. /**oso** adj. lep(e)rous; s leper.

lesión f. hurt; damage.

letal adj. mortal, deadly; lethal

letanía f. litany; fam. rigmarole.

letárgico adj. lethargic.

letargo m. lethargy.

letr/a f. letter, hand(writing), text or words of a song; — **de cambio**, bill of exchange; pl. letters, learning /**ero** m. placard, sign

letrina f. privy, latrine.

levadizo adj. liftable, **puente** —, drawbridge

levadura f. leaven, yeast.

levant/amiento m raise, uprising. /**ar** tr. to raise /**arse** r. to rise, to get up. /**e** m. Levant; East (of Spain). /**ino** adj Levantine

levar tr. *Naut.* to weigh anchor.

leve adj. light; mild.

léxico m. lexicon.

ley f. law, norm, statute.

leyenda f. legend.

liar tr. to bundle, to roll (cigarettes). /**se** r. to get embroiled

libel/ista s. libel(l)er, lampooner. /**o** m. libel.

libélula f. dragon-fly.

liberación f. liberation.

liberal adj. liberal, generous. /**idad** f. liberality. /**izar** tr. to liberalize.

liberar tr. to free.

liberta/d f. liberty; freedom. /**dor** m. liberator. /**r** tr. to free; to liberate.

libertin/aje m. libertinism. /**o** adj. m. libertine.

libidinoso adj. libidinous.

libra f. pound; — **esterlina**, pound sterling.

libra/dor m. deliverer; *Com.* drawer of (bill of exchange). /**miento** m. delivery. /**nza** f. draft. /**r** tr. to free. *Com.* to draw. /**rse** r. to escape.

libre adj. free; frank.

librer/ía f. book-shop, bookshelf. /**o** book-seller.

libreta f. note-book.

librillo m. small book (of cigarette paper).

libro s. book.

licenci/a f. licence, permit, leave; *Mil.* furlough /**ado** adj. licensed; m. licenciate, university graduate; *Mil.* discharged soldier. /**amiento** m. licentiation. /**ar** tr to license; *Mil.* to discharge /**arse** r. to become a licenciate. /**oso** adj. licentious.

lícito adj. licit, lawful.

licor m. liquor; spirits.

lid f. conflict, contest, fight. **/ia** f. (bull-)fight. **/iador** m. (bull) fighter. **/iar** intr. and tr. to fight (bulls).

liebre f. hare.

lienzo m linen cloth; canvas, stretch of wall.

liga f. garter, stocking supporter, league, bond. **/dura** f. binding, tie. **/mento** m. Anat. ligament. **/miento** m. tying. **/r** tr. to tie, to bind. **/zón** f. bond.

liger/eza f. lightness; inconstancy. **/o** adj. light, slight.

lija f. sand-paper. **/r** tr. to sand-paper, to smooth

lila f. Bot. lilac-tree; lilac flower.

lima f. Bot. lime-tree; lime (fruit); Mech file. **/dura** f. filing. **/r** tr. to file. to polish.

limita/ción f. limit(ation) **/do** adj. limited. **/r** tr. to limit; to border (upon).

límite m. limit.

limítrofe adj. limiting.

limo m. slime; mud.

limón m. lemon.

limon/ada f. lemonade. **/ero** m. lemon-tree.

limosna f. alms; charity.

limoso adj. slimy; muddy.

limpi/abarros m. mudscraper. **/abotas** m. bootblack, shoe-shine. **/ar** tr. to clean(se), to shine (shoes). **/eza** f. clean(li)ness. **/o** adj. clean.

linaje m. lineage; race. **/udo** adj. high-born.

linaza f. linseed, flaxseed.

lince m. lynx.

linch/ar intr. to flank on. **/e** m. boundary, limit. **/ero** m. bound(ary).

lindeza f. prettiness.

lindo adj. pretty, nice.

línea f. line; lineage; boundary; Mil. trench; rank

lineal adj. lineal.

lingote m. ingot; pig.

lingü/ista s. linguist. **/ística** f. linguistics.

linimento m. liniment.

lino m. Bot. flax, linen.

linóleo m. linoleum.

linotipia f. linotypy. **/ta** s. linotyper, linotypist.

linterna f. lantern.

lío f. bundle; parcel; coll. pickle, liason.

liquida/ble adj. liquefiable. **/ción** f. liquidation; Com. clearance. **/r** tr. to liquefy; Com. to clear.

líquido adj. liquid; fluid; m. liquid; Com. net profit.

lira f. lyre.

líric/a f. lyrics. **/o** adj. lyric(al).

lirón m. dormouse.

lirio m. Bot. lily.

lis f. lily, flower-de-luce.

lisia/do adj. lame, cripple(d). **/r** tr. to lame.

liso adj. plain; even; flat.

lisonj/a f. flattery. **/ear** tr. to flatter. **/ero** m. flatterer; adj. flattering.

lista f. slip of paper; streak; stripe, list, register; Mil. roll. **/do** adj. striped.

listo adj. clever; ready.

listón m. ferret; lath.

lisura f. smoothness.

litera f. litter; berth.

litera/l adj. literal. **/rio** adj. literary. **/to** adj. literary, lettered; m. literate, writer. **/tura** f. literature

litig/ante s. litigant; adj litigating. **/ar** tr. to litigate; to contend. **/io** m. litigation.

litografía f. lithography.

litoral adj. littoral; coastal; m. littoral, sea-cost.

litro m. liter; litre.

liturgia f. liturgy.

litúrgico adj. liturgic(al).

lívian/dad f. lightness. / **o** adj. light; frivolous.

lívido adj. livid.

lo art. neut. sing. the; pers. pron. him, it.

loa f. praise. /**ble** adj. laudable. /**r** tr. to praise; to eulogize.

loba f. she-wolf;

lobanillo m. wen.

lob/ato m. /**ezno** m. wolf cub, wolfkin. /**o** m. wolf.

lóbrego adj. gloomy.

lobreguez f. gloom(iness)

lóbulo m. lobe; lobule.

local adj. local, m. premises. /**idad** f. locality.

loción f. lotion; wash.

loco adj. mad, insane, crazy, m. madman.

locomo/ción f. locomotion /**tora** f. (railway) locomotive, engine.

locuaz adj. loquacious.

locución f. locution.

locura f. madness, lunacy.

locutorio m. parlour.

lod/azal m. slough. /**o** m. mud; mire.

logia f. lodge (of free masons) .

lógic/a f. logic; dialectics. /**o** adj. logic(al); m. logician.

logr/ar tr. to get, to achieve. /**ero** m. usurer. /**o** m. achievement, attainment, sucess; usury.

loma f. hillock; knoll.

lombriz f. (earth-)worm.

lomo m. loin; back (of animal, of book)

lona f. canvas; sail-cloth.

longaniza adj. a kind of pork sausage.

longevidad f. longevity.

longitud f. length.

lonja f. exchange, saleroom; slice (of meat).

lontananza f. distance.

loro m. parrot.

losa f. slab; flag-stone.

lote m. lot; allotment, ground-plot.

loter/ía f. lottery; lotto. /**o** m. seller of lottery tickets.

loto m. lotus(-flower).

loza f. chinaware, delft, porcelain, crockery.

lozan/ía f. luxuriance, freshness. /**o** adj. luxuriant, wigorous, rank.

lubrica/nte m. lubricant. /**r** tr. to lubricate.

lúbrico adj. lubricous.

lubrificante m. lubricant.

lucido adj. brilliant

lúcido adj. lucid.

luc/iérnaga f. glowworm. /**ifer** m. Lucifer; Satan. /**ifugo** adj. lucifugous. /**imiento** m. brightness; applause.

lucir intr. to shine, tr. to display, to show.

lucr/ativo adj. lucrative. /**o** m. gain; profit

luctuoso adj. mournful.

lucha f. struggle, fight; wrestling. /**dor** m. wrestler, fighter. /**r** tr. to fight, to wrestle.

ludibrio s. mockery.

luego adv. presently; next, later, therewith, conj. then, therefore.

lugar m. place; spot: village, occasion. /**eño** adj. rustic; m. villager. /**teniente** m. lieutenant.

lúgubre adj. lugubrious.

luj/o m. luxury, luxuriousness. /**oso** adj. sumptuous. /**uria** f. luxury, lust. /**urioso** adj. luxurious; voluptuous.

lumbago m. *Med* lumbago.

lumbre f. fire; light /**ra** f. luminary.

lumin/aria f. illumination. /**oso** adj. luminous.

lun/a f. moon, mirrorplate. /**ar** adj. lunar(y); m. mole, (beauty-)spot; flaw. /**ático** adj. lunatic. /**es** m. Monday.

lupanar m. brothel.
lúpulo m. *Bot.* hops.
lustr/ar tr. to polish. /e m. luster, polish.
lustro m. lustrum.

lustroso adj. bright.
luteran/ismo m. Lutheranism. /o adj. Lutheran.
luto m. mourning, black.
luz f. light; hint.

llaga f. ulcer, wound, sore. /r tr. to wound.
llama f. flame; blaze.
llama/da f. call; knock. *Print.* mark, reference. /miento m. calling. /r tr. to call; to summon. /rse r. to be called.
llamarada f. sudden blaze, flame, flash.
llamativo adj. showy.
llamea/nte adj. flaming. /r intr. to blaze.
llan/eza f. plainness. /o adj. flat; even, plain; m. plain, flatland.
llanta f. tyre of a wheel.
llanto m. crying, weeping.
llanura f. plain(ness).
llav/e f. key; *Mech.* wrench; *Mus.* clef, key. /ero keychain; key-ring. /ín m. latch-key.

llega/da f. arrival. /r intr. to arrive.
llen/ar tr. to fill; (up or out), to occupy. /o adj. full; filled, m. full(ness). *Theat.* full house.
lleva/dero adj. bearable. /r tr. to carry; to bear; to wear, to drive.
llor/ar tr. to weep; to cry. /iquear intr. to whimper. /o m. weeping. /ón adj. crying, m. cry baby. /oso adj. tearful.
llov/er intr. to rain. /izna f. drizzle. /iznar intr. to drizzle.
lluvi/a f. rain; fig. copiousness. /oso adj. rainy.

macabro adj. macabre.
macarrones m. macaroni.
macarrónico adj. burlesque; macaronic.
macera/ción f. maceration. /r tr. to macerate.
maceta f. flower-pot.
macilento adj. lean; wan.
macizo adj. massive.

mácula f. stain, flaw.
machac/a f. pounder beater. /ar tr. to crush; to pound. /ón adj. tedious.
machet/azo m. stroke with a cutlass. /e m. cutlass, cane-knife.
machihembrar tr. to dovetail; to mortise.

macho adj. male; m. male animal, jack, he-mule.

machuca/miento m. bruising, crushing. /r tr. to bruise, to crush.

madama f. madam; lady.

madeja f. skein; hank.

mader/a f. timber; wood, lumber. /aje m. timber (work). /ero m. timbermerchant, lumberman. /o m. beam; log.

madr/astra f. step-mother. /e f. mother, a nun. /eselva f. Bot. honey-suckle.

madrigal m. madrigal.

madriguera f. burrow.

madrileño adj. and m. Madrilenian.

madrina f. godmother; patroness; protectress.

madroño m. Bot. strawberry-tree and its fruit.

madruga/da f. dawn, early morning. /dor m. early riser. /r intr. to rise early, to anticipate.

madur/ación f. ripening. /ar tr., intr. to ripen. /ez f. maturity; ripeness. /o adj. ripe, mature, mellow.

maestr/a f. (school)mistress, teacher. /anza f. arsenal; armony. /ría f. mastery; mastership. /o adj. masterly, main; m. (school) master, teacher, craftmaster.

magia f. magic, conjury.

mgáico adj. magic(al).

magist/erio m. mastery; mastership, teachers as a class. /rado m. magistrate, /ral adj. magisterial. /ratura f. magistracy.

magnánimo adj. magnanimous.

magnate m. magnate.

magnesia f. magnesia.

magnético adj. magnetic(al).

magnetizar tr. to magnetize.

magnificencia f. magnificence, splendour.

magnífico adj. magnificent; splendid, superb.

magnitud f. magnitude.

magno adj. great.

mago m. magician; wizard; pl. magi.

magr/o adj. lean; meagre. /ura f. leanness.

magulla/miento m. bruise. /r tr. to bruise.

mahometano m. and adj. Mohammedan, Moslem.

maíz m. Bot. maize.

maizal m. maizefield.

majader/ía f. lumpishness, footle. /o adj. grumpy; m. bore, pestle.

majar tr. to crush.

majest/ad f. majesty. /uoso adj. majestic.

majo adj. spruce, showy pretty, m. dandy.

mal adj. bad, evil, ill; m. evil, harm, ill(ness), adv. badly, ill.

malaria f. malaria.

malavenido adj. nonconfomist.

malaventura f. calamity. /do adj. unlucky.

malcarado adj. grimfaced.

malcontento adj. malcontented, ill-pleased.

malcriado adj. ill-bred.

maldad f. wickedness.

maldecir tr. to curse.

maldición f. malediction

maldito adj. wicked; damned; coll. not one.

malea/ble adj. malleable. /r tr. to pervert /rse r. to go wrong.

malecón m. dike; jetty.

maledicencia f. slander.

maleficio m. witchcraft.

maléfico adj. mischievous; harmful.

malestar m. discomfort.

malet/a f. suit-case, valise; m. coll. poor bullfighter. /ín m. satchel.

malevolencia f. malevolence.

malévolo adj. malevolent.

maleza f. overgrowth (of weeds), shrubbery.

malgastar tr. to waste.

malhablado adj. foul-mouthed.

malhechor m. malefactor.

malherir tr. to wound badly.

malhumorado adj. ill-humoured; peevish, gruff.

malici/a f. malice, shrewdness. /**ar** tr. to suspect. /**oso** adj. malicious; cunning.

malign/idad f. malice. /**o** adj. malicious.

malo adj. bad; ill, evil, wicked, naughty.

malogr/ar tr. to lose, to waste. /**arse** r. to fail, to miscarry.

maloliente adj. foul-smelling.

malparado adj. damaged.

malquistar tr. to disaffect, to estrange friends.

malsano adj. unhealthy.

malsonante adj. ill-sounding.

malta f. malt.

maltrat/ar tr. to mistreat, to abuse. /**o** m. ill treatment.

maltrecho adj. battered, abused.

malva f. malow.

malvado adj. wicked, m. wicked man.

malversar tr. to embezzle.

malla f. mesh of a net; net(work), mail.

mallo m. mallet; pall-mall.

mallorquín adj. and m. Majorcan.

mama f. mamma(ry gland).

mamá f. mamma; mother.

mamar tr. to suck(le).

mamarracho m. botch, daub; guy, milksop.

mamífero adj. mammalian; m. pl. mammals.

mamón m. sucking.

mampara f. screen.

mampostería f. masonry rubble-work.

maná m. manna.

manada f. flock; herd.

mana/ntial m. (water-)spring, (fountainhead. /**r** intr. to spring from, to issue.

manceb/a f. concubine. /**o** m. youth; shop-clerk.

mancilla f. spot; blemish.

manco adj. and m. handless; onehanded.

mancomun/ar tr. to associate. /**idad** f. union.

mancha f. stain; spot. /**r** tr. to smear, to sully.

manda/dero m. messenger. /**do** m. mandate; errand. /**miento** m. commandment. /**r** tr. to command, to rule; to send. /**tario** m. attorney; proxy. /**to** m. mandate.

mandil leather apron.

mandíbula f. jaw(bone).

mando m. command, authority, rule, power.

manducar tr. *coll.* to eat.

mane/cilla f. small-hand, hand of a clock. /**jable** adj. manageable. /**jar** tr. to handle, to wield. /**jo** m. handling.

manera f. manner; mode.

manga f. sleeve, (water-)hose, net-bag.

mango m. handle; haft; *Bot.* mango(tree).

manguera f. hose, air shaft.

manguito m. muff.

maní m. pea-nut.

manía f. mania, craze.

maniatar tr. to manacle.

maniático adj. crank, notional, m. maniac.

manicomio m. lunatic asylum, madhouse.

manicur/a f. manicure. /**o** m. manicure.

manifestación f. manifestation; (public) demonstration. /r tr. to manifest.

manifiesto adj. manifest, m. manifest(o).

maniobra f. *Mil.* manœuvre; *Naut.* working of a ship. /r tr. to manipulate; *Naut.* to handle, or work a ship.

manipular tr. to handle.

maniquí m. puppet, manikin, dummy.

manirroto adj. wasteful.

manivela f. (crank-) handle, lever.

manjar m. food; victuals.

mano f. hand; side, coat(ing). /jo m. bunch.

manopla f. gauntlet.

manosear tr. to handle; to finger. /o m. handling, fingering.

manot/ada f. cuff, slap. /ear tr. to cuff. /eo m. gesticulation, slapping.

mansedumbre f. meekness, tameness.

mansión f. mansion.

manso adj. tame; meek.

manta f. blanket.

mantec/a f. butter; lard. /ado m. icecream. /oso adj. buttery.

mantel m. table-cloth. /ería f. table linen.

manten/edor m. maintainer. /er tr .to maintain, to hold (up). /erse r. to stand firm. /imiento m. maintenance.

mantequ/era f. butterdish. /illa f. butter.

mantill/a f. mantilla, head-shawl. /o s. should

manto m. mantle; manteau; cloak; robe.

mantón m. shawl.

manual adj. manual; m. manual, handbook

manufactura f. manufacture; factory; mill. /r tr. to manufacture.

manuscrito m. and adj. manuscript.

manutención f. maintenance.

manzan/a f. apple. block of houses. /illa f. *Bot.* chamomile, manzanilla (wine). /o m. apple-tree.

maña s. craft; skill.

mañana f. morning; morn; adv. to-morrow.

mañoso adj. skilful.

mapa m. map, chart.

mapamundi m. map of the world.

maquiavélico adj. Machiavelian.

máquina f. machine; engine. 'ción f. machination. /al adj. mechanical. /ar tr. to conspire. /aria f. machinery. /ista s. machinist; engineer, railway engine driver.

mar m. sea, fig. oceans.

maraña f. thicket; tangle.

maravill/a f. wonder; marvel. /ar tr. to admire. /arse r to wonder (at). /oso adj. wonderful.

marca f. mark; note; brand, make. — de fábrica, trade-mark. /dor m. marker, scorer. /r tr. to mark; to score.

marcial adj. martial. /idad f. martialness.

marco m. frame.

marcha f. march; progress, pace, working.

marchante m. merchant; dealer.

marchar intr. to go; to go off; to march, to leave.

marchit/ar tr. to wither. /arse r. to dry up. /ez f. fading. /o adj. faded.

marea f. tide. /ar tr. *coll.* to vex. /arse r. to be seasick. /jada f. swell. /o m. sea-sickness.

marfil m. ivory.

margarina f. *Chem.* margarine.

margarita f. daisy.

margen m. margin.
maric/a f. magpie; m.
milksop. **/ón** m. sod-
(omite), homo(sexual).
marid/ar intr. to marry;
to join. **/o** m. husband.
marimacho m. virago.
marin/a f. marine, navy,
shore, F. a. seascape.
/ero m. mariner, sailor,
seaman; adj. seaworthy.
/o adj. marine, m. mariner.
marioneta f. puppet.
mariposa f. butterfly.
mariquita f. ladybird; m.
milksop.
marisco shell-fish, molusc.
marisma f. march, swamp.
marital adj. marital.
marítimo adj. maritime.
marmita f. kettle, boiler.
mármol m. marble.
marqu/és m. marquis.
/esa f. marchioness. **/e-
sina** f. marquee, canopy.
marquetería f. marquetry.
marrana f. sow. **/o** m.
pig; hog.
marroquí adj. and. m.
Moroccan, m. shagreen.
marrullero adj. crafty.
martes m. Tuesday.
martill/ar tr. to hammer.
/o m. hammer.
mártir m. martyr.
martiri/o m. martyrdom.
/zar tr. to martyrize.
marxis/ta adj. and s.
Marxist. **/mo** m. Mar-
xism.
marzo m. March.
mas conj. but, yet.
más adv. more, plus.
masa f. dough; mass.
masa/je m. massage. **/lis-
ta** m. masseur; f. mas-
seuse.
masca/dura f. mastica-
tion. **/r** tr. to chew.
máscara f. mask; disguise, s. masker.
mascar/ada f. masquerade. **/illa** f. half mask.
masculino adj. masculine;
male; virile.

masón m. Freemason. **/l-
co** adj. Masonic.
masticar tr. to masticate.
mástil m. *Naut.* mast.
mastín m. mastiff.
mata f. shrub; plant.
mata/dero m. slaughter-
house. **/dor** m. slayer,
bullfighter, matador. **/-
uza** f. butchery. **/r** tr.
to kill, to slay. **/rse** r.
to commit suicide, to
get killed. **/rife** m.
slaughterman. **/sanos** m.
coll. quack.
mate adj. mat(t); el.
chekmate, yerba mate.
matemátic/a(s) f. mathe
matics. **/o** adj. mathe-
matical; m. mathemati-
cian.
materia f. matter; stuff;
subject, *Med.* pus. **/lis-
mo** m. materialism.
matern/al adj. **/o** adj.
maternal, motherly.
matiz m. shade of colour.
matón m. bully; braggart.
matorral m. thicket.
matrícula f. register; list.
matricular tr. to matricu-
late; to register. **/se** r.
to enroll, to register.
matrimoni/al adj. matrimonial. **/o** m. marriage
matrimony, married
couple, married state.
matriz adj. principal; m.
matrix; female screw.
matrona f. matron, midwife.
matute m. smuggling;
smuggled goods. **/ar** tr.
and intr. to smuggle.
matutino adj. matutinal.
maull/ar intr. to mew.
/ldo m. mew(ing).
mausoleo m. mausoleum.
maxilar adj. maxilar(y);
m. jaw.
máxim/a f. maxim; axiom. **/o** adj. chief; principal; m. maximun.
mayo m. May; May pole.
mayor adj. greater; big-
ger, older, senior m.

grown-up, chief. pl forefathers; **al por —,** wholesale. /**al** m. foreman. /**domo** m. steward, butler. /**doma** f. stewardess. /**ía** f. majority. /**ísta** m. wholesaler.

mayúscula f. capital letter.

maza f. club; mace.

mazmorra f. dungeon.

mazo m. mallet; maul.

me pron. me, to me.

meandro f. meander.

mear intr. to urinate; *coll.* to piss, to piddle.

mecánic/a f. mechanics. /**o** adj. mechanical; m. mechanic, machinist.

mecanismo m. mechanism.

mecanograf/ía f. typewriting. /**iar** tr. to typewrite. /**o** m. typist.

mece/dora f. rocking-chair. /**r** tr. to rock.

mech/a f. wick, fuse. /**ar** tr. to lard. /**ero** m. cigarette-lighter.

modalla f. medal.

media m. stocking; hose; middle; mean; **la — luna,** crescent. /**ción** f. mediation. /**nía** f. mediocrity. /**no** adj. mediocre; moderate. /**nte** adv. by means of. /**r** intr. to mediate.

medic/amento m. medicament; medecine. /**ina** f. medecine /**inal** adj. medicinal. /**inar** tr. to medicate, to treat.

médico adj. medical; m. physician, doctor.

medida f. measure; size.

medio adj. half; mid(dle); average; m. middle, medium. /**cre** adj. mediocre. /**cridad** f. mediocrity. /**día** m. noon; midday.

medir tr. to measure.

medita/ción f. meditation. /**r** tr. to meditate; to muse; to consider

mediterráneo adj. Mediterranean, -neous

medrar intr. to thrive.

médula f. marrow; pith.

mejilla f. cheek

mejor adj. better, best, adv. better, rather. /**a** f. improvement. /**ar** tr to improve; to better. intr. to recover. /**ía** f recovery.

melanc/olía f. melancholy, spleen. /**ólico** adj melancholic, gloomy.

melena f. mane.

melindr/e m. honey-fritter, overniceness. /**oso** adj. finical.

melocot/ón m. peach. /**onero** m. peachtree

melod/ía f. melody. /**ioso** adj. melodious.

melodrama m. melodrama.

melón m. melon.

melos/idad f. sweetness. /**o** adj. honeyed, sweet

mella f. notch; jag. (in)dent. /**r** tr. to (in)dent

mellizo adj. twin(-born).

membrana f. membrane

membrete m. note; heading; label.

membrillo m. *Bot.* quince (-tree); **carne de —,** quince jelly.

memo adj. stupid.

memor/able adj. memorable. /**ia** f. memory; report; pl. memoirs.

menaje m. household furniture.

menci/ón f. mention. /**onar** tr. to mention.

mendi/cante adj. mendicant. /**cidad** f. mendicity. /**gar** tr. to beg (alms). /**go** m. beggar

mendrugo m. scrap, crust

mene/ar tr. to move; to stir, to shake, to wag **menester** m. necessity, want. /**oso** adj. needy

menestra f. vegetable soup; pottage. **/l** m. handicraftsman, trades-man.

mengano s. so-and-so.

mengua f. decay. **/do** m. coward, adj. diminished. **/nte** adj. decreasing; f. ebbtide, wane of the moon. **/r** intr. to de-crease, to dwindle.

menisco m. meniscus.

menor adj. smaller, less-(er), younger; s. minor, **al por —**, retail. **/ía** f. minority.

menos adv. less; fewer. **/cabo** m. loss. **/preciar** tr. to depise, to under-rate, un to scorn. **/pre-cio** m undervaluation, scorn.

mensaje m. message; er-rand. **/ro** m. messenger, carrier, errand boy.

menstru/ación f. mens-truation. **/o** m. menses. **/ar** tr. to menstruate.

mensual adj. monthly.

menta f. (pepper)-mint. **ment/al** adj. mental. **/a-lidad** f. mentality. **/ar** tr. to mention. **/e** f. mind.

mentecato adj. and m. fool(ish), dolt(ish).

menti/r intr. to lie. **/ra** lie, fib. **/roso** adj. lying; m. liar.

menú m bill of fare, menu.

menud/ear intr. to occur frequently. **/encia** f. tri-fle. **/illos** m pl. giblets of fowls. **/o** adj minu-te, tiny.

meollo m. marrow; pith.

mequetrefe m. coxcomb.

merca/dear tr. to traffic. **/der** m. merchant. **/de-ría** f. merchandise; pl. goods, wares. **/do** m. market(-place) **/f** merchandise; pl. goods, (sale)wares. **/nte** adj. and s trader, merchant.

/ntil adj. mercantile, commercial. **/r** tr. to buy; to purchase.

merced f. favour; mercy

mercenario adj., m. mer-cenary, adj. hireling.

mercería f. haberdashery.

mercurio m. mercury.

merdoso adj. foul; filthy

merec/er intr. to deser-ve. **/ido** adj. deserved m. due, punishment. **/l-miento** m. merit.

merendar intr. to lunch to have a picnic.

meretriz f. meretrix.

meridi/ano m. meridiana **/onal** adj meridional southern.

merienda. f lunch(eon) picnic, afternoon tea.

mérito. m. merit(orious ness), desert. wortl

meritorio. adj. meritori-ous, worthy

merluza *Ichth.* hake

merma f. waste; loss / intr. to waste; to lesser

mermelada f. marmalade

mero adj mere; simple

merodear intr. to ma-raud.

mes m. month.

mesa f. table, plateau

meseta s. plateau.

mesiánico adj. messianic.

mesías m. Messiah.

mesón m. inn; hostelry.

mesonero m. innkeeper.

mestizo adj. and m. mes-tizo, mongrel, hybrid.

mesura f. moderation; measure. **/do** adj mo-derate.

meta f. goal, aim.

metafísic/a f. metaphy-sics. **/o** adj. metaphysi-cal, m metaphysician

metáfora f. metaphor.

metal m. metal; brass

metálico adj. metallic

metal/urgia f. metallurgy. **/úrgico** adj. metallur-gic(al).

metamorfosis f. metamor-phosis; transformation

mete/órico adj. meteoric(al). /**oro** m. meteor. /**orología** f. meteorology.

meter tr. to put in, to make (as noise. /**se** r. to intermeddle.

metódico adj. methodic(al).

metodista. adj. and s. Methodist.

método m. method.

metralla f. grape-shot.

métrico adj. metric(al).

metro m. metre; tube, underground railway.

mezcla f. mixture; blend. /**r** tr. to mix. /**rse** r. to mix, to meddle.

mezquin/dad f. meanness. /**o** adj. niggard(ly), mean.

mezquita f. mosque.

mi adj. my.

mí pron. me; to me.

mico m. monkey.

micr/obio m. microbe. /**ó fono** m. microphone. /**oscopio** m. microscope.

miedo m. fear; dread. /**so** adj. fam. fearful.

miel f. honey.

miembro m. member; fellow; part; limb.

mientras adv. while, as.

miércoles m. Wednesday.

mierda f. excrement, feces, coll. dirt, ordure.

mies f. corn, ripe grain

miga f. crumb, pl. fried crumbs. /**ja** f. crumb.

migración f. migration.

mil m. one thousand.

milagro m. miracle. /**so** adj. miraculous.

mili/cia f. militia, soldiership. /**ciano** m. militiaman; militian. /**tante** adj. militant. /**tar** m. soldier; adj. military, intr. to militate.

mill/a f. mile /**ar** m. thousand. /**ón** m. million. /**onario** m. millionaire.

mima/do adj. spoiled. /**r** tr. to pet, to fondle.

mimbre m. osier.

mímic/a f. pantomine, mock. /**o** adj. mimic.

mimo m. mime; caress.

min/a f. mine, pit; source. /**ar** tr. to (under)mine. /**eral** adj. and m. mineral. /**ero** adj. mining, m. miner.

miniatur/a f. miniature. /**ista** s. miniaturist.

mínimo adj. least; smallest; minimum.

minist/erio m. ministery; cabinet. /**ro** m. cabinet minister, secretary.

minor/ar tr. to lessen. /**ía** f. minority. /**idad** f. minority; nonage

minuci/a f. trifle. /**oso** adj. particular.

minúscula f. small letter.

minuta f. minute, lawyer's bill, bill of fare.

minuto m. minute.

mío pron. mine.

miop/e adj. short sighted. m. myope. /**ía** f. myopía, shortsightedness.

mir/a f. aim; care. /**da** f. look, glance. /**do** adj. circumspect. /**dor** m. balcony. /**miento** m. consideration. /**r** tr. to look (at, upon).

mirlo m. Orn. blackbird.

mirón m. looker-on.

misa f. mass. — **mayor** high mass. /**l** m. missal.

misantropía f. misanthropy.

misántropo m. misanthropist, man-hater.

miscelánea f. miscellany.

miser/able adj. miserable; lousy. /**ia** f. misery. /**icordia** f. mercy, pity. /**icordioso**. adj. merciful.

mísero adj. miserable.

misi/ón f. mission. /**onero** adj. m. missionary.

mismo adj. same, very.

misógino m. misogynist.

misterio m. mystery. /so adj. mysterious.

místic/a f. mysticism. /o adj. m. mystic.

mitad f. half, middle.

mitigar tr. to mitigate.

mito. m. myth. /logía f. mythology. /lógico adj. mythological.

mixt/o adj. mixed. /urar tr. to mix.

mnemónica, mnemotecnia f. mnemonics.

mobiliario. m. furniture.

moc/edad f. youth(fulness). /etón m. strapping youth. /ito adj. juvenile, s. youngster.

moción f. motion.

moco m. mucus; vulg. snot. /sidad f. mucosity. /so adj. vulg. snotty; snively, m. brat.

mochila f. knapsack.

mod/a f. fashion; mode. /elar tr. to model. /elo m. model.

modera/ción f. moderation. /r tr. to moderate, to control.

modern/ismo m. modernism. /izar tr. to modernize. /o adj. modern; up-to-date.

modest/ia f. modesty. /o adj. modest; coy.

módico adj. Com. moderate; reasonable.

modifica/ción f. modification. /r tr. to modify.

modismo m. idiom.

modista f. dressmaker.

modo m. mode, manner; way; pl. manners.

modorra f. drowsiness.

modoso adj well-behaved.

modulación f. modulation. /r intr. to modulate.

mofa f. mock(ery). /r tr. to deride. /rse r. to poke fun at.

moh/ín f. grimace. /ina f. peevishness. /íno adj. peevish.

moho m. moss, mould. /so adj. mossy; mouldy.

moja/dura s. wetting. /r tr. to moisten; to wet.

mojigat/ería f. bigotry. /o adj. and m. bigot.

mojón m. landmark.

molar adj. grinding, molar, m. jaw-tooth.

molde m. mould; pattern. /ar tr. to mould.

mole f. huge mass.

molécula. f. molecule.

moler tr. to grind.

molest/ar tr. to vex; to tease. /ia f. nuisance; bother. /o adj. annoying, bothersome.

molicie f. softness.

moli/enda f. grinding. /nero miller. /nillo coffee-grinder. /no mill.

molusco m. mollus(can).

molleja f. sweetbread.

moment/áneo adj. momentary. /o m. moment.

momi/a f. mummy. /ficar tr. to mummify.

mona f. female monkey; vulg. drunkenness.

monacal adj. monachal.

monada f. grimace; pretty child or girl.

monaguillo m. altar boy.

monar/ca m. monarch /quía f. monarchy.

monárquico adj. monarchic(al), m. monarchist.

monasterio m. monastery; minster, cloister.

monda/dientes m. toothpick. /dura f. clean(s)ing; pl. parings. /r tr. to trim, to lop.

moned/a f. coin, money. /ero m. (money-)purse.

monería f. mimicry.

monetario adj. monetary.

monigote m. bumpkin.

monitor m. monitor.

monj/a f. nun. /e m. monk, cloisterer.

mono adj. neat; pretty; m. ape; monkey.

monogamia f. monogamy.

monógamo adj. monogamous.

monólogo m. monologue.

monopoli/o m. monopoly. /zar tr. to monopolize.

monotonía f. monotony.

monótono adj. monotonous.

monstruo m. monster. /so adj. monstrous.

monta f. amount. /cargas m. lift, dumbwaiter. /je m. assembling.

montañ/a f. mountain; pl. highlands. /oso adj. mountainous.

montar intr. to mount; tr. to ride (a horse), to amount to; to assemble.

monte m. mountain; mount, forest, wood.

monter/ía s. hunting; hunt. /o s. hunter.

montón m. heap; pile.

montura f. riding-horse, setting (of jewels).

monumento m. monument

moño m. chignon, knot.

mora f. Bot. mulberry.

morada f. dwelling.

morado adj. mulberry-coloured; purple.

moral m. ethics; morality; adj. moral. /eja f. moral, maxim, precept. /idad f. morality. /izar intr. to moralize.

morar intr. to dwell.

morb/ido adj. morbid. /o m. disease. /oso adj. morbid.

morcilla f. black pudding

morda/cidad f. mordacity. /z adj. corrosive. /za f. gag, muzzle.

morde/dura f. bite, nipping. /r tr. to bite.

mordisc/ar intr. to gnaw. /o m. bite.

moreno. adj. brown, swarthy, tawny

morera f. Bot. mulberry-tree.

morfin/a f. morphine. /ómano adj. morphinomaniac; s. drug addict.

moribundo adj. dying.

morir intr. to die. /se r. to die.

morisco adj. Moorish

moro adj. Moorish; m. Moor.

moros/idad f. delay. /o adj. slow, tardy, delinquent (in payment).

morral m. game-bag.

morriña f. home-sickness

morr/o m. snout, headland. /udo adj. blubber-lipped.

mort/aja f. shroud, winding-sheet. /al m. and adj. mortal. /alidad f. mortality. /andad f. massacre. /ero m. mortar; cement. /ífero death-dealing. /uorio mortuary.

moruno adj. Moorish

mosaico adj. and m. Mosaic; (F. a.) m. mosaic, tessellation.

mosca f. fly. /rdón m. bot-fly. /tel m. muscatel.

mosqu/etón m. musketoon. /itero m. fly-net. /ito m. mosquito, gnat.

mostacho m. moustache

mostaza f. mustard(-seed).

mostr/ador m. counter (of a shop). /ar tr. to show. /arse r. to appear.

mota f. spot, speck(le).

mote m. nickname.

motejar tr. to nickname.

motín m. mutiny.

motiv/ar tr. to cause. /o m. motive; cause.

moto. f. Coll. motor cycle. /cicleta f. motor (bi)cycle.

motor m. engine, motor. adj. motor. /ista m. motorist.

mov/edizo adj. moving /er tr. to move. /ible adj movable.

móvil adj. movable; movible; m. motor; mover.

movili/dad f. mobility. /**zación** f. mobilization. /**zar** tr. to mobilize.

movimiento m. movement; motion.

moz/a f. girl; lass; ;maidservant. /**o** adj. young; single; m. lad, youth, waiter, porter.

muchach/a f. girl; lass. /**o** m. boy; lad.

muchedumbre f. crowd.

mucho adj. much; adv. much, often, yes.

muda f. /**nza** f. change. /**r** tr. to change.

mudez f. dumbness.

mudo adj. dumb; mute.

mueble f. piece of furniture; adj. movable.

mueca f. grimace.

muela f. molar tooth;

muelle adj. soft; m. spring; pier wharf.

muert/e f. death, murder. /**o** adj. m. dead.

muesca f. notch, score.

muestra f. pattern; sample; indication; /**rio** m. collection of samples.

mugr/e f. grime; dirt. /**iento** adj. dirty; filthy.

mugrón m. sprig, sprout.

mujer f. woman; wife. /**lego** adj. fond of women. /**il** adj. womanly.

mula f. she-mule.

mulato f. and adj. mulatto; tawny.

muleta f. crutch; prop.

mulo m. mule.

multa f. fine; penalty. /**r** tr. to fine.

múltiple adj. multiple.

multiplicar tr. to multiply.

multitud f. multitude.

mund/ano adj. mundane; worldly. /**o** m. world.

munici/ón f. (am)munition. /**onar** to ammunition.

municip/al adj. municipal. /**io** m. municipality; township.

muñec/a f. wrist; doll. /**o** m. puppet.

mura/l adj. mural. /**lla** f. wall. /**r** tr. to wall.

murciélago m. Orn. bat.

murmu/llo m. murmur. /**ración** f. murmuring, gossip. /**rar** tr. to murmur; to gossip.

muro m. wall; rampart.

murri/a f. Coll. fit of "blues", sullenness. /**o** adj. sullen, sulky.

musa f. muse.

muscular adj. muscular

músculo m. muscle.

musculoso adj. musculous.

museo m. museum.

musgo m. moss.

música f. music.

musical adj. musical.

músico adj musical; m. musician.

musitar intr. to mutter.

muslo m. thigh.

mustio adj. withered

muta/bilidad f. mutability. /**ción** f. mutation.

mutila/ción f. mutilation; /**r** tr. to mutilate.

mutu/alidad f. mutuality. /**o** adj. mutual.

muy adv. very; greatly; coll. quite, awfully

nabo m. Bot. turnip.

nac/er intr. to be born. /**ido** adj. born. /**iente** adj. rising. /**imiento** m. birth, nativity.

nación f. nation.

aacional adj. national. /idad f. nationality. /ista s. nacionalist.

nada f. nothing(ness), pron. adv. nothing.

nada/dor m. swimmer. /r intr. to swim.

nadie pron. nobody.

nafta f. naphtha. /lma f. naphthalene.

naipe m. playing-card.

nalga f. buttock; rump.

naranj/a f. orange. /ada f. orangeade. /o m. orange-tree.

narciso m. Bot. narccissus.

narc/ótico adj. and m. narcotic. /otizar tr. to narcotize, to dope.

nari/gudo adj. big-nosed. /z f. nose, nostril.

narra/ción f. narration, story. /r tr. to narrate. /tivo adj. narrative.

nata f. cream; scum.

natal adj. natal; native. /icio adj. birthday. /idad f. birth-rate.

Nativ/idad f. Nativity. /o adj. and s. native.

natura f. nature /l adj. natural; native. /leza f. nature; nationality, kind. /lidad f. naturalness. /lista s. naturalist. /lizar tr. to naturalize.

naufrag/ar intr. to be shipwrecked. /io m. shipwreck, failure.

náufrago adj. and shipwrecked (person).

náusea f. nausea.

nauseabundo adj. nauseous: loathsome, nasty.

náutic/a f. nautics. /o adj. nautic(al).

navaja f. razor; clasp-knife. /zo m. gash.

naval adj. naval.

navarro adj. and m. Navarrese.

nave f. vessel; ship; aisle. /gable adj. navigable. /gación f. navigation; sailing. /gante m.

navigator. /gar intr. to sail; to navigate.

Navid/ad f. Nativity; Christmas. /eño adj. Christmassy.

naviero m. ship-owner.

navío m. war-ship.

neb/lina f. mist; fog; haze. /uloso adj. misty.

necedad f. stupidity.

neces/ario adj. necessary /er m. toilet case. /idad f. necessity; need. /itado adj. needy. /itar intr. to need, to lack.

necio adj. stupid; fool.

necr/ologia f. necrology, obituary. /ópolis f. necropolis, cemetery

néctar m. nectar.

nega/ción f. denial; negation. /do adj. unfit. /r intr. to deny. /tiva f. denial. /tivo adj. and m. negative (photograph).

negligen/cia f. negligence. /te adj. negligent.

negoci/ación f. negotiation. /ado m. department. /ante s. dealer; trader. /ar intr. to trade; to deal. /o m. business; affair.

negr/a f. negress. /o adj. black; dark; m. negro. /ura f. blackness. /uzco adj. blackish.

nen/a f. fam. female, infant. /e m. fam. baby.

neófito m. neophite.

neoyorquino adj. and m. New Yorker.

nepotismo m. nepotism.

nerv/io m. nerve, sinew. /ioso adj. nervous. /iosidad f. nervlosity. /udo adj. sinewy.

neto adj. neat, net.

neumático adj. pneumatic; m. tyre, tire.

neumonia f. pneumonia.

neuralgia f. neuralgia.

neurast/enia f. neurasthenia. /énico adj. neurasthenic.

neurótico. adj. neurotic.

neutr/al adj. neutral; neuter. **/alidad** f. neutrality. **/alizar** tr. to neutralize. **/o** adj. neuter.

neva/da f. snowfall. **/r** intr. to snow.

nevera refrigerator.

nexo m. nexus, bond, tie.

ni conj. neither, nor.

nicotina f. nicotine.

nicho m. niche.

nido m. nest.

niebla f. mist; fog; haze.

niet/a f. grand-daughter. **/o** m. grand-son.

nieve f. snow

nihilismo m. nihilism.

ning/ún adj. no; not one. **/uno** adj. no, none, not one, pron. none.

niñ/a f. girl. **/ada** f. puerility. **/era** f. nurserymaid, nurse. **/er:a** f. puerility. **/ez** f. infancy, childhood. **/o** adj. childish, m. child.

nipón adj. and m. Japanese.

níquel m. nickel.

nivel m. level; standard. **/ar** tr. to level.

no adv. no, not, — **obstante,** nevertheless.

nob/iliario adj. nobiliary. **/le** adj. noble m. nobleman. **/leza** f. nobleness; nobility.

noción f. notion; idea, concepts, pl. elements.

nocivo adj. harmful.

noct/ámbulo m. noctambulist. **/urno** adj. nocturnal; m. nocturne.

noche f. night **/buena** f. Christmas Eve.

nodriza f. wet-nurse.

nómada adj. nomad(ic).

nombr/adía f. fame. **/amiento** f. nomination; appointment. **/ar** tr. to name; to appoint. **/e** m name; noun.

nómina f. (pay-)roll.

nomi/nal adj. nominal. **/nar** tr. to name.

non adj. odd; uneven; m. odd number. **pares y — es** odds and evens.

noria f. chain-pump.

norma f. standard; norm. **/l** adj. normal. **/lizar** tr. to normalize.

norte m. north. **/americano** adj. North American; m. American.

noruego adj. and m. Norwegian. Norse.

nos pron. we, us. **/otros** pron. we; us.

nostalgia f. nostalgia, homesickness.

nota f. note; notice; bill. **/ble** adj. remarkable **/r** tr. to note; to (re)mark. **/ario** m. notary public.

notici/a f. piece of news. **/ero** m. news-agent, reporter.

notifica/ción f. notification. **/r** tr. to notify.

notori/edad f. notoriety. **/o** adj. notorious.

nov/ato adj. and m. novice, beginner. **/edad** f. novelty; **com.** fancy. **/el** adj. novel; new.

novel/a f. novel; fiction. **/esco** adj. novelistic. **/ista** s. novelist.

novia f. girl friend, sweetheart, fiancée, bride. **/zgo** m. courtship.

novici/ado m. novitiate. **/o** m. novice.

noviembre m. november.

novill/ada f. drove or fight of young bulls. **/ero** m. herdsman, torero who fights young bulls. **/o** m. young bull.

novio m. boy friend, suitor, fiancé, bridegroom.

nubl/ado adj. cloudy. **/ar** tr. to cloud.

nuca f. nape of the neck.

núcleo m. nucleus, core.

nud/illo m. knuckle. **/o** m. knot, burl, tie. **/oso** adj. knotty.

nuera f. daughter-in-law.

nuestro pron. our(s).
nueva f. news, tidings.
nuevo adj. new; novel.
nuez f. (wal)nut, Adam's apple.
nul/idad f. nullity; a nobody. /o adj. null; void.
numer/ación s. numeration. /al adj. numeral. /ar tr. to number. /ario adj. numerary; m. hard cash.

numérico adj. numeric(al).
número m. number.
numeroso adj. numerous.
nunca adv. never, ever.
nunci/atura f. nunciature. /o m. nuncio.
nupcia/l adj. nuptial. /s f. pl. wedding.
nutri/ción f. nutrition. /r tr. to nourish to feed. /tivo adj. nourishing.

ñoñ/ería f. drivel. /ez f. shyness, drivel. /o adj | timid, shy, m. dotard.

o conj. or; either; interj. o! oh;
obceca/ción f. obduracy. /r tr. to obfuscate. /rse r. to be obfuscated.
obed/ecer tr. to obey. / iencia f. obedience. /iente adj. obedient.
obelisco m. obelisk.
obes/idad f. obesity. /o adj. obese, fat.
obisp/ado m. bishopric; episcopate. /o m. bishop.
óbito m. obit, death.
obituario m. obituary.
obje/ción f. objection. /tar tr. to object. /tivo adj. objective, m. objective, aim, object-glass. /to m. object, purpose.
oblicu/idad f. obliquity, slant, bias. /o adj. oblique, slanting, skew.

obliga/ción f. obligation, bond, pl. duties. /r tr. to oblige; to compel. / rse r. to bind oneself. /torio adj. obligatory; binding.
óbolo m. obol(us), mite.
obr/a f. work, act(ion), book, building. /ar tr. to work, to act. /ero adj. working; m. worker, workman.
obscen/idad f. obscenity. /o adj. obscene.
obscur/ecer intr. to obscure; to darken. /idad f. obscurity, darkness. / o adj. obscure; dark.
obsequi/ar tr. to treat. /o m. present, gift, treat. /oso adj. obsequious, obliging.
observa/ción f. observation; note; remark. /dor

m. observer. /**nte** adj. observant; observing. /**r** tr. to observe; to notice. /**torio** m. observatory.

obsesi/ón f. obsession /**onar** tr. to obsess.

obst/áculo m. obstacle. /**ar** intr. to oppose. /**inación** f. obstinacy. /**inarse** r. to persist in.

obstru/cción f. obstruction. /**ir** tr. to obstruct. /**irse** r. to clog.

obten/ción f. attainment; tr. to obtain; to get.

obturar tr. to stop up.

obtuso adj. obtuse, blunt

obús m. howitzer.

obvi/ar tr. to obviate; to prevent. /**o** adj. obvious.

oca f. Orn. goose.

ocasi/ón f. occasion. /**onal** adj. occasional /**onar** tr. to cause.

océano m. ocean; sea.

ocaso m. (sun)set, dusk.

occident/al adj. occidental; west(ern). /**e** m. occident; west.

occip/ital adj. occipital. /**ucio** m. occiput.

oceánico adj. oceanic, Oceanian.

océano m. ocean; sea,

ocio m. leisure. /**sidad** f idleness. /**so** adj. idle

ocre adj. ochre.

octubre m. October

ocul/ar adj. ocular. /**ista** s. oculist.

ocult/ar tr. to conceal; to hide. /**arse** r. to hide. /**ismo** m. occultism /**o** adj. hidden.

ocupa/ción f. occupation; profession. /**do** adj. busy, engaged. /**nte** s. occupant. /**r** tr. to occupy.

ocurr/encia f. occurrence; witty sally. /**ir** intr. to happen.

oda f. ode.

odi/ar tr. to hate. /**o** m. hatred; hate. /**oso** adj. odious; hateful.

odontólogo m. odontist.

oeste m. west.

ofen/der tr. to offend. /**derse** r. to take offence. /**sa** f. offence; injury. /**siva** f. offensive, attack. /**sivo** adj. offensive.

oferta f. offer; Com. tender; proposal.

ofici/al adj. official; m. officer, workmaster. /**alidad** f. officialdom. /**ar** tr. to officiate; to minister. /**na** f. office. /**nista** s. clerk. /**o** m. trade, (handi)craft. /**oso** adj. officious.

ofrec/er tr. to offer; Com to bid. /**imiento** m. offer(ing).

ofrenda f. offering.

ofusca/ción f. /**miento** m. obfuscation. /**r** tr. to obfuscate; to blind.

ogro m. ogre.

oído m. hearing; ear.

oír tr. to hear; to attend (mass).

ojal m. buttonhole, loop.

ojalá interj. would to God!, I wish!

oje/ada f. glance; glimpse. /**ar** tr. to eye, to glance. /**ra** f. bluish circle under the eye. /**riza** f. spite, grudge.

ojo m. eye; (key-)hole, interj. Beware!

ol/a. wave; billow. /**eada** f. big wave, surge.

óleo m. oil; holy oil. **pintura al** — oil-painting.

olfat/ear tr. to smell. /**o** m. sense of smell.

olimpiada f. Olimpiad; olimpic games.

olímpico adj. Olympic.

oliv/a f. olive. /**ar** m. olive-grove. /**o** m. Bot. olive-tree.

olor m. smell; scent; **mal** — stink. /**oso** adj. odoriferous.

olvid/adizo adj. forgetful. /**ar** tr. to forget. /**o**

m. forgetfulness; oblivion.

olla f. kettle; stew-pot.

ombligo m. navel.

omi/sión f. omission; negligence. **/so** adj. neglectful. **/tir** tr. to omit.

ómnibus m. omnibus.

omnipoten/cia f. omnipotence, **/te** adj. omnipotent.

ond/a f. wave. **/eado** adj. undulate(d), wavy. **/ear** to wave. **/ulación** f. waving.

onza f. ounce.

opaco adj. opaque, dim.

opción m. option.

ópera f. opera; musical drama; opera-house.

opera/ción f. operation; working; Com. transaction. **/dor** m. operator. **/nte** adj. operating. **/r** intr. to operate, to work; tr. Med. to operate. **/rio** m. operator; workman.

opin/ar intr. to judge. **/ión** f. opinion; view.

opio m. opium.

oponer tr. to oppose, to withstand.

oportun/idad f. opportunity. **/o** adj. opportune **/ismo** m. opportunism.

oposi/ción f. opposition; pl. examination (for professorship, etc.) **/tor** m. opposer; concurrent.

opresi/ón f. oppression. **/vo** adj. oppressive.

oprimir tr. to (op)press.

oprobio m. opprobrium.

optar tr. to choose.

óptic/a f. optics. **/o** adj. optic; m. optician.

optimis/mo m. optimism. **/ta** s. and adj. optimist(ic).

óptimo adj. best; finest.

opuesto adj. opposite.

opulen/cia f. opulence. **/to** adj. opulent.

oración f. oration; prayer; Gram. sentence.

oráculo m. oracle.

orador m. orator.

oral adj. oral, vocal.

orar intr. to pray.

oratori/a f. oratory; eloquence. **/o** m. oratory.

orbe m. orb; globe.

órbita f. orbit.

orden m. order, method, f. order. **/ación** f. arrangement; ordination. **/amiento** m. ordaining, ordinance. **/anza** f. ordinance. Mil. m. orderly. **/ar** tr. to arrange; to (put in) order. **/arse** r. to be ordained (priest).

ordeñar tr. to milk.

ordina/l adj. and m. ordinal **/rio** adj. ordinary; common; coarse.

oreja f. ear.

orfebre m. goldsmith. **/ría** f. gold work.

orfelinato m. orphanage.

orfeón m. choir, singing society.

orgánico adj. organic(al).

organillo m. barrel-organ.

organiza/ción f. organization. **/r** tr. to organize.

órgano m. organ.

orgía f. orgy, revel(ry).

orgullo m. pride. **/so** adj proud; haughty.

orient/al adj. oriental; eastern. **/ar** tr. to orient (ate). **/arse** r. fig. to find one's bearings. **/e** m. Orient, East, Levant.

orificio m. orifice; hole.

orig/en m. origin. **/inal** adj. original; odd; m. originalidad. **/inalidad** f. originality. **/inar** tr. to originate. **/inarse** r. to arise. **/inario** adj. originary.

orill/a f. limit; border; bank. **/ar** tr. to border.

orín m. iron rust.

orin/a f. urine, water, fam. piss. **/l** m. urinal; chamber-pot. **/r** intr. to urinate, fam. to piss.

oriundo adj. native of.

ornament/ar tr. to adorn. /o m. ornament; pl. sacred vestments.

ornitología f. ornithology.

oro m. gold; money.

oropel m. tinsel; brass.

orquesta f. orchestra.

ortiga f. *Bot.* nettle.

ortodox/ia f. orthodoxy. /o adj. orthodox.

ortografía f. orthography, spelling.

ortopedia f. orthopedy.

oruga f. *Bot.* rocket; *Zool.* caterpilar.

os pron. you, to you.

osa f. she-bear.

osad/ía f. daring. /o adj. daring; bold.

osamenta f. skeleton.

osar intr. to dare.

oscila/ción f. oscillation. /r intr. to oscillate.

óseo adj. osseous; bony.

osezno m. bear whelp.

osificarse r. to ossify.

oso m. bear.

osten/sivo adj. ostensive. /tación f. ostentation, display. /tar tr. to show. /toso adj. showy, ostentatious.

ostra f. oyster.

otear tr. to observe.

otero m. hill(ock), knoll.

otoñ/al adj. autumnal. /o m. autumn, U. S. A. fall.

otorga/miento m. grant. /r tr. to grant.

otro adj. other, another.

ovaci/ón f. ovation. /onar tr. to applaud.

óvalo m. oval.

ovario m. ovary.

oveja f. ewe.

óvulo m. ovule.

oxidar tr. to oxidate.

óxido m. oxide.

oxigenar tr. to oxygenate.

oxígeno m. oxygen

oyente m. hearer.

P

pabellón m. pavilion, lodge, ensign, (national) flag.

pacer tr. to pasture.

pacien/cia f. patience. /te m. and adj. patient. /zudo adj. fam. patient, persevering

pacificar tr. to pacify.

pacífico adj. pacific.

pacifis/mo m. pacifism. /ta s. pacifist.

pact/ar tr. to covenant; to pact. /o m. pact.

pachorra f. sluggishness.

padec/er tr. to suffer. /imiento m. suffering.

padr/astro m. step-father. /azo m. augm. indulgent father. /e m. father, —e

nuestro Lord's prayer. /inazgo m. patronage. /ino god-father; best man, patron. /ón m: census.

paella f. paella, rice with meat, chicken, vegetables, etc.

paga f. pay(ment), wages. /dero adj. due; payable. /do adj. paid. / dor. m. paymaster.

pagano adj. heathen(ish), m. heathen, pagan.

pagar tr. to pay. /é m. bill; I. O. U.

página f. page.

pago m. payment.

país m. country; land.

paisa/je m. landscape. **/na** f. county-woman. **/no** m. civilian; countryman adj. compatriot.

paja f. straw. **/r** m. strawloft; barn.

pajarera f. aviary.

pájaro m. *Orn.* bird.

pajarraco m. large bird; sharper.

paje m. page, valet.

pala f. shovel.

palabr/a f. word, promise. **/ería** f. small talk.

palaci/ego adj. aulic, m. courtier. **/o** m. palace.

palada f. shovelful. *Naut.* oar stroke.

palad/ar m. palate; taste. **/ear** tr. to relish.

palanca f. lever, handle.

palangana f. wash-basin.

palco m. *Theat.* box.

palenque m. palisade.

palero m. shoveller.

palestra f. wrestling court, palestra.

paleta f. fire-shovel, trowel, F. a. palette. **/da** f. trowelful.

paleto m. rustic, churl.

palide/cer intr. to (grow) pale. **/z** f. paleness.

pálido adj. pallid, pale.

palill/ero m. toothpick case. **/o** m. tooth-pick.

palique m. chit-chat.

paliza f. cudgelling.

palma f. *Bot.* palm-tree; palm or flat of the hand. **/da** f. slap.

palmear tr. to clap.

palmera f. palm-tree.

palmeta f. ferule; cane.

palmo m. span, measure (8 inches).

palmotear tr. to clap hands.

palo m. stick; cudgel, suit (cards); mast.

palom/a f. dove, pigeon. **/ar** m. pigeon-house. **/ino** m. young pigeon **/o** m. cock pigeon.

palpable adj. palpable.

palpar tr. to grope.

palpita/ción f. palpitation. **/r** intr. to palpitate, to pant, to throb.

palúdico adj. marshy

palurdo adj. and m. rustic, clownish.

pamplina f. *Bot.* chickweed, *coll.* trifle.

pan m. bread; loaf.

pana f. velveteen.

panacea f. panacea.

panader/ía f. bakery; baker's shop. **/o** m. baker.

panal m. honey-comb.

panamericano adj. Pan-American.

páncreas m. *Anat.* pancreas.

pandero m. tambourine.

pandilla f. gang, party.

panecillo m. (French) roll, manchet.

paniagudo m. servant, retainer, underling.

pánico m. panic.

panorama f. panorama

pantal/ón m. **/ones** m. pl trousers, knickers.

pantalla f. screen.

pantano m. swamp, reservoir, **/oso** adj. marshy.

pante/ismo m. pantheism. **/ta** s. pantheist.

panteón m. pantheon.

pantera f. panther.

pantomima f. pantomime.

pantorrilla f. calf of the leg.

pantufla f. baboosh.

panz/a f. belly; paunch. **/udo** adj. big-bellied.

pañ/al m. (baby-)napkin. **/o** m. cloth, kitchen-cloth, pl. clothes. **—os menores,** underclothes. **/uelo** m. (hand)kerchief.

papa f. pap, porridge. **/da** f. double chin.

Papa f. Pope. **/do** m. popedom; papacy.

papagayo m. (poll)parrot.

papal adj. papal.

papa/natas m. simpleton; ninny. **/rrucha** f. humbug.

papel m. paper; *Theat.* rôle. **/eo** m. coll. "red tape". **/era** f. papercase. **/ería** f. stationery. **/eta** f. slip of paper.

paperas f. pl. mumps.

papilla f. pap; fig. deceit.

papista s. Papist; popish, **papo** m. double chin.

paque/bote m. *Naut.* packet-boat. **/te** m. packet), parcel, package.

par adj. equal, even; m. pair, peer.

para prep. for; to, in order to; towards; at.

parabién m. congratulation.

parábola f. parable; parabola.

parabrisa m. wind-screen.

paraca/idas m. parachute. **/idista** s. parachutist.

parad/a f. stop, halt(ing-place) stay; *Mil.* parade. **/ero** m. whereabouts. **/o** adj. spiritless, unemployed, stopped closed.

paradoja f. paradox.

parador m. inn, hostel.

parafina f. paraffin(e).

paraguas m. umbrella.

paraíso m. paradise, *Theat.* "gods".

paralelo adj. and m. parallel.

parálisis f. paralysis.

paraje m. place, spot.

paral/ítico adj. and m. paralytic(al). **/izar** tr. to paralyze, to palsy.

paramento m. ornament.

páramo m. moor, waste.

parang/ón m. paragon. **/onar** tr. to compare.

paraninfo m. paranymph, university hall.

parapet/ar tr. to construct breast-works. **/o** parapet; breastwork.

parar tr. to stop, to hold up, intr. to stop, to become, to put up.

pararrayo m. lightning-rod.

parásito m. parasite, adj. parasitic(al).

parasol m. parasol; sunshade.

parcial adj. partial; one-sided. **/idad** f. partiality.

parco adj. sparing, sober.

pard/al adj. rustic; m. *Orn.* sparrow. **/o** adj. gray, brown, dun. **/usco** adj. grayish.

parec/er m. opinion; intr. to appear; to look. **/erse** r. to look like. **/ido** adj. resembling; like; s. likeness.

pared f. wall., **/ón** m. thick wall.

parej/a f. pair; couple; dancing partner, mate, **/o** adj. equal.

parente/la f. kin(dred); relations. **/sco** m. relationship.

paréntesis f. parenthesis. *Print.* brackets.

paria m. pariah, outcast.

pariente s. relation.

parihuela f. litter.

parir tr. to bring forth; to bear, to give birth.

parlament/ar intr. *Mil.* to parley. **/ario** adj. parliamentary; m. member of parliament. **/o** m. parliament; (U. S. A.) Congress, *Theat.* speech.

parlanchín adj. garrulous. m. chatterer.

parlar intr. to chatter.

parloteo m. prattle; talk.

paro m. suspension, hold up, deadlock.

parodia f. parody. **/r** tr. to parody.

parpadear intr. to wink.

párpado m. eye-lid.

parque m. park, ♭addock.

parquedad f. parsimony.

parra f. (grape-) vine.

párrafo m. paragraph.

parricid/a s. parricide; (murderer). **/io** m. parricide (murder).

parrilla grill, grid(iron).

párroco m. parson.

parroquia f. parish, Com. patronage. **/l** adj. parochial; **/no** adj. parochial; m. customer.

parsimonia s. parsimony.

parte f. part; share, party, pl. coll. the genitals; m. Mil. report.

partición f. partition.

participa/ción f. participation; share. **/nte** m. sharer. **/r** intr. to participate; to share, to notify.

partícipe adj. participant.

partícula f. particle.

particular adj. particular; private; m. individual. **/izar** tr. to particularize.

partida f. departure; entry; lot, game at cards. **/rio** m. partisan.

partido adj. divided, split, m. (political) party, side, utility; match

partir tr. to divide; intr. to depart; to set out.

parto m. (child)birth, accouchement, lying in

parturienta adj. and* f. parturient .

párvulo adj. very small, s. child. a tot.

pasa f. raisin.

pasad/a f. pass(age), turn. **/ero** adj. supportable **/izo** m. alley. **/o** adj. past; stale; m. the past. **/or** m. door-bolt, latch.

pasaje m. pass(age), voyage; fare. **/ro** adj. transient; m. passenger.

pasante m. assistant of a lawyer; passer-by.

pasaporte m. passport.

pasar tr. and intr. to pass, to transfer. **/se** r. to become putrid; to exceed.

pasatiempo m. pastime.

pasarela f. gangway .

pascua f. Easter; Passover. **/l** adj. paschal.

pase m. pass; permit. **/ar** tr. and intr. to (take a) walk. **/o** m. walk; promenade.

pasillo m. lobby.

pasión f. passion.

pasionaria f. Bot. passion-flower.

pasivo adj. passive.

pasm/ar tr. to stupefy, to stun. **/arse** r. to wonder. **/o** m. amazement **/osa** adj. amazing.

paso m. pace; step; gait; passage; transition.

pasquín m. pasquin(ade).

pasta f. paste, dough.

pastar intr. to pasture.

pastel m. pie; cake, pastry. **/ería** f. confectionery. **/ero** m. confectioner.

pasteurizar tr. to pasteurize.

pastilla f. tablet.

pasto m. pasture(-ground). **/r** m. shepherd; pastor; clergyman. **/ral** adj. and f. pastoral. **/rear** tr. to pasture. **/ril** adj. pastoral.

pastoso adj. doughy.

pata f. foot; leg (of animals Orni. duck. **/da** f. kick. **/lear** intr. to kick about. **/leo** m. stamping of feet. **/leta** f. tantrum.

patán m. churl, kern.

patata f. Bot. potato.

patatús m. fainting fit.

patear tr. and intr. to kick; to stamp the foot

paten/tar tr. to patent; **/te** adj. patent, f. patent. **/tizar** tr. to evidence.

patern/al adj. paternal; fatherly. **/idad** f. fatherhood. /o adj. paternal, fatherly.

patético adj. pathetic(al).

patíbulo m. gallows.

patilla f. whiskers.

patín m. skate; — de ruedas, roller-skate.

patinar mtr. to skate.

patio m. courtyard; area.

patizambo adj. knock-kneed.

pato m. drake, pagar el —, to pay the piper.

patología s. pathology.

patraña f. fake, humbug.

pátri/a f. home(-land). /arca m. patriarch. /cio adj. and m. patrician. / monio m. patrimony. / ota s. patriot. /ótico adj. patriotic. /otero adj. and m. chauvinist(ic). /otismo m. patriotism.

patrocin/ar tr. to sponsor. /io m. patronage, sponsorship.

patrón m. patron; Com. pattern; Naut. master; skipper.

patron/a f. patroness; hostess. /ato m. patronage. /o m. patron, employer.

patrulla f. patrol. /r tr. to patrol.

paulatino adj. gradual.

pausa f. pause, break. / do adj. slow; calm.

pauta f. guide rule.

pava f. Orn. turkey-hen; pelar la —, to coo.

paviment/ar tr. to pave. /o m. pavement.

pavo m. Orn. turkey, — real, peacock. /near intr. to show off.

pavor m. terror; fear. /oso adj. frightful.

payaso m. clown.

payo m. gawk, churl.

paz f. peace; ease, rest.

peaje m. tollage.

peatón m. pedestrian.

peca f. freckle; spot. /do m. sin. /dor m sinner.

/minoso adj. sinful. /r intr. to sin.

pecera f. fish-globe.

pecoso adj. freckly.

peculiar adj. peculiar. /idad f. peculiarity.

pecuniario adj. pecuniary.

pechera f. shirt-front.

pech/o m. chest, breast; bosom, teat. /uga f. breast of a fowl.

pedag/ogía f. pedagogy. /ógico adj. pedagogical. /ogo m. pedagogue.

pedal m. treadle, pedal.

pedante adj. and s. pedant. /ría f. pedantry.

pedazo m. piece, bit.

pedestal m. pedestal.

pedestre adj. pedestrian.

pedicuro m. chiropodist.

pedi/do m. Com. order /güeño adj. craving. /r tr. to ask (for), to bid, Com. to order.

pedo m. flatulence, fart.

pedr/ada f. throw of a stone. /ea f. stone-fight, hail-storm. /egal m. stony tract. /egoso adj. stony. /ería f. jewelry. /isco m. hailstorm.

pega f. joining, gluing, cementing products. coll. deceit, catch question, snag, de —, coll. sham. /dizo adj. sticky, contagious. /joso adj. sticky /r tr. to cement; to glue; to beat. /rse r. to adhere.

pegote m. coarse patch; F. a. postiche.

peinado m. hair-dressing coiffure; adj. combed. /r tr. to comb; to dress the hair. /e m. comb. /eta f. backcomb.

pela/dilla f. coggle, sugar-almond. /do adj. hairless, bare(d). /dura f. plucking. /gatos m. vagrant. /je m. fell, outward appearance. /

mbre f. hair. /r tr. to cut the hair; to peel.

peldaño m. step; stair.

pelea f. fight; quarrel. /r tr. to fight; to quarrel. /rse r. to scuffle.

pelele m. dummy. — —(de niño) romper —

peleter/ía f. furriery; fur-trade. /o m. furrier.

peliagudo adj. fam. arduous, awkward.

pelícano m. Orn. pelican.

película f. film.

peligr/ar intr. to peril. /o m. danger; peril. /oso adj. dangerous.

pelma m. /zo m. bore(r).

pelo m. hair; down, fell.

pelot/a f. ball, ball-game, en —, naked. /azo m. blow with a ball. /illa f. pellet; coll. fawning. /tón m. Mil. party.

peluca f. wig; peruke.

peludo adj. hairy; shaggy.

peluquer/ía f. hair-dresser's shop. /o m. hair dresser.

pelusa f. down, fuzz.

pellejo m. skin, rawhide.

pellizc/ar tr. to pinch, to tweak. /o m. pinch.

pena f. penalty, pain(fulness), grief, sorrow, woe.

penal adj. penal; m. penitentiary. /idad f. penalty.

penar intr. to grieve; tr. to chastise, to punish.

pendenci/a f. quarrel. /ero adj. quarrelsome.

pender intr. to hang.

pendiente f. slope; declivity; m. ear-ring; adj. hanging; precipitous.

penetra/ción f. penetration. /nte adj. piercing. /r tr. to penetrate.

península f. peninsula.

penique m. penny.

peniten/cia f. penitence; penance. /ciaría f. penitentiary. /te adj. and m. penitent.

penoso adj. painful.

pensa/do adj. deliberate, mal —, ill-thinking. /miento m. thought. /r intr. to think. /tivo adj. pensive, thoughtful.

pensi/ón f. pension; annuity; boarding-school or house, board. /onar tr. to pension. /onista s. pensioner; boarder.

pent/ágono m. pentagon. /ecostés m. pentecost. Whitsuntide.

penúltimo adj. penultimate, last but one.

penumbra f. penumbra.

penuria f. penury, hardness.

peñ/a f. rock; fam. group of friends. /asco m. fell; cliff. /ascoso adj. rocky. /ón m. rock.

peón m. day-labourer, hand; man (in draughts), pawn (in chess).

peonaje m. gang of labourers, peonage.

peonza f. whipping-top.

peor adj. adv. worse.

pepino m. cucumber.

pepitoria f. giblet fricassee; hodge-podge.

pequeñ/ez f. littleness. /o adj. little; small.

pera f. pear. /l m. Bot. pear-tree.

percance m. mischance.

perc/atarse r. to notice. /epción f. perception. /ibir tr. to perceive.

percu/sión f. percussion. /tir tr. to percuss.

percha f. perch; pole.

perd/er tr. to lose; to miss. /erse r. to go astray. /ición f. ruin.

pérdida f. loss, damage, perdid/amente adv. vehemently. /o adj. lost.

perdig/ón m. Orn. young partridge, hail-shot. /uero adj. and m. setter.

perdiz f. Orn. partridge.

perdón m. pardon.

perdona/r tr. to pardon; to forgive. /vidas m. vulg. bully.

perdulario adj. reckless.

perdura/ble adj. perpetual. /r intr. to last (long).

perece/r intr. to perish. /rse r. to desire eagerly.

peregrin/ación f. pilgrimage. /ar tr. to go on a pilgrimage. /o adj. strange; m. pilgrim.

perejil m. Bot. parsley.

perenne adj. perennial.

perentori/edad f. peremptoriness. /o adj. urgent.

perez/a f. laziness; idleness. /oso adj. lazy.

perfec/ción f. perfection. /cionar tr. to perfect. / to adj. perfect.

perfidia f. perfidy.

pérfido adj. perfidious.

perfil m. profile; outline /ar tr. to profile.

perfora/ción f. perforation; boring. /r tr. to perforate; to bore.

perfum/ar tr. to perfume; to scent. /e m. perfume. /ería f. perfumer's shop.

pergamino m. parchment.

pericia f. dexterity.

perifrasear tr. to periphrase.

perífrasis f. periphrasis;

perilla f. knob, de —, a propos.

perímetro m. perimeter.

periódico adj. periodical; m. newspaper, journal.

periodis/mo m. journalism. /ta s. journalist.

período m. period.

peripecia f. incident.

peripuesto adj. fam. trig.

periscopio m. periscope.

perito m. experienced m. expert; surveyor.

perju/dicar tr. to injure; to damage. /dicial adj. perjudicial. /lclo m. damage, harm, injury.

perjur/ar tr. to perjure. /io m. perjury. /o adj. perjured; forsworn; m. forswearer.

perla f. pearl.

permane/cer intr. to persist; to stay. /ncia f. permanency. /nte adj. permanent.

permi/sible adj. permissible. /o m. permission, leave, permit. /tido adj. permitted. /tir tr. to permit, to allow.

permuta f. barter; exchange. /r tr. to barter.

pernicioso adj. pernicious; mischievous.

perno m. pin; bolt; spike.

pernoctar intr. to pass the night.

pero conj. but; yet; except, m. defect.

perogullada f. truism, platitude.

perpendicular adj. perpendicular.

perpetu/ar tr. to perpetuate. /idad f. perpetuity. /o adj. perpetual.

perplej/idad f. perplexity /o adj. perplexed.

perr/a f. bitch slut. /era f. kennel. /ería f. pack of dogs; mean trick. /o m. dog. /uno adj. doglike.

perse/cución f. persecution. /guir tr. to pursue, to persecute.

persevera/ncia f. perseverance. /r intr. to persevere, to persist.

persiana f. (Venetian window-)blinds.

persist/encia f. persistence. /ente adj. persistent. /ir intr. to persist.

person/a f. person. /aje m. personage, character /al adj. personal. /alidad f. personality. /arse r. to report. /lficar tr. to personify.

perspectiva f. view.

perspica/cia f. perspicaci-
ty. /z adj. keen.
pesua/dir tr. to persuade
/sión f. persuasion. /si-
vo adj. persuasive.
pertene/cer intr. to be-
long. /ncia f. belon-
ging.
pértiga f. pole, rod, staff.
pertina/cia f. obstinacy.
/z adj. obstinate.
pertinente adj. relevant.
pertrech/ar tr. to supply.
/os m. pl. supplies.
perturba/ción f. perturba-
tion. /r tr. to unsettle.
perver/sidad f. perversi-
ty. /sión f. perversion.
/so adj. perverse. /tir
tr. to corrupt.
pesa f. weight.
pesad/ez f. heaviness. /i-
lla f. nightmare. /o adj.
heavy; weighty.
pesadumbre f. grief.
pésame m. condolence.
pesar m. sorrow; repen-
tance, intr. to weigh, to
prevail; tr. to weigh. /o-
so adj. sorrowful.
pesca f. fishing; catch.
/dera f. fish-woman. /de-
ría f. fish-market. /de-
ro m. fishmonger. /do
m. fish; /dor m. fisher-
(man), angler. /r tr. to
fish, to angle.
pescuezo m. neck, scruff.
pesebre m. crib; man-
ger.
peseta f. peseta, Spa-
nish monetary unit.
pesimis/mo m. pessi-
mism. /ta adj. pessimis-
tic. s. pessimist
pésimo adj. very bad.
peso m. weight; load.
pesquería f. fishery.
pesquisa f. inquiry.
pestañ/a eye-lash. /ear
tr. to wink. /eo m.
wink.
peste f. pest; plague.
pestilen/cia f. pest(ilen-
ce). /te adj. pestilent
pestillo m. bolt; latch.

petaca f. cigar(ette-)case.
pétalo m. Bot. petal.
petard/ista s. deceiver. /
o m. petard, fraud.
petición f. petition.
petimetre m. fop; beau.
pétreo adj. stony; hard.
petrificar tr. to petrify.
petróleo m. petroleum.
petrolero m. oil-tanker.
petulan/cia f. petulance.
/te adj. petulant.
pez m. fish; pitch, tar.
pezón m. nipple, teat.
piadoso adj. pious.
piano f. piano-forte. —
de cola, grand piano.
piar intr. to peep, to
pip.
pica f. bullfighter's goad;
pike. /cho top, peak.
/da f. puncture. /dero
m. riding-school. /dillo
m. minced meat. /do
adj. pricked, cross; m.
minced meat, (aviation)
(nose-)dive. /dor (bull-
fighting) picador. /dura
f. pricking; cut tobac-
co. /nte adj. stinging;
hot; m. spice(ry). /pe-
drero m. stone-cutter. /
porte m. doorknocker.
/r tr. to prick; to sting;
to puncture, to mince,
to goad, to incite. /rse
r. to take offense at.
picar/día f. knavery; ro-
guery. /esco adj. rog-
uish.
pícaro adj. knavish; ro-
guish; sly; m. rogue.
picatoste m. (buttered)
toast.
picazón itch(ing), tingle.
pico m. beak; peak; Orn.
/ta pillory. /tazo m.
peck; dab. /tear tr. to
peck.
pictórico adj. pictorial.
pichón m. young pigeon.
pie m. foot; base.
piedad f. mercy; piety.
piedra f. stone; hail.
piel skin, hide; peel.
pienso m. feed; fodder.

pierna f. leg; limb.

pieza f. piece; room.

pifia f. miscue, mishit. /r tr. to miscue.

pigmeo adj. dwarfish; m. pigmy.

pijama m. pajamas.

pila f. trough, pile, heap, *Elect*. pile, battery. /r m. pillar. /stra f. pilaster.

pildora f. pill.

pilot/aje m. *Naut*. pilotage. /o m. pilot.

pill/aje m. pillage, plunder /ar tr. to plunder. /o adj. knavish, m. knave.

pim/entón m red pepper, paprika. /ienta f. *Bot*. pepper. /iento m. *Bot*. capsicum.

pimpinela f. *Bot*. pimpernel.

pimpollo m. *Bot*. sprout.

pinar m. pine-forest.

pincel m. paint-brush. /ada f. stroke (with a brush).

pincha/r tr. to prick, to puncture. /zo m. puncture, *Med*. jab.

pinche m. scullion; kitchen-boy.

pincho m. thorn, prickle

pingajo m. rag; rent.

pingüe adj. fat; greasy.

pino m. *Bot*. pine-tree. /so adj. having pines.

pinta f. spot, appearance. *coll*. looks. /do adj. painted, just fit; **recién —**, wet paint. /r tr. to paint. /rse r. to rouge, to make up.

pintor m. painter; **— de brocha gorda**, house painter. /a f. paintress. /esco adj. picturesque.

pintura f. painting; paint.

pinza f. clamp, clip, nipper, pl. tongs, pliers.

piñ/a f. pine-cone; cluster; **— americana** pineapple. /ón m. pine-kernel; *Mech*. pinion.

pío adj. pious; devout.

piojo m. louse /so adj. lousy, mean.

piorrea f. pyorrhea.

pipa f. tobacco-pipe.

piqueta f. mattock.

pira f. pyre; stake.

piragua f. pirogue dugout., (log-)canoe.

pirámide f. pyramid.

pirat/a s. pirate. /ear intr. to pirate. /ería f. piracy.

pirenaico adj. Pyrenean.

pirop/ear tr. to say compliments. /o m. compliment, flattery.

pirotecnia f. pyrotechnics.

pirueta f. pirouette.

pisa/da f. footstep; footprint. /r tr. to tread.

piscina f. swimming pool.

piso m. floor, flat.

pisote/ar tr. to trample on, /o m. trampling.

pista f. track; footprint; scent; trail; trace.

pistol/a f. pistol, gun. /era f. holster. /ero m. gunman, gangster.

pistón m. piston.

pitar intr. to blow a whistle; *coll*. to work.

pitillo m. cigarette, fag.

pito m. fife, whistle.

pitillera f. cigarette-case.

pitonisa f. pythoness.

pizarra f. slate; blackboard.

pizca f. mite; crumb; jot.

pizpireta adj. f. brisk, lively, smart.

placa f. plaque, plate.

pláceme m. congratulation.

place/ntero adj. pleasant. /r m. pleasure; delight; tr. to please.

placidez f. placidity.

plácido adj. placid; calm.

plaga f. plague; pest. /r tr. to plague, to infest.

plagi/ar tr. to plagiarize. /o m. plagiarism.

plan m. plan, project.

plana f. page, plain.

plancha f. plate, sheet, (flat) iron *coll.* blunder. /r tr. to iron (linen), to press.

planeta m. planet. /rio m. planetarium.

planicie f. plain.

plano adj. plain; m. plane.

plant/a f. plant; plantation; sole of the foot; — baja, ground floor. /ación f. plantation, planting. /ar tr. to plant. / arse r. to stand upright, /eamiento m. planning. /ear tr. to plan. /el f. seed-plot. /illa f. pattern; first sole. /ón m. sprout; *coll,* long wait.

plasmar tr. to mould.

plata f. silver.

plataforma f. platform.

plátano m. *Bot.* plantain-tree, banana.

platea f. *Theat.* orchestra.

plate/ado adj. m. silvering. /ar tr. to plate. /ría f. silversmith's shop; /ro m. silversmith.

plática f. talk, chat.

platicar tr. to talk.

platillo m. saucer; pan.

plato m. plate, dish, course (of meal).

playa f. beach, shore.

plaza f. square, place.

plazo m. term, time, respite, instalment.

pleamar f. high water.

plebe f. common people, plebs. /yo adj. plebeian; m. commoner.

plega/ble adj. /dizo adj. pliable. /r tr. to fold.

plegaria f. prayer.

pleit/ear tr. to plead. /o m. (law)suit, case.

plen/adj. plenary. / ilunio m. full moon. /i-potenciario adj. f. plenitentiary. /itud f. plenitude. /o adj. full, m. plenum.

plieg/o m. sheet of paper, folded paper. /ue m. fold, plait.

plom/ada f. plumb(-line), sounding-lead, sinker lead, dull person.

plum/a f. feather; plume; pen. /aje m. plumage. /ifero *coll.* m. writer, clerk. /ón m. down. /oso adj. feathery.

plural ad. *Gram.* plural, /idad f. plurality.

plus m. extra pay.

pobla/ción f. population; town. /r tr. to people.

pobre adj. poor. /za f. porverty, want, need.

pocilga f. (pig-)sty.

poco adj. little; few; m. a little; adv. little.

poda f. pruning; (season). /dera f. pruning-knife. /r tr. to prune.

poder m. power: might, tr. may, can, to be able. /ío m. power. /oso adj. powerful; potent.

podredumbre f. corruption, putrid matter.

poe/ma m. poem. /sía f. poetry, poesy; poem. /ta s. poet. /tastro m. poetaster.

poétic/a f. poetry; poetics. /o adj. poetic(al).

poetisa f. poetess.

poetizar tr. to poetize.

polaco adj. Polish; m. Pole.

polaina f. legging.

polar adj. polar.

polea f. pulley .

polémic/a f. polemics. / o adj. polemic(al).

polen m. *Bot.* pollen.

polic/ia f. police; cleanliness, police woman; m. policeman. /íaco adj. police, detective (story).

policromo adj. polychrome.

poligamia f. poligamy.

polígamo m. polygamist.

polígloto adj. polyglot.

posadera

polígono m. polygon.

polilla f. moth.

politeís/mo m. polytheism. /**ta** s. polytheist.

politic/a f. politics; policy. /**o** adj. politic(al) "in law", civil, m. politician, statesman.

póliza f. *Com.* policy check, tax stamp.

polizón m. stowaway.

polo m. pole; fig. basis, polo (game).

polv/areda f. cloud of dust. /**o** m. dust, powder, pl. toilet powder. /**oriento** adj. dusty. /**in** m. powder magazine.

poll/a f. pullet, young hen, *coll.* lass. /**ería** f. poultry-shop. /**ino** m. donkey. /**o** chiken, *coll.* lad. /**uelo** m. chick(en).

pomada f. pomade.

pomelo m. grapefruit.

pomo m. pome, pommel; — **de puerta** door knob.

pomp/a s. pomp; vanity; bubble. /**oso** adj. pompous.

ponche m. punch. /**ra** f. punch-bowl.

ponder/ación f. weighing /**ar** tr. to ponder.

pone/dero adj. egg-laying, layer (hen); m. hen's nest. /**r** tr. to lay (eggs); to set. /**rse** r. to apply oneself to, to put on, to get (as wet).

poniente m. west(wind).

pont/ificado m. pontificate. /**ifical** adj. pontifical. /**ifice** m. pontiff. /**ificio** adj. pontifícial.

pontón m. pontoon.

ponzoñ/a f. poison. /**oso** adj. poisonous.

popa f. *Naut.* poop; stern.

popul/acho m. populace: mob. /**ar** adj. popular. /**aridad** f. popularity. /**arizar** tr. to popularize.

poquito m. a little bit.

por prep. by, through, for, across, about, at.

porcelana f. porcelain.

porcentaje m. percentage.

porción f. part; portion.

porche m. porch, arcade.

pordiosero m. beggar.

porf/ía f. stubbornness. /**iado** adj. obstinate. /**iar** tr. to persist.

pórfido m. prophyry.

pormenor m. detail; item; pl. circumstantials.

pornogr/afía f. pornography(y). /**áfico** adj. pornographic, indecent.

poro m. pore. /**sidad** f. porosity. /**so** adj. porous.

porque conj. because; **porqué** m. fam. the why. **porquer/ía** f. filth. /**iza** f. hog-sty.

porra f. club, truncheon. /**da** f. blow, *coll.* a lot. /**zo** m. blow, bang.

porro m. leek.

porrón m. wine flask (with a long spout).

port/ada f. portal; title-page. /**ador** m. carrier; *Com.* bearer. /**al** m. porch; front-door. /**alámparas** m. lamp-holder. /**amonedas** m. purse. /**ar** tr. to carry. /**arse** r. to behave. /**átil** adj. portable. /**avoz** m. spokesman. /**azo** m. slam (with a door). /**e** m. (cost of) carriage; deportment.

portento m. portent. /**so** adj. prodigious.

porter/ía f. porter's lodge, goal (in football). /**o** m. porter, door-keeper.

portezuela f. little door.

pórtico m. portico.

portorriqueño adj. Porto Rican.

porvenir m. fam. future **pos** adv. en — after.

posad/a f. inn, lodging-house. /**era** f. hostess.

/eras f. pl. buttocks. /ero m. innkeeper.

posar tr. to lay down a burden; intr. to lodge, to rest. /se r. to alight upon.

posdata f. postscript.

pose/edor m. owner. /er to possess; to own. /ido adj. possessed. /sión f. possession. /sivo adj. possessive.

posib/ilidad f. possibility. /ilitar tr. to make possible. /le adj. possible.

posición f. position.

positivo adj. positive.

poso m. sediment; dregs.

posponer tr. to postpone.

post/al adj. postal; f. postcard. /e m. post.

poster/gar tr. to postpone. /idad f. posterity. /ior adj. posterior.

postigo m. wicket.

postín m. coll. dash, de —→ showy, posh.

postizo adj. artificial, sham, m. switch, pad.

postra/ción f. prostration. /r tr. to prostrate.

postre m. dessert.

postrero adj. hindermost.

postula/ción f. postulation. /do m. postulate. /r tr. to postulate.

póstumo adj. posthumous.

postura f. position, stake (in betting), laying.

potaje m. pottage, mixture; pl. vegetables.

potable adj. potable.

pote m. pot, jug, jar.

poten/cia f. power. /tado m. potentate. /te adj. potent; mighty.

potesta/d f. power; jurisdiction. /tivo adj. facultive, optional.

potr/anca f. young mare. /o m. colt; foal; rack.

pozo m. well; pit.

práctica f. practice.

practica/nte adj. practising; m. doctor's assistant. /r tr. to practise.

práctico adj. practical, skilful; m. Naut. pilot.

prad/era f. prairie. /o m. meadow.

preámbulo m. preamble.

prebenda f. prebend.

precario adj. precarious.

precaución f. (pre)caution, heedfulness, care.

precaver tr. to caution. /se to be on one's guard.

prece/ncia f. precedence. /nte adj. m. precedent; adj. foregoing. /r tr. to precede.

precept/ivo adj. preceptive. /o m. precept. /or s. master; preceptor.

preces f. pl. prayers.

precia/do adj. valued. /r tr. to value. /rse r. to boast.

precintar tr. to strap, to seal.

precio m. price; cost.

precios/idad f. preciousness. /o adj. precious, pretty.

precip/icio m. precipice. /itación f. precipitation; hurry. /itado adj. sudden. /itar tr. to precipitate, to plunge. /itarse r. to haste.

precis/ar tr. to specify. /ión f. necessity, preciseness. /o adj. necessary, accurate.

precitado adj. aforesaid.

preclaro adj. illustrious.

precocidad f. precocity.

preconizar tr. to preconize; to proclaim.

precoz adj. precocious.

precursor m. harbinger.

predecesor m. predecessor.

predecir tr. to foretell;

predestina/ción f. predestination. /do m. predestinate, foredoomed. /r tr. to predestin(at)e.

predica/ción f. preaching; sermon ./**dor** m. preacher. /**r** tr. to preach.

predicción f. prediction.

predilec/ción f. predilection. /**to** adj. favourite.

predispo/ner tr. to predispose. /**sición** f. predisposition.

predomin/ar tr. to predominate; to prevail. /**io** m. predominance; /**io** m. predominance;

preexistir intr. to pre-exist.

prefacio m. preface.

prefecto m. prefect.

prefer/encia f. preference; choice. /**ible** adj. preferable. /**ir** tr. to prefer, to choose.

prefijo m. *Gram.* prefix.

preg/ón m. publication. /**onar** tr. to proclaim.

pregunt/a f. question; query. /**ar** tr. to ask.

preju/icio m. prejudgment, bias, prejudice. /**zgar** tr. to prejudge.

prelado m. prelate.

preliminar adj. preliminary.

preludio m. prelude.

prematuro adj. premature; precocious.

premedita/ción f. premeditation; forethought. /**r** tr. to premeditate.

premi/ar tr. to reward. /**o** m. reward, prize.

premioso adj. tight, close, burdensome, urgent.

premisa f. premise.

premura f. urgency.

prenda f. pledge; token pawn; garment, pl. endowments. /**r** tr. to pledge, to pawn. /**rse** r. to take a fancy to.

prende/r tr. to seize. /**ría** f. frippery.

prendimiento m. seizure.

prensa f. press, (daily) press, journalism. /**r** tr. to press, to crush.

preñ/ada adj. f. pregnant, enceinte. /**ado** adj. full.

preocupa/ción f. preoccupation, worry. /**r** tr. to preoccupy, to worry.

prepara/ción f. preparation. /**r** tr. to prepare, to arrange. /**rse** r. to get ready. /**tivo** m. preparation. /**torio** adj. preparatory.

prepondera/ncia f. preponderance. /**r** intr. to prevail.

prerrogativa f. prerogative; privilege.

presa f. catch; dam.

presagi/ar tr. to presage. /**o** m. presage, omen.

presb/iteriano adj. and m. Presbyterian. /**ítero** m. presbyter; priest.

prescindir tr. to leave aside, to do without.

prescri/bir tr. to prescribe; intr. to lapse. /**pción** f. prescription.

presen/cia f. presence, port. /**ciar** intr. to witness. /**tar** tr. to present, to submit. /**te** m. gift; present; adj. present, instant.

presenti/miento m. presentiment. /**r** tr. to have a presentiment of.

preserva/ción f. preservation. /**r** tr. to preserve. /**tivo** m. and adj. preservative, protective.

presiden/cia f. presidentship; presidency, chairmanship. /**te** m. president, chairman.

presidi/ario m. convict. /**o** m. penitentiary, garrison, fortress.

presidir tr. to preside (over).

presión f. press(ure).

preso m. prisoner; adj. imprisoned.

prestación f. lending.

prestamista s. (money-) lender, pawn-broker.

préstamo m. loan.

prestar tr. to lend; to loan. /se r. to offer or lend oneself.

presteza f. quickness.

prestidigita/ción f. prestidigitation. /dor m. prestidigitator.

prestigio m. prestige. / so adj. distinguished.

presto adj. quick; adv. soon.

presumi/do adj. conceited. /r tr. to presume, intr. to show off.

presun/ción f. presumption. /to adj. presumed.

presup/oner tr. to presuppose. /uesto m. motive; budget; estimate.

presuroso adj. hasty.

preten/der tr. to pretend, to claim. /diente m. candidate, suitor. /sión f. pretension; claim.

pretexto m. pretext.

prevalecer intr. to prevail: to outshine.

preven/ción f. prevention. /ido adj. cautious. /ir tr. to (pre)arrange. to (fore)warn. /tivo adj. preventive.

prever tr. to foresee.

previo adj. previous.

previs/ión f. foresight. /or m. foreseer.

prieto adj. compressed.

prim/a f. premium, cousin. /acía f. primacy. / ario adj. primary.

primavera s. spring(time). /l adj. spring(like).

primer adj. first. /o adj. first; adv. at fisrt.

primitivo adj. primitive.

primo adj. first, raw m. cousin. coll. simpleton.

primor m. beauty, dexterity. /dial adj. primordial. /oso adj. fine.

princ/esa f. princess. /ipado m. princedom; principality. /ipal adj. principal, main, chief; m. first floor; chief.

príncipe m. prince.

principesco adj. princely.

principi/ante m. learner; beginner. /ar tr. to commence; to begin. /o m. beginning; start.

pring/ar tr. to baste; to grease. /oso adj. greasy.

prior m. prior. /a f. prioress. /idad f. priority.

prisa f. haste, hurry.

prisi/ón f. prison, jail. /onero m. prisoner.

priva/ción f. privation. / do adj. private; privy; m. favourite. /r tr. to deprive; intr. to rule. /tivo adj. privative.

privilegi/ado adj. gifted. /ar tr. to (grant a) privilege. /o m. privilege.

pro m. profit; benefit; en — for the benefit of.

proa f. Naut. bow, prow.

probab/ilidad f. probability; likelihood. /le adj. probable; likely.

proba/dura f. test; trial. /r tr. to try, to prove.

problem/a m. problem. /ático adj. problematic(al).

proca/cidad f. impudence. /z adj. impudent.

proced/encia f. origin. /er m. behaviour; intr. to proceed, to behave. /imiento m. procedure, proceeding.

procesa/do adj. prosecuted. /l adj. processal. /r tr. to process.

procesión f. procession.

proceso m. progress, (law) process, case, trial.

proclama f. proclamation. /r tr. to proclaim.

procrea/ción f. procreation; generation. /r tr. to procreate.

procura f. power of attorney. /dor m. (law) attorney-at-law, solici-

tor. /r tr. to solicit; to
try.

prodig/alidad f. prodigal-
lity. /ar tr. to lavish.
/io m. prodigy. /ioso
adj. prodigious.

pródigo adj. prodigal.

produc/ción f. product-
(ion), output. /ir tr. to
produce. /tivo adj. pro-
ductive. /to m. product,
output.

proeza f. prowess.

profan/ación f. profana-
tion. /ar tr. to profane.
/o adj. profane; lay.

profecía f. prophecy.

proferir tr. to utter.

profes/ar tr. to profess.
/ión f. profession; tra-
de. /o adj. professed. /
or m. teacher.

profeta s. prophet.

profético adj. prophetic-
(al).

profetizar tr. to prophe-
sy; to foretell.

profiláctico adj. prophilactic; preventive.

prófugo adj. fugitive.

profund/idad f. profundi-
dity; depth. /izar tr. to
deepen. /o adj. deep.

profus/ión f. profusion.
/o adj. profuse; lavish.

progeni/e f. progeny. /
tor m. progenitor.

programa m. program-
(me), scheme, curricu-
lum.

progres/ar intr. to progress. /ión f. progres-
sion. /ivo adj. progres-
sive. /o m. progress.

prohibi/ción f. prohibition; veto, ban. /r tr.
to prohibit; to forbid,
to ban.

prójimo m. fellow-creature; neighbour.

prole f. issue; offspring.

proletario adj. proletarian.

prolífico adj. prolific.

prolijo adj. prolix.

prólogo m. prologue.

prolonga/ción f. prolon-
gation. /r tr. to pro-
long; to extend.

promedio m. middle; average; standard.

prome/sa f. promise, pledge. /ter tr. to promise.
/tido m. betrothed.

prominen/cia f. prominence, swell, knoll. /te
adj. prominent.

promiscuo adj. promiscuous.

promoción f. promotion.

promontorio m. promon-
tory; headland.

promotor adj. promotive,
m. promoter, furtherer.

promover tr. to promote;
to advance; to forward.

promulga/ción f. promul-
gation. /r tr. to promul-
gate; to publish.

pronosticar tr. to prog-
nosticate; to predict.

pronóstico m. prognostic; *Med.* prognosis.

pront/itud f. promptitude. /o adj. prompt;
quick, adv. soon.

pronuncia/ción f. pro-
nunciation. /miento m.
insurrection, uprising.
/r tr. to pronounce, to
utter.

propaga/ción f. propaga-
tion. /r tr. to propaga-
te; to spread.

propalar tr. to divulge.

propasarse r. to transgress, to go beyond.

propen/sión f. propen-
sion. /so adj. prone.

propie/dad f. ownership,
property, real estate. /
tario adj. propietary;
m. proprietor; owner.

propina f. gratuity, tip.

propio adj. own; proper,
becoming, due.

proponer tr. to propose.
/se r. to intend.

proporci/ón f. proportion. /onar tr. to sup-
ply, to proportion.

proposición f. proposition; *Com.* tender.

propósito m. purpose.

propuesta f. proposal; offer, tender.

prorrata f. quota.

prórroga f. prorogation.

prorrogar tr. to prorogue; to extend.

prorrumpir intr. to break forth; to burst (out).

prosa f. prose. **/ico** adj. prosaic.

proscribir tr. to proscribe; to outlaw, to ban.

prosecución f. prosecution; pursuit.

proseguir tr. to continue, to go or carry on.

prosélito m. proselyte.

prosista s. prose-writer.

prospecto m. prospect(us), program(me).

prosperar intr. to thrive. **/idad** f. prosperity.

próspero adj. prosperous.

prostitu/ción f. prostitution. **/ir** tr. to prostitute. **/ta** f. prostitute.

prote/cción f. protection. **/ctor** m. protector. **/ger** tr. to protect; to favour.

proteína f. protein.

protest/a f. protest(ation). **/ante** adj. and m. Protestant; **/antismo** m. Protestantism. **/ar** tr. to protest; to assure.

proto/colo m. protocol. **/tipo** m. prototype.

protuberancia f. protuberance; swell(ing).

provecho m. profit, utility. **/so** adj. advantageous.

provee/dor m. purveyor, supplier. **/r** tr. to provide; to supply with.

provenir intr. to proceed from, to arise, to issue.

proverbio m. proverb.

providen/cia f. providence; proceeding. **/cial** adj. providential.

provincia f. province. **/l** adj. provincial. **/no** adj. and m. provincial.

provisi/ón f. provision; supply. **/onal** adj. provisional; temporary.

provoca/ción f. provocation. **/r** tr. to provoke. **/tivo** adj. provocative.

proximidad f. proximity.

próximo adj. near; next.

proyec/ción f. projection. **/tar** tr. to project; to design. **/til** m. projectile; missile. **/tista** s. projector. **/to** m. project; scheme.

pruden/cia f. prudence. **/te** adj. prudent, wise.

prueba f. proof; sign. sample.

psic/ología f. psychology. **/ológico** adj. psychologic(al). **/ólogo** m. psychologist. **/osis** f. psychose.

psiquiatr/a s. psychiatrist. **/ía** s. psychiatry.

psíquico adj. psychic(al)

púa f. prickle; prong.

pubertad f. puberty.

public/ación f. publication. **/ar** tr. to publish. **/idad** f. publicity.

público adj. public; m. public, audience.

puchero m. cooking-pot; kettle; fam. pout(ing).

púdico adj. chaste.

pudiente adj. well-to-do.

pudín m. pudding

pudor m. modesty. **/oso** adj. bashful, modest.

pudri/r tr. to rot. **/rse** r. to rot.

pueblo m. town; village; people.

puente m. bridge.

puerc/a f. sow. **/o** adj. filthy; m. pig, hog.

pueri/cultura f. puericulture. **/l** adj. puerile, childish. **/lidad** f. puerility; childishness.

puerro m. Bot. leek.

puert/a f. door(way), gate(way). **/o** m. port; harbour; mountain-pass.
pues conj. then; therefore, as, because, well.
puest/a f. set(ting); stake (at cards). **/o** m. place; spot, stand; stall; post.
púgil m. boxer; pugilist.
pugilato m. pugilism.
pugna f. combat, struggle. **/r** intr. to fight, to strive for.
puja f. outbidding, bid. **/nte** adj. powerful. **/nza** f. power; strength. **/r** tr. to (out)bid.
pulcr/itud f. neatness. **/o** adj. tidy; neat.
pulg/a f. flea. **/ada** f. inch. **/ar** m. thumb.
puli/do adj. neat; bright; nice. **/mentar** tr. to polish. **/r** tr. to polish.
pulm/ón m. lung. **/onía** f. pneumonia.
pulpa f. pulp, flesh.
púlpito m. pulpit.
pulpo m. octopus.
pulposo adj. pulpous.
puls/ación f. pulsation, beat(ing). **/ador** m. (push-)button. **/ar** tr. to (feel the) pulse, to sound. **/era** f. bracelet, **reloj de —** wrist watch **/o** m. pulse; care.
pulverizar tr. to spray.
pulla f. quip, dig.
pundonor m. point of honour. **/oso** adj. punctilious.
punt/a f. point; tip, end; top. **/al** m. prop. **/apié** m. kick. **/ear** tr. to dot;

to stitch. **/ería** f. aim. **/illa** f. narrow lace-edging. **/illo** m. punctilio. **/o** m. point; dot; stitch. **/uación** f. punctuation. **/ual** adj. punctual; exact. **/ualidad** f. punctuality. **/uar** tr. to punctuate.
punz/ada f. prick, puncture. **/ar** tr. to punch; to sting. **/ón** m. punch; bodkin.
puñ/ado m. handful. **/al** poniard; dagger. **/alada** f. stab. **/etazo** m. blow with the fist. **/o** m. fist; handful; cuff.
pupa f. pimple; pustule.
pupil/a f. pupil (of the eye), ward; fig. shrewdness. **/aje** m. pupilage; boarding. **/o** m. pupil, ward, (table-) boarder.
pureza f. purity.
purga f. purge. **/nte** adj. purgative; m. purge(r). **/r** tr. to purge.
puri/ficar tr. to purify; to cleanse. **/sta** m. purist. **/tano** adj. m. puritan(ical). **/tanismo** m. puritanism.
puro adj. pure; m. cigar.
púrpura f. purple.
purpúreo adj. purple.
pus m. pus; matter.
pusilánime adj. pusillanimous, faint (-hearted).
pústula f. pustule; pock.
puta f. whore, harlot. **/ñear** intr. to whore.
putrefacción f. putrefaction, rot(tenness).

Q

que pron. who, whom, which; that; what, how; conj. tó, than, because.
qué interrog. pron.

what?, which?; exclam. how!, what a!
quebra/da f. chasm; ravine. **/dero** m. worry

/dizo adj. brittle. /do adj. broken, m. *Arith.* fraction. /dura f. hernia; rupture. /ntar tr. to break. /r tr. to break; intr. to become bankrupt.

qued/a f. curfew. /ar intr. to stay; to be left, to agree. /o adj. quiet.

quehacer m. business; occupation; chore.

quej/a f. complaint; grudge. /arse r. to complain, to moan. /ido m. complaint, moan.

quema f. burning. /dura f. burn. /r tr. to burn, to (set) fire, intr. to be too hot.

querella f. quarrel; (law) plaint. /nte s. complainant. /rse r. to complain; to quarrel.

quer/encia f. fondness, tendency, haunt. /er tr. to want, to will, to wish, to love, to intend, — decir, to mean. /ida f. mistress, kept woman. /ido adj. dear; beloved; darling; m. lover.

queso m. cheese.

quiá interj. come now!.

quiebr/a f. crack; fracture; bankruptcy.

quien pron. who, whom. /quiera adj. whoever.

quiet/o adj. quiet, still. /ud quietness.

quij/ada f. jaw(-bone). /otada f. Quixotic action. /ote m. thighguard, tass, Quixote.

hacer el —. to act quixotically. /otesco adj. Quixotic.

quilate m. carat.

quilla f. *Naut.* keel.

quim/era f. chimera. /érico adj. chimerical.

químic/a f. chemistry, /o m. chemist; adj. chemical.

quimono m. kimono.

quina f. Peruvian bark.

quincall/a f. hardware, small wares. /ería f. hardware trade.

quincen/a f. fortnight. /al adj. fortnightly.

quinina f. quinine.

quinqué m. oil lamp.

quinquen/al adj. quinquennial. /io m. quinquenium.

quinta f. country-seat; *Mil.* draft, conscription.

quintar tr. *Mil.* to draft.

quinto adj. fifth; m. *Mil.* draftee, recruit.

quiosco m. kiosk.

quiquiriquí m. cock-a-doodle-do.

quirúrgico adj. surgical.

quisquill/a f. trifle; bickering; *Ichth.* prawn. /oso adj. fastidious.

quita interj. God forbid. /nieves m. snow-plow. /r tr. to take (away, off, out, up or from), to rob. /rse r. to get rid of; to retire; to take off. /sol m. parasol, sunshade.

quite m. impediment, parry(ing), removal.

quizá(s) adv. perhaps, maybe. rather.

rábano m. *Bot.* radish.

rabí m. rabbi(n).

rabia f. hydrophobia; rabies; rage. /r intr. to be rabid; to rage.

rabieta f. fit of temper.

rabino m. rabbi(n).

rabioso adj. rabid, mad.

rabo m. tail, end, cue.

racimo m. bunch.

raciocin/ar intr. to reason. /io m. reasoning.

ración f. ration, mess portion, coll. help.

racional adj. rational. /ismo m. rationalism. /izar tr. to rationalize.

racionamiento m. rationing.

racionar tr. to ration.

rada f. anchoring-ground.

radia/ción f. radiation. /ctividad f. radioactivity. /dor m. radiator. /nte adj. (ir)radiant. /r intr. to (ir)radiate, to (radio-)broadcast.

radica/ción f. radication. /l adj. radical.

radio m. radius (of a circle), ray; coll. wireless, radio set. /difusión, f. (radio-)broadcasting. /grafía, f. radiography. /telegrafía f. radiotelegraphy. /terapia radiotherapy. /yente s. listener (-in).

ráfaga f. gust of wind.

raído adj. threadbare.

raigambre f. roots.

raíz f. root; radix.

raja f. s(p)lit, rent, chink, rasher. /r tr. to s(p)lit. /rse r. to split, coll. to back water.

ralea f. breed; stock.

rall/aduras f. pl. gratings. /ar tr. to grate. /o m. grater, rasp(er).

rama f. branch, bough; department; em —, raw. /je m. (mass of) branches.

ramera f. whore.

ramifica/ción f. ramification. /rse r. to ramify, to branch off.

ramillete m. bouquet.

ramo m. bouquet, branch of trade.

rampa f. slope, ramp.

ramplón adj. coarse.

rana f. frog.

ranci/dez f. rancidity. /o adj. rancid; old.

ranch/ero m. steward (of a mess). (small) farmer; U.S.A. rancher. /o m. mess, farm, ranch.

rango m. rank, dignity.

ranura f. slot, slit.

rapacidad f. rapacity.

rapar tr. to shave.

rapaz adj. rapacious; m. young boy, brat.

rapé m. snuff; rappee.

rape m. cropped (hair).

rapidez f. rapidity.

rapiña f. rapine, ave de —, bird of prey.

raposa f. vixen.

rapsodia f. rhapsody.

rapto m. rape, elopement, kidnapping, rapture.

raqueta f. racket.

raquítico adj. rickety.

rar/eza f. rarity; scarcity; oddity. /ificar tr. to rarify. /o adj. rare; scarce; odd, queer.

ras m. level; evenness.

rasa/nte adj. levelling; f. gradient /r tr. to strickle, to skim.

rasca/cielos m. skyscraper. /r tr. to scrape.

rasga/do adj. rent, torn. /r tr. to tear (to pieces).

rasgo m. stroke, trait, feature; deed, feat.

rasguñ/ar tr. to scratch. /o m. scratch, scar.

raso adj. clear, open, level, flat; m. satin; al —, in the open air.

raspa f. rasp; coarse file. /dor m. scraper. /r tr. to scrape; to rub (off).

rastr/a f. trace, trail, sled(ge). /ear tr. to trace, to scent. /ero adj. sneaking. /illar tr. to rake. /illo m. rake; hackle. /o m. track, scent, trace.

rasurar tr. to shave.

rat/a f. rat; m. coll. pickpocket. /ear tr to filch. /ería f. larceny. /ero m. pickpocket.

ratifica/ción f. ratification. /r tr. to ratify

rato m. while, spell; -s perdidos, spare time.

ratón m. mouse.

ratonera f. mouse-trap.

raudal m. torrent, rapids.

ray/a f. streak, stripe, limit, score, part(ing); tener a — to keep at bay. /ado adj. striped. /ar tr. to stripe; to streak. /o m. ray; beam of light, radius.

raza f. race, breed.

razón f. reason, sense, ratio, rate; — social, Com. firm; tener —, to be right.

razona/ble adj. reasonable. /miento m. reasoning. /r tr. to reason.

reacci/ón f. reaction; avión a — jet plane. /onar intr. to react.

reacio adj. reluctant.

react/ivo m. reagent. /or m. jetplane.

real adj. real; actual; royal. m. Spanish coin (25 céntimos).

realce m. relief, set-off.

realeza. f. royalty.

reali/dad f. reality. /sta s. and adj. realist(ic), royalist(ic). /zar intr. to fulfill, to carry out.

realzar tr. to heighten.

reanimar tr. to cheer; to reanimate.

reanudar tr. to resume.

reapar/ecer intr. to reappear. /ición f. reappearance, recurrence.

reasegur/ar tr. to reinsure. /o m. reinsurance.

reata f. lariat, pack-train.

rebaja f. discount; deduction. /r tr. to discount. /rse r. to humble oneself, to stoop.

rebana/da f. slice. /r tr. to slice.

rebaño m. flock; herd.

rebasar tr. to go beyond.

rebat/ir tr. to refute. /o m. alarm (-bell).

rebel/arse r. to revolt. /de adj. rebellious, s. rebel. /día f. rebelliousness. /ión f. rebellion.

rebosa/nte adj. brimming. /r intr. to overflow, to overbrim.

rebot/ar tr. to rebound. /e m. rebound; bounce; de — indirectly.

reboz/ar tr. to muffle up, to cover with batter. /o m. muffler, shawl.

rebusca f. research. /r tr. to search, to glean.

rabuzn/ar intr. to bray. /o m. bray(ing).

recad/ero m. messenger. /o m. message; errand.

recaer intr. to relapse; to fall again, to fall upon.

recaída f. relapse.

recalcar tr. to emphasize.

recalentar tr. to (re)heat.

recámara f. dressing-room, breech of a gun.

recambio m. re-exchange; piezas de —, spare parts.

recapacitar tr. to think over, to bethink.

recapitular tr. to recapitulate; to sum up.

recarg/ar tr. to recharge; to overload. /o m. extra charge.

recat/ado adj. coy(ish). / o m. prudence; bashfulness.

recauda/ción collecting. /dor m. tax-collector; /r tr. to collect taxes. to gather.

recel/ar tr. to distrust. /o misgiving. /oso adj. distrustful, fearful.

recep/ción f. reception. **/táculo** m. container bowl. **/tor** m. receiver.
receta f. prescription. recipe. **/r** tr. to prescribe.
recib/imiento m. reception; welcome; hall, reception room. **/ir** tr. to receive; to welcome. **/o** m. receipt; acquittance.
reciente adj. recent.
recinto m. precinct.
recio adj. stout; strong.
recipiente m. recipient.
recíproco adj. reciprocal.
recita/ción f. recitation. **/r** tr. to recite.
reclam/ación f. claim, complaint. **/ar** tr. to (re)claim. **/o** m. decoy bird, lure, catch word.
reclina/r tr. and intr. to recline; to lean back. **/torio** m. praying desk.
reclu/ir tr. to seclude. **/sión** f. reclusion. **/so** adj and m. recluse.
recluta f. Mil. recruiting, levy; m. recruit, conscript. **/miento** m. Mil. recruiting. **/r** tr. to recruit, to levy.
recobr/ar tr. to recover. **/arse** r. to recover (from sickness or loss). **/o** m. recovery.
recodo m. turning(s).
recog/er tr. to gather, to pick (up). **/erse** r. to withdraw, to retire.
recolección f. harvest; gathering, compilation.
recomenda/ble adj. (re)commendable. **/ción** f. (re)commendation; **carta de —**, introduction. letter. **/r** tr. to recommend.
recompensa f. recompense, reward. **/r** tr. to recompense, to reward.
reconcentrarse r. to concentrate the mind.
reconcilia/ción f. reconciliation. **/r** tr. to reconcile. **/rse** r. to become reconciled.

reconoc/er tr. to examine; to recognize; to acknowledge; to own. Mil to reconnoitre. **/ido** adj. adj. acknowledged; grateful. **/imiento** m. recognition; acknowledgement gratitude.
reconquista f. reconquest. **/r** tr. to reconquer.
reconstru/cción f. reconstruction. rebuilding. **/ir** tr. to reconstruct.
recopila/ción f. summary; digest. **/r** tr. to compile, to collect.
recordar tr. to remind, to remember, to recall.
recorr/er tr. to survey; to travel. **/ido** m. run.
recort/ar tr. to cut away; to outline. **/e** m. outline; cutting, clip(ping).
recostar tr. to recline.
recre/ación f. recreation; amusement. **/ar** tr. to recreate; to amuse. **/o** m. recreation. break, play-time, recess.
recriminar tr. to recriminate.
rectángulo m. rectangle.
rectifica/ción f. rectification. **/r** tr. to rectify.
rectilíneo adj. rectilinear.
rectitud f. rectitude.
recto adj. right(ful), straight, m. Anat. rectum. **/r** m. rector; parson. **/rado** m. rectorship **/ría** f. rectory, parsonage.
recuento m. re-count.
recuerdo m. remembrance; memory, souvenir, pl. regards.
recular intr. to recoil.
recupera/ción f. recovery. **/r** tr. to recover.
recur/rir intr. to resort to. **/so** m. resource.
recusar tr. to refuse.
rechaz/ar tr. to repel. **/o** m. rebound, recoil.
rechinar intr. to squeak.
rechoncho adj. chubby.

red f. net(ting), snare.

redac/ción f. wording, redaction, editorial (staff rooms). **/tar** tr. to draw up; to write.

redada f. casting of net. catch; *coll.* round up.

rededor m. surroundings. **al** or **en —**, around.

reden/ción f. redemption. **/tor** m. redeemer.

rédito m. interest; revenue; rent, pl. issue.

redomado adj. artful.

redond/a, a la —, around. **/ear** tr. to round (off). **/el** m. *fam.* circle. (bull) ring, arena. **/ez** f. roundness. **/o** adj. round; circular.

reduc/ción f. reduction. **/ir** tr. to reduce, to cut down. **to m.** *Mil.* redoubt.

redunda/ncia f. redundance. **/r** intr. to result.

reele/cción f. re-election. **/gir** tr. to re-elect.

reembarcar tr. to reship.

reembols/ar tr. to refund. **/o** m. reimbursement; **pago a — C.O.D.** (cash on delivery).

reemplaz/ar tr. to replace. **/to m.** replacement.

reenganch/ar tr. *Mil.* to re-enlist. **/e** m. *Mil.* re-enlisting.

refajo m. underskirt.

refer/encia f. reference. **/éndum** m. referendum. **/ente** adj. relating. **/ir** tr. to tell, to refer.

refin/ado adj. refined. **/ amiento** m. refinement, nicety. **/ar** tr. to (re)fine. **/ería** f. refinery.

refle/ctor m. reflector, search-light. **/jar** intr. to reflect. **/jo** adj. reflective; m. reflex. **/xión** f. reflection. **/xionar** intr. to meditate. **/xivo** adj. reflective; m. reflexive.

reflujo m. reflux, ebb.

reforma f. reform(ation). **/ble** adj. reformable. **/r** tr. to reform. **/rse** r. to reform, to (a)mend. **/ torio** adj. corrective; m. correctional.

reforzar tr. to strengthen.

refrán m. proverb, saw.

refregar tr. to rub.

refreir tr. to fry well or excessively.

refrenar tr. to refrain.

refresc/ar tr. to refresh; to cool. **/o m.** refreshment, soft drink.

refriega f. affray, strife.

refriger/ación f. refrigeration, freezing. **/ador** m. refrigerator. **/ar** tr. to refrigerate. **/io** m. refreshment.

refuerzo m. reinforcement; succour; aid.

refugi/ado m. refugee. **/ar** tr. to shelter. **/arse** r. to take refuge. **/o m.** refuge; shelter; asylum.

refundir tr. to recast.

refunfuñar tr. to growl; to grumble.

refuta/ción f. refutation. **/r** tr. to refute, to rebut.

regad/era f. watering-can, sprinkler. **/ío m.** irrigated land.

regal/ado adj. delicate, dainty. **/ar** tr. to present. **/iz m.** *Bot.* licorize. **/o m.** gift; present, confort.

regañ/ar intr. to grumble; tr. to chide. **/o m.** snarl, scolding. **/ón** adj. snarling.

regar tr. to water; to irrigate; to sprinkle.

regata f. boat-race.

regate/ar tr. to haggle. **/ m.** haggling.

regazo m. lap.

regencia f. regency.

regenera/ción f regeneration. **/r** tr. to regenerate.

regent/ar tr. to manage **/ m** regent; manager.

regicid/a s. regicide (person). **/io** m. regicide.
régimen m. regime(n), management, *Méd.* diet.
regimiento m. *Mil.* regiment; administration.
regio adj. regal, royal.
región f. region.
regional adj. regional.
regir tr. to rule; to govern; intr. to be in force.
registr/ador adj. registering; m. registrar; **caja —adora** cash register. **/ar** tr. to search, to record. **/o** m. search, registration, record.
regla f. rule; menstruation. **/mentar** intr. to regulate. **/mento** m. regulation(s), bylaws.
regocij/ar tr. to gladden. **/arse** r. to rejoice. **/o** m. joy; gladness, cheer.
regoldar intr. to belch.
regordete adj. chubby.
regres/ar intr. to return, to regress. **/ión** f. regression. **/o** m. return.
regüeldo m. belch(ing).
reguer/a f. irrigation ditch. **/o** m. trickle.
regula/ción f. regulation. **/r** tr. to regulate, adj. regular, fairly good.
rehabilitar tr. to rehabilitate, to reinstate.
rehacer tr. to remake. **/se** r. to recuperate.
rehén m. hostage.
rehogar tr. to cook with a slow fire.
rehuir tr. intr. to flee, to shun, to avoid.
rehusar tr. to refuse.
reimprimir tr. to reprint.
reina f. queen. **/do** m. reign. **/r** intr. to reign.
reincid/encia f. relapse. **/ir** intr. to backslide.
reincorporar tr. to reincorporate.
reino m. kingdom; reign.
reintegr/ar tr. to re(d)integrate, to refund. **/o**

m. reimbursement.
reír intr., r. to laugh. **/se de** to laugh at.
reiterar tr. to reiterate.
reivindicar tr. to claim.
reja f. grate, railling, rack, (plow) share.
rejón m. spear employed by bull-fighters.
rejonear tr. to wound bulls with the **rejón.**
rejuvenecer tr., intr. to rejuvenate.
relaci/ón f. relation; narration. **/onar** tr. to relate, to report. **/onarse** r. to get acquainted.
relaja/ción f. relaxation, slackening. **/do** adj. dissolute, loose. **/r** tr. to relax, to slack(en).
relam/er tr. to relick. **/erse** r. to lick one's lips. **/do** adj. foppish.
relámpago m. flash; lightning.
relampaguear intr. to lighten, to sparkle.
relat/ar tr. to narrate. **/ividad** f. relativity. **/ivo** adj. relative. **/o** m. tale, account.
relegar tr. to relegate.
relev/ante adj. outstanding. **/ar** tr. to relief. *Mil.* to relieve. **/o** m. *Mil.* relief.
relicario m. reliquary.
relieve m. relief.
religi/ón f. religion. **/osidad** f. religiousness. **/oso** adj. religious, m. friar, religious.
relinch/ar intr. to neigh **/o** m. neigh(ing).
reliquia f. relic; vestige.
reloj m. clock, watch; **— de pulsera** wrist watch. **despertador** alarm-clock. **/ería** f. watchmaker's shop. **/ero** m. watchmaker.
reluci/ente adj. shining. **/r** intr. to shine.
rellen/ar tr. to refill; to stuff; to cram. **/o** adj.

stuffed; m. forcemeat, stuffing.

remach/ar tr. to rivet, to clinch. /e m. rivet(ing).

remanente m. residue.

remanso m. back-water.

remar intr. to row.

remat/ado adj. ended; knocked down (at auction). /ar tr. to end, to knock down at auction. /e m. end; conclusion; remate.

remedar tr. to imitate; to mock; to copy.

remedi/ar tr. to remedy. /o m. remedy; cure.

remedo m. imitation.

rememorar tr. to recall.

remend/ar tr. to patch. /ón m. cobbler.

remero m. rower, oar-(sman).

remesa f. remittance.

remiendo m. patch.

remilg/ado adj. prudish. /o m. squeamishness

reminiscencia f. reminiscence; memory.

remirado adj. prudent.

remisión f. remission.

remiso adj. remiss.

remitir tr. to send. /se r. to refer.

remo m. oar.

remoj/ar tr. to steep; to dip; /o m. steeping.

remolacha f. beet-root.

remolcar tr. Naut. to (take in) tow, to tug.

remolino m. whirl(wind); whirlpool; vortex; eddy.

remolón adj. lazy; soft.

remolque m. towage.

remonta f. Mil. remount-(ing) cavalry. /r tr. to horse, to come up (a river).

rémora f. hindrance.

remord/er tr. to cause remorse. /imiento m. remorse.

remoto adj. remote, off.

remover tr. to remove, to stir, to discharge.

remunera/dor adj. and m. remunerator. /r tr. to remunerate.

renac/er intr. to be born again; to revive. /imiento m. regeneration, rebirth, Renaissance.

renacuajo m. frog spawn

rencill/a f. slight grudge, pique. /oso adj. peevish

rencor m. rancour. /oso adj. rancorous.

rendición f. surrender.

rendido adj. devoted, submissive, fatigued.

rendija f. crevice; cleft.

rendi/miento m. weariness; rent; produce. /r tr. to subdue; to surrender; to tire; to yield. / rse r. to surrender.

renega/do m. renegade. /r tr. to deny; intr. to apostatize.

renglón m. line.

renombr/ado adj. renowned. /e m. renown.

renova/ción f. renovation. /r tr. to renew.

renquear intr. to limp.

rent/a r. rent; revenue; income. /ar tr. to produce; to yield. /ista s. annuitant.

renuncia f. renunciation; resignation. /r tr. to renounce; to resign.

reñi/do adj. at variance with. /r tr. and intr. to wrangle; to scold.

reo m. offender; criminal, culprit, defendant.

reojo, mirar de — to look awry.

reorganizar tr. to reorganize.

repara/ción f. repairing). /r tr. to repair; intr. to heed.

reparti/ción f. distribution. /r tr. to distribute.

repas/ar tr. to repass; to revise. /o m. revision.

repel/er tr. to repel, to rebut. /ente adj. repellent. /oso adj. touchy.

repent/e m. sudden movement, **de —** suddenly. **/ino** adj. sudden.

repercu/sión f. repercussion. **/tir** intr. to rebound, to reecho.

repertorio m. repertory.

repeti/ción f. repetition. **/r** tr. to repeat.

repicar r. to chop, to hash; to chime.

repique m. chime, chopping. **/tear** tr. to chime.

repisa f. shelf, ledge.

replegar tr. to refold. **/se** r. Mil. to rally.

repleto adj. replete; full.

réplica f. retort.

replicar tr. intr. to retort, to reply, to rejoin.

repliegue m. crease; fold.

repobla/ción f. repopulation. **— ción forestal** af- forestation. **/r** tr. to repeople.

repollo m. Bot. cabbage.

reponer tr. restore.

report/aje m. press report. **/ar** tr. to bring. **/arse** r. to refrain. **/ero** m. reporter.

reposa/do adj. peaceful. **/r** intr. to repose.

reposición f. reposition.

reposter/ía f. confectionery. **/o** m. confectioner.

repren/der tr. to rebuke. **/sible** adj. reprehensible. **/sion** f. reprehension.

represalia f. reprisal.

representa/ción f. representation. Theat. performance. **/nte** m. representative. **/r** tr. to present. **/tivo** adj. representative.

reprim/enda f. reprimand. **/ir** tr. to repress.

reprobar tr. to reprove.

réprobo adj. and m. reprobate.

reproch/ar tr. to reproach. **'e m.** reproach.

reproduc/ción f. reproduction, replica. **/ir** tr. to reproduce.

reptil adj. and m. reptile.

república f. republic.

republican/ismo m. republicanism. **/o** adj. and m. republican.

repudi/ación f. repudiation. **/ar** tr. to repudiate. **/o** m. repudiation.

repuesto m. stock, supply. **de —** spare.

repugna/ncia f. repugnance. **/r** intr. to be repugnant. **/nte** adj. repugnant.

repujar tr. to (em)boss.

repuls/a f. reprimand. **/ión** f. repulsion. **/sivo** adj. repulsive.

reputa/ción f. reputation. **/r** tr. to repute.

requebrar tr. to flatter.

requema/do adj. tanned, burnt. **/r** tr.to parch.

requeri/miento m. intimation, summons. **/r** tr. to intimate; to require.

requesón m. curd.

requiebro m. compliment, flattery, cooing.

requis/a f. Mil. impress- (ment). **/ito** m. requisite, requirement.

res f. head of cattle.

resabio m. after-taste.

resaca f. surf, undertow.

resalado adj. very graceful; charming; witty.

resalt/ar intr. to jut out. **/** m. prominence.

resarcir tr. to compensate, to indemnify.

resbal/adizo adj. slippery. **/ar** intr. to slip; to slide. **/ón** m. slip(ping). fig. blunder.

rescat/ar tr. to redeem; to ransom. **/e** m. redemption; ransom.

resci/ndir tr. to rescind. **/sión** f. rescission.

rescoldo m. embers.

resenti/do adj. resentful. **/miento** m. resentment. **/rse** r. to resent.

reseña f. review, summary. **/r** tr. to review.

reserva f. reserve. **/do** adj. reserved. **/r** tr. to reserve; to book.

resfria/do m. cold, catarrh. **/r** tr. to cool. **/rse** r. to catch (a) cold.

resguard/ar tr. to shield. **/arse** r. to (take) shelter. **/o** m. preservation. *Com.* voucher.

resid/encia f. residence, mansion. **/esencial** adj. residential. **/ente** s. resident. **/ir** intr. to reside, to dwell. **/uo** m. residue.

resigna/ción f. resignation. **/rse** r. to resign, to put up with.

resina f. resin; rosin.

resist/encia f. resistance. **/ente** adj. f. resistant. intr. to resist.

resol/ución f. resolution. **/ver** tr. to (re)solve. **/verse** r. to determine.

resona/ncia f. resonance. **/r** intr. to resound.

resopl/ar intr. to snort. **/ido** m. snort(ing), puff.

resorte m. spring, means.

respald/ar tr. to endorse. **/o** m. (seat) back, endorsement.

respect/ivo adj. respective **/o** m. relation.

respet/able adj. respectable. **/ar** tr. to respect; **/o** m. respect. **/uoso** adj. respectful.

respir/ación f. respiration, breath(ing). **/adero** m. breathing-hole. **/ar** intr. to respire; to breathe. **/o** m. respite.

respland/ecer intr. to glitter. **/eiiente** adj. resplendent. **/or** m. brilliance.

respon/der tr. and intr. to answer. **/dón** adj. saucy, pert. **/sabilidad** f. responsibility. **/sable** adj. responsible. **/so** m. responsory, prayer.

respuesta f. answer.

resquebrajar intr. to crack.

resquemo(r) m. remorse.

resquicio m. crack; chink.

restablec/er tr. to restore. **/erse** r. to recover. **/imiento** m. recovery; re-establishment.

restante m. remainder.

restar tr. to deduct.

restaura/ción f. restoration. **/nte** m. restaurant. **/r** tr. to restore.

restitu/ción f. restitution. **/ir** tr. to restore.

restregar tr. to rub.

resto m. remainder; rest; pl. remains.

restri/cción f. restriction. **/ctivo** adj. restrictive. **/ñimiento** m. constriction.

resucitar tr. to resuscitate; to revive.

resuelto adj. resolute.

resulta f. result; effect. **/do** m. result; issue. **/r** intr. to result.

resum/en m. summary; extract. **/ido** adj. abridged. **/ir** tr. to sum up.

resurrección f. resurrection; revival.

retablo m. altar-piece.

retaguardia f. rearguard.

retahila f. file; string.

retal m. remnant, piece.

retar tr. to challenge.

retardar tr. to retard; to delay. **/o** m. delay.

retazo m. remnant, piece.

retén m. stock. *Mil.* reserve; *Mech.* catch.

reten/ción f. retention. **/er** tr. to retain. **/tiva f.** retentiveness.

reticencia f. reticence.

retina f. retina.

retir/ada f. withdrawal. *Mil.* retreat. **/ado** adj. retired, remote; m. retired officer. **/ar** tr. to withdraw; to retire; to recoil. **/o** m. retreat; retirement; recess.

reto m. challenge.

retocar tr. to retouch.

retoño m. sprout; shoot.

retoque m. retouching.

retorc/er tr. to twist. **/ imiento** m. twisting.

retóric/a f. rhetoric **/o** adj. rhetorical.

retorn/ar tr. intr. to return. **/o** m. return; barter, exchange.

retoz/ar intr. to frisk. **/o** m. frisk(iness). **/ón** adj. rompish.

retracta/ción f. retrac(ta)tion. **/r** tr. to retract.

retra/er tr. to dissuade. **/erse** r. to withdraw from. **/ído** adj. and m. solitary. **/imiento** m. withdrawal, shyness.

retras/ar tr. to delay. **/ arse** r. to be late. **/o** m. delay.

retrat/ar tr. to portray, to depict(ure). **/arse** r. to have a photograph taken. **/ista** f. portrait-painter. **/o** m. portrait.

retreta f. *Mil.* retreat; tatoo.

retrete m. lavatory.

retribu/ción f. reward. **/ir** tr. to retribute.

retroce/der intr. to retrocede. **/so** m. re(tro)cession.

retrógrado adj. retrogressive.

reum/a f. rheum; m. *Med.* rheumatism. **/ático** adj. rheumatic. **/atismo** m. rheumatism.

reuni/ón f. reunion, meeting. **/r** tr. to join, to assemble. **/rse** r. to join.

reválida f. final examination, revalidation.

revalidar tr. to ratify.

revancha f. revenge.

revela/ción f. revelation. **/do** m. *Phot.* development. **/r** tr. to reveal, *Phot.* to develop.

reven/dedor m. retailer; (ticket) speculator. **/der** tr. to retail. **/ta** f. resale, retail.

revent/ar intr. to burst, tr. to crush. **/ón** adj. m. (up)burst, blow-out.

reveren/cia f. reverence; bow. **/ciar** tr. to revere. **/do** adj. reverend. **/te** adj. respectful.

revers/ión f. reversion. **/o** m. reverse side.

revés m. reverse, back, wrong side; setback, misfortune; slap, cuf.

revis/ar tr. to review; to check. **/ión** f. revision. **/ or** m. reviser; (ticket-) inspector. **/ta** f. review; *Mil.* muster. **/tar** tr. to review.

revivi/ficar tr. to revivify. **/r** intr. to revive.

revoca/ción f. revocation. **/r** tr. to revoke.

revolote/ar intr. to flutter. **/o** m. fluttering.

revolt/illo m. medley. **/ oso** adj. turbulent.

revoluci/ón f. revolution. **/onar** tr. to revolutionize, to revolt. **/onarse** r. to rebel. **/onario** adj. revolutionary; s. revolutionist.

revolver tr. to turn up, to stir, to shake.

revólver s. revolver.

revoque m. plastering.

revuelco m. wallowing.

revuelo m. gyration (in flying), stir, sensation.

revuelto adj. unsettled, scrambled (eggs).

revulsión f. revulsion.

rey m. king; **Reyes Magos** Magi.

reyezuelo m. petty king.

rezagar tr. to leave behind. /se r. to lag.

rezar tr. to pray; to say.

rezo m. prayer.

ría f. mouth of a river, estuary.

riachuelo m. rivulet; rill.

riada f. fresh(et), flood.

riber/a f. shore; bank. / eño adj. riverside.

ribete m. braid, edge. /ar tr. to border.

ricacho adj. and m. coll. very rich. oof-bird.

rico adj. rich; wealthy, delicious, sweet.

ridícul/ez f. ridicule. /izar tr. to ridicule.

ridículo adj. ridiculous, laughable; m. ridicule.

riego m. irrigation.

riel m. rail; ingot; bar.

rienda f. rein of a bridle.

riesgo m. risk; danger.

rifa f. raffle. /r tr. raffle.

rifle m. rifle.

rigidez f. rigidity.

rígido adj. rigid, stiff.

rigor m. rigour. /ista adj. and m. rigorist.

riguroso adj. rigorous.

rima f. rhyme, rime. /r intr. to rhyme.

rincón m. corner; nook.

rinoceronte m. rhinoceros

riña f. quarrel; dispute.

riñón m. kidney.

río m. river stream.

riqueza f. riches, wealth.

risa f. laugh (ter).

risible adj. laughable.

risotada f. guffaw.

risueño adj. smiling.

rítmico adj. rhythmic(al).

ritmo m. rhythm.

rito m. rite; ceremony.

ritual m. and adj. ritual.

rival s. rival; competitor. /idad f. rivalry. /izar tr. to rival; to vie.

riz/ado adj. curly. /ar tr. to frizz(le). /arse r. to ruffle. /o adj. curled, m. curl, (hair) lock.

robar tr. to rob; to plunder; to steal.

roble m. Bot. oak-tree

robo m. robbery ;theft.

robust/ecer tr. to make strong. /ez f. robustness. /o adj. robust.

roca f. rock; cliff; stone.

roce m. friction, rub.

roci/a/da f. spinkling. / dor m. spinkler. /r tr. to sprinkle; to jade.

rocín m. hack(ney), jade.

rocío m. dew.

roda/da f. rut; wheeltrack. /do adj. dapple(d), round, canto — boulder. /ja f. slice. /r m. wheeling. /r intr. to roll (about), to spin.

rode/ar tr. to sorround /o m. turn, roundabout. round-up.

rodill/a f. knee. /era t. knee-cap, -boss.

rodillo m. roll(er).

roe/dor adj. m. gnawer. /r intr. to gnaw.

roga/r tr. to pray, to beg /tiva f. rogation.

roj/ez f. redness. /izo adj. reddish. /o adj. red, ai — red-hot.

rollizo adj. plump.

rollo m. roll, cylinder, scroll, log, roller.

romance adj. and m. Romance, Romanic; m. Romance language. /ro m. romancer, m. collection of romances.

roman/izar tr. to Romanize. /o adj. and m. Roman.

rombo m. rhomb(us).

romer/ía f. pilgrimage. / o m. Bot. Rosemary; pilgrim; palmer.

rompe/cabezas m. puzzle, riddle. /hielos m. icebreaker /olas m. breakwater, jetty. /r tr. and intr. to break (off),. /rse r. to break.

rompiente adj. breaking. m. surf; breach; pier.

ron m. rum.

ronc/ar intr. to snore, to boast. **/o** adj. hoarse.

roncha f. round slice.

ronda f. night patrol, beat, rounds. **/lla** f. fable. **/r** v. to patrol, to round, to haunt.

ronqu/ear intr. to be hoarse. **/ra** f. hoarseness. **/ido** m. snore.

roñ/a f. scab, filth. **/ería** f. meanness. **/oso** adj. **/oso** adj. scabby; nasty; mean.

rop/a f. clothes, clothing. — **blanca,** linen. — **de cama,** bed linen. — **interior** underwear. **/aje** m. clothes, robe. F. a. drapery. **/ero** m. wardrobe (keeper).

roque/dal m. rocky place. **/ño** adj. rocky.

rorro m. *coll.* baby.

rosa f. *Bot.* rose; m. rose colour. **/do** adj. rosed: rosy(-hued). **/l** m. *Bot.* rose-bush. **/leda** f. rosary. **/rio** m. *Eccl.* rosary, chaplet.

rosca f. screw (and nut).

rosicler m. rose-pink.

rosquilla f. rusk.

rostro m. human face, visage, countenance.

rotación f. rotation, turn.

roto adj. broken; torn.

rótula f. knee-pan.

rotular tr. to label.

rótulo m. label, sign, lettering, inscription.

rotundo adj. round; plain.

rotura f. rupture.

roza/dura f. friction. **/miento** m. friction. **/r** tr. and intr. to stub; to rub against. .

rubí s. ruby.

rubio adj. blonde, fair (-haired), ruddy.

rubor m. blush(ing). **/izarse** r. to blush. **/oso** adj. bashful.

rúbrica f. red mark, flourish (in signature).

rubricar tr. to sign.

rud/a f. *Bot.* rude. **/eza** f. rudeness. **/imento** m. rudiment; pl. elements. **/o** adj. rude, rough.

rueda f. wheel; caster, roller, circle, turn.

ruedo m. rotation, turn, arena (in a bull ring).

ruego m. request.

rufián m. ruffian, pimp.

rugi/do m. (up)roar, howl. **/ente** adj. roaring. **/r** intr. to roar, to howl.

rugos/idad f. rugosity. **/o** adj. rugose, corrugated.

ruibarbo m. *Bot.* rhubarb.

ruido m. noise; bustle, outcry. **/so** adj. noisy.

ruin adj. vile; low; mean. **/a** f. ruin, downfall. **/dad** f. meanness. **/oso** adj. ruinous.

ruiseñor m. *Orn.* nightingale.

rumbo m. course, bearing, ostentation **/so** adj. splendid; pompous.

rumia/nte adj. ruminant **/r** tr. ruminate, to muse: to brood over.

rumor m. rumour.

ruptura f. rupture, break.

rural adj. rural.

ruso adj. and m. Russian.

rusticidad s. rusticity.

rústico adj. rustic; churlish, rude, m. peasant.

ruta f. route, itinerary;

rutina s. routine; habit; custom, rut. **/rio** adj. routinary, m. routinist.

S

sábado m. Saturday.
sábana f. (bed) sheet, pl. bed-linen.
sabandija f. vermin.
sabañón m. chilblain.
sab/edor adj. and. m. aware. /**er** tr. to know, to be aware of, can, — **a** to taste of; m. learning /**a** — **tendas** adv. knowingly.
sabio adj. wise; sage, learned, well-read, m. sage, /n. m. mage, priestess.
sabl/azo m. sabre stroke or wound coll touch
sabor m. taste. /**ear** tr. to savour, to smack.
sabotaje m. sabotage.
sabroso adj. tasty.
sabueso m. (blood)hound.
saca f. drawing out, large bag or sack. /**botas** m. boot-jack. /**corchos** m. corkscrew. /**r** tr. to draw (out); to take (out), to find out, to get.
sacarina f. saccharin.
sacerdo/cio m. priesthood. /**tal** adj. sacerdotal. /**te** m. priest; clergyman. /**tisa** f. priestess.
saci/ar tr. to satiate to satisfy. /**edad** f. satiety.
saco m. sack, bag, sackful, plunder, pillage. Amer. coat.
sacr/amento m. sacrament. /**ificar** tr. to sacrifice. /**ificio** m. sacrifice. /**ilegio** m. sacrilege. /**ilego** adj. sacrilegious. /**istán** m. sacristan. /**istía** f. sacristy; vestry. /**o** adj. holy; sacred.
sacudi/da f. shake; jerk. /**r** tr. to shake. /**rse** r. to shake off.

saeta f. arrow; dart; Andalusian pious song.
saga/cidad f. sagacity. / adj. sagacious.
sagra/do adj. sacred, holy; m. sanctuary. /**rio** m. sacrarium Eccl. ciborium.
sainete m Theat. farce.
sal f. salt; fig. wit.
sala f hall, drawing-room, hospital ward, tribunal. Theat. house.
salado adj. salted; witty.
saladura f. salting.
salamandra f. salamander, stove.
salar tr. to salt; to cure.
salario m. salary; stipend; wages; pay.
salaz adj. lustful; lewd.
salazón f. salting, salt meat, salt fish.
salchich/a f. sausage. /**ón** large sausage.
sald/ar tr. Com. to settle, to liquidate, to pay (in full) /**o** m. Com. balance, remnant, reject, venta de —**s** clearance sale.
salero m. salt-cellar; fig gracefulness. /**so** adj. graceful; witty.
sali/da f departure; exit; start, rise, Mil. sally / **ente** adj. salient.
salin/a f. salt-pit; salt-mine. /**o** adj. saline.
salir intr. to go out, to depart, to come out, to rise (as the sun).
saliva f saliva; spittle
salm/ear tr. to sing psalms /**ista** s. psalmist. /**o** m. psalm.
salmón m. Ichth. salmon.
salmonete m. Ichth. red mullet.

salmuera f. brine; pickle.

salobre adj .saltish.

salón m. saloon, parlour, / ar tr. to splash. /ón m. salmagundi.

sals/a f. sauce; gravy. / era f. gravy-dish.

salta/montes m. grasshopper. /r intr. to leap; to spring; to jump; to hop, tr. to leap or jump over.

saltea/dor m. highwayman. /r tr. to rob on the highway; to assault.

salterio m. psalter.

saltimbanco, —banqui m. m. mountebank.

salto m. spring; leap; hop; jump, start.

saltón adj. hopping, bulging; m. grasshopper.

salu/bre adj. salubrious, healthy. /d f. health. /dable adj. salutary; healthful. /dar tr. to greet; to salute; to hail. /do m. salute, greeting.

salva f. Mil. volley; salvo. /ción f. salvation

salvaj/ada f. savage action. /e adj. savage; wild; m. savage.

salvam(i)ento m. salvage.

salvar tr. to save; to salvage, to overcome. /se r. to escape (from danger).

salvavidas m. lifebelt, bote —, life-boat.

salve interj. hail! f. Eccl. Salve Regina.

salvedad f. exception.

salvo adj. safe, saved, adv. excepting. /conducto m. safe-conduct.

sambenito m. sanbenito, san adj. saint.

sana/r tr. to heal; to cure; intr. to recover. / torio m. sanatorium.

sanci/ón f. sanction, fine /onar tr. to sanction; to ratify, to fine.

sandalia f. sandal.

sandez f. nonsense.

sandía f. water-melon.

sanea/miento m. sanitation. /r tr. to make sanitary, to drain.

sangr/adura f. bleeding. / ar tr. to bleed; intr. to bleed. /arse f. to be bled /e f. blood; gore. /ía f. bleeding; a mixture of wine and water. /iento adj. bloody, blood stained, bleeding.

sangui/juela f. leech. /nario adj. sanguinary.

sanguíneo adj. sanguineous.

sanidad f. health(iness).

sano adj. sound; healthy.

sant/a f. female saint; adj. f. saint, holy. /la mén m. coll. jiffy. /idad f. sanctity; holiness; Holiness, title of the Pope. /ificación f. sanctification. /ificar tr. to sanctify. /iguar tr. to bless. /iguarse r. to cross oneself. /ísimo adj. most holy. /o adj. holy, saint(ed), blessed; m. saint, saint's day; — y seña, Mil. watchword. /ón m. hypocrite; dervish. /oral m. calender of saints. / uario m. sanctuary.

sañ/a f. passion; anger, rage. /udo adj. furious.

sapiencia f. wisdom.

sapo m. toad.

saque/ar tr. to ransack. /o m. plunder; pillage.

sarampión m. measles.

sarao m. evening party.

sarc/asmo m. sarcasm. /ástico adj. sarcastic.

sardana f. a Catalonian ring-dance.

sardina f. Ichth. sardine.

sargento m. sergeant.

sarn/a f. itch, mange, scabies. /oso adj. itchy.

sarraceno m. and adj. Saracen.

sarro m. crust, sordes.

sarta f. string (of beads).

sartén f. frying-pan.

sastre m. tailor. /**ría** s. a tailor's trade or shop.

Satán m. Satan. /**ico** adj. satanic; devilish.

satélite m. satellite.

satina/do adj. glossy, glazy, m. glazing. /**r** tr. to gloss, to glaze.

sátira f. satire.

satírico adj. satiric(al), m. satirist.

satirizar tr. to satirize.

sátiro m. satyr.

satisf/acción f. satisfaction. /**acer** tr. to satisfy. /**actorio** adj. satisfactory. /**echo** adj. satisfied, content(ed).

saturar tr. to saturate.

sauce m. Bot. willow.

saxofón, -fono m. saxophone.

saz/ón f maturity; ripeness. /**onado** adj. seasoned; mature. /**onar** tr. to season.

se pron. (reflexive) yourself, himself, herself, itself, oneself, themselves; (dative personal, before **lo, la, los, las**) (to) you, (to) him, (to) her, (to)it, (to)them; (reciprocal verb) one another, each other; (indefinite subject, passive meaning) — **dice,** they say, it is said; — **habla, inglés,** English spoken.

sebo m. tallow; fat. /**so** adj. tallowy, greasy.

seca/dero m. drying room. /**no** m. dry land **cultivo de** — dry farming. /**nte** m. blotting paper, drier. /**r** tr. to dry; to drain. /**rse** r. to (grow) dry.

sección f. section.

secesión f. secession.

seco adj. dry; dried up, barren, arid, husky, sharp.

secreción f. secretion.

secret/aria f. (woman) secretary. /**aría** f. secretary's office, secretaryship. /**ario** m. secretary. /**ear** intr. to speak in private. /**o** adj. secret; m. secrecy; secret(ness).

secta f. sect. /**rio** adj. and m. sectarian.

sector m. sector.

secu/az adj. partisan. m. follower. /**ela** f. sequel-(a) aftermath.

secuestr/ar tr. to kidnap. /**o** m. kidnapping.

secular adj. secular; lay. /**izar** tr. to secularize.

secundar tr. to second; to aid. /**lo** adj. secondary.

sed f. thirst.

seda f. silk, **como una** — without difficulty.

sedal m. fish line.

sede f. see; **Santa Sede,** Holy See.

sedentario adj. sedentary.

sedici/ón f. sedition; mutiny. /**oso** adj. seditious.

sediento adj. thirsty.

sedimento m. sediment.

seduc/ción f. seduction allurement. /**ir** tr. to seduce; to allure. /**tor** adj. seductive, m. seducer.

sega/dor m. harvester. /**r** tr. to reap; ta mow.

seglar adj. lay, secular; m. layman.

segmento m. segment.

segrega/ción f. segregation. /**r** tr. to segregate; Med. to secrete.

segui/da succession, **en** —, immediately. /**do** continuous. /**dor** m. follower. /**r** tr. to follow.

según prep. according to.

segund/o adj. second; m. second (of time).

segur/idad f. security; safety. /**o** adj. safe; secure; sure; m. assurance, certainty; Mech. safety-lock, click, Com. insurance.

seis adj. m. six.
selec/ción f. selection; pick; choice. **/cionar** tr. to select, to (pick and) choose. **/to** adj. select;
selv/a f. forest; sylva, jungle. **/ático** adj. wild; sylvan.
sell/ar tr. to seal. **/o** m. seal, stamp. — **de correos,** postage-stamp.
semáforo m. traffic light, semaphore.
semana f. week. **/l** adj. weekly. **/rio** m. weekly paper.
semblante m. face; mien.
sembra/do m. sown ground. **/dor** m. sower; seedsman. **/r** tr. to sow.
semeja/nte adj. similar; m. fellow-creature. **/nza** f. resemblance. **/r** intr. **/rse** r. to be like.
semen m. semen. **/tal** adj seed, sowing; m. stallion.
semestre m. semester, half year.
semill/a f. seed. **/ero** m. seed-plot; nursery.
seminari/o m. seminary. **/sta** m. seminarist.
sémola f. semol(in)a, groats.
senado m. senate. **/r** m. senator.
sencill/ez f. simplicity. **/o** adj. simple, singular.
send/a f. (foot-)path. **/ero** m. path(way) foot-path.
sendos adj. one each.
senil adj. senile; aged.
seno m. breast; bosom.
sensación f. sensation.
sensat/ez f. good sense. **/o** adj. sensible.
sensi/bilidad f. sensibility. **/ble** adj. sensitive, regrettable.
sensual adj. sensual; lewd **/idad** f. sensuality; lust.
senta/do adj. seated, settled. **/r** tr. to sit; to fit; to suit. **/rse** r. to sit down.

sentenci/a f. sentence. **/ar** tr. to sentence. **/oso** adj. sententious.
senti/do adj. sensitive; m. sense; meaning. **/mental** adj. sentimental. **/miento** m. feeling, sentiment, sorrow. **/r** tr. to feel; to hear; to be sorry for; to regret.
seña f. sing; signal; token; pl. address. **/l** f. sign, signal. **/lado** adj. noted. **/lar** tr. to mark (out), to signal(ize). **/larse** r. to distinguish oneself.
señor m. mister, sir, lord, master, gentleman. **/a** f. lady, mistress; madam; dame. **/ear** tr. to master. **/ía** f. lordship. **/ial** adj. majestic. **/ío** m. seigniory; dominion. **/ita** f. miss, young lady. **/ito** m. young gentleman, lordling.
señuelo m. lure; decoy.
separa/ción f. separation. **/r** tr. to sepate. **/rse** r. to separate; to part. **/tismo** m. separatism.
septentrión m. north.
septentrional adj. northern.
septiembre m. September.
sepul/cral adj. sepulchral. **/cro** m. sepucre; grave; tomb. **/tar** tr. to bury; to entomb. **/tura** f. sepulture. **/turero** m. grave-digger.
sequ/edad f. dryness. **/ía** f. drought.
séquito m. retinue.
ser intr. to be; — **de** to belong to; m. existence, being, entity.
seren/ar tr. to calm. **/ata** f. serenade. **/idad** f. serenity, calm. **/o** adj. serene; calm; m. nightwatchman, night dew.
seri/e f. series; suite(s); set; **fabricación en —**

mass produción. **/edad** seriousness. **/o** adj. serious, grave.

serm/ón m. sermon. **/o-** near tr. to preach.

serp/ear intr. **/entear** to wind (along), to creep. **/iente** f. snake, serpent.

serr/ador m. saw(y)er. **/anía** f. ridge of mountains. **/ano** adj. and m. highlander. **/ar** tr. to saw. **/ín** m. sawdust.

servi/cial adj. obsequious. **/cio** m. service; duty. **/do** adj. pleased; served **/dor** m. servant; **— de Vd.** at your service. **/dumbre** f. servitude, servants. **/l** adj. servile. **/lleta** f. tablenapkin, serviette. **/r** intr. to serve; to be useful; tr. to help on or to, to serve. **/rse de** to make use of.

sesear intr. to pronounce *c* as *s*.

sesión f. session, sitting.

seso m. brain, brains.

sestear intr. to take a nap.

seta f. *Bot.* mushroom.

seto m. hedge, fence.

seudónimo adj. pseudonymous; m. pseudonym, pen-name.

sever/idad f. severity. **/o** adj. severe; rigorous.

sexo m. sex; **bello —,** fair or gentle sex, **— débil,** the weaker sex.

sextante m. sextant.

sexual adj .sexual; **órganos —es** naturalia. **/idad** f. sexuality.

si conj. if; whether.

sí pron. himself, **herself,** itself, oneself, themselves; **dar de —,** to yield; adv. yes, ay; m. assent.

sibarita s. Sybarite.

sicología var. of **psicología** m. psychology.

sidra f. cider.

siega f. mowing; harvest.

siembra f. sowing, seed-time.

siempre adv. always, ever. **— que,** provided.

sien f. *Anat.* temple.

sierra f. saw; ridge of mountains.

siervo m. serf.

siesta f. siesta, nap.

siete adj. and m. seven **/mesino** adj. born in seven months.

sífilis f. syphilis.

sifilítico adj. syphilitic.

sifón m. syphon.

sigilo m. seal; secret. **/so** adj. reserved.

siglo m. century.

signa/r tr. to sign. **/tario** adj. and m. signatory. **/tura** f. signature.

significa/ción f. **/do** m. meaning. **/r** tr. to signify, to mean. **/tivo** adj. significative.

signo m. sign; signal.

siguiente adj. following, next.

sílaba adj. syllable.

silb/ar intr. to whistle; tr. *Theat.* to hiss. **/ato** m. whistle. **/ido** m. whistle, hiss.

silenci/ar tr. to silence. **/o** m. silence; quiet. **/so** adj. silent; still.

silo m. silo.

silogismo m. syllogism.

silueta f. silhouette.

silvestre adj. wild.

sill/a m. chair, seat; **— de montar,** saddle. **/ar** m. ashlar. **/ería** f. saddlery; choirstalls, stone masonry. **/ín** m. light (riding-)saddle. **/ón** m. arm chair.

sima f. chasm, abyss.

simb/ólico adj. simbolic(al). **/olismo** m. symbolism. **/olizar** intr. to symbolize.

símbolo m. symbol.

sim/etría f. symmetry. **/étrico** adj. symmetric(al).

simiente f. seed.

símil m. simile.

simil/ar adj. similar. **/itud** f. similitude.

simio m. ape; monkey.

simp/atía f. sympathy; friendliness. **/ático** adj. congenial, kind, nice, friendly. **/atizar** intr. to sympathize; to be congenial.

simpl/e adj. single; simple; silly. **/eza** f. simpleness. **/icidad** f. simplicity. **/ificar** tr. to simplify.

simula/ción f. simulation. **/cro** m. simulacrum, *Mil.* sham battle. **/r** tr. to simulate.

simultáneo adj. simultaneous.

sin prep. without; — **embargo,** nevertheless.

sinagoga f. synagogue.

sincer/ar tr. to exculpate. **/arse** r. to excuse oneself. **/idad** f. sincerity. **/o** adj. sincere; true.

sincronizar tr. to syncronize; to time.

sindica/lismo m. syndicalism, unionism. **/lista** adj. and m. syndicalist, unionist. **/r** tr. to syndicate. **/to** m. trade union, syndicate.

sinf/onía f. symphony. **/ónico** adj. symphonic.

singular adj. singular; odd. **/idad** f. singularity; oddity. **/izar** tr. to single out. **/izarse** r. to distinguish oneself.

siniestr/a f. left hand. **/o** sinister, left; m. *Com.* shipwreck, disaster.

sino conj. but, save, except; m. fate, doom.

sinórimo adj. synonymous; m. synonym.

sinopsis m. synopsis.

sinrazón f. injustice;

sinsabor m. displeasure.

sintaxis f. syntax.

síntesis f. synthesis.

sint/ético adj. synthetic(al). **/etizar** tr. to synthesize.

síntoma m. symptom

sintomático adj. symptomatic(al).

sionis/mo m. Zionism. **/ta** s. Zionist.

siquiera adv. at least, even; conj. although.

sirena f. siren; mermaid; *Mech.* siren, fog-horn.

sirvient/a f. maid servant. **/e** m. servant.

sisa f. grab, petty theft **/r** tr. to pilfer.

sísmico adj. seismic(al).

sistem/a m. system. **/ático** adj. systematic.

sit/iar tr. to besiege. **/io** m. place, spot, room, stand(ing); *Mil.* siege. **/o** adj. located. **/uación** f. situation, *Naut.* bearing. **/uar** tr. to place. **/uarse** r. to station oneself, to settle.

smoking m. dinner-jacket, tuxedo.

so prep. under, below; interj. whoa! sohol.

soba/co m. armpit. **/do** adj. outworn. **/r** tr. to knead, to squeeze.

soberan/ía f. sovereignty. **/o** adj. and m. sovereign.

soberbi/a f. pride. **/o** adj. haughty, proud, grand.

soborn/ar tr. to bribe. **/o** m. bribe(ry).

sobra f. overplus; excess, pl. remains, offals, leavings, **de** — extra. **/nte** adj. remaining, odd, m. residue. **/r** intr. to be in excess, to be left.

sobrasada f. a kind of (Majorcan) sausage.

sobre prep. above; over, (up)on, about; m. envelope. **/abundancia** f. superabundance. **/carga** f.

overload. /**coger** tr. to startle. /**entender** intr. to be understood. /**humano** adj. superhuman. /**llevar** tr. to bear. /**manera** ad beyond measure. /**mesa** f. fam. after dinner chat. /**natural** adj. supernatural. /**nombre** m. nickname. /**ntender** tr. to be understood. /**poner** tr. to superpose. /**ponerse** r. to control oneself. / **precio** m. extra charge. /**pujar** tr. to surpass; to outbid. /**saliente** adj. outstanding; m. (examination) very good. /**salir** tr. to outstand. / **saltar** tr. to starle. /**saltarse** r. to be startled at. /**salto** m. start. /**s tante** m. overseer. /**sueldo** m. extra wages. /**todo** m. overcoat. /**venir** to take place. /**vivir** intr. to survive; to outlive.

sobriedad f. sobriety.

sobrin/a f. niece. /**o** m. nephew.

sobrio adj. sober; frugal.

socarr/ar tr. to singe. / **ón** adj. cunning. /**onería** f. cunning, slyness.

socav/ar tr. to undermine. /**ón** m. cave, hole.

soci/abilidad f. sociability. /**able** adj. sociable. /**al** adj. social. /**alismo** m. socialism. /**alista** adj. and s. socialist(ic). /**alización** f. socialization. / **alizar** tr. to socialize. / **edad** f. society; company. /**o** m. associate:partner. /**logía** f. sociology. /**ológico** adj. sociologic (al).

socorr/er tr. to succour; to assit. /**ido** adj. handy, trife. /**o** m. adj. succour.

soda f. soda (water).

sodom/ía f. sodomy. /**ita** m. sodomite.

soez adj. mean; vile.

sofá m. couch; sofa.

sofis/ma m. sophism. /**ta** s. sophist. /**tería** f. sophistry. /**ticar** tr. to sophisticate.

sofoc/ar tr. to suffocate; to choke. /**o** m. suffocation, vexation.

sofreir tr. to fry slightly.

soga f. rope; cord.

sojuzgar tr. to subjugate

sol m. sun, sunlight hacer —, to be sunny.

solana f. sunny place.

solapa f. lapel. /**do** adj. crafty, artful, sneaky.

solar adj. solar; sunny; m. (ground)-plot. /**iego** adj. manorial.

solaz m. solace. /**ar** tr. to solace. /**arse** r to be comforted, to enjoy oneself.

soldad/esca f. soldiery, undisciplined troops. / **esco** adj. soldierly. /**o** m. soldier.

solda/dura f. solder(ing), welding. /**r** tr. to solder.

soledad f. solitude; loneliness.

solemn/e adj. solemn, coll, confirmed. /**idad** f. solemnity. /**izar** tr. to solemnize.

soler intr. to use to.

solera f. lees or mother.

solf/a f. sol-fa, musical notation. /**ear** intr. to sol-fa. /**eo** m. solfa(ing)

solicit/ado adj. Com. sought after. /**ar** tr. to solicit; to apply for. /**o** adj. solicitous. /**ud** f. so licitude, application.

solid/aridad f. solidarity. /**ario** adj. solidary. /**ez** f. solidity. /**ificar** tr. to solidify.

sólido adj. m, solid.

soliloquio m. soliloquy.

solitari/a f. tape-worm. /**o** adj. solitary, m. solitary, (cards) solitaire.

soliviantar tr. to rouse.

solo adj. (a)lone; single; solitary; sole, unique, unaided; m. *Mus.* solo.

sólo adv. only, solely.

solomillo m. sirloin.

solsticio m. solstice.

soltar tr. to let out, to loose(n),. /se r. to get loose, to slip.

solter/ía f. celibacy, bachelorship. /o adj. single, unmarried; m. bachelor. /ón m. old bachelor. /ona old maid, spinster.

soltura f. ease, fluency.

solu/ble adj. soluble, solvable. /ción f. solution.

solven/cia f. solvency. /te adj. *Com.* solvent.

solloz/ar intr. to sob. /o m. sob.

sombr/a f. shade; shadow; **tener buena. — to** be pleasing, lucky, or witty. /ear tr. to (over) shade. /ero m. hat; — **de copa,** top hat, — **hongo,** bowler hat. /illa f. parasol. /ío adj. gloomy.

somero adj. superficial.

someter tr. to subdue. / se r. to yield.

somn/ífero adj. somniferous. /olencia f. sleepiness; drowsiness.

son m. sound; manner. **en — de,** in the manner of. /ado adj. celebrated. /ajero m. baby's rattle. /ar v. to sound, to ring. /arse r. to blow one's nose.

so/nambulismo m. somnambulism, sleepwalking. /ámbulo adj. and m. somnambule, sleepwalker. /ífero adj. somniferous. /olencia f. sleepiness, drowsiness.

sond/a f. *Naut.* sounding lead, plummet. /ear tr. to sound; to fathom. /eo m. sounding.

soneto m. sonnet.

sonido m. sound.

sonor/idad f. sonority. /o adj. sonorous

sonr/eír n. /eírse r. to smile. /isa f. smile.

sonroj/ar tr. to blush, /arse r. to blush. /o m. ‖blush(ing).

sonrosado adj. rubicund.

sonsacar tr. to pilfer.

soñ/ar intr. to dream; **ni —lo** by no means. /olencia f. drowsiness. /oliento adj. dozy.

sopa f. soup; pl. slices of bread for soup.

sopapo *coll.* box, slap.

sopesar tr. to heft.

sopera f. (soup-)tureen.

sopl/ar tr. and intr. to blow (out), to inflate, to "lift", intr. *coll.* to tipple. /ete m. blow-pipe. /o m. blowing; *coll.* tip. /ón m. tale-bearer.

soponcio m. faint swoon.

sopor m. drowsiness. /ífero adj. m. soporific.

soport/al m. portico. /ar tr. to put up with. /e m. support.

sor f. sister (nun).

sorb/er tr. to sip; to absorb. /ete m. sherbet, water-ice. /o m. sip.

sordera f. deafness.

sordidez f. sordidness.

sórdido adj. sordid.

sordo adj. deaf; silent. /mudo adj. m. deaf and dumb.

sorna f. irony, cunning.

sorpre/ndente adj. surprising. /nder tr. to surprise, to catch unawares. /nderse r. to wonder at. /sa f. surprise.

sorte/ar intr. to raffle, to dodge. /o m. raffle, casting lots.

sortija f. finger-ring.

sortilegio m. sorcery.

sose/gado adj. peaceful. /r tr. to appease. /rse r. to grow calm.

sosería f. insipidity.

sosiego m. calm, quiet
soso adj. insipid; dull.
sospech/a f. suspicion. /
ar tr. to suspect. /**oso**
adj. suspicious; *coll.* fishy.
sospesar tr. to heft.
sost/én m. support(er),
maintenance, (woman)
brassiere; pl. brassiere.
/**ener** tr. to sustain; to
maintain. /**enerse** r. to
hold.
sotana f. cassock, soutane.
sótano m. cellar.
sotavento m. lee(ward).
soto m. grove; thicket.
su pron. his, her, its,
their, your. (*Vd.*, *Vds.*)
suav/e adj. smooth; soft;
mild, gentle. /**idad** f. softness.
/**izar** tr. to soften.
subalterno adj. subaltern;
inferior; m. subaltern.
subarr/endar tr. to underlet. /**endatario** m. undertenant. /**iendo** m. subletting.
subasta f. auction (sale).
/**r** tr. to auction(eer).
súbdito adj. and s. subject.
subdivi/dir tr. to subdivide. /**sión** f. subdivision; subsection.
subi/da f. ascent; rise;
climb(ing). /**do** adj. raised on high. /**r** intr. to
rise, to come, go, get or
step up, to climb, to get
on; *Com.* to amount to;
tr. to raise.
súbito adj. sudden.
subleva/ción f. (up)rising.
/**r** tr. to stir up the ire
of. /**rse** r. to revolt.
sublim/ar tr. to exalt. /**e**
adj. sublime; lofty.
submarino adj. m. submarine; m. U-boat.
subordina/do adj. subordinate(d), /**r** tr. to subordinate.
subrayar intr. to underline; to underscore.

subsanar tr. to mend.
subscri/bir tr. to subscribe, to undersign. /**ptor** m. subscriber.
subsecretario m. undersecretary.
subsidio m. subsidy.
subsis/tencia f. subsistence. /**tir** intr. to subsist; to last, to live.
substitu/ción f. substitution. /**ir** tr. to substitute. /**to** m. substitute.
substra/cción f. subtraction. /**er** tr. to subtract; to deduct. /**erse** r. to withdraw.
subsuelo m. subsoil.
subterfugio m. subterfuge, trick.
subterráneo adj. subterranous, underground; m.
subterranean vault.
suburb/ano adj. suburban. /**io** m. suburb; pl.
outskirts.
subvenci/ón f. subvention; subsidy, grant. /**onar** tr. to subsidize.
subver/sión f. subversion.
/**sivo** adj. subversive. /**tir** tr. to subvert, to upset.
subyugar tr. to subdue.
suce/der intr. to happen
to take place tr. to follow, to succeed. /**dido** m. happening. /**sión** f.
succession; issue. /**sivo** adj. successive. /**so** m.
event, happening.
suciedad f. dirt, filth.
sucinto adj. succinct.
sucio adj. dirty, filthy.
suculento adj. succulent.
sucumbir intr. to succumb, to yield.
sud m. south. /**americano** adj. and m. Sout
American.
sudar intr. to sweat.
sudeste m. south-east.
sudor m. sweat; fig. toil.
/**oso** adj. sweating.
sudoeste m. south-wes
sueco adj. Swedish; m.
Swede.

suegr/a f. mother-in-law. **/o** m. father-in-law.

suela f. sole of the shoe.

sueldo m. wages; salary.

suelo m. ground, soil.

suelt/a f. loosening. **/o** adj. loose; light; free; m. small change.

sueño m. sleep(iness), dream, vision, fancy.

suero m. whey, serum.

suerte f. luck, chance; lot, fortune, manner.

suficien/cia f. sufficiency. **/** adj. sufficient.

sufrag/ar tr. to aid; to pay for. **/io** m. vote; support. **/ista** s. suffragist. f. suffragette.

sufri/do adj. patient. **/miento** m. suffering. **/r** tr. to endure, to undergo, intr. to suffer.

suge/rir tr. to suggest; to hint. **/stión** f. suggestion. **/stionar** tr. to influence, to suggest.

suicid/a f. suicide, self-murderer. **/arse** r. to commit suicide. **/io** m. suicide; self-murder.

suizo adj. and m. Swiss.

suje/ción f. subjection. **/tar** tr. to subdue; to fasten. **/tarse** r. to conform. **/to** adj. subject; liable; s. subject; individual.

suma f. sum; addition; amount. **/r** tr. to add; to sump up. **/rio** adj. m. summary.

sumergi/ble adj. and m. submersible. **/r** tr. to submerge, to dive.

suministr/ar tr. to supply. **/o** m. supply.

sumi/r tr. to sink, to depress. **/rse** r. to sink. **/sión** f. submission. **/so** adj. submissive.

sumo adj. highest, greatest, utmost, extreme.

suntu/ario adj. sumptuary. **/oso** adj. sumptuous; magnificent.

supeditar tr. to subject.

superable adj. superable.

super/ar tr. and intr. to surpass, to overcome. **/ávit** m. surplus.

superchería f. deceit.

superfici/al adj. superficial; shallow, light. **/alidad** f. superficiality. **/e** f. surface, area.

superfluo adj. superfluous; unnecessary.

superior adj. superior, upper, m. superior. **/idad** f. superiority.

supernumerario adj. supernumerary.

superstici/ón f. superstition. **/oso** adj. superstitious.

superviv/encia f. survival. **/iente** adj. surviving; m. survivor.

suplanta/ción f. supplanting. **/r** tr. to supplant.

suple/mento m. supplement. **/nte** adj. substituting; s. substitute.

súplica f. supplication.

suplicar tr. to implore, to entreat.

suplicio m. torture.

suplir tr. to substitute.

supo/ner tr. to suppose; to imply. **/sición** f. supposition. **/sitorio** m. Med. suppository.

suprem/acía f. supremacy. **/o** adj. supreme.

supresión f. suppression.

suprimir tr. to suppress.

supuesto adj. supposed, assumed; m. supposition por — of course. — que allowing that.

supurar tr. and intr. to suppurate.

sur m. south; south wind.

surc/ar tr. to furrow. **/o** m. furrow; groove.

surgir intr. to spout.

surti/do m. assortment; supply. **/dor** s. purveyor; jet fountain. **/r** tr. to supply.

susceptib/ilidad f. susceptibility. **/le** adj. susceptible, touchy.
suscitar tr. to stir up.
suscribir tr. to subscribe.
suspen/der tr. to suspend; to hang up, to reject. **/sión** f. suspension. **/so** adj. hung; m. failure (in examination).
suspica/cia f. suspiciousness; mistrust. **/z** adj. suspicious, mistrustful.
suspir/ar intr. to sigh; to heave. **/o** s. sigh.

sustancia f. substance.
sustent/áculo m. prop, stay. **/ar** tr. to sustain, to prop. **/o** m. food; sustenance.
susto m. scare, fright.
susurr/ar intr. to whisper. **/o** m. whisper.
sutil adj. subtle; keen. **/eza** f. subtlety; witticism.
sutura f. suture; seam.
suy/o pron. his; hers, its.; theirs; one's; yours (Vd., Vds.), **la —a bis** (her, etc.) intention.

T

tabaco m. tobacco.
tabaquer/a f. snuff-box. **/o** m. tobacconist.
tabern/a f. tavern; wineshop; public house. **/ero** m. tavern-keeper; tapster; (England) publican.
tabi/car tr. to wall up. **/que** m. partition-wall.
tabl/a f. board, table, plank, *Theat,* stage, (chess) draw. **/ado** m. scaffold. **/ero** board, panel, chessboard. **/eta** f. tablet, pastil(le). **/ón** m. plank, (thick board, *coll* drunkenness.
taburete m. stool.
tacañ/ear intr. to be stingy. **/ería** f. stinginess. **/o** adj. stingy.
tácito adj. tacit; silent.
taciturno adj. taciturn.
taco m. plug, peg. billiard cue, *coll,* oath.
tacón m. (shoe) heel.
táctic/a f. tactics. **/o** adj. tactic(al); m. tactician.
tacto m. touch, tact.
tach/a f. blemish, flaw. **/ar** tr. to blame; to cross out. **/uela** f. tack, gimpnail.

tahur m. fam. gambler, card-sharp, sharper.
taimado adj. cunning.
taj/ada f. slice, chop. **/ar** tr. to cut; to chop. **/o** m. cut, notch, steep cliff.
tal adj. such; so; similar; as, so great, **— cual** such as it is, **¿qué —?** how (are you)?
tala f. felling of trees, havoc; devastation.
taladr/adora f. borer, drill. **/ar** tr. to drill. **/o** m. borer; drill.
talante m. mood, mien.
talar tr. to fell trees.
talco *Min.* talc, tinsel, **(polvos de) —** talcum powder.
talento m. talent.
talismán m. talisman.
talón m. heel. *Com* check, cheque, voucher
talonario m. stub-book
talud m. talus, slope.
talla f. (wood-)carving cut(ting), size, height. **/** tr. to carve in wood.
talle m. waist, bodice.
taller m. workshop, studio, atelier.

tallo m. stem, stalk.

tamaño m. size; adj. so big.

tambale/ar intr. to stagger; to totter. **/arse** r. to reel. **/o** m. reeling.

también adv. also; as well; likewise.

tambor m. drum(mer).

tamiz m. sifter; sieve. **/ar** tr. to sift; to bolt.

tampoco adv. neither; not either, nor.

tan adv. so (much).

tanda f. turn, task, shift.

tango m. tango (dance).

tanque m. tank, pool.

tante/ar tr. to test, to grope. **/o** m. trial, test, score.

tanto adj. so much, as much, m. quantum, point (in games) — **por ciento** percentage; **treinta y —s** thirty odd; adv. so, thus, **al** — on the look out.

tapa f. lid; cover; (shoe) heel-blank, a slight relish served with some wine. **/dera** f. pot-lid. **/r** tr. to cover, to obstruct. **/rrabo** m. loincloth.

tapete m. rug, table scarf — **verde** card-table.

tapia f. (mud-)wall. **/r** tr. to wall (up).

tapicer/ía f. tapestry, upholstery. **/o** m. tapestry-maker; upholsterer.

tapioca f. Bot. tapioca.

tapiz m. tapestry; carpet. **/ar** tr. to tapestry.

tapón m. stopper, cork.

taquigrafía f. shorthand, stenography.

taquígrafo m. tachygraph stenographer.

taquill/a f. box-office. **/era** f. ticket-seller. **/ero** m. ticket-seller.

tara f. tare; tally(stick).

tararear tr. and intr. to hum a tune.

tard/anza f. delay, slowness. **/ar** intr. to take

long, to be late. **/e** f. afternoon; evening; adv. late. **/ío** adj. late.

tarea f. task; day-work; job, chore, care, toil.

tarifa f. tariff; price-list, rate, fare, charge.

tarima f. stand, dais.

tarja f. tally; shield.

tarjeta f. card, label, — **de visita** visiting card.

tarraconense adj. and s. (inhabitant) of Tarragona.

tarro m. jar, milk pail.

tarta f. tart, pan.

tarta/mudear intr. to stutter; to stammer. **/mudeo** m. stutter(ing). **/mudo** adj. m. stutterer.

tartera f. patty-pan.

tarugo m. wooden plug.

tasa f. appraisal, rate; measure; valuation. **/ción** f. valuation. **/dor** m. appraiser; valuer. **/r** tr. to appraise.

tasca f. tavern, "pub".

tatara/buela f. great-great-grandmother. **/buelo** m. great-great-grandfather. **/nieto** m. great-great-grandson.

¡tate! interj. look out!

tatua/je m. tatoo(ing) **/r** tr. to tattoo.

taumaturg/ia f. thaumaturgy. **/o** adj. and m. miracle-worker.

taur/ino adj. taurine; **el arte** — the art of bull-fighting. **/omaquia** f. tauromachy, bull-fight(ing).

tautológico adj. tautologic(al).

taz/a f. cup; bowl. **/ón** m. bowl, basin.

té m. Bot. tea-plant; tea; **te** pron. you, thee.

tea f. torch (fire-)brand.

teatr/al adj. theatric(al). **/o** m. theatre; stage.

tecl/a f. key (as of piano). **/ado** m. keyboard.

técnico adj. technic(al); m. technician.

tecnología f. technology.

tech/ado m. roofing. /**ar** tr. to roof. /**o** m. roof;

tedio m. tedium. /**so** adj. tedious, weary.

teja f. tile; roof-tile. /**do** m. tiled roof. /**r** tr. to roof.

tej/edor m. weaver. /**e-maneje** m. fam. gimmick. /**er** tr. to weave; to concoct. /**ido** m. tissue, weaving, fabric.

tela f. cloth; fabric, stuff. /**r** m. loom, frame. /**raña** f. cobweb.

telefonear tr. to (tele)-phone coll. to ring up.

teléfono m. telephone.

telegrafiar tr. to telegraph; to wire, to cable.

telégrafo m. telegraph.

telegrama m. telegram; dispatch, wire.

telescopio m. telescope.

telón m. drop curtain.

tema m. theme; subject.

tembl/ar intr. to tremble; to shiver. /**or** m. tremble, shivering. — **de tierra** earthquake. /(**or**)**oso** adj. trembling.

temer tr. to fear; to dread; intr. to be afraid. /**ario** adj. rash. /**idad** f. temerity rashness. /**oso** adj. timorous.

temible adj. dreadful.

temor m. dread; fear.

témpano m. ice-drift.

tempera/mento m. temperament. /**tura** f. temperature.

tempest/ad f. tempest; storm. /**uoso** adj. tempestuous; stormy.

templ/ado adj. temperate; hardened; sober. /**ar** tr. to temper; /**arse** r. to moderate, to cool down. /**e** m. temper(ing); mettle.

templo m. temple.

tempor/ada f. season. /**al** adj. temporary; m. tempest, storm. /**alidad** f. temporality.

temprano adj. early; soon, adv. early.

ten/a/cidad f. tenacity. /**cillas** f. pl. small tongs, nippers. /**z** adj. tenacious. /**za** f. claw (as of lobster) pl. pair of tongs pincers.

tende/dero m. drying place for clothes. /**dor** m. stretcher, clothes-horse. /**ncia** f. tendency, trend. /**ncioso** adj. tendentious, biassed. /**r** tr. to stretch out, to span, to tend. /**rse** r. to stretch out.

tenderete street stall.

tendero m. shopkeeper, retailer.

tendido adj. lying; m. grand stand.

tendón m. tendon, sinew.

tenebros/idad s. gloom(iness). /**o** adj. gloomy.

tened/or m. keeper; holder, (table)fork. — **de libros** book-keeper. /**ría** f. book-keeping.

tener tr. to have, to hold — **que** to have to, — **por** to consider, — **hambre** to be hungry. /**se** r. to hold fast.

tenería f. tannery.

teniente adj. deputy. Mil. lieutenant.

tenis m. tennis.

tenor tenor, condition, ‖state; Mús. tenor(ist).

tenorio m. coll. lady-killer, Don Juan.

tens/ión f. tension; strain. /**o** adj. tense, stiff.

tenta/ción f. temptation. /**r** tr. to grope; to tempt. /**tiva** f. attempt.

tentempié Coll. bite.

tenue adj. thin; tenuous.

teñir tr. to dye; to tinge.

teo/cracia f. theocracy. /**logía** f. theology.

teólogo m. theologian.

teorema m. theorem.

teoría f. theory.

teórico adj. theoric, theoretical; m. theorist.

terapéutic/a f. therapeutics. **/o** adj. therapeutic(al).

terc/ería f. mediation. **/ero** adj. third; m. mediator; go-between. **/io** adj. third; m. thirding, one third, Mil. regiment. **el Tercio or los Tercios** Spanish Foreign Legion **/iopelo** m. velvet.

terco adj. stubborn.

tergiversa/ción f. distortion. **/r** tr. to twist.

term/a f. adj. thermal. **/s** f. pl. hot baths.

térmico adj. thermic.

termina/ción f. termination, end. **/l** adj. terminal; final; m. terminal. **/r** tr. to end; intr. to end. to result in.

término m. term; end; expiration; boundary.

termito f. Ent. termite.

termodinámica f. thermodynamics.

termómetro m. thermometer

termos m. thermos bottle.

terna f. three candidates presented for selection.

terner/a f. calf, veal. **/o** m. (bull-)calf, steer.

ternura f. tenderness.

terquedad f. stubbornness.

terracota f. terra cotta.

terrado m. high terrace; flat roof.

terrapl/én m. embankment, mound. **/enar** tr. to embank; to fill (in).

terrateniente s. land-owner. —holder.

terraza f. terrace, veranda, sidewalk café.

terre/moto m. earthquake. **/nal** adj. worldly, earthly. **/no** adj. terrene, earthly; m. land,

ground, soil, plot, **/stre** adj. terrestrial.

terrible adj. terrible.

territori/al adj. territorial **/o** m. territory.

terrón m. clod, lump.

terror m. terror; dread. **/ífico** adj. terrific. **/ismo** m. terrorism. **/ista** s. terrorist. adj. terroristic.

terroso adj. earthy.

terruño m. piece of ground, the old sod.

ters/o adj. smooth. **/ura** f. smoothness.

tertulia f. social meeting, coterie, (evening) party. **/no** adj. member of a circle of friends.

tesis f. thesis.

tesón m. tenacity.

tesor/ería f. treasury. **/ero** m. treasurer. **/o** m. treasure; treasury, exchequer.

testa f. head. **/dor** m. testator. **/ferro** m. dummy. **/mentario** m. executor; adj. testamentary **/mento** m. last will; testament. **/r** to (make a) will. **/rudo** adj. wilful, stubborn, pig-headed.

testículo m. testicle.

testifica/ción f. attestation. **/r** tr. to attest.

testigo s. witness.

testimoni/ar tr. to testify. **/o** m. testimony.

teta f. mamma(ry gland), nipple, teat.

tetánico adj. tetanic(al).

tétano(s) m. tetanus.

tetera f. teapot; tea-kettle.

tétrico adj. dark, gloomy, sullen.

text/o m. text. **/ual** adj. adj. textual.

textura f. texture.

tez f. complexion, skin.

ti pron. (to) you, thee.

tía f. aunt, auntie. coll. dame; harlot, quean.

tiara f. tiara.

tibieza t. tepidity.

tibio adj. tepid; lukewarm.

tiburón m. *Ichth.* shark.

tiempo m. time; weather. *Gram.* tense.

tienda f. shop; **—de campaña** tent.

tienta f. probe; **andar a —s** to grope.

tiento m. touch; tact.

tierno adj. tender; soft.

tierra f. earth; ground; soil; land; country.

tieso adj. stiff.

tiesto m. flower-pot.

tifus m. *Med.* typhus.

tifón m. whirlwind.

tigre m. tiger. /**sa** f. tigress.

tijera(s) f. scissors.

tila f. *Bot.* linden tree, linden blossom tea.

tild/ar tr. to dot. to stigmatize. /**e** m. tilde, dot, blemish.

tilo m. *Bot.* linden-tree.

timbr/ar tr. to seal, to stamp. /**e** m. seal, stamp; timbre, bell.

timidez f. timidity.

tímido adj. timid, shy.

timo m. *coll.* cheat, swindle, fraud, **dar un — to swindle.**

timón m. rudder.

timonel m. helmsman.

timorato adj. timid.

tímpano m. tympanum.

tina f. large earthen jar; vat, (bath-)tub. /**ja** f. large earthen jar.

tinglado m. shed(-roof); trick, artifice.

tiniebla f. darkness. pl. dark, utter darkness.

tino m. accurate aim, tact, skill, feel.

tint/a f. ink; tint; **de buena — from good hands.** /**e** m. dyeing, tint, dyer's shop. /**ero** m. inkstand, ink-well. /**o** adj. dyed, tinged, **vino — red wi-**

ne. /**orería** f. dyer's shop. /**orero** m. dyer.

tiñ/a f. tinea, *coll.* niggardness. /**oso** adj. scabby; stingy.

tío f. uncle; fam. good old man; fellow, guy.

tiovivo m. carrousel, merry-go-round.

típico adj. typic(al).

tiple m. treble; s. soprano singer.

tipo m. type, pattern, print character, rate; guy, fellow, chap; looks /**grafía** f. typography. / **gráfico** adj. typographic(al).

tipógrafo m. printer; typographer.

tir/a f. strip, band. /**abuzón** m. hair-curl; corkscrew. /**ada** f. throw; cast; stretch. /**do** adj. very cheap, given away; low. /**ador** m. thrower; handle, shoot(er).

tiran/ía f. tyranny. /**izar** tr. to tyrannize; to oppress. /**o** adj. tyrannical.; m. tyrant.

tirante adj. tight, strained (as relations); m. stretcher, pl. suspenders, braces. /**z** f. strain.

tirar tr. to throw (away), to shoot (off), to waste, to print; intr. to draw, to pull, to burn, to carry on. /**se** to throw, to fling oneself.

tiritar intr. to shiver.

tiro m. cast, throw; shot, firing, target practice, shooting-grounds, range, team or set of draught horses; **a —,** within shot.

tirón m. pull, pluck.

tirote/ar intr. to snipe at. /**arse** r. to fire at each other. /**o** m. crossfire.

tirria f. fam. aversion.

tisana f. infusion.

tísico adj. and m. phthisical; consumptive.

tisis f. phthisis.

titán m. titan. **/ico** adj. titanic.

títere m. puppet, marionette.

titiritero m. puppet-player, wire-puller.

titubear intr. to totter, to stagger, to hesitate. **/o** m. totter(ing).

titular/do m. titleholder. adj. titled. **/r** adj. titular(y), m. head-line; tr. to (en)title.

título m. title, head-line, heading, degree, *Com.* certificate, bond.

tiza f. chalk.

tiznar tr. to stain; to blot.

tizón m. firebrand. coal.

toalla f. towel.

tobillo m. ankle.

tobogán m. tobogganslide.

toca f. toque, headdress. **/do** adj. touched, m. coiffure, head-dress. **/dor** m. toucher, player; dressing or toilet-table. **/nte** (— a) as regards. **/r** tr. to touch, *Mus.* to play; to ring (a bell), to hit, intr. to (ap)pertain, to concern; to fall to one's lot, to touch, to call (at a port) **/yo** adj. namesake.

tocín/ero m. pork-seller. **/o** m. bacon; salt pork.

todavía adj. yet; still; even, notwithstanding.

todo adj. all; entire; whole, every, each; m. whole, adv. everything, anything, all, **con —,** notwithstanding. **/poderoso** almighty, m. the Almighty.

toga t. toga; gown.

toldo m. awning; tilt.

tolera/ble adj. tolerable. **/ncla** f. tolerance. **/nte**

adj. tolerant. **/r** tr. to tolerate.

toma f. taking, take, catch *Med.* dose; outlet. **/r** tr to take (in or up), to catch, to have; **— el pelo,** to pull the leg.

tomate m. tomato.

tómbola f. tombola, charity raffle.

tomillo m. *Bot.* thyme.

tomo m. volume, tome.

ton; sin — ni son; without rime or reason. **/ada** f. tune, song, air, **/adilla** f. short tune.

tonel m. cask; barrel; tub. **/ada** f. ton. **/aje** m. tonnage.

tonelete m. little barrel, kilt, short skirt.

tónico adj. and m. tonic

tonificar tr. to strenghen.

tono m. tone.

tont/ada f. silliness. **/ear** intr. to fool. **/ería** f. foolery. **/o** adj. silly, foolish, m. fool, dolt.

top/ar tr. to collide. **/e** m. butt, buffer. **/etazo, étón** m. bump, collision.

tópico adj. topical; m. topic, subject.

topo m. mole.

topografía f. topography.

topógrafo m. topographer.

toque m. touch; ring.

torbellino m. whirlwind.

tore/edura f. twist(ing). **/er** tr. to twist; to bend. **/erse** r. to warp, to go wrong. **/ido** adj. twisted, crooked, awry.

tordo m. dapple, gray (horses), m. thrush.

tore/ador m. bull-fighter. **/ar** intr. to fight bulls. **/o** m. bullfighting. **/ro** m. bullfighter.

toril m. bull pen.

torment/a f. storm. **/o** m. torment; torture. **/oso** adj. stormy.

torna f. restitution; return. /r tr. and intr. to return; to transform. /rse r. to change, to become. /sol m. *Bot.* sunflower.

torne/ador m. turner. / ar tr. to turn up. /o m. tournament. /ro m. turner.

tornillo m. (male) screw.

torniquete m. turnstile, *Med.* tourniquet.

torno m. lathe; turn.

toro m. bull; pl. bullfight.

toronja f. grape-fruit.

torpe adj. dull; heavy; clumsy; lascivious.

torped/ar tr. to torpedo. /o m. *Naut.* torpedo.

torpeza f. rudeness; torpidness; lewdness.

torre f. tower; turret; belfry; villa, castle or rook (in chess).

torrefacción f. torrefaction, toasting.

torrejón m. little tower.

torren/cial adj. torrential /te m. torrent; rush.

torreón m. fortified tower, keep, turret.

torrero m. light-house keeper.

torrezno m. rasher.

tort/a f. round cake, pie, *coll.* slap, box. /illa f. omelet.

tórtol/a f. *Orn.* turtle-dove. /o m. *Orn.* male turtle-dove, fam. lover.

tortuga f. turtle, tortoise.

tortuoso adj. tortuous.

tortura f. torture, torment. /r tr. to torture.

tos f. cough. /ferina whooping-cough.

tosco adj. coarse; rough.

toser intr. to cough.

tost/ada f. toast. /ado adj. toasted; tanned, swarthy, crisp; m. toasting. /ador m. toaster, roaster. /ar tr. to toast; to roast. /ón m. butte-

red or oiled toast, roast pig; *coll.* irksomeness.

total adj. total, whole, entire; m. total, sum. /idad f. totality.

tótem m. totem.

tóxico adj. m. toxic.

tozudo adj. stubborn.

traba f. tie, lock, hind(e)-rance, drag. /do adj. tied.

trabaj/ado adj. laboured; wrought. /ador m. worker, workman, adj. laborious. /ar tr. and intr. to work. /o m. work labour; task, toil(someness) pl. want, need. / oso adj. laborious.

traba/lenguas m. tongue-twister. /r tr. to fasten; to clasp; to begin (a friendship. /rse r. to bind /ón m. bracing.

traca f. string of fire-crackers.

trac/ción f. traction; draught. /tor m. tractor.

tradici/ón f. tradition. / onal adj. traditional.

traduc/ción f. translation. /ir tr. to translate. /tor m. translator.

traer tr. to bring.

trafica/nte m. dealer; trader, pl. tradesfolk. /r intr. to traffic; to trade.

tráfico m. traffic: trade; /go/luz m. sky-light; bull's eye. /r tr. to swallow, to gulp down.

tragedia f. tragedy.

trágico adj. tragic(al); m. tragedian.

tragicomedia f. tragicomedy.

trago draught, drink; *coll.* adversity.

tragón adj. gluttonous; m. gobbler, glutton.

traici/ón f. treason. /onero adj. treacherous. /onar tr. to betray.

traidor m. traitor; adj. treacherous. /a f. traitress.

traje m. suit; costume; dress; **— de luces**, bullfighter's costume.

trajín m. going to and fro, bustle, carrying.

trajinar tr. to carry back and forth, intr. to travel to and fro.

trama f. weft, woof, plot, intrigue. /r tr. to weave; to plot.

trámite m. step.

tramo m. stretch, tract.

tramoy/a f. *Theat.* trick; artifice. /**ista** s. stagemachinist; swindler.

tramp/a f. trap; snare. /**ear** tr. and intr. to dodge, to cheat. /**oso** adj. tricky, m. cheater; trick(st)er.

tranca f. cross-bar; club. /**zo** m. blow with a cudgel, *coll.* grippe.

trance m. peril, critical moment, juncture.

tranquil/idad f. still(ness), rest. /**izar** tr. to calm. /**izarse** r. to grow calm. /**o** adj. quiet; still.

transacción transaction.

transatlántico adj. transatlantic; m. liner.

transbord/ar tr. *Naut.* to transship; to transfer. /**ó** m. transfer.

transcri/bir tr. to transcribe. /**pción** f. transcript(ion), copy.

transcur/rir intr. to (e)lapse. /**so** m. course.

transeúnte adj. transient; m. passer-by, sojourner.

transferir tr. to transfer.

transfigura/ción f. transfiguration. /**r** tr. to transfigure; to transform.

transforma/ción f. transformation; change. /**r** tr. to transform, to change, to turn.

transfusión f. transfusion.

transgredir intr. to transgress.

transición f. transition.

transigir intr. to agree.

transitar intr. to pass by; to travel, to journey.

tránsito m. transit, traffic, passage, passing.

transitorio adj. transitory.

transmi/grar intr. to transmigrate /**sión** f. transmission. /**tir** tr. to transmit; to transfer.

transparen/cia f. transparency. /**te** adj. transparent.

transpira/ción f. transpiration. /**r** intr. to perspire.

transport/ar tr. to carry (over), to transport, /**e** m. transport(ation).

transversal adj. transversal; traverse, cross.

tranvía m. tram(way), street-car.

trapecio m. trapeze.

traper/ía f. frippery, rags. /**o** m. ragdealer.

trapo m. rag; tatter.

tráquea s. trachea.

traquete/ar tr., intr. to shake. /**o** m. shaking.

tras prep. after, beyond.

trascende/ncia f. consequence. /**ntal** adj. transcendental; momentous. /**r** tr. to transcend; to leak out.

trasero adj. hind(er), back, rear, m. bottom.

trashuma/nte adj. nomadic. /**r** intr. to nomadize.

trasiego m. upset, decantation, transfer.

traslad/ar tr. to (re)move, to transfer. /**o** m. transfer; copy.

traslu/cir tr. to infer. /**cirse** r. to leak out. /**z** m. transverse light; **al —**, against the light.

trasnocha/do adj. hackneyed. /**dor** m. nighthawk. /**r** intr. to keep 'late hours.

traspapelar tr. to mislay.

traspas/ar intr. to pass (over), to cross, to pierce, to transfer. /o m. transfer.

traspié s. slip, stumble.

trasplant/ar tr. to transplant. /e m. transplantation.

trasquilar tr. to shear.

trastienda f. backshop.

trasto m. piece of furniture; *coll.* trash, worthless person; pl. implements, tools.

trastorn/ar tr. to upset. /o m. upset; disturbance.

trata f. slave-trade. /ble adj. tractable. /dista s. author of treatises /do m. treaty; treatise, pact. /miento m. treatment, appellation, address. /nte m. dealer. /r tr. to treat; to discuss (a subject), to trade, to deal. /rse r. to entertain a friendly relation.

trato m. treatment; manner; pact, agreement, friendly relations.

trauma. m. — /tismo m. trauma(tism).

trav/és m. bias; al —, across. /esero m. transom, adj. cross. /esía f. passage, sea-voyage, cross-road. /esura f. prank, escapade. /leso adj. frolic(some).

traz/a first sketch; trace. /ado m. sketch, layout. /ar tr. to lay out, to sketch. /o m. stroke; sketch; design.

trébol m. *Bot.* clover.

trecho m. while, stretch.

tregua f. truce; respite.

treme/bundo adj. frightful. /ndo dreadful.

trementina f. turpentine.

trémulo adj. tremulous.

tren m. train; retinue.

trenza f. braid, plait, pl. tresses. /r tr. to braid.

trepa f. climbing, drilling, *coll.* flogging.

trepador adj. climbing; m. creeper, climber.

trepana/ción f. trepanation. /r tr. to trepan.

trepar intr. to climb, to creep up (as ivy).

tres adj. three.

tresillo m. ombre (game), living-room suit.

treta f. trick; wile.

triángulo m. triangle.

tribu f. tribe.

tribulación f. tribulation.

tribuna f. tribune; rostrum; stand. /l m. tribunal; court of justice.

tribut/ar tr. to pay(taxes) /ario adj. tributary. /o m. tribute, tax.

triciclo m. tricycle.

tricolor adj. tricolour(ed).

tricornio m. three-cornered hat.

trien/al adj. triennial. /io m. triennium.

trig/al m. wheat-field. /o m. wheat. pl. crops.

trigueño adj. swarthy.

trilla f. thrashing. /do adj. thrashed; trite. /dora f. thrashing-machine. /r tr. to thrash.

trimestr/al adj. quarterly. /e m. quarter, trimester, term.

trinar intr. to trill.

trinca f. triad, ternary.

trincha/nte m. carver. /r tr. to carve.

trinchera f. *Mil.* trench, trenchcoat.

trineo m. sleigh, sled(ge).

trin/idad f. trinity. /o adj. ternary, m. trill.

trío m. trio.

tripa f. gut; intestine.

tripl/e adj. triple; treble. /icar tr. to treble.

trípode m. tripod.

tríptico m. triptych.

tripudo adj. big-bellied.

tripula/ción f. crew /r intr. to man.

triquiñuela s. chicanery.

tris m. crack; trice.

triscar intr. to romp.

trist/e adj. sad; dull. /e-za f. sadness; "blues". /ón adj. sad.

tritura/ción f. trituration. /r tr. to triturate.

triunf/al adj. triumphal. /ar intr. to triumph; to trump. /o m. triumph.

trivial adj. trivial, trite. /idad f. trivialness.

trocha f. trail, path.

trofeo m. trophy.

trole m. trolleypole.

trom/ba f. waterspout. /pa m. trunk, nozzle, proboscis Mús. horn. /pada f. coll. collision, blow. /peta f. trumpet m. trumpeter.

trompicón m. stumble.

trompo m. spinning top.

trona/da f. thunder-storm /r intr. to thunder.

tronco m. bole, trunk (of tree), stem; body, stock.

tronch/ar tr. to rend. /o stem; stalk.

tronera c. harum-scarum.

trono m. throne.

trop/a f. troop. /el m. rush, throng. /elía f. rush, outrage.

tropez/ar tr. and intr. to stumble. /ón m. stumble.

trópico m. tropic.

tropiezo m. stumble; trip.

troquel m. die; stamp.

trot/ar intr. to trot; coll. to hustle. /e m. trot.

trova/dor m. troubadour.

trozo m. piece; bit.

truco m. trick; device.

truculento adj. truculent.

trucha f. Ichth. trout.

trueno m. thunder(-clap).

trueque m. barter.

trufa f. Bot. truffle; lie.

truh/án adj. tricky, m. cheat, crook. /anear intr. to swindle.

truncar tr. to truncate.

tu poss. pron. your, thy.

tú pers pron. you, thou.

tuberculos/is f. Med. tuberculosis, consumption. /o adj. tuberculous.

tub/ería f. tubing, pipe line. /o m. tube; pipe. /ular adj. tubular.

tuerca f. Mech. nut.

tuerto adj. twisted, crooked; one-eyed, m. one-eyed person.

tuétano m. marrow.

tufo m. fume, vapour, nasty smell, coll. airs.

tugurio m. fam. hut.

tul m. tulle.

tulipán m. tulip.

tulli/do adj. crippled. /r intr. to cripple.

tumba f. tomb; grave.

tumbar tr. to throw down; to fell. coll. to knock down; intr. to tumble. /se r. to lie down.

tumbo m. tumble; fall.

tumefacción f. tumefaction; swelling.

tumor m. tumour.

túmulo m. tumulus.

tumult/o s. tumult(uousness), uproar, crowd. /uoso adj. tumultuous.

tuna f. vagrancy, serenading party, /nta adj. and f. hussy, minx. /nte m. truant, rascal. /ntería f. rowdyism.

tunda f. coll. beating.

túnel m. tunnel.

tuno m. truant; rake; rascal; adj. roguish.

tupé m. toupee, toupet.

turba f. crowd, rabble, peat, turf, sod.

turba/ción f. embarrassment. /multa f. multitude, crowd.

turbante m. turban.

turbar tr. to disturb, to upset, to embarass.

turbi/na f. turbine, water-wheel. /o adj. turbid, muddy, troubled.

turbonada f. squall.

turbulen/cia f. turbulence. /to adj. turbid, muddy, turbulent.

turgen/cia f. swelling. / te adj. turgescent.

turis/mo m. tourism. /ta s. tourist.

turn/ar intr. to alternate. /o turn, round, shift.

turrón m. nougat.

tutear tr. to thou.

tutela f. guardianship. ward(ship), tutelage. /r adj. tutelar; tutelary.

tuteo m. thouing.

tutor m. guardian; tutor. /a f. tutoress. /ia f. tutelage, guardianship.

tuyo pron. yours, thine.

ubic/ación f. location. / uidad f. ubiquity. /uo adj. ubiquitous.

ubre f. udder, dug, teat.

ufanarse r. to boast. /o adj. cheerful; proud.

ujier m. usher, doorkeeper.

úlcera f. ulcer.

ulcerar tr. to ulcerate. /se r. to exulcerate.

ulterior adj. ulterior.

últimamente adv. last(ly), recently, of late.

ultimar tr. to finish.

ultimátum m. ultimatum.

último adj. last, latest, rear(most), late, latter.

ultraj/ar tr. to offend. /e m. outrage, insult.

ultramar adj. adv. oversea(s). /ino adj. ultramarine, oversea; pl. groceriese, delicatessen.

ultratumba adv. beyond the grave.

umbral m. threshold.

umbr/ía f. umbrage(ousness), shady place. /io adj. umbrageous.

un/ánime adj. unanimous. /animidad f. unanimity.

unción f. unction.

uncir tr. to yoke.

undula/ción f. undulation, wave motion.

ung/ir tr. to anoint. /-üento m. unguent.

único adj. alone, unique, sole, only, odd.

uni/dad f. unity; unit. /ficar tr. to unify.

uniform/ar tr. to uniform. /e adj., m. uniform. Mil. regimentals. /idad f. uniformity.

unión f. union.

unir tr. to join; to unite. /se r. to (con)join, to associate.

univers/al adj. universal. /alidad f. universality. /idad f. university. /o m. the universe.

uno adj. one; pl. some, pron. (any or some) one; pl. some persons.

unt/ar tr. to anoint; fig. to bribe. /o m. ointment, fat of animals. /uoso adj. unctuous; /ura f. unction.

uña f. (finger) nail. /ero m. ingrowing nail.

upa interj. up, up!

uranio m. uranium.

urban/idad f. urbanity; civility. /ización f. urbanization. /izar tr. to urbanize. /o adj. urban; polite; urbane; (guardia) urbano, traffic policeman.

urdi/mbre f. warp. /r tr. to warp; to contrive.

urg/encia f. urgency. /ente adj. urgent. /ir intr. to be urgent.

urinario adj. urinary; m. urinal.

urna f. urn; ballot-box.

usa/do adj. used, usual worn out second-hand. /nza f. usage. /r tr. to use; to wear.

usía f. your lordship.

uso m. use, usage, employment, wear(ing).

usted pron. you.

usua/l adj. usual; customary. /rio adj. user.

usufruct/o m. usufruct. /uar tr. to usufruct.

usur/a f. usury /ero m. usurer; moneylender.

usurpa/ción f. usurpation. /r tr. to usurp.

utensilio m. utensil.

útil adj. useful, helpful; m. pl. utensils, tools.

utili/dad f. usefulness, utility; pl. benefit. /tario adj. utilitarian. /zar t.r to utilize.

utopía f. utopia.

utópico adj. utopian.

uva f. grape.

V

vaca f. cow; beef.

vacación f. vacation; pl. holidays.

vacante adj. vacant; free void; f. vacancy.

vacar intr. to be vacant.

vaci/ado m. cast (in a mould). /ar tr. to empty; to cast, /arse r. to void. /edad f. emptiness

vacila/ción f. vacillation. /r intr. to hesitate.

vacío adj. void, empty; m. emptiness; vacuum.

vacuidad f. vacuity.

vacuna f. cow-pox; vaccine, /ción f. vaccination. /r tr. to vaccinate.

vacuno adj. bovine.

vacuo adj. empty, void.

vade m. vademecum.

vadea/ble adj. fordable. /r tr. to ford. to wade.

vado m. (river) ford

vaga/bundo adj. vagabond; m. tramp. /ncia f. vagrancy /r intr. to loiter about, to be idle. /roso adj. vagrant.

vagido m. cry (of a newborn child).

vago adj. errant, loitering; vague. m. loafer.

vagón m. waggon, coach.

vagoneta f. ginny-carriage, gondola-car, lorry.

vague/ar intr. to loiter. /dad f. vagueness.

vah/arada f. breath, whiff /ido m. vertigo. /o m. steam; vapour.

vaina f. scabbard; sheath.

vainilla f. Bot. vanilla.

vaivén m. fluctuation; swing, pl. ups and downs.

vajilla f. table-service; (dinner-) set, dishes.

val/e m. bond, promissory note; voucher. /edero adj. valid. /entía f. valour; courage, feat. / entón adj. and m. bully. /entonada f. brag; boast. /er intr. to be worth(y), to cost, tr. to protect, to amount to; —r la pena to be worth while. /erse de to employ. /eroso adj. valiant; brave. /ía f. worth. /idez f. validity.

válido adj. valid; lawful.

valiente adj. valiant.

valija f. valise, mailbag.

valioso adj. valuable.

valor m. value, worth; usefulness; bravery, pl. securities. **/ación** f. valuation. **/ar** tr. to estimate; to value.

vals s. waltz. **/ar** intr. to waltz.

valua/ción f. appraisement; valuation; estimate. **/r** tr. to value.

válvula f. valve.

valla f. fence. **/r** tr. to enclose; to fence.

valle m. valley; vale; dale, basin, glen.

vampiro m. vampire.

vanagloria f. vainglory. **/rse** r. to boast.

vanguardia f. vanguard.

vanid/ad f. vanity, conceit. **/oso** adj. vain.

vano adj. vain; useless.

vapor m. vapour; steam; *Naut.* steamboat, steamer. **/izar** tr. to vaporize. **/oso** adj. vaporous.

vapul/(e)ar tr. *coll.* to whip. **/eo** m. whipping.

vaquer/ía f. milkdairy; dairy-farm. **/iza** f. stable. **/o** m. cowboy.

var/a f. rod; (yard-)stick. **/adero** m. shipyard. **/ar** tr.; intr. *Naut.* to ground, to be stranded. **/ear** tr. to beat down fruit, to wound bulls with a goad.

varia/ble adj. variable. **/ción** f. variation; change. **/do** adj. variegated; assorted (sweets). **/r** tr. to change; to alter; intr. to vary, *Naut* to deviate.

varice. f. *Méd.* varix. **/la** *Med.* varicella.

variedad f. variety.

varilla f. small rod.

vario adj. different, pl. some, several.

varón m. male; man.

varonil adj. male; manly.

vasall/aje m. vassalage. **/o** adj. and m. vassal.

vascuence m. Basque (language).

vasija f. can, vessel.

vaso m. glass, tumbles.

vástago m. stem, sucker.

vasto adj. vast; large.

vat/o m. bard: poet. **/icinar** tr. to foretell. **/icinio** m. prediction.

vecin/al adj. vicinal; neighbouring; **camino** — country road. **/dad** f. neighbourhood. **/dario** m. neighbourhood. **/o** adj. neighbouring; adjoining; m. neighbour; citizen.

veda f. prohibition; close season. **/r** tr. to prohibit; to forbid.

vega f. (cultivated) plain.

vegeta/ción f. vegetation. **/l** adj. and m. vegetable. **/riano** adj. and m. vegetarian.

vehemen/cia f. vehemence. **/te** adj. vehement.

vehículo m. vehicle.

veinte adj. twenty.

veja/ción f. **/men** m. vexation, taunt. **/r** tr. to vex; to taunt.

veje/storio m. *coll.* fossil, geezer. **/te** m. *coll.* gaffer. **/z** f. old age.

vejiga f. bladder; blister.

vela f. vigil, wake(fulness), candle, sail, awning. **/da** f. watch, evening party. **/dor** m. watchman, lamp table. **/r** intr. to watch, to be awake; tr. to watch.

veleid/ad f. inconstancy. **/oso** adj. inconstant.

velero adj. *Naut.* swiftsailing; m. sailing chip.

veleta f. weather-cock; vane; s. fickle person.

velo m. veil, cover.

velocidad f. velocity; swiftness; speed; haste.

velódromo m. velodrome.

veloz adj. swift, quick.

vell/o m. down, nap. **/osidad** f. hairiness. **/oso**

adj. downy, fuzzy. **/udo** adj. downy, m. shag.

vena f. vein; blood vessel; *Min.* vein, seam.

venal adj. venal. **/idad** f. venality.

vencedor m. winner.

vencejo m. *Orn.* swift.

vencer tr. to win; intr. to fall due, to gain.

venci/ble adj. vincible. **/do** adj. subdued, due-payable. **/miento** m. *Com.* expiration.

vend/a f. bandage; split cloth. **/aje** m. bandage, dressing. **/ar** tr. to bandage, to hoodwink.

vendaval m. blow storm.

vend/edor m. seller, salesman. **/er** tr. to sell; **— al por mayor** to sell wholesale; **—er al por menor**, to sell retail. **/ido** adj. sold.

vendimia f. vintage. **/dor** s. vintager. **/r** tr. to gather the vintage.

veneno m. poison. **/so** adj. poisonous.

venera/ble adj. venerable. **/ción** f. veneration. **/r** tr. to venerate; to worship; to honour.

venéreo adj. venereal.

venga/dor m. avenger. **/nza** f. revenge, vengance. **/r** tr. to revenge, to avenge. **/rse** r. to take vengeance. **/tivo** adj. revengeful.

venia f. permission.

venial adj. venial.

venid/a f. arrival; coming. **/ero** adj. future; (forth)coming, next.

venir intr. to come, **— al caso,** to be relevant.

venta f. sale; inn.

ventaj/a f advantage. **/oso** adj. advantageous.

ventana f. window.

ventarrón m. wind-gust.

ventero m. inn-keeper.

venti/lación f. ventilation. **/lador** s. ventila-

tor, fan, *Naut.* air shaft. **/lar** tr. to ventilate; to fan; to air. **/sca** f. blizzard. **/quero** m. snowdrift, glacier.

vento/lera f. gust of wind. **/sa** f. vent, *Med.* cupping (glass). **/sear** intr. to break wind. **/sidad** f. flatulency. **/so** adj. windy.

ventrílocuo m. ventriloquist.

ventu/ra f. luck, risk. **/oso** adj. lucky.

venus f. a belle.

ver tr. to see. **/se** r. to find oneself, to be obvious, to meet.

vera f. edge; border.

veracidad f. veracity.

veran/ear intr. to summer, to estivate. **/eo** m. summering, estivation. **/iego** adj. summer; estival. **/o** m. summer-(season).

veras f. pl. truth.

veraz adj. veracious.

verbal adj. verbal; oral.

verbena f. wake, feast

verbo m. verb; speech. **/sidad** f. verbosity. **/so** adj. verbose; prolix.

verdad f. truth; verity. **/ero** adj. true; veritable.

verde adj. green; unripe obscene, m. green (colour); **viejo —** gay old dog.

verdo/r m. verdure. **/so** adj. greenish.

verdugo m. hangman, executioner; *Bot.* tiller.

verduler/a f. market-woman. **/o** m. greengrocer.

verdura m. verdure, greenness; vegetables.

vereda f. (by-)path. track.

verg/onzante adj. **/onzoso** adj. bashful; shameful. **/üenza** f. shame; shyness; pl. the genitals.

verídico adj. truthful.

verifica/ción f. verification. /**r** tr. to verify. /**r-se** r. to take place.

verja f. grate; railing.

vermut m. vermouth.

vernáculo adj. vernacular, native.

veros/ímil adj. likely. / **imilitud** f. verisimility.

verrug/a f. wart. /**oso** adj. warty.

vers/ado adj. versed; conversant (with). /**ar** intr. to treat of. /**átil** adj. versatile. /**atilidad** f. versatility. /**ificación** f. versification. /**ificar** tr. to versify. /**ión** f. version. /**o** m. verse; line.

vértebra f. vertebra.

vertebrado adj. vertebrate.

verte/dero m. dump. /**r** tr. to spill; to render.

vertical adj. vertical.

vértice m. vertex, apex.

verti/ente f. or m. slope. /**ginoso** adj. vertiginous.

vértigo m. giddiness.

vespertino adj. vesper(tine), evening.

vestíbulo m. vestibule; entrance hall.

vestido m. dress, clothes, costure; — **de etiqueta,** full dress adj. dressed, clad.

vestigio m. vestige.

vestimenta f. vestment.

vestir tr. to clothe; to dress; to disguise.

vestuario apparel, clothes, wardrobe; *Theat.* dressing-room.

veta f. vein; lode.

veterano adj. and m. veteran.

veterinari/a f. veterinary science, farriery. /**o** m. veterinary, horse-doctor.

veto m. veto.

vetusto adj. vetust.

vez f. time, turn.

vía f. way; road; track; — **férrea,** railway.

viaducto m. viaduct.

viaj/ante m. (commercial) traveller. /**ar** intr. to travel, to journey. /**e** m. journey; voyage; trip; travel. /**ero** m. traveller; passenger.

vianda f. viands; food.

viático m. viaticum.

víbora f. viper.

vibra/ción f. vibration; /**r** tr., intr. to vibrate.

vicar/ía f. vicarship; vicarage. /**io** m. vicar.

vice/almirante m. vice-admiral. /**cónsul** m. viceconsul. /**consulado** m. vice-consulate. /**presidente** m. vice-president.

vici/ar tr. to vitiate. / **arse** r. to indulge in vice. /**o** m. vice, waywardness (in childdren). /**oso** adj. vicious.

vicisitud adj. vicissitude.

víctima f. victim.

victori/a f. victory. /**oso** adj. victorious.

vid f. *Bot.* vine.

vida f. life, living.

vidente m. seer.

vidri/ado adj. glazed; m. glazing. /**ar** tr. to glaze. /**era** f. glass case. /**o** m. glass, window pane. /**oso** adj. glassy.

viejo adj. old; stale; ancient, m. old man.

viento m. wind; air.

vientre m. belly.

viernes m. Friday.

viga f. beam; girder.

vigente adj. in force.

vigía f. watch-tower; m. lookout.

vigila/ncia f. vigilance. adj. vigilant; m. watch-(man). /**r** tr. to watch over, intr. to keep guard.

vigilia f. vigil, watch.

vigor m. vigour. /**oso** adj. vigorous.

vil adj. vile, mean. /**eza** f. vileness. /**ipendiar** tr. to contemn. /**ipendio** s. contempt, scorn.

vill/a f. twon; villa, country-seat. **/ancico** m. Christmas carol. **/ano** adj. villainous; m. rustic, rascal. **/orrio** m. poor hamlet.

vina/gre m. vinegar. **/grera** f. vinegar-cruet. **/jera** f. wine vessel for the mass. **/tero** m. wine merchant. **/zo** m. strong wine.

vincular tr. to entail.

vínculo m. tie, bond.

vindica/ción f. vindication. **/r** tr. to vindicate; to defend.

✦ino s. wine, — **tinto** red wine.

viñ/a f. vineyard. **/edo** m. vineyard.

viñeta f. vignette.

violáceo adj. violaceous.

viol/ación f. violation, rape. **/ador** m. violator. **/ar** tr. to violate, to ravish. **/encia** f. violence. **/entar** tr. to force. **/ento** adj. violent.

violeta f. violet.

violín m. violín, fiddle.

violinista m. violinist; fiddler.

violón m. double bass.

violoncelo m. (violon)cello, bass-viol.

virar tr. Naut. to tack.

virg/en adj. virgin, maiden; f. virgin, maid. **/inal** adj. virginal. **/inidad** f. viginity. **/o** m. virginity, hymen.

viril adj. virile; manly. **/idad** f. virility.

virre/ina viceroy's wife. **/y** m. viceroy.

virtu/al adj. virtual, actual. **/d** f. virtue. **/oso** adj. virtuous.

viru/ela f. small-pox. **/lencia** f. virulence. **/lento** adj. virulent. **/s** m. virus, poison.

viruta f. (wood) shaving.

visa/do m. visa. **/je** m. grimace. **/r** tr. to visé.

visceras f. pl. viscera, entrails.

viscos/idad f. visc(os)ity. **/o** adj. viscous; slimy.

visera f. eye-shade, blinker, vizor (of a cap).

visi/bilidad f. visibility. **/ble** adj. visible. **/ón** f. sight; vision, spectre. **/onario** adj. and m. visionary. **/ta** f. visit; call; visitor. **/tar** tr to visit; to call (up)on. **/tarse** r. to go to the doctor.

vislumbrar tr. to glimpse.

viso m. eminence; prospect; (woman) slip.

visón m. mink.

víspera f. eve, day before.

vist/a f. sight; view. **/azo** m. glance. **/oso** adj. showy.

visual adj. visual.

vital adj. vital. **/icio** adj. during life; m. life-insurance. **/idad** s. vitality.

vitorear tr. to cheer.

vitrina f. show-case.

vitualla f. victuals; food.

vituper/able adj. vituperable. **/ar** tr. to blame. **/io** m. vituperation.

viud/a f. widow. **/edad** r. dower. **/ez** f. widowhood. **/o** m. widower.

viva f. hurrah, cheer, interj. long live! **/c** m. bivouac. **/cidad** f. vivacity. **/que** m. bivouac. **/quear** intr. to bivouac. **/racho** adj. **/z** adj. lively.

víveres m. pl. provisions.

vive/ro m. Bot. nursery fish-pond, vivarium. **/za** f. liveliness; briskness.

vívido adj. vivid.

vivi/dor adj. thrifty, m. fast liver. **/enda** f. dwelling-house. **/ente** adj. adj. living. **/ficar** tr. to vivify. **/r** intr. to live; m. life, living.

vivo adj. alive; living; lively; intense; quick.

vizcaíno adj. and m. Biscayan.

voc/ablo m. word; term. **/abulario** m. vocabulary. **/ación** f. vocation, call(ing). **/al** adj. vocal; f. vowel; m. voting member. **/alizar** intr. to vocalize. **/ear** tr. and intr. to cry out. **/ería** f. vociferation. **/iferar** intr. to vociferate.

vola/dizo adj. projecting. **/do** m. sponge-sugar. **/dor** adj. flying; m. flyingfish. **/dura** f. blasting. **/nte** flying, wandering; (motorcar) steering wheel. **/r** intr. to fly; tr. to blast. **/tería** f. fowling.

volátil adj. volatile.

vol/cán m. volcano. **/ánico** adj. volcanic.

volcar tr. to overturn, intr. to upset. **/se** r. to topple, to spill.

voleo m. lob, volley.

voli/ción f. volition. **/tivo** adj. volitive.

volquete m. dumpcart, dump truck, dumping device.

voltaje m. Elec. voltage.

volte/ar tr. to whirl; to upset; intr. to roll over. **/reta** f. tumble.

volub/ilidad f. volubility. **/le** adj. inconstant.

volum/en m. volume; size. **/inoso** adj. bulky.

volunta/d f. will; intention. **/riedad** f. free will. **/rio** adj. voluntary; willing, m. Mil. volunteer. **/rioso** adj. wilful.

voluptuos/idad f. voluptuousness. **/o** adj. voluptuous.

volver tr. to turn (up, over, upside down or inside out), to give back, intr. to return, to revolve. **/se** r. to turn, to become, to grow.

vomit/ar intr. to vomit. **/ivo** adj. vomit(ing).

vomitona m. coll. violent vomiting.

voracidad f. vorarity.

voraz adj. voracious.

vos pron. you (singular). **/otros** pron. you (plural).

vot/ación f. voting. **/ante** s. voter. **/ar** intr. to vote. **/ivo** adj. votive. / **o** m. vote, vow.

voz f. voice; word.

vuelco m. overturn.

vuelo m. flight; sweep.

vuelta f. turn; return, reverse; stroll, walk.

vuestro pron. your(s).

vulcanizar tr. to vulcanize.

vulg/ar adj. vulgar. **/aridad** vulgarity. **/arizar** tr. to popularize. **/o** m. mob.

vulnera/ble adj. vulnerable. **/r** tr. to damage.

xen/ofobia f. xenophobia. **/ófobo** adj. hater of strangers, xenophobe.

xilogr/afía f. xylography. **/áfico** adj. xylographic. **xilórgano** m. xylophone.

Y

y conj. and.

ya adv. already; now.

yac/ente adj. lying. /**er** intr. to lie (down). /**imiento** m. bed; deposit, field, layer.

yanqui adj. and. m. Yankee.

yantar m. food, viands.

yarda f. English yard, yard-stick.

yate m. *Naut.* yacht.

yedra f. *Bot.* ivy.

yegua f. mare.

yema f. bud; yolk of egg.

yerba f. grass, herb.

yermo adj. waste, desert, m. desert, waste land.

yerno m. son-in-law.

yerro m. error; mistake.

yerto adj. stiff; rigid.

yeso m. gypsum; plaster; chalk; plaster cast. /**so** adj. gypseous.

yo pron. I; m. (philosophy I, the self, the ego.

yodo m. iodine.

yugo m. (ox-)yoke.

yugular f. *Anat.* jugular vein; tr. to cut off.

yunque m. anvil.

yunta f. couple; pair.

yuxtapo/ner tr. to juxtapose. /**sición** f. juxtaposition.

Z

zafa/rse r. to escape; to avoid. /**rrancho** m. *Naut.* clearing for action, *coll.* wrangle.

zaño adj. rough; coarse.

zafir(o) m. sapphire.

zaga f. rear (part).

zagal m. shepherd; swain.

zaguán m. vestibule.

zaguero adj. rear, hind.

zaherir tr. to reproach.

zahorí s. diviner.

zahurda f. (pig-)sty.

zalamer/ia f. flattery. /**o** m. wheedler.

zambo adj. knock-kneed.

zambra f. feast, din.

zambulli/da, /dura f. diving, plunge. **r** tr. to duck. /**rse** r. to dive.

zampar tr. to devour eagerly, to slip away.

zanahoria f. *Bot.* carrot.

zanc/a f. long shank or leg. /**ada** f. long stride. /**adilla** f. trip (up).

zanc/o m. stilt. /**udo** adj. long-shanked; f. pl. waders.

zanganería f. idleness.

zángano m. drone; *coll.* idler, sluggard.

zanja f. ditch; trench. / **r** tr. to excavate ditches; to settle disputes.

zapa f. spade. *Mil.* sapping. /**dor** m. *Mil.* sapper. /**pico** m. pick-(axe). /**r** intr. to sap.

zapat/ear tr. to beat time with the feet, /**eria** f. shoe maker's shop, /**ero** m. shoemaker, shoe dealer. /**eta** f. caper. / **illa** f. eslipper. /**o** m shoe.

zar m. czar.

zarandajas f. pl. trifles.

zarande/ar tr. to winnow; to sift. /arse r. to move to and fro. /o sifting.

zarina f. czarina.

zarpa f. paw, claw; weighing anchor. /r tr. to weigh anchor. /zo m. clawing, thud.

zarrapastroso adj. ragged; dirty, slovenly.

zarza f. bramble; blackberry-bush. /l m. brake, /mora f. Bot. blackberry. /parrilla f. Bot. sarsaparrilla.

zarzuela Theat. zarzuela, musical comedy.

zascandil m. meddler.

zepelín s. zeppelin.

zigzag m. zigzag. /uear intr. to zigzag.

zipizape m. row, scuffle.

zis, zas coll. swish-swash.

zócalo m. socle, socket.

zodíaco m. zodiac.

zona f. zone; girdle.

zool/ogía f. zoology. /ógico adj. zoological.

zopenco adj. doltish; dull; m. blokhead.

zoquete m. block, chunk, coll. blockhead.

zorr/a f. she-fox, slyboots, coll. prostitute. /ería f. artfulness (of a fox). /o m. male fox, foxy fellow; pl. duster, adj. cunning, foxy.

zote adj. and. m. stupid.

zozobra f. worry, anxiety, Naut sinking, foundering /r intr. to founder; to sink, to fret.

zueco m. wooden shoe; clog; sabot.

zumb/a f. joke, humbug. /ar intr. to buzz, tr. to jest; to beat. /ido m. hum(ming), blow. /ón adj. waggish; facetious; m. wag, jester.

zumo m. sap; juice; profit. /so adj. juicy.

zurci/do m. darning; mend. /r tr. to darn.

zurdo adj. left-handed.

zurra f. currying; flogging; hiding; scuffle. /r tr. to curry; to tan; to spank, to drub.

zurriag/ar tr. to flog. /azo m. whipping. /o m. whip, lash.

zurrón m. sheperd's pouch, game-bag.

zutano m. So-and-so.

Indice de materias

Frases corrientes

Buenos días. Good morning.
Buenas tardes. Good afternoón.
Buenas noches. Good evening.
¿Cómo está usted? How are you?
Bien. Muy bien. Well. Very well.
Perfectamente. Quite well.
¿Qué dice usted? What did you say?
Tiene usted razón. You are right.
Es cierto. It's true.
Es usted muy bondadoso. You are very kind.
Haga usted el favor. Please.
No se moleste usted. Don't trouble.
Muchas gracias. Thanks very much.
De nada. You are wellcome.
Otra vez será. It'll be for another time.
Con mucho gusto. With great pleasure.
Dispénseme usted. Sorry!
Usted perdone. I berg your pardon
Se lo ruego. Please.
Siento molestarle a usted. Sorry to trouble you.
Llámeme por teléfono. Phone me.
¿Cómo se llama usted? What is your name?
¿Dónde vive? Where do you live?
¿Ha comprendido usted? Have you understood?
No le comprendo. I don't understand.

— 3 —

Oiga usted. I say!

Me asombra usted. You astonish me.

Se equivoca usted. You are mistaken.

Espere usted. Wait.

Estupendo. Magnificent.

Le felicito. Congratulations!

Feliz cumpleaños. Happy birthday! Many happy returns!

Felices Pascuas de Navidad. Happy Christmas!

Feliz Año Nuevo. Happy New Year!

Se lo agradezco. I am very grateful.

En la aduana

La aduana. The Customs.

El policía. The policeman.

La matrona. The matron (female officer).

El equipaje. The luggage.

El baúl. The trunk.

La maleta. The suit case.

La revisión. The inspection.

El pasaporte. The passport.

¿Hay algo que pague derechos? Is there anything dutiable.

No, señor; todos son artículos libres de derechos. No, sir. All these things are duty free.

En el hotel

Hotel de primera, de segunda, de tercera. First, second, third class hotel.

Residencia. Residence.
Pensión. Boarding House.
El vestíbulo. The hall.
El portero. The porter.
El conserje. The clerk.
El camarero. The walter.
La camarera. The waitress.
El ascensor. The lift.
El comedor. The dining room.
El fumador. The smoking room.
Las habitaciones. The rooms.
Las habitaciones interiores y exteriores.
  The inner and outer rooms.
El cuarto de baño. The bath room.
El televisor. The televisor.
La oficina de recepción. The reception office.
Deseo una habitación con una cama. I
  want a single bedded room.
**Deseo una habitación con una cama y
  cuarto de baño.** I want a single bedded
  room and a bath room.
Quisiera dos habitaciones con baño. I
  would like two rooms with a bath.
Mi nombre y apellido son... My name and
  surname are...
Soltero. Casado. Viudo. Married, single,
  widower.
Haga subirme el equipaje. Have my luggage sent up.

Las comidas

El menú o la minuta. The menu, the card.
Camarero, déme la carta. Walter, give me
  the menu, please.
El comedor. The dining room.

LISTA DE PLATOS

Entremeses

Entremeses. Hors d'œuvres.
Aceitunas. Olives.
Anchoas. Anchovies.
Chorizo. Pork sausage.
Jamón. Ham.
Mantequilla. Butter.
Mortadela. Mortadella (sausage).
Ostras. Oysters.
Salchichón. Sausage.
Sardinas. Sardines.

Sopas

Arroz. Rice.
Caldo, consomé. Broth, consommé.
Fideos. Broad beans.
Pan. Bread.

Legumbres y verduras

Legumbres y verduras. Vegetables and greens.
Cebollas. Onions.
Coles. Cabbage.
Coliflor. Cauliflower.
Espárragos. Asparagus.
Espinacas. Spinach.
Garbanzos. Chick peas.
Habas. Broad beans.
Judías tiernas. Beans dried. fresh.
Lechuga. Lettuce.
Lentejas. Split peas.
Patatas. Potatoes.
Setas. Mushrooms.

Pastas

Pastas. Paste.
Canelones. «Caneloni».
Espagueti. Vermicelli.
Macarrones. Macaroni.
Raviolis. Ravioli.

Huevos

Huevos. Eggs.
Duros. Hard.
Fritos. Fried.
Pasados por agua. Boiled.
Tortilla. Omelet.

Aves y caza

Aves y caza. Game and Poultry.
Becada. Woodcock.
Codorniz. Quail.
Conejo. Rabbit.
Liebre. Hare.
Pato. Duck.
Pavo. Turkey.
Perdiz. Partridge.
Pichón. Pigeon.
Pollo. Chicken.

Pescados y mariscos

Almejas. Muscles.
Anguilas. Eels.
Atún. Tunny.
Bacalao. Cod.
Bonito. Gilthead.
Calamares. Squids.
Gambas (fritas o a la plancha). Shrimps
 (fried or grilled).
Langosta. Lobster.

Langostinos. Prawns.
Mejillones. Mussels.
Merluza. Hake.
Mero. Jewfish.
Percebes. Barnicles.
Pescadilla. Small fry.
Pulpos. Squids.
Salmón. Salmon.
Salmonete. Red mullet.
Truchas. Trout.

Carnes y asados

Buey. Beef.
Cerdo. Pork.
Cordero. Mutton.
Ternera. Veal.
Vaca. Cow.
Costillas de cerdo. Pork chops.
Filetes de ternera. Fillet of veal.
Empanada de ternera. Veal pie.
Chuleta de cordero. Lamb cutlet.
Filete de buey, bistec. Fillet of beef, beaf steak.
Pierna de cordero. Lamb's foot.
Lomo de cerdo. Loin of pork.
Lomo de ternera. Loin of veal.
Asado. Roast.
Callos. Tripe.
Lechón. Sweetbread.
Lengua. Tongue.
Riñones. Kidneys.
Sesos. Brain.
Asado de vaca con puré de patatas. Roast cow with mashed potatoes.
Bistec con ensalada. Beef steak and salad.
Chuleta de carnero con patatas. Veal cutlet and potatoes.
Pollo. Chicken.

Quesos

Camembert. Camembert.
Gruyére. Gruyère.
Holanda. Dutch cheese.
Roquefort. Roquefort.
Suizo. Swiss cheese.
Manchego. Manchego.
Mahón. Mahón.
Roncal. Roncal.
Cabrales. Cabrales.

Postres y helados

Dulces. Sweets, pudding.
Flan/Crema. Custard.
Fruta. Fruit.
Helados. Ices.
El café. The coffee.
El té. The tea.
El azúcar. The sugar.
El licor. The liqueur.

Platos típicos españoles

Paella valenciana. Paella.
Cocido madrileño. Madrid hot pot.
Pote gallego. Galician hot pot.
Gazpacho andaluz. Andaluosian vegetabls soup.
Fabada asturiana. Asturian beans.
Callos a la madrileña. Tripes «à l'spagnole».
Bacalao a la vizcaína. Basque cad fish.
Butifarra con judías. Beans and sausage.
Cochinillo asado. Roosted pork.
Tortilla de patatas. Potatoes omelet.
Escudella catalana. Catalan hot pot.
Sopa de ajo. Garlic soup.
Ternasco. Roasted lamb.

Salsas y condimentos

Romescu. Romescu (catalan sauce).
Vinagre. Vinegar.
Aceite. Oil.
Mostaza. Mustard.
Pimienta. Pepper.
Sal. Salt.
Salero. Salt pot.
Salsa de tomate, de carne. Tomato sauce, meat sauce.
Mayonesa. Mahonaise.

Bebidas

Vino. Wine.
Vino blanco, tinto, rosado. White, red, rosé wine.
Vino seco. Dry wine.
Vino de la casa. Plain wine.
Medio litro de vino. Half liter of wine.
Champán. Champaín.
Dulce, seco, semiseco, brut. Sweet, dry, semi-sec, brut.
Cerveza (dorada, negra). Beer (light, black).
Agua. Water.
Agua mineral. Mineral water.

El bar

El mostrador, la barra. The counter, the bar.
El taburete. The stool.
El camarero. The waiter.

El aperitivo. The aperitive.

Las tapas. The snacks.

El refresco. The refreshment.

Los licores. The spirits.

Estomacal. Pickme up.

Coñac. Cognac.

Ginebra. Gin.

Ron. Rum.

Güisqui. Whisky.

La bandeja. The tray.

La botella de agua. The bottle of water.

El vaso. The glass.

La copa, la copita. The wine glass. The liqueur glass.

La taza. The cup.

La cucharilla. The tea spoon.

El azúcar. The sugar.

La cafetera exprés. The express coffee pot.

La jarra, el doble, la caña de cerveza. The jug, the pint, the half pint of beer.

Cerveza de barril. Barrel beer.

Un combinado. A cocktail.

Un zumo de naranja, de limón. Orange, lemon juice.

Un combinado, un cóctel. A half and half, a cocktail.

Hielo. Ice.

Una taza de chocolate. A cup of chocolate.

Una limonada. A lemonade.

Zumo de naranja con agua, con soda. Orange juice with water, with soda.

Zumo de fruta. Fruit juice.

El helado. The ice.

El teléfono. The telephone.

La salud

La salud. Health.
La cabeza. The head.
El estómago. The stomach.
El corazón. The heart.
El hígado. The liver.
Dolor de cabeza. Headake.
Dolor de estómago. Stomach pain.
Ataque al corazón. Heart attack.

EL MÉDICO

El hospital. The hospital.
La enfermera. The nurse.
Tengo muchos dolores de cabeza. I've often head-ache.
Dolor de garganta. A sore throat.
Dolor de estómago. A stomach ache.
Dolor de hígado. A bad liver.
Quiero ver a un doctor. I want to see a doctor.
Tengo fiebre. I have fever.
Siento un dolor aquí. I have a pain here.
Tengo diarrea. I have diarrhoea.
Siento ardor en el estómago. I feel a burning pain in the stomach.
Toso mucho. I cough a lot.
Estoy muy resfriado. I have a bad cold.
No tengo apetito. I have no appetite.
Quiero purgarme. I want a purgative.

EL DENTISTA

En el dentista. To the dentist's.
La dentadura. The denture.

El flemón. The gam-boil.
Me duele este diente. I've a tooth ache.
Me duelen las muelas. Jaw-tooth pain.

LA FARMACIA

El calmante. The sedative.
El desinfectante. The desinfectant.
La venda. The splitt cloth.
El algodón. The cotton.
La gasa. The chiffon.
Los pañuelos de papel. The kleenex.

El banco

En el banco. At the bank.
Los billetes. The bank notes.
La moneda fraccionaria. Small change.
Cheque de turismo. Tourist cheques.
Cheque de viaje. Travellers cheques.
Pagar. To pay.
Cobrar. To cash.

De compras

PRENDAS DE CABALLERO

Abrigo. Overcoat.
Americana. Jacket.
Calcetines. Socks.
Calzoncillos. Pants.
Camisa. Shirt.

Camiseta. Vest.
Cinturón. Belt.
Corbata. Tie.
Gabardina. Trench coat.
Impermeable. Rain coat.
Jersey. Jersey.
Pantalón. Trousers.
Pantalón de deporte. Sports trousers.
Pantalón de esquí. Skiing trousers.
Pantalón corto. Shorts.
Pañuelos de bolsillo. Pocket handkerchiefs.
Pijama. Pyjamas.
Zapatos negros, marrones, combinados. Black, brown, two-colour shoes.

PRENDAS DE SEÑORA

Blusa. Blouse.
Bolso. Bag.
Bragas. Drawers.
Camisón. Night gown.
Faja. Sash.
Falda. Skirt.
Gabardina. Rain coat.
Monedero. Purse.
Medias. Stockings.
Pañuelos. Handkerchiefs.
Sostenes, sujetadores. Brassieres.

EN LA CAMISERÍA

Deseo dos camisas blancas y otras dos de color. I want two white shirts and two coloured ones.

Quisiera una camisa algo típica, como recuerdo. I want a rather typical shirt, as a souvenir.

El cuello me va un poco justo. The collar is a little tight.

LA SASTRERÍA

Desearía un traje de entretiempo. I want a spring suit.

Azul marino, gris, marrón, Navy blue, gray, brown.

Algodón. Cotton.

Seda natural. Natural silk.

Lana. Wool.

Estambre. Worsted.

Hilo. Linen.

Poliester. Polyester.

Nylón. Nylon.

De punto. Knitted.

Escotado, no escotado. Décolleté, not base-necked.

Con mangas, sin mangas. With sleeves, without sleeves.

Mangas largas, cortas. Long sleeves, short sleeves.

Abierto, cerrado. Opened, closed.

Me lo probaré. I'll try it on.

Deseo también un abrigo. I want an overcoat, too.

Entretiempo. Half season.

Invierno. Winter.

De vestir. Dress.

FOTOGRAFÍA

El aparato fotográfico. The camera.

Películas: infrarroja, pancromática, pancromática supersensible al rojo, ortocromática. Films: infra-red, panchromatic, panchromatic supersensitive to red, orthochromatic.

Película en colores. Colour film.

Haga el favor de revelar este rollo y sacar una copia de cada fotografía. Please develop this reel and make a copy of each photo.

EL TABACO

El paquete de cigarrillos. The packet of cigarettes.

Con filtro, sin filtro. With filtre, without filtre.

La caja de puros. The box of cigars.

El gas para el encendedor. The gas for the lighter.

El encendedor, el mechero. The lighter.

Las cerillas, los fósforos. The matches.

La boquilla. The cigarette holder.

La pipa. The pipe.